# O que estão dizendo sobre Use a Cabeça!

 A Amazon escolheu Use a Cabeça! Java como Top Ten Editor's Choice for Computer Books of 2003 (primeira edição)

 A Software Development Magazine indicou Use a Cabeça! Java para finalista do 14th Annual Jolt Cola/ Product Excellence Awards

"O livro 'Use a Cabeça! Java', de Kathy e Bert, transformará a página impressa na coisa mais próxima de uma GUI que você jamais viu. De uma maneira divertida e moderna, os autores tornam o aprendizado de Java uma experiência envolvente do tipo 'o que eles vão inventar agora?'."

– **Warren Keuffel, Software Development Magazine**

"... a única maneira de saber o valor de um tutorial é comprovar se ele é eficiente em ensinar. Use a Cabeça! Java sobressai-se ao ensinar. Certo, achei infantil, porém percebi que estava entendendo completamente os tópicos enquanto percorria o livro."

"O estilo de Use a Cabeça! Java tornou o aprendizado, digamos, mais fácil."

– **slashdot (resenha de um alternativo sério)**

"Além do estilo atraente que o conduzirá de leigo ao status de defensor exaltado da Java, Use a Cabeça! Java aborda várias questões práticas que outros livros deixam de lado, como o temível 'exercício para o leitor...'. É inteligente, ousado, moderno e prático - não existem muitos livros que conseguem alegar isso e sustentar a alegação enquanto ensinam a serialização de objetos e protocolos de inicialização de rede."

– **Dr. Dan Russell, Diretor do User Sciences and Experience Research IBM Almaden Research Center (e que ensina Inteligência Artificial na Universidade de Stanford)**

"É rápido, irreverente, divertido e interessante. Tome cuidado - você pode realmente aprender algo!"

– **Ken Arnold, ex-engenheiro sênior da Sun Microsystems Co-autor de "A Linguagem de Programação Java" (com James Gosling, criador do Java)**

"A tecnologia Java está em todos os lugares - se você for desenvolvedor de softwares e não tiver aprendido Java, definitivamente chegou a hora de mergulhar - de cabeça."

– **Scott McNealy, Presidente, conselheiro e CEO da Sun Microsystems**

"Use a Cabeça! Java é como o Monty Python encontrando a gangue dos quatro... O texto é tão bem dividido por quebra-cabeças e histórias, testes e exemplos, que você abordará terreno como em nenhum outro livro de computação."

– **Douglas Rowe, Grupo de Usuários Java de Columbia**

## Elogios a Use a Cabeça! Java

"Leia Use a Cabeça! Java e você passará a experimentar novamente a diversão ao aprender... Para pessoas que gostam de aprender novas linguagens, e não têm experiência em ciência da computação e programação, este livro é uma jóia... É um livro que torna divertido o aprendizado de uma linguagem de computador complexa. Espero que haja mais autores querendo deixar o velho molde dos estilos de escrita 'tradicionais'. Aprender linguagens de computação deve ser divertido e não difícil."

– **Judith Taylor, Southeast Ohio Macromedia User Group**

"Se você quer aprender Java, não procure mais: bem-vindo ao primeiro livro técnico baseado em GUIs! Este formato inovador e bem-elaborado fornece benefícios que outros textos sobre Java simplesmente não conseguem... Prepare-se para uma jornada realmente notável pelo universo do Java."

– **Neil R. Bauman, Capitão & CEO, Geek Cruises (www.GeekCruises.com)**

"Se você for relativamente iniciante em programação e estiver interessado em Java, aqui está seu livro... Abordando tudo, dos

objetos à criação de interfaces gráficas de usuário (GUI, graphical user interface), da manipulação de exceções (erros) às redes (soquetes) e segmentação múltipla, e até mesmo o empacotamento de sua pilha de classes em um arquivo de instalação, este livro é bem completo... Se você aprecia esse estilo, estou certo de que amará o livro e, como eu, desejará que a série Use a Cabeça! se estenda a muitos outros assuntos!"

– **LinuxQuestions.org**

"Fiquei viciado nos contos, códigos comentados, entrevistas engraçadas e exercícios mentais."

– **Michael Yuan, autor, Enterprise J2ME**

" 'Use a Cabeça! Java'...dá um novo sentido à frase de marketing 'Há sempre um O'Reilly para isso'. Adquiri este livro porque várias pessoas que respeito o descreveram com termos como 'revolucionário', dizendo que era uma abordagem totalmente diferente para um livro. O resultado é engraçado, irreverente, atual, interativo e brilhante... Ler este livro é como sentar na sala de espera de uma conferência, aprendendo – e rindo – com colegas... Se você quiser ENTENDER Java, compre-o."

– **Andrew Pollack, www.thenorth.com**

"Se há alguém no mundo familiarizado com o conceito de 'Use a Cabeça!', provavelmente sou eu. Este livro é tão bom, que me casaria com ele na TV!"

– **Rick Rockwell, comediante**
**O noivo original do programa de televisão da Fox "Who wants to marry a millionaire"**

"Esse negócio é tão estranhamente bom que me faz querer CHORAR! Estou perplexo."

– **Floyd Jones, autor sênior de textos técnicos/Poolboy, BEA**

"Alguns dias atrás recebi minha cópia de Use a Cabeça! Java de Kathy Sierra e Bert Bates. Li apenas parte do livro, mas o que me surpreendeu é que, mesmo não tendo conseguido dormir naquela primeira noite, me vi pensando: 'Certo, só mais uma página, então irei para a cama.'"

– **Joe Litton**

## Elogios a outros livros da série Use a Cabeça! de co-autoria de Kathy e Bert

 A Amazon escolheu Use a Cabeça! Servlets como Top Ten Editor's Choice for Computer Books of 2004 (primeira edição)

 A Software Development Magazine indicou Use a Cabeça! Servlets e Use a Cabeça! Design Patterns como finalistas do 15th Annual Product Excellence Awards

"Sinto-me como se milhares de livros tivessem sido tirados de cima de minha cabeça."

– **Ward Cunningham, inventor do Wiki e fundador do Hillside Group**

"Ri, chorei, fiquei comovido."

– **Dan Steinberg, editor-chefe, java.net**

"Minha primeira reação foi rolar no chão de tanto rir. Depois de me refazer, percebi que este livro não é apenas altamente preciso, e sim que se trata da melhor obra de introdução já publicada sobre padrões de projeto."

– **Dr. Timothy A. Budd, professor associado de ciência da computação na Universidade do Estado do Oregon e autor de vários livros, inclusive C++ for Java programmers**

"O tom preciso para o codificador genial e casual guru que existe em todos nós. A obra de referência certa para estratégias práticas de desenvolvimento – este livro me fez acompanhar o assunto sem a necessidade de agüentar a ultrapassada e cansativa ladainha acadêmica."

– **Travis Kalanick, fundador do Scour and Red Swoosh e membro do MIT TR100**

"FINALMENTE – um livro sobre Java escrito da maneira que eu escolheria se eu fosse eu mesmo. Falando sério – este livro definitivamente deixa para trás qualquer outro livro sobre software que já li... Um bom livro é muito difícil de escrever; é preciso muito tempo para deixar as coisas se desdobrarem em uma seqüência natural, "orientada ao leitor". É muito trabalhoso. A maioria dos autores claramente não está à altura do desafio. Parabéns à equipe do Use a Cabeça! EJB por um trabalho de primeira classe!

> **– Wally Flint**

"Não poderia imaginar uma pessoa sorrindo ao estudar um livro de TI! Usando os materiais do Use a Cabeça! EJB, acertei bastante (91%) e consegui um recorde mundial como o mais jovem SCBSD, 14 anos."

> **– Afsah Shafquat (SCBCD mais jovem do mundo)**

"O livro Use a Cabeça! Servlets é tão bom quanto o Use a Cabeça! EJB, que me fez rir E acertar 97% do exame!"

> **– Jef Cumps, consultor de J2EE, Cronos**

**Outros títulos da Série Use a Cabeça!**

Use a Cabeça Java
Use a Cabeça Análise & Projeto Orientado a Objetos (A&POO)
Use a Cabeça Ajax Iniciação Rápida
Use a Cabeça HTML com CSS e XHTML
Use a Cabeça Padrões de Projeto
Use a Cabeça Servlets e JSP
Use a Cabeça PMP
Use a Cabeça SQL
Use a Cabeça Desenvolvimento de Software
Use a Cabeça JavaScript
Use a Cabeça C#
Use a Cabeça PHP & MySQL (2009)
Use a Cabeça Física (2009)
Use a Cabeça Algebra (2009)
Use a Cabeça Ajax Profissional (2009)
Use a Cabeça Estatística (2009)
Use a Cabeça Ruby on Rails (2009)

# Use a Cabeça! Java™

Tradução da segunda edição

Kathy Sierra
Bert Bates

ALTA BOOKS
EDITORA
Rio de Janeiro • 2010

**Use a cabeça! Java 2ª Edição**

*Do original Head First Java Copyright © 2005, 2007 de Editora Starlin Alta Con. Com. LTDA*
*Authorized translation of the English edition of Head First Java © 2007 Kathy Sierra and Bert Bates. This translation is published and sold by permission of O'Reilly Media, Inc., the owner of all rights to publish and sell the same. PORTUGUESE language edition published by Editora Starlin Alta Con. Com. LTDA Copyright © 2009 by Editora Starlin Alta Con. Com. LTDA.*

*Esta reimpressão recebeu "Orelhas" na capa, e algumas fontes e estilos de projeto gráfico foram trocados.*

Todos os direitos reservados e protegidos pela Lei 5988 de 14/12/73. Nenhuma parte deste livro, sem autorização prévia por escrito da editora, poderá ser reproduzida ou transmitida sejam quais forem os meios empregados: eletrônico, mecânico, fotográfico, gravação ou quaisquer outros. Todo o esforço foi feito para fornecer a mais completa e adequada informação, contudo a editora e o(s) autor(es) não assumem responsabilidade pelos resultados e usos da informação fornecida. Recomendamos aos leitores testar a informação, bem como tomar todos os cuidados necessários (como o backup), antes da efetiva utilização. Este livro não contém CD-ROM, disquete ou qualquer outra mídia.

**Erratas e atualizações:** Sempre nos esforçamos para entregar a você, leitor, um livro livre de erros técnicos ou de conteúdo; porém, nem sempre isso é conseguido, seja por motivo de mudança de software, interpretação ou mesmo quando alguns deslizes constam na versão original de alguns livros que traduzimos. Sendo assim, criamos em nosso site, www.altabooks.com.br, a seção Erratas, onde relataremos, com a devida correção, qualquer erro encontrado em nossos livros.

**Avisos e Renúncia de Direitos:** Este livro é vendido como está, sem garantia de qualquer tipo, seja expressa ou implícita.

**Marcas Registradas:** Todos os termos mencionados e reconhecidos como Marca Registrada e/ou comercial são de responsabilidade de seus proprietários. A Editora informa não estar associada a nenhum produto e/ou fornecedor apresentado no livro. No decorrer da obra, imagens, nomes de produtos e fabricantes podem ter sido utilizados, e desde já a Editora informa que o uso é apenas ilustrativo e/ou educativo, não visando ao lucro, favorecimento ou desmerecimento do produto/fabricante.

**Produção Editorial: Starlin Alta Con. Com. LTDA**
**Coordenação Editorial: Marcelo Utrine**
**Coodenador Adminstrativo e Contratação: Anderson Câmara**
**Tradução: Aldir José Coelho**
**Revisão Gramatical: Gustav Schmid**
**Revisão Técnica 1ª Edição: Késsia Nina - Licenciatura em Computação pela Universidade de Brasília (UNB)**
**Revisão Técnica 2ª Edição: Helder Pereira Borges - Professor do Departamento Acadêmico de Informática (DAI) do CEFET-MA**
**Diagramação e Fechamento: Equipe Alta Books**

*Impresso no Brasil*

*O código de propriedade intelectual de 1º de Julho de 1992 proíbe expressamente o uso coletivo sem autorização dos detentores do direito autoral da bem como a cópia ilegal do original. Esta prática generalizada nos estabelecimentos de ensino, provoca uma brutal baixa nas vendas dos livros a pon impossibilitar os autores de criarem novas obras.*

Rua Viúva Cláudio, 291 – Bairro Industrial do Jacaré
Rio de Janeiro – RJ. CEP: 20970-031
Tel: 21 3278-8069/ Fax: 3277-1253
www.altabooks.com.br
e-mail: altabooks@altabooks.com.br

À nossa mente, por estar sempre presente
(apesar de qualquer prova em contrário)

# Criadores da série Use a Cabeça!

*Kathy Sierra*

*Bert Bates*

**Kathy** tem interesse no ensino de teoria desde quando era projetista de jogos (criou jogos para a Virgin, MGM e Amblin'). Ela desenvolveu grande parte do formato Use a Cabeça! enquanto ensinava Criação em Nova Mídia no programa de extensão em Estudos de Entretenimento da UCLA. Recentemente foi instrutora mestre na Sun Microsystems, preparando os professores da Sun para ensinar as tecnologias Java mais novas, e foi a principal criadora de vários exames de certificação da Sun para programadores e desenvolvedores Java. Junto com Bert Bates, tem usado ativamente os conceitos do *Use a Cabeça! Java* para instruir centenas de professores, desenvolvedores e até não-programadores. Também foi a fundadora de um dos maiores sites Web de comunidade Java do mundo, o javaranch.com, e do blog Creating Passionate Users.

Além deste livro, Kathy foi co-autora de *Use a Cabeça! Servlets*, *Use a Cabeça! EJB* e *Use a Cabeça! Design Patterns*.

Em seu tempo livre ela aprecia seu novo cavalo islandês, gosta de esquiar, correr e da velocidade da luz.

kathy@wickedlysmart.com

**Bert** é desenvolvedor e projetista de softwares, mas a experiência de uma década em inteligência artificial direcionou seu interesse para o ensino de teoria e para treinamentos baseados em tecnologia. Desde então tem ensinado programação para clientes. Recentemente, foi membro da equipe de desenvolvimento de vários exames de certificação em Java da Sun.

Ele passou a primeira década de sua carreira em softwares viajando pelo mundo para ajudar clientes de radiodifusão como a Radio New Zealand, o Weather Channel e a Arts & Entertainment Network (A & E). Um de seus projetos favoritos foi construir a simulação completa de um sistema de ferrovias para a Union Pacific Railroad.

Bert é um adepto inveterado do player GO e há muito tempo trabalha em um programa Go. Ele é um guitarrista razoável que agora passou para o banjo e gosta de se divertir esquiando, correndo e tentando adestrar (ou ser adestrado por) seu cavalo islandês Andi.

Bert foi co-autor dos mesmos livros que Kathy e está trabalhando muito na próxima remessa (consulte o blog para ver as atualizações).

Você pode encontrá-lo no servidor Go IGS (sob o login *jackStraw*).

terrapin@wickedlysmart.com

Embora Kathy e Bert tentem responder o máximo possível de mensagens de correio eletrônico, o volume de correspondência e sua agenda de viagens torna isso difícil. A melhor (mais rápida) maneira de obter ajuda técnica com relação ao livro é no *bastante* ativo fórum de iniciantes Java em javaranch.com.

# Conteúdo (Sumário)

| | | |
|---|---|---:|
| | **Introdução** | xx |
| 1 | Aprofundando-se | 1 |
| 2 | Uma Viagem até Objetópolis | 21 |
| 3 | Conheça suas variáveis | 37 |
| 4 | Como os objetos se comportam | 53 |
| 5 | Métodos extra fortes | 71 |
| 6 | Usando a Biblioteca Java | 95 |
| 7 | Melhor viver em Objetópolis | 125 |
| 8 | Polimorfismo Real | 147 |
| 9 | Vida e morte de um objeto | 173 |
| 10 | Os números são importantes | 199 |
| 11 | Comportamento arriscado | 227 |
| 12 | Uma história muito gráfica | 253 |
| 13 | Trabalhe em seu swing | 283 |
| 14 | Salvando objetos | 303 |
| 15 | Crie uma conexão | 333 |
| 16 | Estrutura da dados | 373 |
| 17 | Lance seu código | 407 |
| 18 | Computação distribuída | 423 |
| A | Apêndice A: Receita de código final | 455 |
| B | Apêndice B: Os dez principais tópicos que quase entraram no livro | 463 |
| | Índice remissivo | 475 |

# Sumário

## Introdução

**Seu cérebro e o Java.** Aqui está você tentando aprender algo, enquanto o seu cérebro está lhe fazendo o favor de garantir que o aprendizado não vingue. Seu cérebro está pensando "É melhor deixar espaço para coisas mais importantes, como que animais selvagens evitar e se praticar snowboard pelado é uma má idéia". Portanto, como você fará o seu cérebro pensar que sua vida depende do que você conhecer a respeito do Java?

| | |
|---|---|
| Para quem é este livro? | xx |
| Sabemos o que o seu cérebro está pensando. | xx |
| Metacognição | xxii |
| Veja o que fazer para que o seu cérebro se curve em sinal de submissão | xxiii |
| Requisitos deste livro | xxiv |
| Editores técnicos | xxvi |
| Agradecimentos | xxviii |

## 1 Aprofundando-se

**O Java o levará a novas fronteiras.** No humilde lançamento para o público como a (suposta) versão 1.02, o Java seduziu os programadores com sua sintaxe amigável, recursos orientados a objetos, gerenciamento de memória e, o melhor de tudo – a promessa de portabilidade. Examinaremos isso rapidamente e escreveremos, compilaremos e executaremos alguns códigos. Falaremos sobre a sintaxe, loops, ramificações e o que torna o Java tão interessante. Mergulhe.

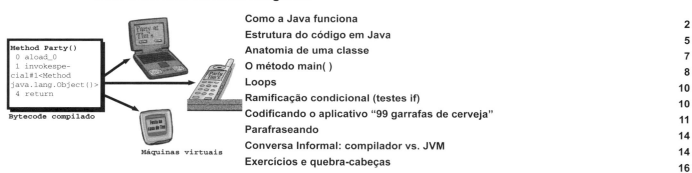

| | |
|---|---|
| Como a Java funciona | 2 |
| Estrutura do código em Java | 5 |
| Anatomia de uma classe | 7 |
| O método main( ) | 8 |
| Loops | 10 |
| Ramificação condicional (testes if) | 10 |
| Codificando o aplicativo "99 garrafas de cerveja" | 11 |
| Parafraseando | 14 |
| Conversa Informal: compilador vs. JVM | 14 |
| Exercícios e quebra-cabeças | 16 |

## 2 Uma viagem até Objetópolis

**Ouvi dizer que haveria objetos.** No Capítulo 1, colocamos todo o código no método main( ). Essa não é exatamente uma abordagem orientada a objetos. Portanto, agora temos que deixar esse universo procedimental para trás e começar a criar alguns objetos por nossa própria conta. Examinaremos o que torna o desenvolvimento orientado a objetos (OO, object-oriented) em Java tão divertido. Discutiremos a diferença entre uma classe e um objeto. Examinaremos como os objetos podem melhorar sua vida.

| | |
|---|---|
| Guerra nas Cadeiras (Brad O Adepto de OO vs. Larry O Usuário de Procedimentos) | 22 |
| Herança (uma introdução) | 24 |
| Sobrepondo métodos (uma introdução) | 25 |
| O que existe em uma classe (métodos, variáveis de instância)? | 27 |
| Criando seu primeiro objeto | 28 |
| Usando main( ) | 29 |
| Código do Jogo de Adivinhação | 30 |
| Exercícios e quebra-cabeças | 33 |

x    *introdução*

## 3 Conheça suas variáveis

**Existem duas versões de variáveis: primitivas e de referência.** Deve haver mais coisas na vida além de inteiros, strings e matrizes. E se você tiver um objeto DonodeAnimal com uma variável de instância Cão? Ou um Carro com um Motor? Neste capítulo desvelaremos os mistérios dos tipos usados no Java e examinaremos o que você pode declarar como uma variável, o que pode inserir em uma variável e o que pode fazer com ela. E para concluir discutiremos o que acontece realmente na pilha de lixo coletável.

referência de objeto

| | |
|---|---|
| Declarando uma variável (no Java há a preocupação com o tipo) | 38 |
| Tipos primitivos ("Quero um duplo com espuma, por favor") | 38 |
| Palavras-chave no Java | 40 |
| Variáveis de referência (controle remoto de um objeto) | 41 |
| Declaração atribuição de objeto | 43 |
| Objetos na pilha de lixo coletável | 44 |
| Matrizes (uma introdução) | 45 |
| Exercícios e quebra-cabeças | 49 |

## 4 Como os objetos se comportam

**O estado afeta o comportamento, o comportamento afeta o estado.** Sabemos que os objetos têm estado e comportamento, representados pelas variáveis de instância e métodos. Agora examinaremos como o estado e o comportamento estão relacionados. O comportamento de um objeto usa um estado exclusivo dele. Em outras palavras, os métodos usam os valores das variáveis de instância. Por exemplo "Se o cão pesar menos de 27 quilos, grite de alegria, caso contrário...". Alteremos alguns estados!

Passar por valor significa passar por cópia

| | |
|---|---|
| Os métodos usam o estado do objeto (latir diferente) | 54 |
| Os argumentos e tipos de retorno do método | 55 |
| Passar por valor (a variável é sempre copiada) | 57 |
| Métodos de captura e configuração | 58 |
| Encapsulamento (use-o ou arrisque-se a ser humilhado) | 59 |
| Usando referências em uma matriz | 62 |
| Exercícios e quebra-cabeças | 65 |

## 5 Métodos extra fortes

**Aumentemos a força de nossos métodos.** Você apredeu sobre as variáveis, brincou com alguns objetos e escreveu um pequeno código. Mas precisa de mais ferramentas. Como os operadores. E os loops. Pode ser útil gerar números aleatórios. E converter uma string em um inteiro, sim, isso seria avançado. E por que não aprender tudo através da criação de algo real, para vermos como é escrever (e testar) um programa a partir do zero. Talvez um jogo, como o Sink a Dot Com (semelhante à Batalha Naval).

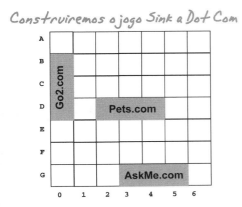
Construiremos o jogo Sink a Dot Com

| | |
|---|---|
| Construindo o jogo Sink a Dot Com | 72 |
| Começando com o jogo Sink a Dot Com simples (uma versão mais simples) | 73 |
| Escrevendo o código preparatório (pseudocódigo do jogo) | 76 |
| Código de teste do Dot Com simples | 78 |
| Codificando o jogo Dot Com simples | 79 |
| Código final do Dot Com simples | 81 |
| Gerando números aleatórios com Math.random( ) | 85 |
| Código predefinido para obtenção de entradas do usuário a partir da linha... | 86 |
| Iterando com loops for | 87 |
| Convertendo tipos primitivos extensos para um tamanho menor | 90 |
| Exercícios e quebra-cabeças | 90 |

xi

## 6 Usando a biblioteca Java

**O Java vem com centenas de classes predefinidas.** Você não terá que reinventar a roda se souber como encontrar o que precisa na biblioteca Java, normalmente conhecida como API Java. Há coisas melhores a fazer. Se você pretende escrever códigos, pode escrever somente as partes que forem exclusivas de seu aplicativo. A principal biblioteca Java consiste em uma pilha gigante de classes apenas esperando para serem usadas como blocos de construção.

*"Bom saber que há uma ArrayList no pacote java.util. Mas como poderia descobrir isso sozinha?"*

-Julia, 31, modelo de trabalho manual

| | |
|---|---|
| Analisando o erro do jogo Dot Com simples | 96 |
| ArrayList (beneficiando-se da API Java) | 99 |
| Corrigindo o código da classe DotCom | 104 |
| Construindo o jogo real (Sink a Dot Com) | 105 |
| Código preparatório do jogo real | 109 |
| Código do jogo real | 110 |
| Expressões booleanas | 114 |
| Usando a biblioteca (API Java) | 116 |
| Usando pacotes (instruções importantes, nomes totalmente qualificados) | 116 |
| Usando os documentos e livros de referência do API HTML | 119 |
| Exercícios e quebra-cabeças | 122 |

## 7 Melhor viver em Objetópolis

**Planeje seus programas com o futuro em mente.** E se você pudesse escrever códigos que outra pessoa conseguisse estender, facilmente? E se pudesse escrever códigos que fossem flexíveis, para aquelas irritantes alterações de último minuto nas especificações? Quando chegar ao Plano de Polimorfismo, você aprenderá as 5 etapas para a obtenção de um projeto de classes mais adequado, os 3 truques do polimorfismo, as 8 maneiras de criar um código flexível e, se agir agora – uma lição bônus sobre as 4 dicas para a exploração da herança.

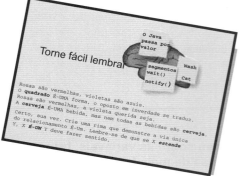

| | |
|---|---|
| Entendendo a herança (relacionamentos da superclasse e subclasse) | 127 |
| Projetando uma árvore de herança (a simulação da classe Animal) | 129 |
| Evitando a duplicação de código (usando a herança) | 129 |
| Sobrepondo métodos | 130 |
| É-UM e TEM-UM (garota na banheira) | 132 |
| O que você herdará de sua superclasse? | 135 |
| O que a herança lhe fornecerá realmente? | 136 |
| Polimorfismo (usando a referência de um supertipo a um objeto da subclasse) | 137 |
| Regras da sobreposição (não mexa nesses argumentos e tipos de retorno!) | 140 |
| Sobrecarga do método (nada mais do que a reutilização do nome do método) | 141 |
| Exercícios e quebra-cabeças | 142 |

## 8 Polimorfismo real

**A herança é apenas o começo.** Para explorar o polimorfismo, precisamos de interfaces. Temos que ir além da simples herança e alcançar a flexibilidade que você só conseguirá projetando e codificando em interfaces. O que é uma interface? Uma classe 100% abstrata. O que é uma classe abstrata? Uma classe que não pode ser instanciada, Em que isso é útil? Leia o capítulo...

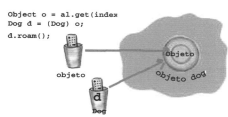

Converta a classe Object em uma classe Cão que você sabe que existe.

| | |
|---|---|
| Algumas classes simplesmente não devem ser instanciadas | 149 |
| Classes abstratas (não podem ser instanciadas) | 150 |
| Métodos abstratos (devem ser implementados) | 151 |
| O polimorfismo em ação | 153 |
| Classe Object (a superclasse final de tudo) | 154 |
| Extraindo objetos de uma ArrayList (eles são capturados com o tipo Object) | 155 |
| O compilador verifica o tipo de referência (antes de permitir que você chame um método) | 157 |
| Entrando em contato com seu objeto interno | 158 |
| Referências polimórficas | 159 |

| | |
|---|---|
| Convertendo uma referência de objeto (passando mais para baixo na árvore de herança) | 160 |
| Losango Fatal (problema de herança múltipla) | 164 |
| Usando interfaces (a melhor solução!) | 164 |
| Exercícios e quebra-cabeças | 169 |

## 9 Vida e morte de um objeto

**Objetos nascem e objetos morrem.** Você é quem manda. Você decide quando e como construí-los. Decide quando abandoná-los. O Coletor de Lixo (gc, garbage collector) solicita memória. Examinaremos como os objetos são criados, onde residem e como manter ou abandoná-los eficientemente. Isso significa que falaremos sobre o heap, a pilha, o escopo, construtores, superconstrutores, referências nulas e qualificação para o gc.

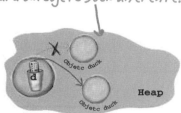

*Quando alguém chamar o método go(), esse objeto Duck será abandonado. Sua única referência foi reprogramada para um objeto Duck diferente.*

*d recebeu um novo objeto Duck, deixando o objeto Duck original (o primeiro) abandonado. Agora esse primeiro objeto pode ser considerado eliminado.*

| | |
|---|---|
| A pilha e o heap onde os objetos e as variáveis residem | 174 |
| Métodos da pilha | 174 |
| Onde as variáveis locais residem | 175 |
| Onde as variáveis de instância residem | 176 |
| O milagre da criação de objetos | 177 |
| Construtores (o código que será executado quando você usar new) | 177 |
| Inicializando o estado de um novo objeto Duck (Pato) | 179 |
| Construtores sobrecarregados | 181 |
| Construtores de superclasse (cadeia de construtores) | 184 |
| Chamando construtores sobrecarregados usando this( ) | 186 |
| A vida de um objeto | 189 |
| Coleta de Lixo (e como tornar os objetos qualificados) | 191 |
| Exercícios e quebra-cabeças | 196 |

## 10 Os números são importantes

**Faça o cálculo.** O API Java tem métodos para valor absoluto, arredondamento, min/max, etc. Mas e quanto à formatação? Você pode querer que os números sejam exibidos apenas com duas casas decimais ou com pontos em todos os locais corretos. E pode querer exibir e manipular datas, também. E quanto à conversão de uma string em um número? Ou a conversão de um número em uma string? Começaremos aprendendo o que significa para uma variável ou método ser estático.

*Variáveis estáticas são compartilhadas por todas as instâncias de uma classe.*

*primeira instância de kid (criança)*

*segunda instância de kid*

*variável estática: iceCream (sorvete)*

| | |
|---|---|
| Classe Math (você precisa realmente de uma instância dela?) | 200 |
| Métodos estáticos | 201 |
| Variáveis estáticas | 204 |
| Constantes (variáveis estáticas finais) | 206 |
| Métodos de Math (random( ), round( ), abs( ), etc.) | 209 |
| Classes encapsuladoras (Integer, Boolean, Character, etc.) | 209 |
| Auto-inserção | 209 |
| Formatação de números | 214 |
| Formatação e manipulação de datas | 219 |
| Importações estáticas | 222 |
| Exercícios e quebra-cabeças | 224 |

*Variáveis de instância: uma por instância*

*Variáveis estáticas: uma por classe*

## 11 Comportamento arriscado

**Problemas acontecem.** O arquivo não está no local. O servidor está travado. Independentemente de quanto você é bom em programação, não é possível controlar tudo. Quando criar um método perigoso, precisará de um código para manipular o que acontecer de errado. Mas como saber quando um método é perigoso? Onde inserir o código que manipulará a situação excepcional? Neste capítulo, construiremos um MIDI Music Player, que usará o perigoso API JavaSound, portanto, é melhor descobrirmos.

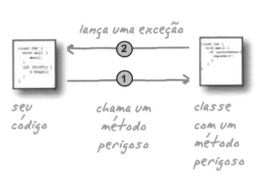

| | |
|---|---|
| Criando um aparelho de som (como o BeatBox) | 228 |
| E se você tiver que chamar o código perigoso? | 230 |
| Exceções dizem "algo inadequado pode ter ocorrido..." | 230 |
| O compilador garantirá (ele verificará) que você fique ciente dos riscos | 231 |
| Capturando exceções usando uma instrução try/catch (skatista) | 232 |
| Controle do fluxo em blocos try/catch | 235 |
| O bloco finally (não importa o que aconteça, desligue o forno!) | 235 |
| Capturando várias exceções (a ordem é importante) | 237 |
| Declarando uma exceção (apenas desvie) | 241 |
| Manipule ou declare como lei | 242 |
| Receita de código (emitindo sons) | 243 |
| Exercícios e quebra-cabeças | 249 |

## 12 Uma história muito gráfica

**Encare a realidade, você precisa criar GUIs.** Mesmo se acredita que durante o resto de sua vida escreverá somente código no lado do servidor, cedo ou tarde terá que criar ferramentas e vai querer uma interface gráfica. Dedicaremos dois capítulos às GUIs e aprenderemos mais sobre determinados recursos de linguagem, inclusive a Manipulação de Eventos e as Classes Internas. Inseriremos um botão na tela, pintaremos a tela, exibiremos uma figura jpeg e trabalharemos ate mesmo com um pouco de animação.

| | |
|---|---|
| Sua primeira GUI | 254 |
| Capturando um evento de usuário | 256 |
| Implemente uma interface ouvinte | 256 |
| Capturando o evento ActionEvent de um botão | 258 |
| Inserindo figuras em uma GUI | 260 |
| Diversão com paintComponent( ) | 261 |
| O objeto Graphics2D | 262 |
| Inserindo mais de um botão em uma tela | 265 |
| Classes internas ao resgate (torne seu ouvinte uma classe interna) | 268 |
| Animação (mova-a, pinte-a, mova-a, pinte-a, mova-a, pinte-a...) | 272 |
| Receita de código (pintando figuras ao ritmo de música) | 275 |
| Exercícios e quebra-cabeças | 280 |

## 13 Trabalhe em seu Swing

**O Swing é fácil.** A menos que você se importe realmente com o local de cada elemento. O código Swing parece fácil, mas depois de compilar, executar e examiná-lo nos damos conta disto: "ei, isso não deveria estar aí." O que torna fácil a codificação é o que torna difícil o controle – o Gerenciador de Layout. Mas com um pouco de esforço, você pode fazer os gerenciadores de layout se curvarem a sua vontade. Neste capítulo, trabalharemos em nosso Swing e aprenderemos mais sobre os elementos gráficos.

| | |
|---|---|
| Componentes do Swing | 284 |
| Gerenciadores de Layout (eles controlam o tamanho e o local) | 284 |
| Três Gerenciadores de Layout (borda, fluxo, caixa) | 286 |

Os elementos das partes superior e inferior ficaram com a altura selecionada.
Os componentes da esquerda e da direita ficaram com a largura selecionada.

| | |
|---|---|
| BorderLayout (controla cinco regiões) | 286 |
| FlowLayout (controla a ordem e o tamanho preferido) | 288 |
| BoxLayout (como no fluxo, mas pode empilhar componentes verticalmente) | 290 |
| JTextField (para entrada de usuário de uma linha) | 292 |
| JTextArea (para texto de rolagem de várias linhas) | 292 |
| JCheckBox (foi feita a seleção?) | 293 |
| JList (uma lista de seleção rolável) | 294 |
| Receita de código (O código completo – construindo o cliente de bate-papo BeatBox) | 295 |
| Exercícios e quebra-cabeças | 299 |

## 14 Salvando objetos

**Os objetos podem ser achatados e reconstituídos.** Os objetos possuem estado e comportamento. O comportamento reside na classe, mas o estado reside dentro de cada objeto. Se o seu programa tiver que salvar o estado, você poderá fazê-lo da maneira mais difícil, examinando cada objeto e gravando meticulosamente o valor de cada variável de instância. Ou, da maneira mais fácil, orientada a objetos – simplesmente congele o objeto (serialize-o) e reconstitua-a (desserialize), para que volte ao que era.

Alguma pergunta?

serializado

desserializado

| | |
|---|---|
| Salvando o estado do objeto | 304 |
| Gravando um objeto serializado em um arquivo | 305 |
| Fluxos Java de entrada e saída (conexões e encadeamentos) | 306 |
| Serialização de objeto | 307 |
| Implementando a interface Serializable | 308 |
| Usando variáveis transientes | 310 |
| Desserializando um objeto | 311 |
| Gravando em um arquivo de texto | 314 |
| java.io.File | 318 |
| Lendo em um arquivo de texto | 319 |
| Dividindo uma string em fichas com split( ) | 322 |
| Receita de código | 326 |
| Exercícios e quebra-cabeças | 328 |

## 15 Crie uma conexão

**Conecte-se com o ambiente externo.** É fácil. Todos os detalhes de nível inferior de rede são definidos pelas classes na biblioteca java.net. Um dos melhores recursos do Java é que enviar e receber dados através de uma rede é realmente apenas uma atividade de E/S com um fluxo de conexão um pouco diferente na extremidade da cadeia. Neste capítulo criaremos soquetes de cliente. Criaremos soquetes de servidor. Criaremos clientes e servidores. Antes do fim do capítulo, você terá um cliente de bate-papo totalmente funcional com vários segmentos. Dissemos com vários segmentos?

Conexão de soquete com a porta 5000 para o servidor de endereço 196.164.1.103.

Conexão de soquete retornando ao cliente de endereço 196.164.1.100, porta 4242.

| | |
|---|---|
| Visão geral do programa de bate-papo | 334 |
| Conectando, enviando e recebendo | 335 |
| Soquetes de rede | 336 |
| Portas TCP | 336 |
| Lendo dados em um soquete (usando BufferedReader) | 338 |
| Gravando dados em um soquete (usando PrintWriter) | 339 |
| Escrevendo o programa Daily Advice Client | 340 |
| Criando um servidor simples | 341 |
| Código do Daily Advice Server | 341 |
| Criando um cliente de bate-papo | 343 |
| Várias pilhas de chamada | 347 |
| Iniciando um novo segmento (crie-o, inicie-o) | 347 |

xv

| | |
|---|---|
| A interface Runnable (a tarefa do segmento) | 348 |
| Três estados de um novo objeto Thread (novo, executável, em execução) | 349 |
| O loop executável em execução | 350 |
| Agendador de segmentos (é ele quem decide e não você) | 350 |
| Colocando um segmento em suspensão | 353 |
| Criando e iniciando dois segmentos | 354 |
| Problemas de concorrência: esse casal pode ser salvo? | 355 |
| O problema de concorrência de Ryan e Mônica, em código | 356 |
| Bloqueando para gerar atomicidade | 359 |
| Todo objeto tem um bloqueio | 360 |
| O temível problema da "Atualização Perdida" | 360 |
| Métodos sincronizados (usando um bloqueio) | 362 |
| Impasse! | 363 |
| Código de ChatClient com vários segmentos | 365 |
| Código predefinido para SimpleChatServer | 366 |
| Exercícios e quebra-cabeças | 369 |

## 16  Estruturas de dados

**A classificação é instantânea em Java.** Você tem todas as ferramentas para coletar e manipular dados sem ter que escrever seus próprios algoritmos de classificação. O Java Collections Framework tem uma estrutura de dados que deve funcionar para praticamente qualquer coisa que você precisar fazer. Quer manter uma lista que você possa aumentar facilmente? Encontrar algo pelo nome? Criar uma lista que exclua automaticamente todos os dados repetidos? Classificar seus colaboradores por quantas vezes lhe traíram?

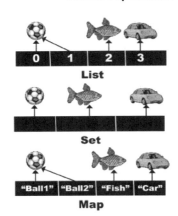

| | |
|---|---|
| Conjuntos | 374 |
| Classificando como ArrayList com Collections.sort( ) | 376 |
| Dados genéricos e garantia de tipo | 380 |
| Classificando itens que implementam a interface Comparable | 385 |
| Classificando itens com um comparador personalizado | 388 |
| O API de conjuntos – listas, conjuntos e mapas | 392 |
| Evitando dados repetidos com HashSet | 392 |
| Sobrepondo hashCode( ) e equals( ) | 394 |
| HashMap | 398 |
| Usando curingas para gerar polimorfismo | 403 |
| Exercícios e quebra-cabeças | 404 |

## 17  Lance seu código

**É hora de pôr em prática.** Você escreveu seu código. Testou o código. Aprimorou-o. Você contou para todo mundo que conhece que, se nunca se deparar com uma linha de código novamente, não haverá problema. Mas, no fim das contas, terá criado uma obra de arte. O negócio funciona mesmo! Porém, fazer o que agora? Nesses dois últimos capítulos, estudaremos como organizar, empacotar e implantar seu código Java. Examinaremos opções de implantação local, semilocal e remota, incluindo arquivos jar executáveis, o Java Web Start, RMI e Servlets. Calma. Alguns dos recursos mais interessantes em Java são mais fáceis de usar do que você imagina.

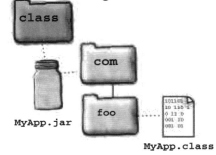

| | |
|---|---|
| Opções de implantação | 408 |
| Mantenha os arquivos de seu código-fonte e de suas classes separados | 409 |
| Criando um arquivo JAR (Java ARchives) executável | 410 |
| Processando um arquivo JAR executável | 411 |
| Insira suas classes em um pacote! | 411 |
| Os pacotes devem ter uma estrutura de diretório adequada | 412 |
| Compilando e executando com pacotes | 413 |
| Compilando com -d | |

| | |
|---|---:|
| Criando um arquivo JAR executável (com pacotes) | 414 |
| O Java Web Start (JWS) para a implantação na Web | 415 |
| Como criar e implantar um aplicativo JWS | 419 |
| Exercícios e quebra-cabeças | 421 |
| | 421 |

## 18

### Computação distribuída

**Trabalhar remotamente não precisa ser ruim.** Certo, as coisas são mais fáceis quando todas as partes do aplicativo estão em um local, em um heap, com um JVM para regular tudo. Mas nem sempre isso é possível. Ou desejável. E se seu aplicativo manipular cálculos poderosos? E se ele precisar de dados de um banco de dados seguro? Neste capítulo, aprenderemos a usar o surpreendentemente simples Remote Method Invocation (RMI) do Java. Também examinaremos rapidamente os Servlets, os Enterprise Java Beans (EJB) e o Jini.

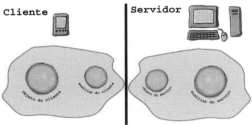

| | |
|---|---:|
| O Remote Method Invocation (RMI) do Java, na prática, bem detalhado | 426 |
| Servlets (uma visão rápida) | 437 |
| Enterprise Java Beans (EJB), uma visão muito rápida | 442 |
| Jini, o melhor entre todos os truques | 443 |
| Construindo o navegador universal de serviços realmente avançado | 445 |
| O Fim | 454 |

## A

### Apêndice A

**O projeto final da receita de código.** O código completo do beat box de bate-papo cliente-servidor. Sua chance de ser uma estrela do rock.

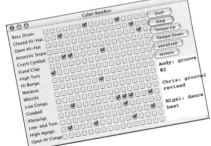

| | |
|---|---:|
| BeatBoxFinal (código cliente) | 456 |
| MusicServer (código servidor) | 460 |

## B

### Apêndice B

**Os dez principais itens que não apareceram no livro.** Ainda não podemos soltá-lo no mundo. Temos mais algumas coisas para você, mas é aqui que acaba o livro. E dessa vez é verdade.

| | |
|---|---:|
| Lista dos dez mais | 464 |

## I

### Índice Remissivo

| | |
|---|---:|
| | 475 |

xvii

# Como usar este livro

# Introdução

> Não posso acreditar que eles colocaram isto em um livro de programação Java!

*Nesta seção, respondemos a pergunta intrigante:*
*Mas por que eles colocaram isto em um livro de programação em Java?*

## A quem se destina este livro?

Se você puder responder "sim" a *todas* estas perguntas:

(1) Você já programou?

(2) Quer aprender Java?

(3) Prefere conversas estimulantes na hora do jantar a palestras secas, chatas e técnicas?

Então este livro é destinado a você.

**Este não é uma obra de referência. Use a Cabeça! Java é um livro projetado para aprendizado, não é uma enciclopédia de fatos sobre a Java.**

## Quem provavelmente deve ficar longe deste livro?

Se você puder responder "sim" a **qualquer** das perguntas a seguir:

(1) Sua experiência em programação se limita somente à HTML, sem nenhum contato com linguagens de script?
(Se você já fez algo com loops ou lógica if/then, conseguirá se virar com este livro, mas somente tags HTML podem não ser o suficiente.)

(2) Você é um bom programador de C++ procurando um livro de *referência*?

(3) Você tem medo de tentar algo diferente? Prefere fazer um tratamento de canal a misturar listras e xadrez? Acredita que um livro técnico não pode ser sério se houver a figura de um pato na seção de gerenciamento da memória?

Então este livro não é para você.

[Nota do pessoal de marketing: quem retirou a parte sobre como este livro serve para qualquer pessoa com um cartão de crédito válido? E quanto à promoção de férias Dê uma Java de presente que discutimos... – Fred.]

## Sabemos em que você está pensando.

"Como *isto* pode ser um livro sério de programação Java?"

"Para que todas as figuras?"

"Conseguirei aprender realmente dessa forma?"

"Estou sentindo cheiro de pizza?"

*Seu cérebro acha que ISSO é importante.*

## Sabemos o que o seu cérebro está pensando.

Seu cérebro procura novidade. Está sempre procurando, pesquisando, *esperando* por algo incomum. Ele foi gerado assim e o ajuda a permanecer vivo.

Atualmente, há menos probabilidades de você se tornar o almoço de um tigre. Mas seu cérebro ainda está procurando. Só que você não sabe.

Mas o que seu cérebro faz com toda as coisas rotineiras, comuns e cotidianas que você encontra? O *possível* para evitar que interfiram em sua *verdadeira* tarefa – gravar as coisas que *interessam*. Não interessa gravar as coisas irrelevantes; elas nunca passam pelo filtro "é claro que isso não é importante".

Como seu cérebro *sabe* o que é importante? Suponhamos que você saia para a sua caminhada diária e um tigre salte em sua frente; o que aconteceria dentro de sua cabeça?

Acionamento dos neurônios. Ativação das emoções. *Explosão química*.

E é assim que seu cérebro fica sabendo...

## Isso deve ser importante! Não esqueça!

Mas imagine se você estivesse em casa, ou em uma biblioteca. É um local seguro, aconchegante, sem tigres. Você está estudando. Preparando-se para um exame. Ou tentando aprender algum assunto técnico difícil, algo que o seu chefe acha que vai levar uma semana, dez dias no máximo.

Só há um problema. Seu cérebro está tentando lhe fazer um grande favor. Está tentando se certificar de que esse conteúdo *obviamente* irrelevante não use recursos escassos. Recursos que seriam melhor utilizados no armazenamento das coisas realmente *importantes*. Como os tigres. Como o perigo de incêndio. Como você nunca tentar praticar novamente snowboard de short.

E não há uma maneira simples de dizer a seu cérebro: "Ei, cérebro, muito obrigado, mas, independentemente de o quanto esse livro seja chato, e de como eu estou registrando esse fato em um nível baixo na escala Richter emocional nesse momento, quero *realmente* que você guarde isso."

## Pensamos no leitor de "Use a Cabeça! Java" como um aprendiz.

Mas o que é necessário para *aprender* algo? Primeiro, você tem que *captar*, depois se certificar de que não vai deixar isso *escapar*. Não é apenas empurrar os fatos para dentro de sua cabeça. Com base nas pesquisas mais recentes da ciência cognitiva, da neurobiologia e da psicologia educacional, é preciso muito mais para se *aprender* do que apenas texto em uma página. Sabemos o que interessa ao seu cérebro.

### Alguns dos princípios de aprendizagem da série Use a Cabeça!:

**Destaque o aspecto visual.** As figuras são muito mais fáceis de memorizar do que palavras isoladas e tornam o aprendizado mais eficaz (até 89% de melhoria em estudos de lembrança e transferência de conhecimento). Também tornam as coisas mais inteligíveis. **Coloque as palavras dentro ou perto da figura** às quais estão relacionadas, em vez de embaixo ou em outra página, e os aprendizes ficarão *duas vezes* mais aptos do que o normal a resolver problemas referentes ao conteúdo.

**Use um estilo coloquial e personalizado.** Em estudos recentes, alunos se saíram até 40% melhor em testes pós-aprendizado quando o conteúdo se comunicava diretamente com o leitor, usando um estilo coloquial em primeira pessoa em vez de adotar um tom formal. Contar histórias em vez de proferir palestras. Usar linguagem casual. Não se leve tão a sério. Em quem *você* prestaria mais atenção: em uma companhia estimulante no jantar ou em uma palestra?

**Faça o aprendiz pensar com mais afinco.** Em outras palavras, a menos que você flexione seus neurônios ativamente, não acontecerá muita coisa em sua cabeça. Um leitor tem que estar motivado, engajado, curioso e inspirado a resolver problemas, tirar conclusões e gerar novos conhecimentos. E, para que isso ocorra, você precisa de desafios, exercícios e perguntas que instiguem o pensamento, além de atividades que envolvam os dois lados do cérebro e vários sentidos.

Faz sentido dizer que a banheira É-UM banheiro? Que o banheiro É-UMA banheira? Ou trata-se de um relacionamento TEM-UM?

**Prenda – e mantenha presa – a atenção do leitor.** Todos nós já tivemos uma experiência do tipo "quero realmente aprender isso, mas não consigo ficar acordado após a página um". Seu cérebro presta atenção em coisas que são fora do comum, interessantes, estranhas, atraentes, inesperadas. Aprender sobre um assunto técnico novo e difícil não precisa ser chato. O cérebro aprenderá muito mais rapidamente se não o for.

**Toque as emoções deles.** Agora sabemos que sua habilidade de se lembrar de algo depende muito do conteúdo emocional. Você se lembrará do que lhe preocupar. Lembrará quando sentir algo. Não estamos falando de histórias dramáticas sobre um menino e seu cachorro. Estamos falando de surpresa, curiosidade, diversão, de pensamentos do tipo "mas o que é isso?" e do sentimento "sou mais eu!" que surge quando você resolve um enigma, aprende algo que as outras pessoas acham difícil ou percebe que sabe algo que Bob "sou mais técnico que você" da engenharia *não sabe*.

## Metacognição: entendendo o pensamento.

Se você quiser realmente aprender, e quiser fazê-lo mais rápida e eficientemente, preste atenção em como sua atenção é atraída. Pense em como você pensa. Entenda como aprende.

Quase ninguém fez cursos de metacognição ou teoria do aprendizado quando estava crescendo. *Esperavam* que aprendêssemos, mas raramente nos ensinavam a aprender.

Mas presumimos que, por você estar segurando este livro, deseja aprender Java. E é provável que não queira demorar muito.

Para aproveitar este livro ao máximo, ou *qualquer* livro ou experiência de aprendizagem, tome as rédeas de seu cérebro. Dedique-se a *esse* conteúdo.

O truque é fazer seu cérebro ver o novo material que você está aprendendo como Realmente Importante. Crucial para seu bem-estar. Tão importante quanto um tigre. Caso contrário, você estará em batalha constante, com seu cérebro fazendo o melhor para não deixar o novo conteúdo escapar.

Mas exatamente *como* fazer seu cérebro tratar a Java como se fosse um tigre faminto?

Há a maneira tediosa e lenta ou a mais rápida e eficaz. A maneira lenta é através da repetição contínua. É claro que você sabe que pode aprender e se lembrar até do mais chato dos tópicos, se continuar insistindo nisso. Com um nível suficiente de repetição, seu cérebro pensará: "Isto não *parece* importante, mas, como ele continua se dedicando à mesma coisa *repetidamente*, portanto, suponho que deva ser."

A maneira mais rápida é fazer **qualquer coisa que aumente a atividade cerebral**, principalmente *tipos* diferentes de atividade cerebral. Os itens da página anterior são grande parte da solução e todos comprovadamente ajudarão seu cérebro a trabalhar a seu favor. Por exemplo, estudos mostram que inserir palavras *dentro* das figuras que elas descrevem (e não em algum outro local da página, como em uma legenda ou no corpo do texto) fará com que seu cérebro tente descobrir como as palavras e a figura estão relacionadas, e isso ocasionará o acionamento de mais neurônios. Maior acionamento de neurônios = mais chances de seu cérebro *perceber* que isso é algo em que vale a pena prestar atenção e possivelmente memorizar.

O estilo coloquial ajuda, porque as pessoas tendem a prestar mais atenção quando percebem que estão em uma conversa, já que se espera que elas acompanhem o assunto e exponham sua opinião. O interessante é que seu cérebro não está necessariamente *preocupado* com o fato de a "conversa" ser entre você e um livro! Por outro lado, se o estilo da redação for formal e seco, ele a perceberá como se você estivesse assistindo a uma palestra enquanto senta em uma sala cheia de espectadores passivos. Não é preciso ficar acordado.

Mas figuras e um estilo coloquial são apenas o começo.

## Aqui está o que NóS fizemos:

Usamos *figuras*, porque seu cérebro capta estímulos visuais e não texto. No que diz respeito ao cérebro, uma figura realmente *vale* por 1.024 palavras. E quando usamos texto e figuras em conjunto, embutimos o texto *nas* figuras, porque o cérebro funciona mais eficientemente quando o texto está *dentro* daquilo a que ele se refere e não em uma legenda ou oculto em algum local da redação.

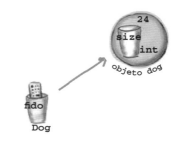

Usamos a **repetição**, dizendo a mesma coisa de diferentes maneiras e por meios distintos, e *vários sentidos*, para aumentar a chance de que o conteúdo seja codificado em mais de uma área de seu cérebro.

**Seja o compilador**

Usamos conceitos e figuras de maneiras **inesperadas**, porque seu cérebro capta novidades, e empregamos figuras e idéias com pelo menos *algum conteúdo* **emocional**, porque o cérebro foi programado para prestar atenção à bioquímica das emoções. Qualquer coisa que fizer você *sentir* algo terá mais probabilidade de ser lembrada, mesmo se esse sentimento não passar de uma pequena **animação, surpresa** ou **interesse.**

Usamos um **estilo coloquial** personalizado, porque seu cérebro foi programado para prestar mais atenção quando acredita que está ocorrendo uma conversa do que quando acha que você está passivamente assistindo a uma apresentação. Ele fará isso até mesmo quando você estiver *lendo*.

**Quebra-Cabeça**

Incluímos mais de 50 *exercícios*, porque seu cérebro foi programado para aprender e lembrar melhor quando você *faz* coisas e não quando *lê*. E criamos exercícios desafiadores porém viáveis, porque é isso que a maioria das *pessoas* prefere.

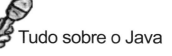
PONTOS DE BALA

Usamos **vários estilos de aprendizagem**, porque *você* pode preferir procedimentos passo a passo, enquanto outra pessoa pode querer ter uma visão geral primeiro e outra deseje apenas ver um exemplo de código. Mas independentemente de sua preferência de aprendizado, *todos* se beneficiarão em ver o mesmo conteúdo representado de várias maneiras.

Tudo sobre o Java

Incluímos conteúdo para os **dois lados de seu cérebro**, porque, quanto mais ele estiver comprometido, maior probabilidade você terá de aprender e lembrar e mais tempo conseguirá se concentrar. Já que trabalhar um lado do cérebro geralmente significa dar ao outro lado a chance de descansar, você pode ser mais produtivo no aprendizado durante um período maior.

E incluímos **histórias** e exercícios que apresentam *mais de um ponto de vista*, porque seu cérebro foi programado para aprender mais intensamente quando é forçado a fazer avaliações e julgamentos.

Exercitando o cérebro

Incluímos **desafios**, com exercícios, e **perguntas** que nem sempre têm uma resposta direta, porque seu cérebro foi programado para aprender e lembrar quando tem que *trabalhar* em algo (da mesma forma que você não consegue colocar seu corpo em forma apenas observando pessoas fazendo ginástica). Mas fizemos o melhor que pudemos para assegurar que, quando você estiver se esforçando muito, isso ocorra envolvendo as coisas *certas*. Que *você não gaste nem mesmo um dendrite extra* processando um exemplo difícil de entender ou analisando jargões carregados e complexos ou texto extremamente conciso.

Usamos uma abordagem **80/20**. Presumimos que, se você estiver tentando obter um PhD em Java, esse não será seu único livro. Portanto, não abordamos *tudo*. Apenas o que você realmente *usará*.

## Veja o que fazer para que o seu cérebro se curve em sinal de submissão

Fizemos nossa parte. O resto é com você. Essas dicas são um ponto de partida; escute seu cérebro e descubra o que funciona com você e o que não funciona. Tente coisas novas.

*Recorte isso e cole em sua geladeira.*

---

**① Tenha calma. Quando mais você entender, menos terá que memorizar.**
Não *leia* apenas. Pare e pense. Quando o livro lhe fizer uma pergunta, não passe apenas para a resposta. Imagine que alguém *está* realmente fazendo a pergunta. Quando você forçar seu cérebro a pensar, mais chances terá de aprender e lembrar.

**② Faça os exercícios. Escreva suas próprias anotações.**
Nós os inserimos, mas se os resolvermos, isso seria como ter outra pessoa fazendo uma prova para você. E não *olhe* apenas para os exercícios. **Use um lápis.** Há muitas evidências de que a atividade física *durante* o estudo pode aumentar o aprendizado.

**③ Leia a parte "Não existem perguntas idiotas"**
Quero dizer todas. Não são apenas notas laterais – elas fazem parte do conteúdo principal! Às vezes as perguntas são mais úteis do que as respostas.

**④ Não leia tudo no mesmo local.**
Levante-se, estique o corpo, mova-se, mude de cadeira, vá até outra sala. Isso ajudará seu cérebro a *sentir* algo e não deixará que o aprendizado fique muito ligado a um local específico.

**⑤ Deixe essa ser a última coisa a ser feita antes de você ir para a cama. Ou pelo menos a última coisa desafiadora.**
Parte do aprendizado (principalmente a transferência para a memória de longo prazo) ocorrerá *depois* que você fechar o livro. Seu cérebro precisa de um tempo próprio, para continuar processando. Se você captar algo novo durante esse tempo de processamento, parte do que acabou de aprender será perdida.

**⑥ Beba água. Muita água.**
Seu cérebro funcionará melhor com um bom banho. A desidratação (que pode ocorrer antes mesmo de você sentir sede) diminui a função cognitiva.

**⑦ Fale sobre o assunto. Em voz alta.**
Falar ativa uma parte diferente do cérebro. Se você estiver tentando entender algo, ou aumentar suas chances de se lembrar de algo posteriormente, fale em voz alta. Melhor ainda, tente explicar em voz alta para outra pessoa. Você aprenderá mais rapidamente e pode descobrir particularidades que não tinha percebido ao ler sobre o assunto.

**⑧ Escute seu cérebro.**
Preste atenção se seu cérebro está ficando sobrecarregado. Se perceber que começou a ler superficialmente ou a esquecer o que acabou de ler, é hora de fazer um intervalo. Uma vez que tiver passado de um certo ponto, você não aprenderá com maior rapidez tentando assimilar mais e pode até prejudicar o processo.

**⑨ Sinta algo!**
Seu cérebro precisa saber que isso *é importante*. Envolva-se com as histórias. Crie suas próprias legendas para as fotos. Reclamar de uma piada ruim é melhor do que não sentir absolutamente nada.

**⑩ Digite e execute o código.**
Digite e execute os exemplos de código. Em seguida, você poderá fazer testes alterando e aperfeiçoando o código (ou interrompendo-o, o que às vezes é a melhor maneira de descobrir o que está realmente acontecendo). Em exemplos longos de códigos predefinidos, você pode fazer o download dos arquivos-fonte a partir de jeadjavafirst.com

# Requisitos deste livro:

Você *não* precisa de nenhuma outra ferramenta de desenvolvimento, como um ambiente de desenvolvimento integrado (IDE, Integrated Development Environment). Recomendamos que *não* use nada a não ser um editor de texto básico até concluir a leitura (e *principalmente* não antes do Capítulo 16). Um IDE pode lhe proteger de alguns dos detalhes que são muito importantes, portanto, você se sairá muito melhor aprendendo na linha de comando e, em seguida, após ter compreendido realmente o que está acontecendo, passe para uma ferramenta que automatize parte do processo.

---

## ── Configurando o Java ──

- Se você já não tiver um **SDK** (Software Development Kit) **Java 2 Standard Edition 1.5** ou superior, precisará dele. Se estiver trabalhando no Linux, Windows ou Solaris, poderá adquiri-lo gratuitamente em java.sun.com (site Web para desenvolvedores Java). Geralmente não são necessários mais do que dois cliques na página principal para que a página de downloads do J2SE seja acessada. Capture a última versão *não-beta* publicada. O SDK inclui tudo que você precisará para compilar e executar o Java.

Se você estiver executando o Mac OS X 10.4, o SDK Java já estará instalado. Ele faz parte do OS X e você não terá que fazer mais *nada*. Se estiver com uma versão anterior do OS X, terá uma versão desatualizada do Java que servirá para 95% dos códigos deste livro.

Nota: este livro foi baseado no Java 1.5, mas por razões desconhecidas de marketing, logo após o lançamento, a Sun a renomeou como Java 5, embora tenha mantido "1.5" como o número da versão no kit do desenvolvedor. Portanto, se você se deparar com Java 1.5, Java 5, Java 5.0 ou "Tiger" (pseudônimo original da versão 5), *são todas a mesma coisa*. Nunca houve um Java 3.0 ou 4.0 – ele saltou da versão 1.4 para a 5.0, mas você ainda encontrará locais onde é chamado de 1.5 em vez de 5. Não pergunte por quê. (Ah, e apenas para deixar a situação mais divertida, tanto o Java 5 quanto o Mac OS X 10.4 receberam o mesmo pseudônimo "Tiger", e já que o OS X 10.4 é a versão do Mac OS necessária à execução do Java 5, você ouvirá pessoas falando sobre "Tiger em Tiger". Isso significa apenas Java 5 no OS X 10.4.)

- O SDK *não* inclui a **documentação do API** e você precisa dela! Acesse novamente java.sun.com e capture a documentação do API J2SE. Você também pode acessar os documentos do API on-line, sem fazer o download, mas isso é complicado. Acredite. Melhor fazer o download.

- Você precisará de um **editor de texto.** Praticamente qualquer editor de texto pode ser usado (vi, emacs, pico), inclusive os de GUI que vêm com a maioria dos sistemas operacionais. O Bloco de Notas, WordPad, TextEdit, etc., todos servirão, contanto que você se certifique de que eles não acrescentem um ".txt" ao final de seu código-fonte.

- Quando você tiver feito o download e **descompactado, compactado** ou seja lá o que for preciso (depende de que versão e para qual sistema operacional), terá que adicionar uma entrada para sua variável de ambiente **PATH**, que apontará para o diretório bin dentro do diretório Java principal. Por exemplo, se o J2SDK inserir um diretório em sua unidade de disco chamado "j2sdk1.5.0", olhe dentro desse diretório e você encontrará o diretório "bin" onde os arquivos binários (as ferramentas) do Java residem. O diretório bin é aquele para o qual você precisará de uma variável PATH, para que, quando digitar:

```
% javac
```

na linha de comando, seu terminal saiba como encontrar o compilador *javac*.

Nota: se você tiver problemas com sua instalação, recomendamos que acesse javaranch.com e se associe ao fórum Java-Beggining! Na verdade, você deve fazer isso, tendo ou não problemas.

---

Nota: grande parte dos códigos deste livro estão disponíveis em wickedlysmart.com

## Coisas de última hora que você precisa saber:

Esta é uma experiência de aprendizado e não uma obra de referência. Eliminamos deliberadamente tudo que pudesse atrapalhar o *aprendizado*, independentemente do que estivéssemos abordando em um certo ponto do livro. E, na primeira leitura, é preciso estudar desde o início, porque o livro faz suposições sobre o que você já viu e aprendeu.

## Usamos diagramas simples semelhantes à UML.

Se tivéssemos usado UML *pura*, você veria algo *parecido* com Java, mas com sintaxe totalmente *errada*. Portanto, usamos uma versão simplificada de UML que não entra em conflito com a sintaxe do Java. Se você ainda não conhece UML, não terá que se preocupar em aprender Java *e* UML ao mesmo tempo.

*Usamos uma UML fictícia modificada e mais simples*

## Não nos preocupamos com a organização e o empacotamento de seu código até o fim do livro.

Neste livro, você pode dar prosseguimento à tarefa de aprender Java, sem se preocupar com alguns dos detalhes organizacionais e administrativos do desenvolvimento de programas em Java. No dia-a-dia, você *terá* que conhecer – e usar – esses detalhes, portanto, eles foram abordados cuidadosamente. Mas deixamos para o fim do livro (Capítulo 17). Relaxe enquanto aprecia o Java, tranqüilamente.

### Aponte seu lápis

*Você deve executar TODAS as atividades Aponte seu lápis*

## Os exercícios de fim de capítulo são obrigatórios; os quebra-cabeças são opcionais. As respostas dos dois estão no fim de cada capítulo.

Uma coisa que você precisa saber sobre os quebra-cabeças – eles são enigmas. Como nos enigmas lógicos, nos estimuladores cerebrais, nas palavras cruzadas, etc. Os *exercícios* estão aqui para ajudar você a praticar o que aprendeu, e é recomendável fazê-los. Os quebra-cabeças são diferentes e alguns deles são bem desafiadores de uma maneira *enigmática*. Esses quebra-cabeças foram projetados para funcionar como *decifradores de enigmas* e, provavelmente, você saberá quando encontrar um. Se não tiver certeza, sugerimos que tente fazer alguns deles, mas, independentemente do que acontecer, não desanime se não *conseguir* resolver um quebra-cabeça ou se simplesmente não tiver tempo para isso.

Exercício

*As atividades marcadas com o logotipo Exercício (tênis de corrida) são obrigatórias! Não deixe de executá-las, se quiser mesmo aprender Java.*

## Os exercícios "Aponte Seu Lápis" não têm respostas.

Pelo menos não impressas neste livro. Para alguns deles, não *há* resposta correta e, em outros, parte da experiência de aprendizado da atividade será *você* decidir se e quando suas repostas estão corretas. (Algumas de nossa respostas *sugeridas* estão disponíveis em wickedlysmart.com.)

## Os exemplos de código são tão simples quanto possível

É frustrante percorrer 200 linhas de código procurando pelas duas linhas que você precisa entender. A maioria dos exemplos deste livro é mostrada no contexto mais simples possível, para que a parte que você estiver tentando aprender fique clara e fácil. Portanto, não espere que o código seja robusto ou mesmo completo. Isso vai depender de *você* depois que terminar o livro. Os exemplos do livro foram escritos especificamente para o *aprendizado* e nem sempre funcionam perfeitamente.

*Se você se deparar com o logotipo Quebra-Cabeças, a atividade é opcional e, se não for um apreciador de lógica traiçoeira ou palavras cruzadas, também não gostará dessas atividades.*

## Editores técnicos

"Todos merecem crédito, mas os erros são responsabilidade apenas do autor..." Alguém acredita nisso? Estão vendo as duas pessoas que se encontram nesta página? Se você encontrar problemas técnicos, provavelmente será culpa *delas*. : )

**Jess** trabalha na Hewlett-Packard na Equipe de Serviços de Auto-Reparo. Ela se formou em Engenharia da Computação na Villanova University, tem os certificados SCPJ 1.4 e SCWCD e se passaram literalmente vários meses desde que recebeu seu diploma de Mestre em Engenharia de Softwares na Drexel University (uau!).

Quando não está trabalhando, estudando ou dirigindo seu MINI Cooper S, Jess pode ser encontrada brigando com seu gato pelo novelo enquanto conclui seu último projeto de tricô ou crochê (alguém aí quer um gorro?). Ela é originalmente de Salt Lake City, Utah (não, ela não é mórmon... É claro, você deve ter pensado nisso) e atualmente vive perto da Filadélfia com seu marido, Mendra, e dois gatos: Chai e Sake.

Você pode encontrá-la moderando fóruns técnicos em javaranch.com.

**Valentin** Valentin Crettaz tem o diploma de Mestre em Ciência da Informação e Computação do Instituto Federal Suíço de Tecnologia em Lausanne. (EPFL). Ele trabalhou como engenheiro de softwares com a SRI International (Menlo Park, CA) e como engenheiro chefe no Laboratório de Engenharia de Softwares do EPFL.

Valentin é co-fundador e CTO da Condris Technologies, uma empresa especializada no desenvolvimento de soluções de arquitetura de softwares.

Seus interesses em pesquisa e desenvolvimento incluem tecnologias orientadas à apresentação, padrões de projeto e arquitetura, serviços Web e arquitetura de software. Além de cuidar de sua esposa, praticar jardinagem, ler e fazer algum esporte, Valentin é moderador dos fóruns SCBCD e SCDJWS no Javaranch.com. Ele tem os certificados SCJP, SCJD, SCBSC, SCWCD e SCDJWS. Também teve a oportunidade de ser o co-autor do Simulador de Exames SCBCD do Whizlabs.

(Ainda estamos chocados em vê-lo de *gravata*).

# Outras pessoas que merecem (culpa) crédito:

*Na O'Reilly:*

Muito obrigado a **Mike Loukides** da O'Reilly, por participar deste projeto e ajudar a formar o conceito *Use a Cabeça!* em um livro (e *série*). Quando esta segunda edição foi para a gráfica, já havia cinco livros *Use a Cabeça!* e ele esteve conosco em todos. A **Tim O'Reilly**, por se dispor a entrar em algo *completamente* novo e diferente. Obrigado ao inteligente **Kyle Hart**, por descobrir como a série *Use a Cabeça!* poderia servir aos outros e por lançá-la. Para concluir, a **Eddie Freedman,** por projetar a capa da série "com ênfase na cabeça".

*Nossos intrépidos testadores beta e equipe de revisores:*

Agradecemos muito ao diretor de nossa equipe técnica no javaranch, **Johannes de Jong**. Esta é sua quinta vez trabalhando conosco em um livro *Use a Cabeça!* e estamos felizes por você ainda estar em contato. **Jeff Cumps** já está em seu terceiro livro conosco e continua implacável em achar áreas onde teríamos que ser mais claros ou corretos.

**Corey McGlone**,você é ótimo. E achamos que deu as explicações mais claras sobre o javaranch. Você deve perceber que roubamos uma ou duas delas. **Jason Menard** nos salvou tecnicamente em mais do que apenas alguns detalhes, e **Thomas Paul**, como sempre, nos forneceu feedback especializado e encontrou os sutis problemas do Java que o resto de nós deixou passar. **Jane Griscti** conhece Java (e sabe alguma coisa de *redação*) e foi ótimo tê-la ajudando na nova edição junto com o associado de longa data do javaranch **Barry Gaunt**.

**Mailyn de Queiroz** nos deu excelente suporte nas *duas* edições do livro. **Chris Jones, John Nyquist, James Cubeta, Terri Cubeta** e **Ira Becker** nos foram de grande ajuda na primeira edição.

Agradecimentos especiais a alguns dos envolvidos na série *Use a Cabeça!* que nos têm ajudado desde o início: **Angelo Celeste, Mikalai Zaikin** e **Thomas Duff** (twduff.com). E obrigado a nosso fantástico agente, David Rogelberg do StudioB (mas, falando sério, e quanto aos direitos do *filme*?)

*Alguns de nossos revisores especialistas em Java...*

# Quando você pensou que não haveria mais agradecimentos*.

### Mais especialistas técnicos em Java que ajudaram na primeira edição (em ordem semialeatória):

Emiko Hori, Michael Taupitz, Mike Gallihugh, Manish Hatwalne, James Chegwidden, Shweta Mathur, Mohamed Mazahim, John Paverd, Joseph Bih, Skulrat Patanavanich, Sunil Palicha, Suddhasatwa Ghosh, Ramki Srinivasan, Alfred Raouf, Angelo Celeste, Mikalai Zaikin, John Zoetebier, Jim Pleger, Barry Gaunt e Mark Dielen.

### A equipe dos quebra-cabeças da primeira edição:

Dirk Schrekmann. Mary "Campeã de Cruzadas em Java" Leners, Rodney J. Woodruff, Gavin Bong e Jason Menard. O Javaranch tem sorte por contar com seu apoio.

### Outros conspiradores a agradecer:

**Paul Wheaton**, o principal orientador do javaranch por dar suporte a milhares de aprendizes de Java.

**Solveig Haugland,** instrutora de J2EE e autora de *Dating design patterns* (Encontrando-se com os padrões de projeto).

Os autores **Dori Smith** e **Tom Negrino (backupbrain.com)**, por nos ajudarem a conhecer o mundo dos livros técnicos.

Nossos parceiros no crime *Head First*, **Eric Freeman e Beth Freeman** (autores de *Use a Cabeça! Design Patterns*), por disponibilizarem a Bawls™ para que terminássemos a tempo.

**Sherry Dorris**, por tudo que realmente importa.

### Os bravos pioneiros que adotaram a série Use a Cabeça!:

Joe Litton, Ross P. Goldberg, Dominic Da Silva, *honestpuck*, Danny Bromberg, Stephen Lepp, Elton Hughes, Eric Christensen, Vulinh Nguyen, Mark Rau, Abdulhaf, Nathan Oliphant, Michael Bradly, Alex Darrow, Michael Fischer, Sarah Nottingham, Tim Allen, Bob Thomas e Mike Bibby (o primeiro).

* O grande número de agradecimentos se deve ao fato de estarmos testando a teoria de que todas as pessoas mencionadas nos agradecimentos de um livro comprarão pelo menos uma cópia, provavelmente mais, pensando nos parentes e conhecidos. Se você quiser estar nos agradecimentos de nosso *próximo* livro e tiver uma família grande, nos escreva.

# 1 dê um **Mergulho Rápido**

# Aprofundando-se

*Venha, a água está ótima! Mergulharemos direto na criação de um código, em seguida, nós o compilaremos e o executaremos. Falaremos sobre a sintaxe, loops, ramificações e o que torna a Java tão interessante. Logo você estará codificando.*

**O Java o levará a novas fronteiras.** No humilde lançamento para o público como a (suposta) versão 1.02, o Java seduziu os programadores com sua sintaxe amigável, recursos orientados a objetos, gerenciamento de memória e, o melhor de tudo — a promessa de portabilidade. A possibilidade de **escrever uma vez/ executar em qualquer local** exerce uma atração muito forte. Seguidores devotados surgiram, enquanto os programadores combatiam os erros, limitações e, ah sim, o fato de ela ser muito lenta. Mas isso foi há muito tempo. Se você for iniciante em Java, **tem sorte**. Alguns de nós tiveram que passar por algo como andar quase dez quilômetros na neve e subir montanhas pelos dois lados (descalços), para fazer até mesmo o applet mais simples funcionar. Mas você pode manipular o **mais fácil, rápido e muito mais poderoso Java atual.**

*como o Java funciona*

## Como o Java funciona

O objetivo é escrever um aplicativo (neste exemplo, um convite de festa interativo) e fazê-lo funcionar em qualquer dispositivo que seus amigos tiverem.

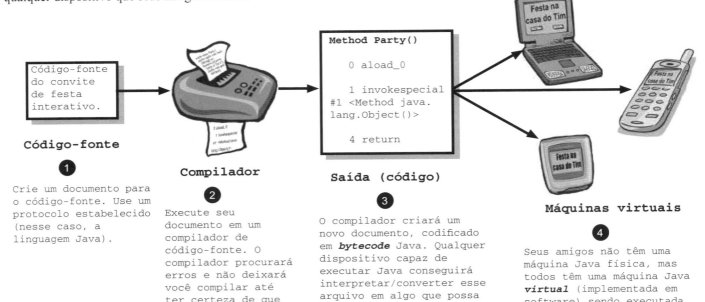

**Código-fonte**

**❶**

Crie um documento para o código-fonte. Use um protocolo estabelecido (nesse caso, a linguagem Java).

**Compilador**

**❷**

Execute seu documento em um compilador de código-fonte. O compilador procurará erros e não deixará você compilar até ter certeza de que tudo será executado corretamente.

**Saída (código)**

**❸**

O compilador criará um novo documento, codificado em **bytecode** Java. Qualquer dispositivo capaz de executar Java conseguirá interpretar/converter esse arquivo em algo que possa processar. O bytecode compilado é independente da plataforma.

**Máquinas virtuais**

**❹**

Seus amigos não têm uma máquina Java física, mas todos têm uma máquina Java **virtual** (implementada em software) sendo executada dentro de seus aparelhos eletrônicos. A máquina virtual lerá e *executará* o bytecode.

## O que você fará em Java

Você criará um arquivo de código-fonte, compilará usando o compilador javac e, em seguida, executará o bytecode compilado em uma máquina virtual Java.

**Código-fonte**

**❶**

Digite seu código-fonte. Salve como: **Party.java**

**Compilador**

**❷**

Compile o arquivo **Party.java** executando o javac (o aplicativo do compilador). Se não houver erros, você terá um segundo documento chamado **Party.class**
O arquivo Party.class gerado pelo compilador é composto de *bytecodes*.

**Saída (código)**

**❸**

Código compilado: **Party.class**

**Máquinas virtuais**

**❹**

Execute o programa iniciando a Java Virtual Machine (JVM) com o arquivo **Party.class**. A JVM converterá o *bytecode* em algo que a plataforma subjacente entenda e executará seu programa.

*(Nota: não pretendemos que essas instruções sejam um tutorial... Você vai escrever código real em breve, mas, por enquanto, queremos apenas que tenha uma idéia de como tudo se encaixa.)*

*dê um Mergulho Rápido*

# Um histórico bem resumido do Java

## Classes da biblioteca padrão Java

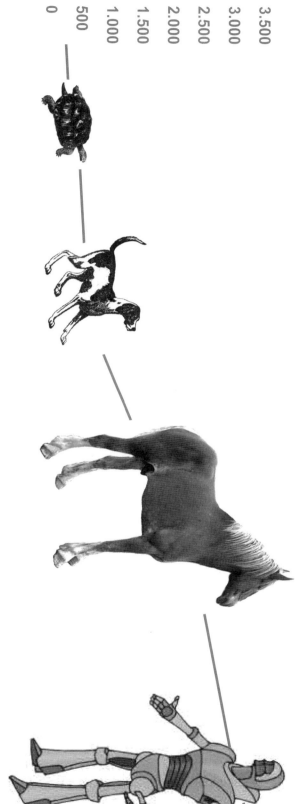

**Java 1.02**
**250 classes**

*Lenta.*

Nome e logotipo interessantes. Divertida de usar. Muitos erros. Os *applets* são o destaque.

**Java 1.1**
**500 classes**

*Um pouco mais rápida.*

Mais recursos, **mais amigável**. Começando a se tornar muito **popular**. Código de GUI mais adequado.

**Java 2 (versões 1.2 — 1.4)**
**2.300 classes**

*Muito mais rápida.*

Pode (em algumas situações) ser executada em velocidades condizentes. Profissional, **poderosa**. Vem em três versões: Micro Edition (J2ME), Standard Edition (J2SE) e Enterprise Edition (J2EE). Torna-se a **linguagem preferida** para novos aplicativos empresariais (principalmente os baseados na Web) e móveis.

**Java 5.0 (versões 1.5 e posteriores)**
**3.500 classes**

*Mais recursos, mais fácil de desenvolver.*

Além de adicionar mais de mil classes complementares, a Java 5.0 (conhecida como "Tiger") acrescentou alterações significativas à própria linguagem, tornando-a mais fácil (pelo menos em teoria) para os programadores e fornecendo novos recursos que eram populares em outras linguagens.

*você está aqui* ▶  3

*aponte seu lápis*

# Aponte seu lápis

Tente adivinhar o que cada linha de código está fazendo...
(As respostas estão na próxima página.)

**Veja como é fácil escrever código Java.**

```java
int size = 27;
String name = "Fido";
Dog myDog = new Dog(name, size);
x = size - 5;
if (x < 15) myDog.bark(8);

while (x > 3) {
    myDog.play();
}

int[] numList = {2,4,6,8};
System.out.print("Hello");
System.out.print("Dog: " + name);
String num = "8";
int z = Integer.parseInt(num);

try {
    readTheFile("myFile.txt");
}
catch(FileNotFoundException ex) {
System.out.print("File not found.");
}
```

*declara uma variável de tipo inteiro chamada size e lhe atribui o valor 27*

**P:** **Sei que existem o Java 2 e o Java 5.0, mas existiram o Java 3 e 4? E por que Java 5.0 e não Java 2.0?**

**R:** As brincadeiras do marketing... Quando a versão do Java passou de 1.1 para 1.2, as alterações foram tão significativas, que os anunciantes decidiram que precisavam de um "nome" totalmente novo, portanto .começaram a chamá-la de Java 2, ainda que a versão fosse realmente a 1.2. Porém, as versões 1.3 e 1.4 continuaram a ser consideradas como Java 2. Nunca houve o Java 3 ou 4. Começando pelo Java versão 1.5, os anunciantes decidiram novamente que as alterações eram tão significativas, que um novo nome era necessário (e a maioria dos desenvolvedores concordou), logo, eles avaliaram as opções. O próximo número na seqüência do nome seria "3", mas chamar o Java 1.5 de Java 3 parecia mais confuso, portanto, decidiram nomeá-lo Java 5.0 para usar o "5" da versão "1.5".

Logo, o Java original compreendeu as versões que iam da 1.02 (o primeiro lançamento oficial) às conhecidas simplesmente como "Java". As versões 1.2, 1.3 e 1.4 consistiram no "Java 2". E começando na versão 1.5, ele passou a se chamar "Java 5.0". Mas você também o verá sendo chamado de "Java 5" (sem o ".0") e "Tiger" (seu codinome original). Não temos idéia do que acontecerá com a próxima versão...

*Ainda não é preciso se preocupar em entender tudo isso!*

Tudo que se encontra aqui é explicado com maiores detalhes no livro, grande parte nas primeiras 40 páginas. Se o Java lembrar uma linguagem que você usou no passado, alguns desses itens parecerão simples. Caso contrário, não se preocupe com isso. *Chegaremos lá...*

**Veja como é fácil escrever código Java.**

```java
int size = 27;
String name = "Fido";
Dog myDog = new Dog(name, size);
x = size - 5;
if (x < 15) myDog.bark(8);

while (x > 3) {
    myDog.play();
}

int[] numList = {2,4,6,8};
System.out.print("Hello");
System.out.print("Dog: " + name);
String num = "8";
int z = Integer.parseInt(num);

try {
    readTheFile("myFile.txt");
}
catch(FileNotFoundException ex) {
    System.out.print("File not found.");
}
```

| | |
|---|---|
| declara uma variável de tipo inteiro chamada 'size' e lhe atribui o valor 27 |
| declara uma variável de string de caracteres chamada 'name' e lhe atribui o valor "Fido" |
| declara a nova variável de tipo Dog chamada 'myDog' e cria o novo objeto Dog usando 'name' e 'size' |
| subtrai 5 de 27 (valor de 'size') e atribui o valor a uma variável chamada 'x' |
| se x (valor = 22) for menor do que 15, informa ao cão (dog) para latir (bark) 8 vezes |
| mantém o loop até x ser maior que 3... |
| pede ao cão que brinque (independentemente do que ISSO signifique para um cão...) |
| aqui parece ser o fim do loop – tudo que estiver entre { } será feito no loop |
| declara a lista de variáveis de tipo inteiro 'numList' e insere 2, 4, 6, 8 nela |
| exibe "Hello"... provavelmente na linha de comando |
| exibe "Hello Fido" (o valor de 'name' é "Fido") na linha de comando |
| declara a variável de string de caracteres 'num' e lhe atribui o valor "8" |
| converte a string de caracteres "8" no valor numérico real 8 |
| tenta fazer algo... Pode ser que o que estamos tentando não funcione... |
| lê um arquivo de texto chamado "myFile.txt" (ou pelo menos TENTA ler o arquivo...) |
| deve ser o fim das "tentativas", portanto, acho que é possível tentar fazer muitas coisas... |
| aqui deve ser onde você saberá se o que tentou não funcionou... |
| se o que tentamos não deu certo, exibiremos "File not found" na linha de comando |
| parece que tudo que se encontra entre { } é o que deve ser feito se a 'tentativa' não funcionar... |

# Estrutura do código em Java

## O que existe em um arquivo-FONTE?

Um arquivo de código-fonte (com a extensão *.java*) contém uma definição de *classe*. A classe representa uma *parte* de seu programa, embora um aplicativo muito pequeno possa precisar apenas de uma classe. A classe deve ficar dentro de uma par de chaves.

## O que existe em uma CLASSE?

Uma classe tem um ou mais *métodos*. Na classe Dog, o método *bark* conterá instruções de como o cão deve latir. Seus métodos devem ser declarados *dentro* de uma classe (em outras palavras, dentro das chaves da classe).

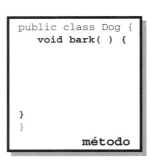

## O que existe em um MÉTODO?

Dentro das chaves de um método, escreva as instruções de como ele deve ser executado. O *código* do método é basicamente um conjunto de instruções, e por enquanto você pode considerar o método como se fosse uma função ou procedimento.

```
public class Dog {
   void bark( ) {

      instrução1;
      instrução2;

   }
}
         instruções
```

## Anatomia de uma classe

Quando a JVM começar a ser executada, procurará a classe que você forneceu na linha de comando. Em seguida, começará a procurar um método especialmente escrito que se pareça exatamente com:

```
public static void main (String[] args) {
   // seu código entra aqui
}
```

Depois a JVM executará tudo que estiver entre as chaves { } de seu método principal. Todo aplicativo Java precisa ter pelo menos uma **classe** e um método **main** (não um método main por *classe*, apenas um por *aplicativo*).

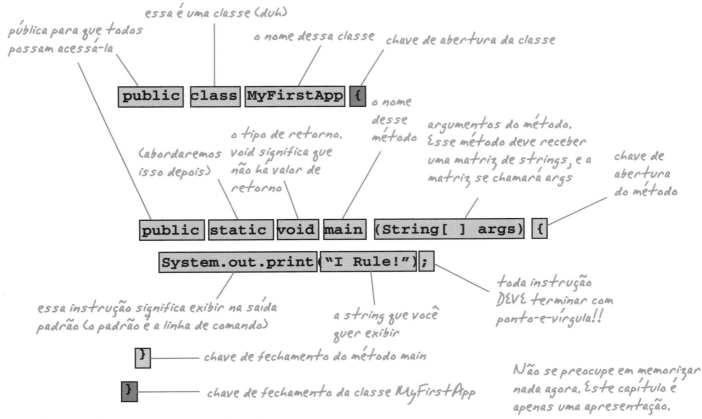

## Criando uma classe com um método main

Em Java, tudo é inserido em uma **classe**. Você criará seu arquivo de código-fonte (com extensão *.java*) e, em seguida, o converterá em um novo arquivo de classe (com extensão *.class*). Quando executar seu programa, na verdade estará executando uma *classe*.

Executar um programa significa informar à Java Virtual Machine (JVM) para "carregar a classe **Hello** e, em seguida, execute seu método **main( )**. Continue executando até todo o código de main ter terminado".

No Capítulo 2, nos aprofundaremos no assunto das *classes*, mas, por enquanto, você só precisa pensar nisto: ***como escrever um código Java de modo que ele seja executado?*** E tudo começa com **main( )**.

O método **main ( )** é onde seu programa começará a ser executado.

Independentemente do tamanho de seu programa (em outras palavras, não importa quantas *classes* o seu programa vai usar), é preciso que haja um método **main( )** que dê início ao processo.

*inserir método*

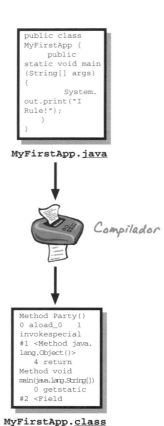

MyFirstApp.java

Compilador

MyFirstApp.class

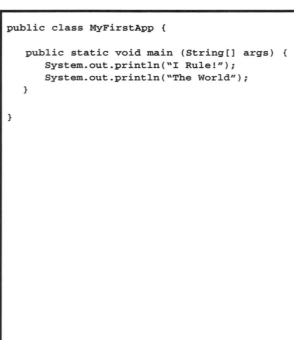

```
public class MyFirstApp {

    public static void main (String[] args) {
        System.out.println("I Rule!");
        System.out.println("The World");
    }

}
```

① **Salve**
MyFirstApp.java

② **Compile**
javac MyFirstApp.java

③ **Execute**

```
File Edit Window Help Scream
%java MyFirstApp
I Rule!
The World
```

Instruções

Loops

Ramificação

## O que você pode inserir no método main?

Quando você estiver dentro de main (ou de *qualquer* método), a diversão começará. Você pode inserir todas as coisas que costumam ser usadas na maioria das linguagens de programação para *fazer o computador executar algo*.

Seu código pode instruir a JVM a:

① **fazer algo**
**Instruções:** declarações, atribuições, chamadas de método, etc.
```
int x = 3;
String name = "Dirk";
x = x * 17;
System.out.print("x 'is " + x);
double d = Math.random();
// isto é um comentário
```

② **fazer algo repetidamente**
**Loops:** *for* e *while*
```
while (x' > 12) {
   x = x - 1;
}

for (int x = 0; x < 10; x = x + 1) {
   System.out.print("x is now " + x);
}
```

③ **fazer algo sob essa condição**
**Ramificação:** testes *if/else*
```
if (x == 10) {
   System.out.print("x must be 10");
} else {
   System.out.print("x isn't 10");
}
if ((x < 3) & (name.equals("Dirk"))) {
   System.out.println("Gently");
}
System.out.print("this line runs no matter what");
```

### A brincadeira da sintaxe

- Cada instrução deve terminar com ponto-e-vírgula.

**x = x + 1;**

- Um comentário de linha única começa com duas barras.

**x = 22;**
**// esta linha me incomoda**

- A maioria dos espaços em branco não é importante.

**x       =       3     ;**

- As variáveis são declaradas com um **nome** e um **tipo** (você aprenderá todos os *tipos* Java no Capítulo 3).

**Int weight;**
**// *tipo*: int, *nome*: weight**

- As classes e métodos devem ser definidos dentro de um par de chaves.

**public void go( ) {**
**// o código entra aqui**
**}**

```
while maisBolas = = verdadeiro) {
   continueJogando( );
}
```

## Iterando e iterando e...

O Java tem três estruturas de loop padrão: *while, do-while* e *for*. Você verá todos os loops posteriormente no livro, mas não nesse momento; dessa forma, usemos *while* por enquanto.

A sintaxe (para não mencionar a lógica) é tão simples, que provavelmente você já deve ter adormecido. Contanto que alguma condição seja verdadeira, você fará algo dentro do *bloco* de loop. O bloco de loop é delimitado por um par de chaves; portanto, o que você quiser repetir terá que estar dentro desse bloco.

A principal parte de um loop é o *teste condicional*. Em Java, o teste condicional é uma expressão que resulta em um valor *booleano* — em outras palavras, algo que é **verdadeiro** ou **falso**.

Se você disser algo como "Enquanto (while) *sorveteNoPote* for *verdadeiro*, continue a tirar", terá claramente um teste booleano. *Há* sorvete no pote ou *não há*. Mas se você dissesse "Enquanto *Bob* continuar a tirar", não teria realmente um teste. Para fazer isso funcionar, você teria que alterar para algo como "Enquanto Bob estiver roncando..." ou "Enquanto Bob *não* estiver usando xadrez...".

## Testes booleanos simples

Você pode criar um teste booleano simples para verificar o valor de uma variável, usando um *operador de comparação* como:

< **(menor que)**

> **(maior que)**

= = **(igualdade)** (sim, são *dois* sinais de igualdade)

Observe a diferença entre o operador de *atribuição* (apenas *um* sinal de igualdade) e o operador *igual a* (*dois* sinais de igualdade). Muitos programadores digitam acidentalmente = quando querem dizer = =. (Mas não você.)

```
int x = 4; // atribui 4 a x
while (x > 3) {
   // o código do loop será executado porque
   // x é maior que 3
   x = x - 1; // ou ficaríamos eternamente no loop
}
int z = 27; //
while (z == 17) {
   // o código do loop não será executado porque
   // z não é igual a 17
}
```

## não existem Perguntas Idiotas

**P:** Por que temos que inserir tudo em uma classe?

**R:** O Java é uma linguagem orientada a objetos (OO). Não é como antigamente, quando tínhamos compiladores antiquados e criávamos um arquivo-fonte monolítico com uma pilha de procedimentos. No Capítulo 2, você aprenderá que uma classe consiste no projeto de um objeto e que quase tudo em Java é um objeto.

**P:** Tenho que inserir um método main em toda classe que criar?

**R:** Não. Um programa em Java pode usar várias classes (até mesmo centenas), mas você pode ter só uma com um método main — que fará o programa começar a ser executado. Você pode criar classes de teste, no entanto, que tenham métodos main para testar suas outras classes.

*aplicativo Java profissional*

**P:** Em minha outra linguagem, posso fazer um teste booleano com um tipo inteiro. Em Java, posso dizer algo como

```
int x = 1;
while (x){ }
```

**R:** Não. Um booleano e um inteiro não são tipos compatíveis em Java. Como o resultado de um teste condicional deve ser um booleano, a única variável que você pode testar diretamente (sem usar um operador de comparação) é um booleano. Por exemplo, você pode dizer:

```
boolean isHot = true;
while(isHot) { }
```

## Exemplo de um loop while

```
public class Loopy {
   public static void main (String[] args) {
      int x = 1;
      System.out.println("Antes do Loop");
      while (x < 4) {
         System.out.println("No loop");
         System.out.println("O valor de x é " + x);
         x = x + 1;
      }
      System.out.println("Esse é o fim do loop");
   }
}
```

```
% java Loopy
Antes do Loop
No loop
O valor de x é 1
No loop                    ← Esta é a saída
O valor de x é 2
No loop
O valor de x é 3
Esse é o fim do loop
```

---

### PONTOS DE BALA

- As instruções terminam em ponto-e-vírgula;

- Os blocos de código são definidos por um par de chaves { }

- Declare uma variável *int* com um nome e um tipo: int x;

- O operador de **atribuição** é *um* sinal de igualdade =

- O operador **igual a** são *dois* sinais de igualdade = =

- O loop *while* executará tudo que estiver dentro de seu bloco (definido por chaves), contanto que o *teste condicional* seja **verdadeiro**.

- Se o teste condicional for **falso**, o bloco de código do loop *while* não será executado, e o processamento passará para baixo até o código imediatamente posterior ao bloco do loop.

- Coloque um teste booleano entre parênteses:

while **(x = = 4)** { }

---

## Ramificação condicional

Em Java, um teste *if* é basicamente o mesmo que o teste booleano de um loop *while* — só que em vez de dizer "*while* (enquanto) ainda houver cerveja...", você dirá "*if* (se) ainda houver cerveja..."

```
class IfTest {
   public static void main (String[] args) {
      int x = 3;
      if (x == 3) {
         System.out.println("x deve ser igual a 3");
      }
      System.out.println("Isso será executado de qualquer forma");
   }
}
```

```
% java IfTest
x deve ser igual a 3               ← saída do código
Isso será executado de qualquer forma
```

O código anterior executará a linha que exibe "x deve ser igual a 3" somente se a condição (x é igual a 3) for atendida. Independentemente de ser verdadeira, no entanto, a linha que exibe "Isto será executado de qualquer forma" será executada. Portanto, dependendo do valor de x, uma ou duas instruções serão exibidas.

Mas podemos adicionar uma instrução *else* à condição, para podermos dizer algo como "*If* ainda houver cerveja, continue a codificar, *else* (caso contrário) pegue mais cerveja e então continue..."

10    capítulo 1

```
class IfTest2 {
   public static void  main (String[] args) {
      int x = 2;
      if (x == 3) {
         System.out.println("x deve ser igual a 3");
      } else {
         System.out.println("x NÃO é igual a 3");
      }
      System.out.println("Isso será executado de qualquer forma");
   }
}
```

```
% java IfTest2
x NÃO é igual a 3
Isso será executado de qualquer forma
```

← nova saída

### System.out.PRINT versus System.out.printLN

Se você prestou atenção (é claro que prestou), deve ter notado que nos alternamos entre **print** e **println**.

**Você entendeu a diferença?**

System.out.**println** insere uma nova linha (pense em **println** como **printnewline**), enquanto System.out.**print** continua exibindo na mesma linha. Se você quiser que cada coisa que exibir esteja em sua própria linha, use **println**. Se quiser que tudo fique junto em uma linha, use **print**.

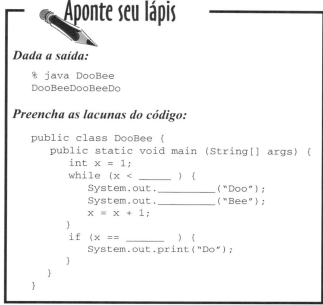

## Aponte seu lápis

*Dada a saída:*

```
% java DooBee
DooBeeDooBeeDo
```

*Preencha as lacunas do código:*

```
public class DooBee {
   public static void main (String[] args) {
      int x = 1;
      while (x < _____ ) {
         System.out._____("Doo");
         System.out._____("Bee");
         x = x + 1;
      }
      if (x == _____ ) {
         System.out.print("Do");
      }
   }
}
```

## Codificando um aplicativo empresarial real

Colocaremos todas as suas novas aptidões em Java em uso com algo prático. Precisamos de uma classe com um método *main( )*, um tipo *int* e uma variável *String*, um loop *while* e um teste *if*. Mais alguns retoques e você estará construindo esse back-end empresarial sem demora. Mas *antes* examinará o código dessa página e pensará por um instante em como *você* codificaria esse grande clássico, "99 garrafas de cerveja".

```
public class BeerSong {
   public static void main (String[] args) {
      int beerNum = 99;
      String word = "bottles";

      while (beerNum > 0) {

         if (beerNum == 1) {
            word = "bottle"; // no singular, como em UMA garrafa.
         }

         System.out.println(beerNum + " " + word + " of beer on the wall");
         System.out.println(beerNum + " " + word + " of beer.");
         System.out.println("Take one down.");
         System.out.println("Pass it around.");
         beerNum = beerNum - 1;

         if (beerNum > 0) {
            System.out.println(beerNum + " " + word + " of beer on the wall");
         } else {
            System.out.println("No more bottles of beer on the wall");
         } // fim de else
      } // fim do loop while
   } // fim do método main
} // fim da classe
```

**Ainda há uma pequena falha em nosso código. Ele será compilado e executado, mas a saída não está 100% perfeita. Veja se consegue identificar a falha e corrija.**

*vamos escrever um programa*

## Segunda de manhã na casa de Bob

O despertador de Bob toca às 8:30 da manhã de segunda, como em todos os outros dias da semana. Mas Bob teve um fim de semana cansativo e procura o botão SNOOZE. E é aí que a ação começa e os aparelhos habilitados com Java despertam.

*Java no interior*

Primeiro, o despertador envia uma mensagem para a cafeteira:* "Ei, o espertinho está dormindo de novo, atrase o café em 12 minutos."

*Torradeira Java*

A cafeteira envia uma mensagem para a torradeira Motorola™: "Segure a torrada, Bob está tirando uma soneca."

Em seguida, o despertador envia uma mensagem para o celular Nokia Navigator™ de Bob: "Chame Bob às 9 horas e diga para ele que estamos ficando um pouco atrasados."

*O Java também está aqui*

Para concluir, o despertador envia uma mensagem para a coleira sem fio de Sam (Sam é o cachorro), com um sinal bastante familiar que significa: "Pegue o jornal, mas não espere ser levado para um passeio."

Alguns minutos depois, o despertador toca novamente. E *mais uma vez* Bob aperta o botão SNOOZE, e os aparelhos começam a se comunicar. O despertador toca uma terceira vez. Mas, assim que Bob alcança o botão SNOOZE, o despertador envia o sinal "salte e lata" para a coleira de Sam. Trazido à consciência por esse choque, Bob se levanta, grato por suas aptidões em Java e um pequeno passeio à Radio Shack™ terem melhorado a rotina diária de sua vida.

Sua torrada está pronta.

Seu café está quente.

*Manteiga aqui*

Seu jornal está esperando.

*A coleira de Sam tem Java*

Apenas mais uma maravilhosa manhã na **Casa Habilitada com Java**.

**Você também pode ter um lar habilitado com Java.** Adote uma solução sensata que use Java, a Ethernet e a tecnologia Jini. Cuidado com imitações ao usar outras plataformas "plug and play" (que na verdade significa "conecte e perca os próximos três dias tentando fazer funcionar") ou "portáveis". A irmã de Bob, Betty, testou uma dessas *outras* plataformas e os resultados foram, digamos, não muito atraentes, ou seguros. Também não deu certo com seu cachorro...

*Como na TV*

---

Essa história poderia ser verdadeira? Sim e não. Embora *haja* versões de Java sendo executadas em dispositivos, dentre os quais os PDAs, telefones celulares *(principalmente nos telefones celulares)*, pagers, alarmes, cartões inteligentes e outros — talvez você não encontre uma torradeira ou coleira com Java. Mas mesmo se você não conseguir encontrar uma versão habilitada para Java de seus aparelhos favoritos, ainda poderá executá-los como se *fossem um* dispositivo Java, controlando-os através de alguma outra interface (como seu laptop) que *esteja* executando Java. Isso é conhecido como *arquitetura substituta* Jini. Sim, você *pode* ter essa casa dos sonhos de um nerd.

---

* *IP multicast* se você for sistemático com relação a protocolos

*dê um **Mergulho Rápido***

> Teste meu novo código de paráfrase e você falará engenhosamente como o chefe ou o pessoal de marketing.

Certo, quer dizer que a canção da cerveja não era *na verdade* um aplicativo empresarial profissional. Ainda precisa de algo prático para mostrar ao chefe? Veja o código da Paráfrase.

*Nota: quando você digitar isso em um editor, deixe o código criar sua própria quebra de palavra/linha! Nunca pressione a tecla Enter quando estiver digitando uma string (algo entre aspas), ou ela não será compilada. Portanto, os hífens vistos nessa página são reais e você pode digitá-los, mas não pressione a tecla Enter antes de terminar uma string.*

```
public class PhraseOMatic {
  public static void main (String[] args) {
```

**❶** `// crie três conjuntos de palavras onde será feita a seleção. Adicione o que quiser!`

```
    String[] wordListOne = {"24/7", "várias camadas",
"30.000 pés", "B-to-B", "todos ganham", "front-end",
"baseado na Web", "difundido", "inteligente", "seis
sigma", "caminho crítico", "dinâmico"};

    String[] wordListTwo = {"habilitado", "adesivo",
"valor agregado", "orientado", "central", "distribuído",
agrupado", "solidificado", "independente da máquina",
"posicionado", "em rede", "dedicado", "alavancado",
"alinhado", "destinado", "compartilhado", "cooperativo",
acelerado"};

    String[] wordListThree = {"processo", "ponto
máximo", "solução", "arquitetura", "habilitação no
núcleo", "estratégia", "mindshare", "portal", "espaço",
"visão", "paradigma", "missão"};
```

**❷** `// descubra quantas palavras existem em cada lista`
```
    int oneLength = wordListOne.length;
    int twoLength = wordListTwo.length;
    int threeLength = wordListThree.length;
```

**❸** `// gere três números aleatórios`
```
    int rand1 = (int) (Math.random() * oneLength);
    int rand2 = (int) (Math.random() * twoLength);
    int rand3 = (int) (Math.random() * threeLength);
```

**❹** `// agora construa uma frase`
```
    String phrase = wordListOne[rand1] + " " +
wordListTwo[rand2] + " " + wordListThree[rand3];
```

**❺** `// exiba a frase`
```
    System.out.println("Precisamos de " + phrase);
  }
}
```

## Código da paráfrase

## Como funciona

Em resumo, o programa cria três listas de palavras e, em seguida, seleciona aleatoriamente uma palavra de cada uma das três listas e exibe o resultado. Não se preocupe se você não entender *exatamente* o que está acontecendo em cada linha. Ora, temos o livro inteiro à frente, portanto, relaxe. Isso é apenas um rápido paradigma alavancado e destinado a exibir 10.000 metros de independência de máquina.

**1.** A primeira etapa é criar três matrizes de strings — os contêineres que armazenarão todas as palavras. Declarar e criar uma matriz é fácil; a seguir temos uma pequena:

```
String[] pets = {"Fido", "Zeus", "Bin"};
```

Todas as palavras estão entre aspas (como toda string precisa estar) e foram separadas por vírgulas.

**2.** Em cada uma das três listas (matrizes), o objetivo é selecionar uma palavra aleatória, portanto, temos que saber quantas palavras existem em cada lista. Se houver 14 palavras em uma lista, precisaremos de um número aleatório entre 0 e 13 (as matrizes Java começam em zero, logo, a primeira palavra estará na posição 0, a segunda na posição 1 e a última na posição 13 em uma matriz de 14 elementos). Uma matriz Java não fará objeções em exibir seu tamanho imediatamente. Você só precisa perguntar. Na matriz de animais de estimação, diríamos:

```
int x = pets.length;
```

e agora **x** teria o valor 3.

*você está aqui* ▶ **13**

## o compilador e a JVM

**3.** Precisamos de três números aleatórios. O Java vem empacotada, independente, predefinida e habilitada na memória central com um conjunto de métodos de cálculo (por enquanto, considere-os como funções). O método **random( )** retorna um número aleatório entre 0 e quase 1, portanto, temos que multiplicá-lo pela quantidade de elementos (o tamanho da matriz) da lista que estivermos usando. Temos que forçar para que o resultado seja um inteiro (decimais não são permitidos!), logo, vamos inserir uma conversão (você verá os detalhes no Capítulo 4). É o mesmo que se tivéssemos um número de ponto flutuante que quiséssemos converter em um inteiro:

```
int x = (int) 24.6;
```

**4.** Agora construiremos a frase, selecionando uma palavra em cada uma das três listas e unindo-as (além de inserir espaços entre elas). Usaremos o operador "+", que *concatenará* (preferimos a palavra mais técnica '*unirá*') os objetos String. Para selecionar um elemento da matriz, você fornecerá o número do índice (posição) do item que quer usar:

```
String s = pets[0]; // agora s é a string "Fido"
s = s +" " + "é um cão"; // agora s é "Fido é um cão"
```

**5.** Para concluir, exibiremos a frase na linha de comando e... *voila*! *Somos do marketing.*

*O que precisamos aqui é um...*
*Processo destinado e difundido*
*Ponto máximo dinâmico independente da máquina*
*Habilitação no núcleo distribuída e inteligente*
*Mindshare habilitado em 24/7*
*Visão de 30.00 pés em que todos ganham*
*Portal em rede seis sigma*

---

### Conversa Informal

Conversa de hoje: **O compilador e a JVM discutem a questão "Quem é mais importante?"**

#### A Máquina Virtual Java

O que, você está brincando? *Olá. Sou* o Java. Sou eu quem efetivamente faz um programa *ser executado*. O compilador apenas lhe fornece um *arquivo*. É só. Apenas um arquivo. Você pode imprimir e usá-lo como papel de parede, para acender fogo, forrar a gaiola de pássaros ou *seja lá o que for*, mas o arquivo não *fará* nada a menos que eu esteja lá para executá-lo.

E esse é outro problema, o compilador não tem senso de humor. Lógico, se *você* tivesse que passar o dia inteiro verificando pequenas violações na sintaxe minuciosamente...

Não estou falando que você é, digamos, *completamente* inútil. Mas convenhamos, o que você faz? Sério. Não faço idéia. Um programador poderia apenas escrever bytecode manualmente, e eu o usaria. Você pode ficar sem trabalho em breve, amigo.

#### O compilador

Não aprecio esse tom.

Desculpe, mas sem a *minha* presença, o que exatamente você executaria? Há uma *razão* para o Java ter sido projetado para usar um compilador de bytecode, se você não sabe. Se ele fosse uma linguagem puramente interpretada, onde - no tempo de execução - a máquina virtual tivesse que converter código-fonte diretamente de um editor de texto, o programa Java seria executado a uma velocidade comicamente lenta. O Java já demorou tempo suficiente para convencer as pessoas de que é rápido e poderoso o bastante para a maioria dos trabalhos.

Desculpe, mas esse é um ponto de vista bem displicente (para não dizer *arrogante*). Embora *seja* verdade que — *teoricamente* — você possa executar qualquer bytecode formatado apropriadamente mesmo se ele não vier de um compilador Java, na prática isso é um absurdo. Um programador escrevendo bytecode manualmente é como se você executasse *dê um **Mergulho Rápido***

seu processamento de palavras usando PostScript pura. E eu apreciaria se *não* se dirigisse a mim como "amigo".

(Vou continuar insistindo na veia irônica.) Mas você ainda não respondeu minha pergunta, o *que* faz realmente?

Lembre-se de que o Java é uma linguagem fortemente tipificada, o que significa que não posso permitir que as variáveis armazenem dados com o tipo errado. Esse é um recurso de segurança crucial e posso bloquear a grande maioria das violações antes que elas cheguem até você. Além disso -

Mas algumas ainda passam! Posso lançar exceções ClassCastException e às vezes vejo pessoas tentando inserir o tipo errado de coisa em uma matriz que foi declarada como contendo algo diferente e -

Desculpe, mas não terminei. E sim, *há* algumas exceções de tipo de dado que podem surgir no tempo de execução, mas algumas delas têm que ser permitidas, para que outro recurso Java importante tenha suporte - a vinculação dinâmica. No tempo de execução, um programa Java pode incluir novos objetos que não eram *conhecidos* nem mesmo pelo programador original, portanto, tenho que permitir um certo nível de flexibilidade. Mas meu trabalho é bloquear qualquer coisa que nunca seria - *poderia* ser - bem sucedida no tempo de execução. Geralmente consigo saber quando algo não vai funcionar, por exemplo, se um programador tentasse acidentalmente usar um objeto Button como uma conexão de soquete, eu detectaria isso e evitaria que ele causasse danos no tempo de execução.

OK. Certo. Mas e quanto à *segurança*? Veja tudo que eu faço com relação à segurança e você fica, digamos, procurando sinais de *ponto-e-vírgula*? Oooooh, mas que grande risco à segurança! Muito obrigado!

Desculpe, mas sou a primeira linha de defesa, como dizem. As violações de tipo de dado que descrevi anteriormente poderiam danificar um programa se fosse permitido que elas se manifestassem. Também sou eu que impeço as violações de acesso, como, por exemplo, um código que tentasse chamar um método privado, ou alterar um método que - por razões de segurança - não pudesse nunca ser alterado. Impeço as pessoas de mexer em códigos que não tenham permissão para ver, inclusive códigos que tentem acessar dados críticos de outra classe. Demoraria horas, talvez dias, para eu conseguir descrever a importância de meu trabalho.

Não importa. Acabo tendo que fazer a mesma coisa só para me certificar se alguém obteve acesso depois de você e alterou o bytecode antes de executá-lo.

É claro, mas como descrevi anteriormente, se eu não impedisse o que talvez chegue a 99% dos problemas potenciais, você acabaria travando. E parece que não temos mais tempo, portanto, teremos que voltar a isso em um bate-papo posterior.

Oh, pode contar com isso. *Amigo.*

*você está aqui* ▶   **15**

*exercícios:* imãs de Geladeiras

Exercício

# Ímãs de Geladeira

Um programa Java funcional está todo misturado sobre a porta da geladeira. Você conseguiria reorganizar os trechos de código para criar um programa Java funcional que produzisse a saída listada abaixo? Algumas das chaves caíram no chão e são muito pequenas para que as recuperemos, portanto, fique a vontade para adicionar quantas delas precisar!

```
if (x == 1) {
    System.out.print("d");
    x = x - 1;
}
```

```
if (x == 2) {
    System.out.print("b c");
}
```

```
class Shuffle1 {
    public static void main(String [] args) {
```

```
if (x > 2) {
    System.out.print("a");
}
```

```
int x = 3;
```

```
x = x - 1;
System.out.print("-");
```

```
while (x > 0) {
```

**Saída:**

```
File Edit Window Help Sleep
% java Shuffle1
a-b c-d
```

## Seja o compilador

Cada um dos arquivos Java dessa página representa um arquivo-fonte completo. Sua tarefa é personificar o compilador e determinar se cada um deles pode ser compilado. Se não puderem ser compilados, como você os corrigiria?

**A**

```
class Exercise1b {
   public static void main(String [] args) {
      int x = 1;
      while ( x < 10 ) {
        if ( x > 3) {
            System.out.println("big x");
        }
      }
   }
}
```

**B**

```
public static void main(String [] args) {
   int x = 5;
   while ( x > 1 ) {
      x = x - 1;
      if ( x < 3 ) {
          System.out.println("small x");
      }
   }
}
```

**C**

```
class Exercise1b {
     int x = 5;
     while ( x > 1 ) {
        x = x - 1;
        if ( x < 3 ) {
            System.out.println("small x");
        }
     }
}
```

**quebra-cabeça:** *palavra cruzada*

## Cruzadas Java

Agora daremos algo para o lado direito de seu cérebro fazer.

É uma palavra cruzada padrão, mas quase todas as palavras da solução vêm do Capítulo 1. Apenas para que você fique alerta, também incluímos algumas palavras (não relacionadas à Java) do universo tecnológico.

### Horizontais

4. Código de linha de comando
6. Mais uma vez?
8. Não pode seguir dois caminhos
9. Acrônimo do tipo de energia de seu laptop
12. Tipo numérico de variável
13. Acrônimo de um chip
14. Exibir algo
18. Um conjunto de caracteres
19. Anunciar uma nova classe ou método
21. Para que serve um prompt?

### Verticais

1. Não é um inteiro (ou seu barco é um objeto ____)
2. Voltou de mãos vazias
3. As portas estão abertas
4. Depto. de manipuladores de LAN
5. Contêineres de 'itens'
7. Até que as atitudes melhorem
10. Consumidor de código-fonte
13. Não é possível fixá-la
15. Modificador inesperado
16. É preciso ter um
17. Como fazer algo
20. Consumidor de bytecode

---

### Mensagens misturadas

Um programa Java curto é listado a seguir. Um bloco do programa está faltando. Seu desafio é **comparar o bloco de código candidato** (à esquerda) **com a saída** que você veria se ele fosse inserido. Nem todas as linhas de saída serão usadas e algumas delas podem ser usadas mais de uma vez. Desenhe linhas conectando os blocos de código candidatos à saída de linha de comando correspondente. (As respostas estão no final do capítulo.)

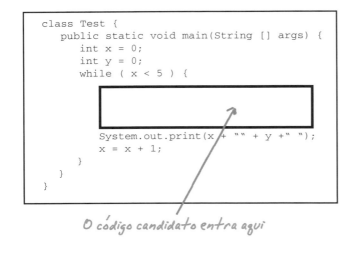

capítulo 1

*dê um Mergulho Rápido*

## Quebra-cabeças na Piscina

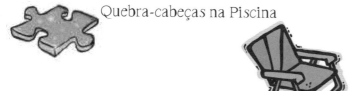

Sua **tarefa** é pegar trechos de código na piscina e inseri-los nas linhas em branco do código. Você pode **não** usar o mesmo trecho mais de uma vez e não terá que empregar todos os trechos.
Seu **objetivo** é criar uma classe que seja compilada e executada produzindo a saída listada. Não se engane - esse exercício é mais difícil do que parece.

```
class PoolPuzzleOne {
    public static void main(String [] args) {
        int x = 0;

        while ( _____ ) {

            _____
            if ( x < 1 ) {
            _____
            }
            _____

            if ( _____ ) {

            _____

            _____
            }
            if ( x == 1 ) {

            _____

            }
            if ( _____ ) {

            _____

            }
            System.out.println("");
            _____
        }
    }
}
```

**Saída**

```
%java PollPuzzleOne

a noise

annoys

an oyster
```

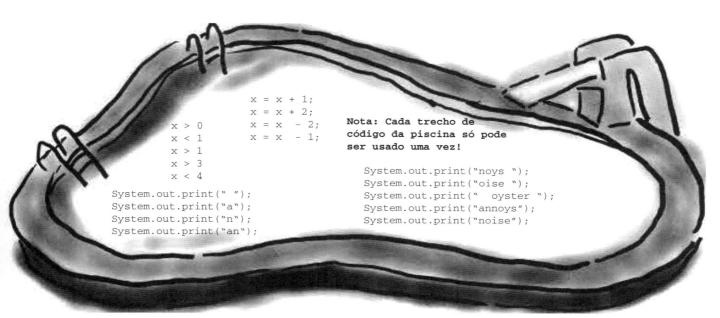

Nota: Cada trecho de código da piscina só pode ser usado uma vez!

# soluções dos exercícios

## Soluções dos Exercícios

### Ímãs de Geladeira :

```
class Shuffle1 {
   public static void main(String [] args) {
      int x = 3;
      while (x > 0) {
         if (x > 2) {
            System.out.print("a");
         }
         x = x - 1;
         System.out.print("-");
         if (x == 2) {
            System.out.print("b c");
         }
         if (x == 1) {
            System.out.print("d");
            x = x - 1;
         }
      }
   }
}
```

```
File Edit Window Help Sleep
% java Shuffle1
a-b c-d
```

### A

```
class Exercise1b {
   public static void main(String [] args) {
      int x = 1;
      while ( x < 10 ) {
         x = x + 1;
         if ( x > 3) {
            System.out.println("big x");
         }
      }
   }
}
```
**Esse código será compilado e executado (sem saída), mas sem uma linha adicionada ao programa, ele seria processado indefinidamente em um loop 'while' infinito!**

### B

```
class foo {
   public static void main(String [] args) {
      int x = 5;
      while ( x > 1 ) {
         x = x - 1;
         if ( x < 3) {
            System.out.println("small x");
         }
      }
   }
}
```
**Esse arquivo não será compilado sem uma declaração de classe, e não se esqueça da chave correspondente!**

### C

```
class Exercise1b {
   public static void main(String[]args) {
      int x = 5;
      while ( x > 1 ) {
         x = x - 1;
         if ( x < 3) {
            System.out.println("small x");
         }
      }
   }
}
```
**O código do loop 'while' deve ficar dentro de um método. Não pode ficar simplesmente isolado fora da classe.**

## Soluções dos quebra-cabeças

```
class PoolPuzzleOne {
   public static void main(String [] args) {
      int x = 0;
      while ( x < 4 ) {
         System.out.print("a");
         if ( x < 1 ) {
            System.out.print(" ");
         }
         System.out.print("n");
         if ( x > 1 ) {
            System.out.print(" oyster");
            x = x + 2;
         }
         if ( x == 1 ) {
            System.out.print("noys");
         }
         if ( x < 1 ) {
            System.out.print("oise");
         }
         System.out.println("");
         x = x + 1;
      }
   }
}
```

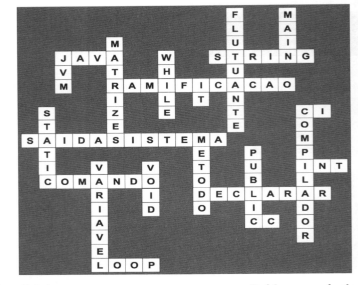

**Candidatos:**     **Saídas possíveis:**

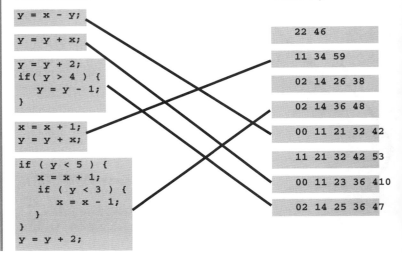

20   capítulo 1

# 2 classes e objetos

# Uma Viagem até Objetópolis

**Ouvi dizer que haveria objetos.** No Capítulo 1, colocamos todo o código no método main( ). Essa não é exatamente uma abordagem orientada a objetos. Na verdade ela definitivamente não é orientada a objetos. Bem, usamos alguns objetos, como as matrizes de strings no código da paráfrase, mas não desenvolvemos nenhum tipo de objeto por nossa própria conta. Portanto, agora temos que deixar esse universo procedimental para trás, sair de main( ) e começar a criar alguns objetos por nossa própria conta. Examinaremos o que torna o desenvolvimento orientado a objetos (OO, object-oriented) em Java tão divertido. Discutiremos a diferença entre uma classe e um objeto. Examinaremos como os objetos podem melhorar sua vida (pelo menos a parte dela dedicada à programação. Não podemos fazer muito com relação à moda). Uma vez chegando em Objetópolis, você pode não voltar mais. Envie-nos um cartão-postal.

*era uma vez* em Objetópolis

# Guerra nas Cadeiras

### (ou como os objetos podem mudar sua vida)

Era uma vez em uma loja de softwares, dois programadores que receberam as mesmas especificações e a ordem "construam". O Gerente de Projetos Muito Chato forçou os dois codificadores a competirem, prometendo que quem acabasse primeiro ganharia uma daquelas modernas cadeiras Aeron™ que todo mundo no Vale de Santa Clara tem. Tanto Larry, o programador de procedimentos, quanto Brad, o adepto da OO, sabiam que isso seria fácil.

Sentado em sua baia, Larry pensou: "O que esse programa precisa fazer? de que *procedimentos* precisamos?". E respondeu "**girar e emitir som**". Portanto, ele começou a construir os procedimentos. Afinal, o que *é* um programa além de uma pilha de procedimentos?

Enquanto isso, Brad voltou ao restaurante e pensou: "Que *itens* existiriam nesse programa... Quem são os principais *envolvidos*?" Primeiro ele pensou nas **Formas Geométricas**. É claro que ele considerou outros objetos como o Usuário, o Som e o evento de Clicar. Mas já tinha uma biblioteca de códigos para esses itens, portanto, se dedicou à construção das Formas. Continue a ler para saber como Brad e Larry construíram seus programas e para conhecer a resposta à inquietante pergunta "*Mas quem ganhou a Aeron?*"

As especificações

A cadeira

## Na baia de Larry

Como já tinha feito milhares de vezes, Larry começou a escrever seus **Procedimentos Importantes**. Ele criou **rotate** e **playSound** sem demora.

```
rotate(shapeNum) {
    // faz a forma girar 360º
}

playSound(shapeNum) {
    // usa shapeNum para pesquisar
    // que som AIF reproduzir e executá-lo
}
```

## No laptop de Brad dentro do restaurante

Brad criou uma *classe* para cada uma das três formas

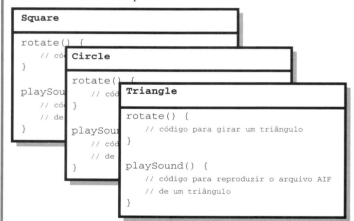

## Larry achou que tinha conseguido. Podia quase sentir as rodas de aço da Aeron rolando embaixo de seu...

### Mas espere! Houve uma alteração nas especificações.

"Certo, tecnicamente você venceu. Larry", disse o Gerente, "mas temos que adicionar apenas mais um pequeno item ao programa. Não será problema para programadores avançados como vocês dois."

*"Se eu ganhasse uma moeda sempre que ouvisse isso"*, pensou Larry, sabendo que alterações nas especificações sem problemas era ilusão. *"E mesmo assim Brad parece estranhamento tranqüilo. O que estará acontecendo?"* Larry continuou mantendo sua crença de que fazer da maneira orientada a objetos, embora avançado, era lento. E que, se alguém quisesse fazê-lo mudar de idéia, teria que fazer isso à força.

O que foi adicionado às especificações

22    capítulo 2

## De volta à baia de Larry

O procedimento de rotação ainda funcionaria; o código usava uma tabela de pesquisa para comparar o argumento shapeNum com a figura de uma forma real. Mas *playSound teria que mudar*. **E o que diabos é um arquivo .hif?**

```
playSound(shapeNum) {
   // se a forma não for uma amoeba,
      // use shapeNum para pesquisar que
      // som AIF reproduzir e execute-o
   // ou
      // reproduza o som .hif da amoeba
}
```

Não pareceu ser uma grande idéia, mas *ele se sentia desconfortável em alterar código já testado*. Entre *todas* as pessoas, *ele* sabia que, independentemente do que o gerente de projetos dissesse, *as especificações sempre seriam alteradas*.

## Usando o laptop de Brad na praia

Brad sorriu, tomou um gole de sua marguerita e *criou uma nova classe*. Às vezes o que ele mais adorava na OO era não ser preciso mexer em código que já tivesse sido testado e distribuído. "Flexibilidade, extensibilidade..." ele pensou, refletindo sobre os benefícios da OO.

```
Amoeba
---
rotate() {
   // código para girar a amoeba
}

playSound() {
   // código para reproduzir o novo
   // arquivo .hif de uma amoeba
}
```

## Larry acabou alguns minutos na frente de Brad.

(Ah! Tanto barulho por aquela besteira de OO.) Mas o sorriso de Larry desapareceu quando o Gerente de Projetos Muito Chato disse (com esse tom de desapontamento): "Oh, não, não é *assim* que a amoeba deve girar...!"

Os dois programadores acabaram escrevendo seu código de rotação dessa forma:

**1) determine o retângulo que circula a forma**

**2) calcule o centro desse retângulo e gire a forma ao redor desse ponto.**

Mas a forma de amoeba devia girar ao redor de um ponto em uma *extremidade*, como um ponteiro de relógio.

"Estou frito" pensou Larry, visualizando um Wonderbread™ chamuscado. "Porém, hmmm. Eu poderia apenas adicionar outra instrução if/else ao procedimento de rotação e, em seguida, embutir o código do ponto de rotação da amoeba. Provavelmente isso não atrapalhará nada." Mas uma voz longínqua em sua mente dizia: *"É um grande erro. Você acha honestamente que as especificações não mudarão novamente?"*

*O que as especificações esqueceram de mencionar adequadamente*

*era uma vez* em Objetópolis

## De volta à baia de Larry

Ele achou que seria melhor adicionar os pontos de rotação como argumentos do procedimento de rotação. **Grande parte do código foi afetada.** Teste, compilação, todo o trabalho teve que ser feito novamente. O que funcionava deixou de funcionar.

```
rotate(shapeNum, xPt, yPt) {
    // se a forma não for uma amoeba,
        // calcule o ponto central
        // baseado em um retângulo,
        // e, em seguida, gire
    // ou
        // use xPt e yPt como
        // o deslocamento do ponto de rotação
        // e, em seguida, gire
}
```

## Usando o laptop de Brad em sua espreguiçadeira no Festival de Bluegrass de Telluride

Sem perder nada, Brad modificou o **método** de rotação, mas só na classe Amoeba. *Ele não tocou no código funcional já testado e compilado* das outras partes do programa. Para fornecer à classe Amoeba um ponto de rotação, ele adicionou um **atributo** que todos os objetos Amoeba teriam. Ele modificou, testou e distribuiu (com tecnologia sem fio) o programa revisto apenas durante o show de Bela Fleck.

```
Amoeba
─────────────────────────────
int x point;
int y point;
rotate() {
    // código para girar a amoeba
    // usando os pontos x e y
}

playSound() {
    // código para reproduzir o novo
    // arquivo .hif de uma amoeba
}
```

## Então, Brad, o adepto da OO ganhou a cadeira, certo?

*Não tão rápido.* Larry encontrou uma falha na abordagem de Brad. E, já que tinha certeza de que, se ganhasse a cadeira, também se daria bem com a Lucy da contabilidade, tinha que reverter a situação.

**Larry:** Você tem código duplicado! O procedimento de rotação aparece em todos os quatro itens Shape.

**Brad:** Trata-se de um **método** e não um *procedimento*. E essas são **classes** e não *itens*.

**Larry:** Não importa, É um projeto estúpido. Você tem que manter *quatro* "métodos" de rotação diferentes. Em que isso poderia ser bom?

**Brad:** Oh, acho que você não viu o projeto final. Deixe que eu lhe mostre como a **herança** da OO funciona, Larry.

O que Larry queria (ele achava que a cadeira a impressionaria)

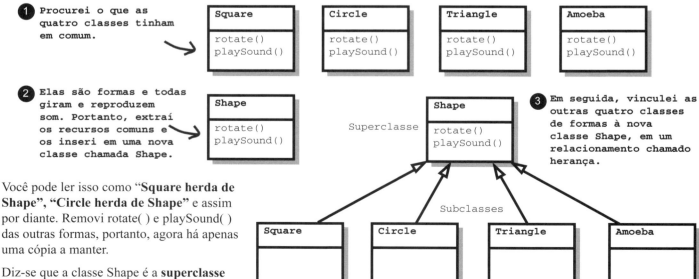

① Procurei o que as quatro classes tinham em comum.

② Elas são formas e todas giram e reproduzem som. Portanto, extraí os recursos comuns e os inseri em uma nova classe chamada Shape.

③ Em seguida, vinculei as outras quatro classes de formas à nova classe Shape, em um relacionamento chamado herança.

Você pode ler isso como "**Square herda de Shape**", "**Circle herda de Shape**" e assim por diante. Removi rotate( ) e playSound( ) das outras formas, portanto, agora há apenas uma cópia a manter.

Diz-se que a classe Shape é a **superclasse** das outras quatro classes. As outras quatro são as **subclasses** de Shape. As subclasses herdam os métodos da superclasse. Em outras palavras, *se a classe Shape tiver uma funcionalidade, então, automaticamente, as subclasses terão essa mesma funcionalidade.*

classes *e* objetos

# E quanto ao método rotate( ) de Amoeba?

**Larry:** Não é esse o problema aqui – que a forma de amoeba tinha um procedimento de rotação e reprodução de som totalmente diferentes?

**Brad: Método.**

**Larry:** Não importa. Como a amoeba pode fazer algo diferente se ela "herda" sua funcionalidade da classe Shape?

**Brad:** Essa é a última etapa. A classe Amoeba **sobrepõe** os métodos da classe Shape. Portanto, no tempo de execução, a JVM saberá exatamente que método rotate( ) executar quando alguém solicitar que o objeto Amoeba gire.

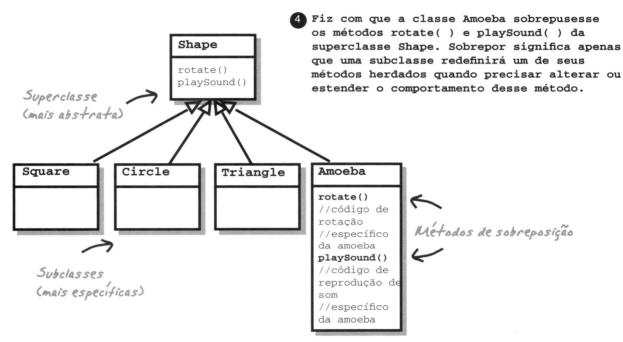

④ Fiz com que a classe Amoeba sobrepusesse os métodos rotate( ) e playSound( ) da superclasse Shape. Sobrepor significa apenas que uma subclasse redefinirá um de seus métodos herdados quando precisar alterar ou estender o comportamento desse método.

**Larry:** Como você "diria" a um objeto Amoeba para fazer algo? Não é preciso chamar o procedimento, desculpe – *método*, e, em seguida, lhe informar *que* item girar?

**Brad:** Isso é o que há de mais interessante na OO. Quando for hora, digamos, de o triângulo girar, o código do programa referenciará (chamará) o método rotate( ) *no objeto Triangle*. O resto do programa não saberá ou se importará realmente em *como* o triângulo o fará. E quando você precisar adicionar algo novo ao programa, apenas criará uma nova classe para o novo tipo de objeto, para que os **novos objetos tenham seu próprio comportamento**.

*você está aqui* ▶ 25

*pensando* nos objetos

## O suspense está me matando. Quem ganhou a cadeira?

**Amy, que trabalha no segundo andar.**

(Sem que ninguém soubesse, o Gerente de Projetos tinha dado as especificações para *três* programadores.)

## PODER DO CÉREBRO

**Hora de ativar alguns neurônios**

Você acabou de ler uma história sobre um programador de procedimentos competindo com um programador orientado a objetos. Tivemos uma breve visão geral de alguns conceitos-chave da OO, que incluiu as classes, métodos e atributos. Passaremos o resto do capítulo examinando as classes e objetos (retornaremos à herança e à sobreposição em capítulos posteriores).

Baseado no que você viu até agora (e no que deve saber de alguma linguagem orientada a objetos com a qual já trabalhou), faça uma pausa para pensar nestas perguntas:

Quais são os itens fundamentais que você terá que considerar quando projetar uma classe Java? Que perguntas terá que fazer para você mesmo? Se pudesse projetar uma lista de conferência para usar quando estiver projetando uma classe, o que incluiria nela?

### O que você gosta na OO?

"Ajuda a projetar de um modo mais natural. As coisas têm uma maneira de evoluir."

— Joy, 27, engenheira de software

"Não preciso mexer em código que já testei, só para adicionar um novo recurso."

— Brad, 32, programador

"Gosto do fato de que os dados e os métodos que os utilizam ficam juntos em uma classe."

— Josh, 22, bebedor de cerveja

"A reutilização do código em outros aplicativos. Quando crio uma nova classe, posso torná-la flexível o suficiente para que seja usada em algo novo posteriormente."

— Chris, 39, gerente de projetos

"Não posso acreditar que Chris disse isso. Ele não escreve uma linha de código há 5 anos."

— Daryl, 44, trabalha para Chris

"Além da cadeira?"

—Amy, 34, programadora

### dica metacognitiva

Se você empacou em um exercício, tente falar sobre ele em voz alta. Falar (e ouvir) ativará uma parte diferente de seu cérebro. Embora isso funcione melhor quando temos outra pessoa com quem discutir, também funciona com animais de estimação. Foi assim que nosso cão aprendeu polimorfismo.

## Quando você projetar uma classe, pense nos objetos que serão criados com esse tipo de classe. Considere:

- as coisas que o objeto **conhece**
- as coisas que o objeto **faz**

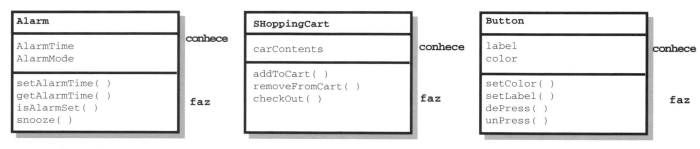

capítulo 2

## As coisas que um objeto conhece sobre si mesmo se chamam
- variáveis de instância

## As coisas que um objeto pode fazer se chamam
- métodos

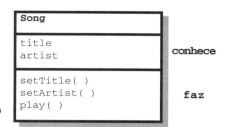

As coisas que um objeto *conhece* sobre ele são chamadas de **variáveis de instância**. Elas representam o estado de um objeto (os dados) e podem ter valores exclusivos para cada objeto desse tipo.

Considere **instância** como outra maneira de dizer **objeto**.

As coisas que um objeto *faz* são chamadas de **métodos**. Quando projetar uma classe, você pensará nos dados que um objeto terá que conhecer sobre si mesmo e também projetará os métodos que operarão sobre esses dados. É comum um objeto ter métodos que leiam ou gravem os valores das variáveis de instância. Por exemplo, os objetos Despertador têm uma variável de instância que armazena a hora de despertar e dois métodos que capturam e configuram essa hora.

Portanto, os objetos têm variáveis de instância e métodos, mas essas variáveis de instância e métodos são projetadas como parte da classe.

Preencha com o que um objeto televisão pode ter que saber e fazer.

## Qual é a diferença entre uma classe e um objeto?

### Uma classe não é um objeto.

#### (Mas é usada para construí-los.)

**Uma classe é o *projeto* de um objeto.** Ela informa à máquina virtual *como* criar um objeto desse tipo específico. Cada objeto criado a partir dessa classe terá seus próprios valores para as variáveis de instância da classe. Por exemplo, você pode usar a classe Button para criar vários botões diferentes, e cada botão poderá ter sua própria cor, tamanho, forma, rótulo e assim por diante.

## Olhe dessa forma...

**Um objeto seria como um registro de sua agenda de endereços.**

Uma analogia que poderíamos usar para os objetos seria um conjunto de fichas Rolodex™ não utilizadas. Todas as fichas tem os mesmos campos em branco (as variáveis de instância). Quando você preencher uma ficha, estará criando uma instância (objeto), e as entradas que criar nessa ficha representarão seu estado.

Os métodos da classe são as coisas que você pode fazer com uma ficha específica; obterNome( ), alterarNome( ), configurarNome( ), todos poderiam ser métodos da classe Rolodex.

Portanto, todas as fichas *fazem* as mesmas coisas (obterNome( ), alterarNome( ), etc.), mas cada uma *conhece* coisas exclusivas sobre si mesma.

*criando objetos*

# Criando seu primeiro objeto

Mas o que é necessário para a criação e uso de um objeto? Você precisa de *duas* classes. Uma para o tipo de objeto que deseja usar (Dog, AlarmClock, Television, etc.) e outra para *testar* sua nova classe. É na classe *testadora* que você inserirá o método principal e nesse método main( ) criará e acessará objetos de seu novo tipo de classe. A classe testadora terá apenas uma tarefa: *testar* os método e variáveis de seu novo tipo de classe de objetos.

Desse ponto do livro em diante, você verá duas classes em muitos de nossos exemplos. Uma será a classe *real* – a classe cujos objetos realmente queremos usar, e a outra será a classe *testadora*, que chamaremos de *<qualquerQueSejaNomeSuaClasse>***TestDriv e**. Por exemplo, se criarmos uma classe **Bungee**, também precisaremos de uma classe **BungeeTestDrive**. Só a classe *<nomeAlgumaClasse>***TestDrive** terá um método main( ), e sua única finalidade será criar objetos de seu novo tipo (a classe que não for a de teste) para em seguida usar o operador ponto (.) para acessar os métodos e variáveis dos novos objetos. Faremos tudo isso muito claramente nos exemplos a seguir.

---

> **O operador ponto (.)**
>
> **O operador ponto (.) lhe dará acesso ao estado e comportamento (variáveis de instância e métodos) de um objeto.**
>
> ```
> //cria um novo objeto
> Dog d = new Dog( );
>
> // solicita que ele lata usando o
> // operador ponto na
> // variável d para chamar bark( )
> d.bark( );
>
> // configure seu tamanho usando
> // o operador ponto
> d.size=40;
> ```

---

**1** **Crie sua classe**

```
class Dog {

    int size;
    String breed;          ⟵————————————— variáveis de instância
    String name;

    void bark() {          ⟵————————————— um método
        System.out.println("Ruff! Ruff!");
    }
}
```

| DOG |
| --- |
| size |
| breed |
| name |
| bark( ) |

**2** **Crie uma classe testadora (TestDrive)**

```
class DogTestDrive {
    public static void main (String[] args) {      ⟵ Apenas um método main (forneceremos um
        // o código de teste de Dog entra aqui          código para ele na próxima etapa)
    }
}
```

**3** **Em sua classe testadora, crie um objeto e acesse suas variáveis e métodos**

```
class DogTestDrive {
    public static void main (String[] args) {
        Dog d = new Dog();      ⟵ Crie um objeto Dog

        d.size = 40;            ⟵ Use o operador ponto (.) para configurar o
                                    tamanho do objeto Dog
Operador ponto ↗
        d.bark();              ⟵ E para chamar seu método bark( )
    }
}
```

Se você já tem algum código OO pronto, sabe que não estamos usando encapsulamento. Abordaremos esse assunto no Capítulo 4.

**28** *capítulo 2*

## Criando e testando objetos Movie

```
class Movie {
    String title;
    String genre;
    int rating;

    void playIt() {
        System.out.println("Playing the movie");
    }
}

public class MovieTestDrive {
    public static void main(String[] args) {
        Movie one = new Movie();
        one.title = "Gone with the Stock";
        one.genre = "Tragic";
        one.rating = -2;
        Movie two = new Movie();
        two.title = "Lost in Cubicle Space";
        two.genre = "Comedy";
        two.rating = 5;
        two.playIt();
        Movie three = new Movie();
        three.title = "Byte Club";
        three.genre = "Tragic but ultimately uplifting";
        three.rating = 127;
    }
}
```

### Aponte seu lápis

```
MOVIE
---
title
genre
rating
---
playIt( )
```

A classe MovieTestDrive cria objetos (instâncias) da classe Movie e usa o operador ponto (.) para configurar as variáveis de instância com um valor específico. Ela também referencia (chama) um método em um dos objetos. Preencha a figura à direita com os valores que os três objetos apresentam no fim de main( ).

**Objeto 1**
- title
- genre
- rating

**Objeto 2**
- title
- genre
- rating

**Objeto 3**
- title
- genre
- rating

## Rápido! Saia de main!

Se você estiver em main( ), não estará realmente em Objetópolis. É adequado um programa de teste ser executado dentro do método main, mas, em um aplicativo OO real, você precisará de objetos que se comuniquem com outros objetos e não de um método main () estático criando e testando objetos.

As duas finalidades de main:

- **testar** sua classe real

- **acionar/iniciar** seu **aplicativo** Java

Um aplicativo Java real nada mais é do que objetos se comunicando com outros objetos. Nesse caso, *comunicar-se* significa os objetos chamando os métodos uns dos outros. Na página anterior, e no Capítulo 4,

*saia logo de main*

examinamos o uso de um método main( ) em uma classe TestDrive separada para criar e testar os métodos e variáveis de outra classe. No Capítulo 6 examinaremos o uso de uma classe com um método main( ) para iniciar um aplicativo Java *real* (criando objetos e, em seguida, deixando-os livres para interagir com outros objetos, etc.)

No entanto, como uma prévia de como um aplicativo Java real pode se comportar, aqui está um pequeno exemplo. Já que ainda estamos nos estágios iniciais do aprendizado de Java, trabalharemos com um pequeno kit de ferramentas , portanto, você achará esse programa um pouco complicado e ineficiente. Talvez pense no que poderia fazer para aperfeiçoá-lo, e em capítulos posteriores é exatamente isso que faremos. Não se preocupe se parte do código for confusa; o ponto-chave desse exemplo é que os objetos se comunicam entre si.

## O jogo de adivinhação

### Resumo:

O jogo de adivinhação envolve um objeto 'game' e três objetos 'player'. O jogo gera um número aleatório entre 0 e 9 e os três objetos player tentam adivinhá-lo. (Não dissemos que seria um jogo *divertido*.)

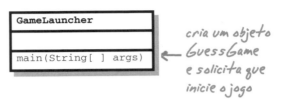

### Classes:

**GuessGame.class    Player.class    GameLauncher.class**

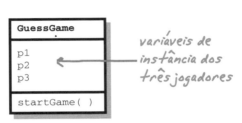

### A lógica:

1) É na classe GameLauncher que o aplicativo é iniciado; ela tem o método main( ).

2) No método main( ), um objeto GuessGame é criado e seu método startGame( ) é chamado.

3) É no método startGame( ) do objeto GuessGame que o jogo inteiro se desenrola. Ele cria três jogadores e, em seguida, "pensa" em um número aleatório (aquele que os jogadores têm que adivinhar). Depois solicita a cada jogador que adivinhe, verifica o resultado e exibe informações sobre o(s) jogador(es) vencedor(es) ou pede que adivinhem novamente.

```
public class GuessGame {
    Player p1;
    Player p2;
    Player p3;

    public void startGame() {
        p1 = new Player();
        p2 = new Player();
        p3 = new Player();

        int guessp1 = 0;
        int guessp2 = 0;
        int guessp3 = 0;

        boolean p1isRight = false;
        boolean p2isRight = false;
        boolean p3isRight = false;

        int targetNumber = (int) (Math.random() * 10);
        System.out.println("Estou pensando em um número entre 0 e 9...");

        while(true) {
            System.out.println("O número a adivinhar é " + targetNumber);

            p1.guess();
            p2.guess();
            p3.guess();
```

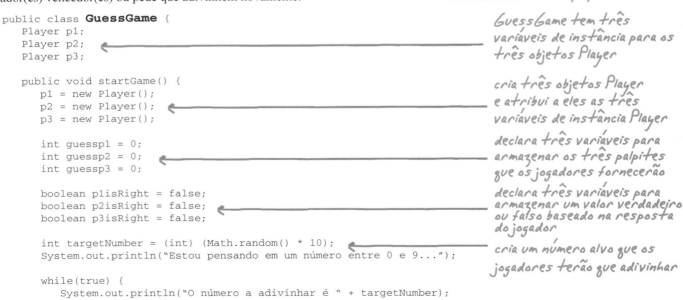

```
            guessp1 = p1.number;
            System.out.println("O jogador um forneceu o palpite " + guessp1);
            guessp2 = p2.number;
            System.out.println("O jogador dois forneceu o palpite " + guessp2);
            guessp3 = p3.number;
            System.out.println("O jogador três forneceu o palpite " + guessp3);

            if (guessp1 == targetNumber) {
               p1isRight = true;
            }
            if (guessp2 == targetNumber) {
               p2isRight = true;
            }
            if (guessp3 == targetNumber) {
               p3isRight = true;
            }

            if (p1isRight || p2isRight || p3isRight) {

               System.out.println("Temos um vencedor!");
               System.out.println("O jogador um acertou? " + p1isRight);
               System.out.println("O jogador dois acertou? " + p2isRight);
               System.out.println("O jogador três acertou? " + p3isRight);
               System.out.println("Fim do jogo.");
               break; // fim do jogo, portanto saia do loop
            } else {
               // devemos continuar porque ninguém acertou!
               System.out.println("Os jogadores terão que tentar novamente.");
            } // fim de if/else
         } // fim do loop
      } // fim do método
} // fim da classe
```

*obtém o palpite de cada jogador (o resultado da execução de seu método guess( )) acessando a variável numérica de cada um*

*verifica o palpite de cada jogador para ver se é igual ao número-alvo. Se um jogador acertar, sua variável será configurada com true (lembre-se de que configuramos false como o padrão)*

*se o jogador um OU o jogador dois OU o jogador três acertar... (O operador || significa OU)*

*caso contrário, fique no loop e peça aos jogadores outro palpite.*

## Executando o jogo de adivinhação

```
public class Player {
   int number = 0;  // onde entra o palpite

   public void guess() {
      number = (int) (Math.random() * 10);
      System.out.println("Estou pensando em " + number);
   }
}

public class GameLauncher {
   public static void main (String[] args) {
      GuessGame game = new GuessGame();
      game.startGame();
   }
}
```

**Saída** (será diferente a cada vez que você executar)

```
File Edit Window Help Explode
%java GameLauncher
Estou pensando em um número entre 0 e 9...
O número a adivinhar é 7
Estou pensando em 1
Estou pensando em 9
Estou pensando em 9
O jogador um forneceu o palpite 1
O jogador dois forneceu o palpite 9
O jogador três forneceu o palpite 9
Os jogadores terão que tentar novamente.
O número a adivinhar é 7
Estou pensando em 3
Estou pensando em 0
Estou pensando em 9
O jogador um forneceu o palpite 3
O jogador dois forneceu o palpite 0
O jogador três forneceu o palpite 9
Os jogadores terão que tentar novamente.
O número a adivinhar é 7
Estou pensando em 7
Estou pensando em 5
Estou pensando em 0
O jogador um forneceu o palpite 7
O jogador dois forneceu o palpite 5
O jogador três forneceu o palpite 0
Temos um vencedor!
O jogador um acertou? verdadeiro
O jogador dois acertou? falso
O jogador três acertou? falso
Fim do jogo.
```

### O Java coleta o lixo

Sempre que um objeto é criado em Java, ele vai para uma área da memória conhecida como **Acervo**. Todos os objetos - independentemente de quando, onde ou como sejam criados - residem no acervo. Mas não se trata simplesmente de qualquer memória acervo como as antigas; na verdade a memória acervo Java se chama **Pilha de Lixo Coletável**. Quando você criar um objeto, a Java alocará espaço na memória acervo de acordo com quanto esse objeto específico vai precisar. Um objeto com, digamos, 15 variáveis de instância, provavelmente precisará de mais espaço do que um objeto com apenas duas variáveis de instância. Mas o que acontecerá quando você precisar reclamar esse espaço? Como você tirará um objeto do acervo quando não precisar mais dele? A Java gerenciará essa memória para você! Quando a JVM 'perceber' que um objeto pode nunca mais ser usado, ele se tornará *qualificado para a coleta de lixo*. E se você estiver ficando com pouco espaço na memória, o Coletor de Lixo será executado, eliminará os objetos inalcançáveis e liberará espaço, para que esse possa ser reutilizado. Em capítulos posteriores você aprenderá mais sobre como isso funciona.

_não existem perguntas idiotas_

não existem
## Perguntas Idiotas

**P:** **E se eu precisar de variáveis e métodos globais? Como conseguirei isso, se tudo precisa estar em uma classe?**

**R:** Não há um conceito de variáveis e métodos 'globais' em um programa Java orientado a objetos. Na prática, entretanto, haverá situações em que você pode querer que um método (ou uma constante) esteja disponível para qualquer código que for executado em qualquer parte de seu programa. Considere o método random( ) do aplicativo da paráfrase; é um método que tem que poder ser chamado de qualquer local. E quanto a uma constante como pi? Você aprenderá no Capítulo 10 que marcar um método como public e static faz com que ele se comporte de maneira semelhante a um método 'global'. Qualquer código, de qualquer classe de seu aplicativo, poderá acessar um método estático público. E se você marcar uma variável como public, static e final – terá essencialmente criado uma constante disponível globalmente.

**P:** **Mas como poderia chamar isso de orientado a objetos se ainda é possível tornar globais as funções e dados?**

**R:** Em primeiro lugar, tudo em Java reside em uma classe. Portanto, a constante pi e o método random( ), embora públicos e estáticos, são definidos dentro da classe Math. E você deve se lembrar que esses itens estáticos (semelhantes aos globais) são a exceção em vez da regra em Java. Eles representam um caso muito especial, em que não se tem várias instâncias/objetos.

**P:** **O que é um programa Java? O que é realmente distribuído?**

**R:** Um programa Java consiste em uma pilha de classes (ou, pelo menos, uma classe). Em um aplicativo Java, uma das classes deve ter um método main, usado para iniciar o programa. Portanto, como programador, você escreve uma ou mais classes. E essas classes são que você distribuirá. Se o usuário final não tiver uma JVM, você também precisará incluir nas classes de seu aplicativo, para que eles possam executar seu programa. Há vários programas de instalação que permitem incluir nas classes diversos JVMs (digamos, para diferentes plataformas) e inserir tudo em um CD-ROM. Assim o usuário final poderá instalar a versão correta da JVM (supondo que eles já não a tenham em suas máquinas).

**P:** **E se eu tiver uma centena de classes? Ou mil? Não seria complicado distribuir todos esses arquivos? Posso empacotá-los em um Kit Aplicativo?**

**R:** Sim, seria complicado distribuir uma grande quantidade de arquivos para seus usuários finais, mas você não precisa fazer isso. você pode inserir todos os arquivos de seu aplicativo em um Java Archive – um arquivo .jar – que usa o formato pkzip. No arquivo jar, você poderá incluir um arquivo de texto simples formatado como algo chamado mainfesto, que definirá que classe desse arquivo contém o método main() que deve ser executado.

## PONTOS DE BALA

- A programação orientada a objetos lhe permitirá estender um programa sem ser preciso mexer em código funcional já testado.

- Todo código Java é definido em uma **classe**.

- Uma classe descreve como criar um objeto desse tipo de classe. **Uma classe é como um projeto**.

- Um objeto pode cuidar de si próprio; você não precisa conhecer ou se importar com a _maneira_ de ele agir.

- Um objeto **conhece** coisas e **faz** coisas.

- As coisas que um objeto conhece sobre si próprio se chamam **variáveis de instância**. Elas representam o _estado_ de um objeto.

- As coisas que um objeto faz são chamadas de **métodos**. Eles representam o _comportamento_ de um objeto.

- Quando você criar uma classe, talvez queira criar uma classe de teste separada, que usará para gerar objetos de seu novo tipo de classe.

- Uma classe pode **herdar** variáveis de instância e métodos de uma **superclasse** mais abstrata.

- No tempo de execução, um programa Java nada mais é do que objetos 'comunicando-se' com outros objetos.

Torne fácil lembrar

Uma classe é como uma receita.
Os objetos são como os biscoitos.

Exercício

### Seja o compilador

**Cada um dos arquivos Java dessa página representa um arquivo-fonte completo. Sua tarefa é personificar o compilador e determinar se cada um deles pode ser compilado. Se não puderem ser compilados, como você os corrigiria, e se eles forem compilados, qual seria sua saída?**

**A**

```
class TapeDeck {

   boolean canRecord = false;

   void playTape() {
      System.out.println("tape playing");
   }

   void recordTape() {
      System.out.println("tape recording");
   }
}

class TapeDeckTestDrive {
   public static void main(String [] args) {

      t.canRecord = true;
      t.playTape();

      if (t.canRecord == true) {
           t.recordTape();
      }
   }
}
```

**B**

```
class DVDPlayer {

   boolean canRecord = false;

   void recordDVD() {
      System.out.println("DVD recording");
   }
}

class DVDPlayerTestDrive {
   public static void main(String [] args) {

      DVDPlayer d = new DVDPlayer();
      d.canRecord = true;
      d.playDVD();

      if (d.canRecord == true) {
           d.recordDVD();
      }
   }
}
```

*exercício:* Ímãs de Geladeira

Exercício

# Ímãs de Geladeira

Um programa Java está todo misturado sobre a geladeira. Você conseguiria reconstruir os trechos de código para criar um programa Java funcional que produzisse a saída listada a seguir? Algumas das chaves caíram no chão e são muito pequenas para que as recuperemos, portanto, fique à vontade para adicionar quantas delas precisar!

```
d.playSnare();
    DrumKit d = new DrumKit();
boolean topHat = true;
boolean snare = true;
```

```
void playSnare() {
   System.out.println("bang bang ba-bang");
}
```

```
public static void main(String [] args) {
```

```
if (d.snare == true) {
    d.playSnare();
}
```

```
d.snare = false;
```

```
class DrumKitTestDrive {
    d.playTopHat();
        class DrumKit {
void playTopHat() {
   System.out.println("ding ding da-ding");
}
```

```
File Edit Window Help Dance
%java DrumKitTestDrive
bang bang ba-bang
ding ding da-ding
```

---

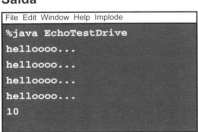

Quebra-cabeças na Piscina

**Saída**

```
File Edit Window Help Implode
%java EchoTestDrive
helloooo...
helloooo...
helloooo...
helloooo...
10
```

Sua *tarefa* é pegar os trechos de código da piscina e inseri-los nas linhas em branco do código. Você **pode** usar o mesmo trecho mais de uma vez e não terá que empregar todos os trechos. Seu *objetivo* é criar classes que sejam compiladas e executadas produzindo a saída listada.

**Pergunta adicional!**

Se a última linha da saída fosse **24** em vez de **10**, como você concluiria o quebra-cabeça?

## classes e objetos

```
public class EchoTestDrive {
   public static void main(String [] args) {
      Echo e1 = new Echo();
      _____
      int x = 0;
      while ( _____ ) {
         e1.hello();
         _____
         if ( _____ ) {
            e2.count = e2.count + 1;
         }
         if ( _____ ) {
            e2.count = e2.count + e1.count;
         }
         x = x + 1;
      }
      System.out.println(e2.count);
   }
}
```

```
class _____ {
   int _____ = 0;
   void _____ {
      System.out.println("helloooo... ");
   }
}
```

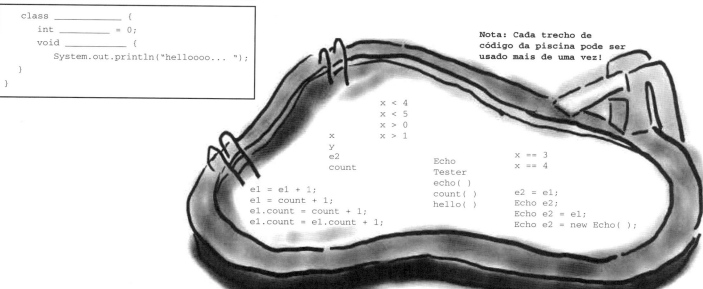

**Nota: Cada trecho de código da piscina pode ser usado mais de uma vez!**

```
                           x < 4
                           x < 5
                           x > 0
            x              x > 1
            y
            e2
            count                    Echo       x == 3
                                     Tester     x == 4
                                     echo( )
e1 = e1 + 1;                         count( )   e2 = e1;
e1 = count + 1;                      hello( )   Echo e2;
e1.count = count + 1;                           Echo e2 = e1;
e1.count = e1.count + 1;                        Echo e2 = new Echo( );
```

### Quem sou eu?

Um grupo de componentes Java, vestido a rigor, está participado do jogo, "Quem sou eu?" em uma festa. Eles lhe darão uma pista e você tentará adivinhar quem são, baseado no que disserem. Se por acaso disserem algo que possa ser verdadeiro para mais de um deles, selecione todos aos quais a frase possa ser aplicada. Preencha as linhas em branco próximas à frase com os nomes de um ou mais candidatos. A primeira é por nossa conta.

**Candidatos desta noite: Classe Método Objeto Variável de instância**

Sou compilado em um arquivo .java. classe _____
Os valores de minha variável de instância podem ser diferentes dos de meu colega. _____
Comporto-me como um modelo. _____
Gosto de fazer coisas. _____
Posso ter muitos métodos. _____
Represento o 'estado'. _____
Odeio comportamentos. _____
Estou situado nos objetos. _____
Vivo no acervo. _____
Costumo criar instâncias de objeto. _____
Meu estado pode se alterar. _____
Declaro métodos. _____
Posso mudar no tempo de execução. _____

*você está aqui* ▶ 35

## Soluções dos Exercícios

### Ímãs de Geladeira :

```java
class DrumKit {
    boolean topHat = true;
    boolean snare = true;
    void playTopHat() {
        System.out.println("ding ding da-ding");
    }
    void playSnare() {
        System.out.println("bang bang ba-bang");
    }
}

class DrumKitTestDrive {
    public static void main(String [] args) {
        DrumKit d = new DrumKit();
        d.playSnare();
        d.snare = false;
        d.playTopHat();
        if (d.snare == true) {
            d.playSnare();
        }
    }
}
```

```
File Edit Window Help Dance
%java DrumKitTestDrive
bang bang ba-bang
ding ding da-ding
```

### Seja o compilador:

**A**
```java
class TapeDeck {
    boolean canRecord = false;
    void playTape() {
        System.out.println("tape playing");
    }
    void recordTape() {
        System.out.println("tape recording");
    }
}

class TapeDeckTestDrive {
    public static void main(String [] args) {
        TapeDeck t = new TapeDeck( );
        t.canRecord = true;
        t.playTape();
        if (t.canRecord == true) {
            t.recordTape();
        }
    }
}
```

> Temos o modelo, agora temos que criar um objeto!

**B**
```java
class DVDPlayer {
    boolean canRecord = false;
    void recordDVD() {
        System.out.println("DVD recording");
    }
    void playDVD ( ) {
        System.out.println("DVD playing");
    }
}

class DVDPlayerTestDrive {
    public static void main(String [] args) {
        DVDPlayer d = new DVDPlayer();
        d.canRecord = true;
        d.playDVD();
        if (d.canRecord == true) {
            d.recordDVD();
        }
    }
}
```

> A linha: d.playDVD( ); não seria compilada sem um método!

## Soluções dos quebra-cabeças

### Quem sou eu?

Sou compilado em um arquivo .java. **classe**

Os valores de minha variável de instância podem ser diferentes dos de meu colega. **objeto**

Comporto-me como um modelo. **classe**

Gosto de fazer coisas. **objeto, método**

Posso ter muitos métodos. **classe, objeto**

Represento o 'estado'. **variável de instância**

Odeio comportamentos. **objeto, classe**

Estou situado nos objetos. **método, variável de instância**

Vivo no acervo. **objeto**

Costumo criar instâncias de objeto. **classe**

Meu estado pode se alterar. **objeto, variável de instância**

Declaro métodos. **classe**

Posso mudar no tempo de execução. **objeto, variável de instância**

Nota: diz-se que tanto as classes quanto os objetos possuem estado e comportamento. Eles são definidos na classe, mas também são considerados parte do objeto. Por enquanto, não vamos nos preocupar com a questão técnica de onde eles residem.

### Quebra-cabeça da piscina

```java
public class EchoTestDrive {
    public static void main(String [] args) {
        Echo e1 = new Echo();
        Echo e2 = new Echo( );   // a resposta correta
                    - ou -
        Echo e2 = e1;   // a da pergunta adicional!
        int x = 0;
        while (x < 4) {
            e1.hello();
            e1.count = e1.count + 1;
            if (x == 3) {
                e2.count = e2.count + 1;
            }
            if (x > 0) {
                e2.count = e2.count + e1.count;
            }
            x = x + 1;
        }
        System.out.println(e2.count);
    }
}

class Echo {
    int count = 0;
    void hello( ) {
        System.out.println("helloooo... ");
    }
}
```

```
File Edit Window Help Assimilate
%java EchoTestDrive
helloooo...
helloooo...
helloooo...
helloooo...
10
```

# 3 variáveis primitivas e de referência

# Conheça suas Variáveis

**Existem duas versões de variáveis: primitivas e de referência.** Até agora você usou variáveis em duas situações — como estado do objeto (variáveis de instância) e como variáveis locais (variáveis declaradas dentro de um método). Posteriormente, usaremos variáveis como argumentos (valores enviados para um método pelo código que o chamou) e como tipos de retorno (valores retornados ao código que chamou o método). Você viu variáveis declaradas como valores inteiros primitivos simples (tipo int). Examinou variáveis declaradas como algo mais complexo do tipo string ou matriz. Porém há mais coisas na vida além de inteiros, strings e matrizes. E se você tiver um objeto DonodeAnimal com uma variável de instância Cão? Ou um Carro com um Motor? Neste capítulo revelaremos os mistérios dos tipos Java e examinaremos o que você pode declarar como uma variável, o que pode inserir em uma variável e o que pode fazer com ela. E, para concluir, discutiremos o que acontece realmente na pilha de lixo coletável.

*este é um novo capítulo* 37

*declarando uma variável*

*A Java considera o tipo importante. Você não pode inserir uma girafa em uma variável Coelho.*

## Declarando uma variável

**O Java considera o tipo importante.** Ele não permitirá que você faça algo bizarro e perigoso como inserir a referência de uma girafa em uma variável Coelho — o que aconteceria quando alguém tentasse pedir ao suposto *coelho* para saltar( )? E não permitirá que insira um número de ponto flutuante em uma variável de tipo inteiro, a menos que você *informe ao compilador* que sabe que pode perder a precisão (o que se encontra após a vírgula decimal).

O compilador consegue identificar a maioria dos problemas:

```
Coelho saltador = new Girafa( );
```

Não espere que isso seja compilado. *Ainda bem que não será.*

Para que toda essa segurança dos tipos funcione, você deve declarar o tipo de sua variável. Ela é um inteiro? Um Cão? Um único caractere? As variáveis vêm em duas versões: ***primitivas*** e ***de referência de objeto***. As primitivas contêm valores básicos (pense em padrões de bits simples) que incluem inteiros, booleanos e números de ponto flutuante. As referências de objeto contêm, bem, *referências* a *objetos*. (Puxa! *Isso* não esclareceu tudo?)

Examinaremos primeiro as variáveis primitivas e, em seguida, passaremos para o que uma referência de objeto significa realmente. Mas independentemente do tipo, você deve seguir duas regras de declaração:

## As variáveis devem ter um tipo

Além de um tipo, uma variável precisa de um nome, para que você possa usar esse nome no código.

## As variáveis devem ter um nome

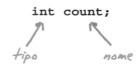

Nota: quando você se deparar com uma instrução como "um objeto de **tipo X**", pense em *tipo* e *classe* como sinônimos. (Detalharemos isso um pouco mais em capítulos posteriores.)

## "Gostaria de um café duplo, não traga um do tipo inteiro."

Quando você pensar em variáveis Java, pense em xícaras. Xícaras de café, xícaras de chá, canecas gigantes onde cabe muita cerveja, esses grandes copos em que as pipocas são vendidas no cinema, xícaras curvas, com alças sexy e canecas com acabamento metálico que lhe disseram para nunca colocar em um microondas.

**Uma variável é apenas uma xícara. Um contêiner. Ela *contém* algo.**

Ela tem um tamanho e um tipo. Neste capítulo, examinaremos primeiro as variáveis (xícaras) que contêm tipos **primitivos** e, um pouco mais adiante, discutiremos as xícaras que contêm *referências a objetos*. Não deixe de acompanhar toda a nossa analogia com as xícaras — tão simples como está sendo agora, ela nos fornecerá uma maneira comum de examinar as coisas quando a discussão ficar mais complexa. E isso ocorrerá em breve.

As variáveis primitivas são como as xícaras que vemos nos cafés. Se você já foi a um Starbucks nos Estados Unidos, sabe sobre o que estamos falando aqui. Elas têm tamanhos diferentes e cada uma tem um nome como 'pequena', 'grande' ou "Gostaria de um 'moca' grande com pouca cafeína e chantilly".

Podemos ver as xícaras dispostas no balcão, portanto, é possível ordená-las corretamente:

*variáveis primitivas e de referência*

E, em Java, existem tamanhos diferentes para as variáveis primitivas e esses tamanhos têm nomes. Quando você declarar uma variável em Java, deve declará-la com um tipo específico. Os quatro contêineres mostrados aqui são para os quatro tipos primitivos inteiros em Java.

Cada xícara contém uma quantidade, o mesmo ocorre com as variáveis primitivas Java, de modo que, em vez de dizer "Quero uma xícara grande de café francês torrado", você diria ao compilador "Quero uma variável int com o número 90, por favor". Exceto por uma pequena diferença... Em Java, você também terá que fornecer um *nome* para sua xícara. Portanto, na verdade diríamos "Quero um int, por favor, com o valor 2.486 e chame a variável de **tamanho**". Cada variável primitiva possui uma quantidade fixa de bits (tamanho da xícara). Os tamanhos das seis variáveis primitivas numéricas em Java são mostrados a seguir:

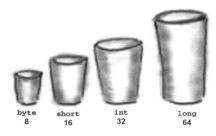

## Tipos primitivos

Tipo    Quantidade de bits    Intervalo de valores

### Bolleano e char

Booleano (específica da JVM) **verdadeiro** ou **falso**

char    16 bits    0 a 65535

### numéricos (todos têm sinal)

### inteiro

```
byte    8 bits              -128 a 127
curto   16 bits             -32768 a 32767
int     32 bits             -2147483648 a
                             2147483647
long    64 bits             - enorme a enorme
```

### ponto flutuante

```
float   32 bits             varia
double  64 bits             varia
```

## Declarações primitivas com atribuições:

```
int x;
x = 234;
byte b = 89;
boolean isFun = true;
double d = 3456.98;
char c = 'f';
int z = x;
boolean isPunkRock;
isPunkRock = false;
boolean powerOn;
powerOn = isFun;
long big = 3456789;
float f = 32.5f;
```

*Observe o f. É preciso inseri-lo em um tipo float, porque o Java considera tudo que encontra com um ponto flutuante como um tipo double, a menos que f seja usado.*

## Você não queria derramar isso realmente...

### Certifique-se de que o valor cabe na variável.

Você não pode desejar uma quantidade grande em uma xícara pequena.

Bem, certo, você pode, mas vai perder uma parte. Você terá o que chamamos de *derramamento*. O compilador tentará ajudar a impedir isso se conseguir perceber que algo em seu código não caberá no contêiner (variável/xícara) que você está usando.

Por exemplo, você não pode despejar muitos inteiros em um contêiner de tamanho byte, como descrito a seguir:

```
int x = 24;
byte b = x;
//não funcionará!!
```

*atribuição* primitiva

Por que isso não funcionou, você poderia perguntar? Afinal, o valor de *x* é 24, e 24 definitivamente é um valor suficientemente baixo para caber em um tipo byte. *Você* sabe disso, e nós também, mas tudo que importa ao compilador é que houve a tentativa de se inserir algo grande em um recipiente pequeno, e há *possibilidade* de derramamento. Não espere que o compilador saiba qual é o valor de x, mesmo se por acaso você puder vê-lo literalmente em seu código.

**Você pode atribuir um valor a uma variável de várias maneiras dentre elas:**

- digitar um valor *literal* depois do sinal de igualdade (x = ***12***, isGod = ***true***, etc).
- atribuir o valor de uma variável a outra (x = y)
- usar uma expressão combinando os dois (x = y + ***43***)

**Nos exemplos a seguir, os valores literais estão em itálico e negrito:**

```
int size = 32;           declara um int chamado size e atribui a ele o valor 32
char initial = 'j';      declara um char chamado initial e atribui a ele o valor 'j'
double d = 456,709;      declara um double chamado d e atribui a ele o valor 456,709
boolean isCrazy;         declara um booleano chamado isCrazy (sem atribuição)
int y = x + 456;         declara um int chamado y e atribui a ele um valor que é igual à
                         soma do valor atual de x mais 456
```

## Aponte seu lápis

O compilador não deixará que você insira a quantidade de uma xícara grande em uma pequena. Mas e quanto à operação inversa — despejar o conteúdo de uma xícara pequena em uma grande? ***Sem problemas***.

Baseado no que você sabe sobre o tamanho e o tipo das variáveis primitivas, veja se consegue descobrir quais dessas linhas são válidas e quais não são. Não abordamos todas as regras ainda, portanto, em algumas das opções, você terá que usar o seu melhor palpite. ***Dica:*** sempre que o compilador erra, é em nome da segurança.

Na lista a seguir, *circule* as instruções que seriam válidas se essas linhas estivessem em um único método:

```
1.  int x = 34.5;
2.  boolean boo = x;
3.  int g = 17;
4.  int y = g;
5.  y = y + 10;
6.  short s;
7.  s = y;
8.  byte b = 3;
9.  byte v = b;
10. short n = 12;
11. v = n;
12. byte k = 128;
```

## Afaste-se dessa palavra-chave!

Você sabe que precisa de um nome e de um tipo para suas variáveis. Você já conhece os tipos primitivos.

***Mas o que pode usar como nomes?*** As regras são simples. Você pode nomear uma classe, método ou variável de acordo com as regras a seguir (as regras reais são um pouco mais flexíveis, mas estas o manterão em segurança):

- Ele deve começar com uma letra, um sublinhado (_) ou o cifrão ($). Você não pode iniciar um nome com um número.

- Depois do primeiro caractere, você também pode usar números. Só não comece com um número.

- O nome pode ser o que você quiser, se obedecer as regras, contanto que não seja uma das palavras reservadas do Java.

As palavras reservadas são palavras-chave (e outras coisas) que o compilador reconhece. Mas se você quiser realmente brincar de confundir o compilador, simplesmente *tente* usar uma palavra reservada como um nome.

Você já viu algumas palavras reservadas quando examinamos a criação de nossa primeira classe principal:

```
public    static    void
```
← *não use nenhuma dessas palavras nos nomes que criar.*

E os tipos primitivos também são reservados:

```
boolean   char   byte   short   int   long   float   double
```

Mas há muitas outras que ainda não discutimos. Mesmo se você não precisar saber o que elas significam, terá que saber que não pode usá-las em suas criações. ***Não tente — de forma alguma — memorizá-las agora***. Para reservar espaço em sua mente, provavelmente você teria que perder alguma outra coisa. Como onde seu carro está estacionado. Não se preocupe, até o fim do livro você terá a maioria delas memorizada.

**40** capítulo 3

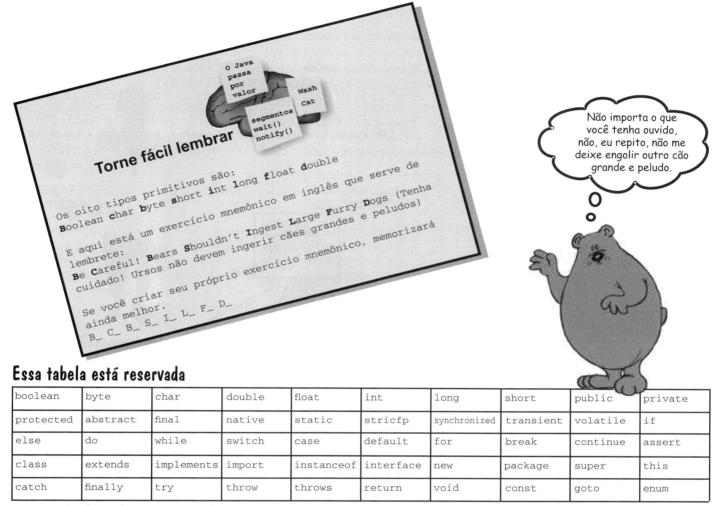

## Essa tabela está reservada

| boolean | byte | char | double | float | int | long | short | public | private |
|---|---|---|---|---|---|---|---|---|---|
| protected | abstract | final | native | static | stricfp | synchronized | transient | volatile | if |
| else | do | while | switch | case | default | for | break | continue | assert |
| class | extends | implements | import | instanceof | interface | new | package | super | this |
| catch | finally | try | throw | throws | return | void | const | goto | enum |

As palavras-chave Java e outras palavras reservadas (em ordem aleatória). Se você usá-las como nomes, o compilador ficará muito confuso.

## Controlando seu objeto Dog

Você sabe como declarar uma variável primitiva e atribuir a ela um valor. Mas e quanto às variáveis não primitivas? Em outras palavras, *e quanto aos objetos?*

---

- Na verdade não há uma variável de OBJETO.

- Há apenas uma variável de REFERÊNCIA de objeto.

- Uma variável de referência de objeto contém bits que representam uma maneira de acessar um objeto.

- Ela não contém o objeto propriamente dito, mas algo como um ponteiro. Ou um endereço. Em Java, não sabemos realmente *o que* se encontra dentro de uma variável de referência. Sabemos que, o que quer que seja, representará um e somente um objeto. E a JVM sabe como usar a referência para chegar ao objeto.

---

Você não pode inserir um objeto em uma variável. Geralmente consideramos isso dessa forma... Dizemos coisas como "passei a string para o método System.out.println( )". Ou "o método retorna um objeto Dog" ou ainda "inseri um novo objeto Foo na variável chamada myFoo".

Mas não é isso o que acontece. Não existem xícaras gigantes expansíveis que possam crescer até o tamanho de qualquer objeto. Os objetos residem em um e apenas um local — a pilha de lixo coletável! (Você aprenderá mais sobre isso posteriormente neste capítulo.)

Enquanto uma variável primitiva fica cheia de bits que representam o *valor* real da variável, uma variável de referência de objeto fica cheia de bits que representam *uma maneira de chegar ao objeto*.

*referências* de objeto

Você usará o operador ponto (.) em uma variável de referência para dizer "use o que está *antes* do ponto para me trazer o que está *depois* do ponto". Por exemplo:

```
myDog.bark( );
```

significa "use o objeto referenciado pela variável myDog para chamar o método bark( )". Quando você usar o operador ponto em uma variável de referência de objeto, considere isso como se estivesse pressionando um botão do controle remoto desse objeto.

```
Dog d = new Dog( );
d.bark( );
```

*considere isso* *como se fosse isso*

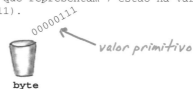

Pense na variável de referência de Dog como o controle remoto de um objeto Dog.
Você a usará para acessar o objeto e fazer algo (chamar métodos).

## Uma referência de objeto é apenas outro valor da variável.

Algo que é despejado em uma xícara. Só que dessa vez é um controle remoto.

### Variável primitva

```
byte x = 7;
```
Os bits que representam 7 estão na variável. (00000111).

00000111

*valor primitivo*

byte

byte 8 — short 16 — int 32 — long 64 — referência (quantidade de bits não é relevante)

**Nas variáveis primitivas, o valor da variável é...** O *valor literal* (5, -26,7, 'a').

**Nas variáveis de referência, o valor da variável são...** *Bits, que representam uma maneira de chegar a um objeto específico.*

**Não sabemos (ou nos importamos) como uma JVM específica implementa as referências de objeto. Certo, elas podem ser um ponteiro que aponte para um ponteiro que aponte para... Mas. mesmo se você souber, não poderá usar os bits para nenhuma outra finalidade que não seja acessar um objeto.**

### Variável de referência

```
Dog myDog = new Dog( );
```
Os bits que representam uma maneira de acessar o objeto Dog ficam dentro da variável.
**O objeto Dog propriamente dito não fica na variável!**

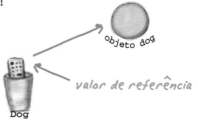

objeto dog

*valor de referência*

Dog

Não nos importamos com quantos algarismos 1 e 0 existem em uma variável de referência. Isso é responsabilidade de cada JVM e da fase da Lua.

## As 3 etapas de declaração, criação e atribuição de objetos

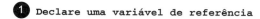

```
Dog myDog = new Dog( );
```
(1) declare uma variável de referência
(2) crie um objeto
(3) vincule o objeto e a referência

**①  Declare uma variável de referência**

**Dog myDog** = new Dog( );

Solicita à JVM para alocar espaço para uma variável de referência e nomeia essa variável como *myDog*. A variável de referência será sempre do tipo Dog. Em outras palavras, um controle remoto que tenha botões que controlem um objeto Dog, mas não um objeto Car, Buttton ou Socket.

**②  Crie um objeto**

Dog myDog = **new Dog( );**

Solicita à JVM para alocar espaço para um novo objeto Dog no acervo (aprenderemos muito mais sobre esse processo, principalmente no Capítulo 9).
objeto Dog

**③  Vincule o objeto e a referência**

Dog myDog = new Dog( );

Atribui o novo objeto Dog à variável de referência myDog. Em outras palavras, **programa o controle remoto**.

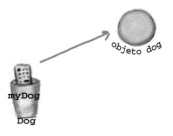

## não existem Perguntas Idiotas

**P:** Qual o tamanho de uma variável de referência?

**R:** Você não saberá. A menos que tenha intimidade com alguém da equipe de desenvolvimento da JVM, não saberá como uma referência é representada. Haverá ponteiros em algum local, mas você não poderá acessá-los. Não precisará disso. (Certo, se insistir, não há por que não imaginá-la com um valor de 64 bits.) Mas quando estiver pensando em questões de alocação de memória, sua Grande Preocupação deverá ser com quantos objetos (e não referências de objeto) está criando e com qual seu (dos objetos) verdadeiro tamanho.

**P:** Mas isso significa que todas as referências de objeto têm o mesmo tamanho, independentemente do tamanho dos objetos reais aos quais elas se referem?

**R:** Sim. Todas as referências de uma determinada JVM terão o mesmo tamanho, independentemente dos objetos que elas referenciarem, mas cada JVM pode ter uma maneira diferente de representar referências, portanto, as referências de uma JVM podem ser menores ou maiores do que as de outra JVM.

**P:** Posso fazer cálculos em uma variável de referência, aumentá-la, você sabe — operações próprias da linguagem C?

**R:** Não. Repita comigo: "O Java não é o C".

---

### Tudo sobre o Java
**Entrevista desta semana:**
**A referência de objeto**

**Use a Cabeça!:** Então, diga-nos, como é a vida de uma referência de objeto?

**Referência:** Bem simples, na verdade. Sou um controle remoto e posso ser programada para controlar diferentes objetos.

**Use a Cabeça!:** Você quer dizer objetos diferentes mesmo enquanto está sendo executada? Tipo, você pode referenciar um cão e, em seguida, cinco minutos após referenciar um carro?

**Referência:** É claro que não. Uma vez tendo sido declarada, é isso que sou. Se eu for o controle remoto de um cão, então, nunca poderei apontar (opa — desculpe, não devemos dizer *apontar*), digo, *referenciar* algo que não seja um cão.

**Use a Cabeça!:** Isso significa que você pode referenciar apenas um cão?

**Referência:** Não, posso referenciar um cão e, em seguida, cinco minutos após referenciar algum *outro* cão. Contanto que seja um cão, posso ser redirecionada (como na reprogramação de seu controle remoto para uma TV diferente) para ele. A menos que... Deixa pra lá, esquece.

**Use a Cabeça!:** Não, diga. O que você ia dizer?

**Referência:** Não acho que você queira entrar nesse assunto agora, mas darei apenas uma explicação rápida — se eu for marcada como final, então, quando me atribuírem um Cão, não poderei ser reprogramada para nada mais exceto *esse* e somente esse cão. Em outras palavras, nenhum outro objeto poderá ser atribuído a mim.

**Use a Cabeça!:** Você está certa, não queremos falar sobre isso agora. OK, então a menos que você seja final, pode referenciar um cão e, em seguida, referenciar um cão diferente. Você pode não referenciar *absolutamente nada*? É possível não ser programada para nada?

**Referência:** Sim, mas me incomoda falar sobre isso.

**Use a Cabeça!:** Por quê?

**Referência:** Porque significa que eu seria nula e isso me incomoda.

**Use a Cabeça!:** Você quer dizer que então não teria valor?

**Referência:** Oh, nulo *é* um valor. Eu ainda seria um controle remoto, mas é como se você trouxesse para casa um novo controle remoto universal e não tivesse uma TV. Não estarei programada para controlar nada. Vocês poderiam pressionar meus botões o dia inteiro, mas nada de interessante aconteceria.

Eu me sentiria tão... Inútil. Um desperdício de bits. Na verdade, nem tantos bits, mas mesmo assim alguns. E essa não é a pior parte. Se eu for a única referência de um objeto específico e, em seguida, for configurada com null (desprogramada), isso significa que agora *ninguém* poderá acessar aquele objeto que eu estava referenciando.

**Use a Cabeça!:** E isso não é bom porque...

**Referência:** Precisa *perguntar*? Desenvolvi um relacionamento com esse objeto, uma conexão íntima e, em seguida, o vínculo é repentina e cruelmente rompido. E eu nunca verei esse objeto novamente, porque agora ele estará qualificado para [produtor, deixa para a música trágica] a *coleta de lixo*. Sniff. Mas você acha que os programadores consideram *isso*? Sniff. Por que, *por que* não posso ser uma variável primitiva? *Odeio ser uma referência.* A responsabilidade, todos os relacionamentos rompidos...

## A vida na pilha de lixo coletável

```
Book b = new Book();
Book c = new Book();
```

Declare duas variáveis de referência Book. Crie dois novos objetos Book. Atribua os objetos Book às variáveis de referência.

Agora os dois objetos Book estão residindo na pilha.

Referências: 2
Objetos: 2

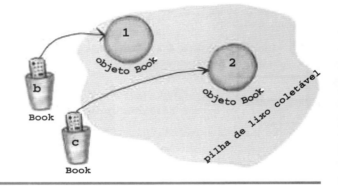

```
Book d = c;
```

Declare uma nova variável de referência Book. Em vez de criar um terceiro objeto Book, atribua o valor da variável c à variável d. Mas o que isso significa? É como dizer "pegue os bits de c, faça uma cópia deles e insira essa cópia em d".

**Tanto c quanto d referenciam o mesmo objeto. As variáveis c e d contêm duas cópias diferentes com o mesmo valor. Dois controles remotos programados para uma TV.**

Referências: 3
Objetos: 2

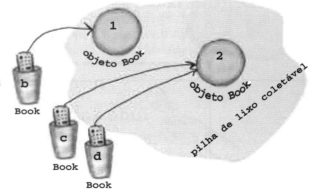

```
c = b;
```

Atribua o valor da variável b à variável c. Agora você já sabe o que isso significa. Os bits da variável b serão copiados e essa nova cópia será inserida na variável c.

**Tanto b quanto c referenciam o mesmo objeto.**

Referências: 3
Objetos: 2

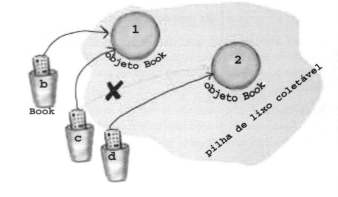

## Vida e morte na pilha

```
Book b = new Book( );
Book c = new Book( );
```

Declare duas variáveis de referência. Crie dois novos objetos Book. Atribua os objetos Book às variáveis de referência.

Agora os dois objetos Book estão residindo na pilha.

Referências ativas: 2
Objetos alcançáveis: 2

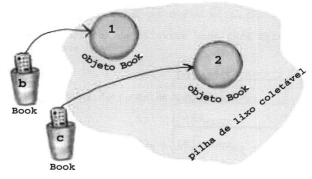

---

```
b = c;
```

Atribua o valor da variável c à variável b. Os bits da variável c serão copiados, e essa nova cópia será inserida na variável b. As duas variáveis contêm valores idênticos.

**Tanto b quanto c referenciam o mesmo objeto. O objeto 1 será abandonado e estará qualificado para a Coleta de Lixo (GC, Garbage Collection).**

Referências ativas: 2
Objetos alcançáveis: 1
Objetos abandonados: 1

O primeiro objeto que b referenciava, o objeto 1, não tem mais referências, se tornou inalcançável.

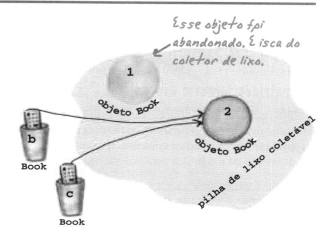

---

```
c = null;
```

Atribua o valor null à variável c. Isso a tornará uma referência nula, o que significa que ela não está referenciando nada. Mas continua a ser uma variável de referência e outro objeto Book pode ser atribuído a ela.

**O objeto 2 ainda tem uma referência ativa (b) e, enquanto a tiver, não estará qualificado para a GC.**

Referências ativas: 1
Referências nulas: 1
Objetos alcançáveis: 1
Objetos abandonados: 1

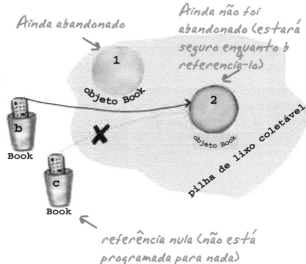

---

## Uma matriz é como uma bandeja com xícaras

**1** Declare uma variável de matriz int. Uma variável de matriz é o controle remoto de um objeto de matriz.

```
int[ ] nums;
```

**2** Crie uma nova matriz int de tamanho 7 e a atribua à variável int[ ] nums já declarada

```
nums = new int[7];
```

*uma matriz de objetos*

**❸** Forneça para cada elemento da matriz um valor int.
Lembre-se de que os elementos de uma *matriz* int são apenas *variáveis* int.

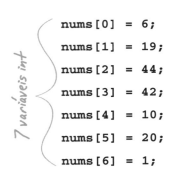

```
nums[0] = 6;
nums[1] = 19;
nums[2] = 44;
nums[3] = 42;
nums[4] = 10;
nums[5] = 20;
nums[6] = 1;
```

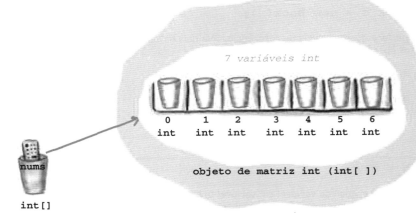

*Note que a matriz será um objeto, mesmo se tiver os 7 elementos primitivos.*

## As matrizes também são objetos

A biblioteca padrão Java inclui várias estruturas de dados sofisticadas incluindo mapas, árvores e conjuntos (consulte o Apêndice B), mas as matrizes servirão bem quando você quiser apenas obter uma lista de coisas de maneira rápida, ordenada e eficiente. As matrizes lhe concederão acesso aleatório rápido, permitindo que você use a posição de um índice para acessar qualquer elemento existente nelas.

Todo elemento de uma matriz é apenas uma variável. Em outras palavras, um dos oito tipos primitivos de variável (lembre-se: Large Furry Dog) ou uma variável de referência. Qualquer coisa que você inserir em uma *variável* desse tipo poderá ser atribuída a um *elemento de matriz* do mesmo tipo. Portanto, em uma matriz de tipo int (int[ ]), cada elemento pode conter um inteiro. Em uma matriz Dog (Dog[ ]) cada elemento pode conter... Um objeto Dog? Não, lembre-se de que uma variável de referência só armazena uma referência (um controle remoto) e não o próprio objeto. Logo, em uma matriz Dog, cada elemento pode conter o controle remoto de um objeto Dog. É claro que ainda teremos que criar os objetos Dog... E você verá tudo isso na próxima página.

Não deixe de observar um item-chave no cenário acima — *a matriz será um objeto, mesmo se tiver variáveis primitivas*.

**As matrizes são sempre objetos, não importando se foram declaradas para conter tipos primitivos ou referências de objeto.** Mas você pode ter um objeto de matriz que tenha sido declarado para *conter* valores primitivos. Em outras palavras, o objeto de matriz pode ter *elementos* que sejam primitivos, mas a matriz propriamente dita *nunca* é de um tipo primitivo. Independentemente do que a matriz armazenar, ela sempre será um objeto!

## Crie uma matriz de objetos Dog

**❶** Declare uma variável de matriz Dog

```
Dog[] pets;
```

**❷** Crie uma nova matriz Dog com tamanho igual a 7 e a atribua à variável Dog[ ] pets já declarada

```
pets = new Dog[7];
```

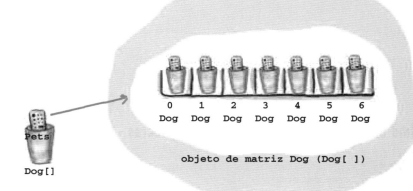

## O que está faltando?

Objetos Dog! Temos uma matriz de *referências* Dog, mas nenhum *objeto* Dog real!

*variáveis primitivas e de referência*

③ Crie novos objetos Dog e atribua-os aos elementos da matriz.
Lembre-se de que os elementos de uma *matriz* Dog são apenas *variáveis* de referência Dog. Ainda precisamos de objetos Dog!

```
pets[0[ = new Dog;
pets[1] = new Dog;
```

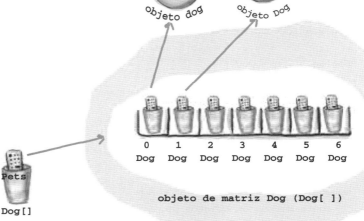

Qual é o valor atual de pets[2]?

Que código faria pets[3] referenciar um dos dois objetos Dog existentes?

## Controle seu objeto Dog

### (com uma variável de referência)

```
Dog fido = new Dog();
fido.name = "Fido";
```

Criamos um objeto Dog e usamos o operador ponto na variável de referência *fido* para acessar a variável name*.

Podemos usar a referência *fido* para fazer o cão latir( ), comer( ) ou perseguirGatos( ).

```
fido.bark();
fido.chaseCat();
```

| Dog |
|---|
| name |
| bark( )<br>eat( )<br>chaseCat( ) |

### O que aconteceria se o objeto Dog estivesse em uma matriz Dog?

Sabemos que podemos acessar as variáveis de instância e métodos de Dog usando o operador ponto, mas *onde* usá-lo?

Quando o objeto Dog estiver em uma matriz, não teremos uma variável name real (como *fido*). Em vez disso usaremos a notação de matriz e apertaremos o botão do controle remoto (operador ponto) do objeto de um índice (posição) específico da matriz:

```
Dog[] myDogs = new Dog[3];
myDogs[0] = new Dog();
myDogs[0].name = "Fido";
myDogs[0].bark();
```

*Sim, sabemos que não estamos demonstrando o encapsulamento aqui, mas estamos tentando manter o código simples. Por enquanto. Veremos o encapsulamento no Capítulo 4."

### O Java acha o tipo importante.

**Quando você tiver declarado uma matriz, não poderá inserir nada que não seja do tipo declarado para ela.**

**Por exemplo, você não pode inserir um objeto Cat em uma matriz Dog (seria muito frustrante se alguém achasse que só há cães na matriz e pedisse a cada um deles que latisse para então com espanto descobrir que há um gato à espreita). E você não pode inserir um tipo double em uma matriz int (derramamento, lembra-se?). No entanto, pode inserir um byte em uma matriz int, porque o tipo byte sempre caberá em uma xícara de tamanho int. Isso é conhecido como alargamento implícito. Entraremos em detalhes posteriormente; por enquanto apenas lembre-se de que o compilador não permitirá que você insira algo errado em uma matriz, com base no tipo declarado para ela.**

*você está aqui ▶* 47

## usando referências

## Um exemplo de Dog

```
class Dog {
   String name;

   public static void main (String[] args) {
      // cria um objeto Dog e o acessa
      Dog dog1 = new Dog();
      dog1.bark();
      dog1.name = "Bart";
      // agora cria uma matriz Dog
      Dog[] myDogs = new Dog[3];
      // and put some dogs in it
      myDogs[0] = new Dog();
      myDogs[1] = new Dog();
      myDogs[2] = dog1;
      // agora acessa os objetos Dog
      // usando as referências da matriz
      myDogs[0].name = "Fred";
      myDogs[1].name = "Marge";
      // Hmmmm... qual é o nemo de myDogs[2]?
      System.out.print("o nome do último cão é ");
      System.out.println(myDogs[2].name);
      // agora executa um loop pela matriz
      // e pede a todos os cães para latirem
      int x = 0;
      while(x < myDogs.length) {
         myDogs[x].bark();
         x = x + 1;
      }
   }

   public void bark() {
      System.out.println(name + " diz Ruff!");
   }
   public void eat() {  }
   public void chaseCat() {  }
}
```

**Saída**

```
%java Dog
null diz Ruff!
o nome do último cão é Bart
Fred diz Ruff!
Marge diz Ruff!
Bart diz Ruff!
```

← *as matrizes têm uma variável length que lhe fornecerá a quantidade de elementos*

---

### PONTOS DE BALA

- As variáveis vêm em duas versões: primitivas e de referência.
- As variáveis devem sempre ser declaradas com um nome e um tipo.
- O valor de uma variável primitiva são os bits que o representam (5, 'a', verdadeiro, 3.1416, etc.).
- O valor de uma variável de referência são os bits que representam uma maneira de acessar um objeto da pilha.
- A variável de referência é como um controle remoto. Usar o operador ponto (.) em uma variável de referência é como pressionar um botão no controle remoto para acessar um método ou variável de instância.
- Uma variável de referência tem valor nulo quando não está referenciando nenhum objeto.
- Uma matriz é sempre um objeto, mesmo quando é declarada para conter tipos primitivos. Não existe algo como uma matriz primitiva, somente uma matriz que *contenha* tipos primitivos.

## Seja o compilador

Cada um dos arquivos Java dessa página representa um arquivo-fonte completo. Sua tarefa é personificar o compilador e determinar se cada um deles pode ser compilado. Se não puderem ser compilados, como você os corrigiria?

### A

```java
class Books {
    String title;
    String author;
}
class BooksTestDrive {
    public static void main(String [] args) {

        Books [] myBooks = new Books[3];
        int x = 0;
        myBooks[0].title = "The Grapes of Java";
        myBooks[1].title = "The Java Gatsby";
        myBooks[2].title = "The Java Cookbook";
        myBooks[0].author = "bob";
        myBooks[1].author = "sue";
        myBooks[2].author = "ian";

        while (x < 3) {
            System.out.print(myBooks[x].title);
            System.out.print(" by ");
            System.out.println(myBooks[x].author);
            x = x + 1;
        }
    }
}
```

### B

```java
class Hobbits {

    String name;

    public static void main(String [] args) {

        Hobbits [] h = new Hobbits[3];
        int z = 0;

        while (z < 4) {
            z = z + 1;
            h[z] = new Hobbits();
            h[z].name = "bilbo";
            if (z == 1) {
                h[z].name = "frodo";
            }
            if (z == 2) {
                h[z].name = "sam";
            }
            System.out.print(h[z].name + " is a ");
            System.out.println("good Hobbit name");
        }
    }
}
```

## Ímãs de Geladeira

Um programa Java está todo misturado sobre a geladeira. Você conseguiria reconstruir os trechos de código para criar um programa Java funcional que produzisse a saída listada a seguir? Algumas das chaves caíram no chão e são muito pequenas para que as recuperemos, portanto, fique à vontade para adicionar quantas delas precisar!

```
int y = 0;
```

```
ref = index[y];
```

```
islands[0] = "Bermuda";
islands[1] = "Fiji";
islands[2] = "Azores";
islands[3] = "Cozumel";
```

```
int ref;
while (y < 4) {
```

```
System.out.println(islands[ref]);
```

```
index[0] = 1;
index[1] = 3;
index[2] = 0;
index[3] = 2;
```

```
String [] islands = new String[4];
```

```
System.out.print("island = ");
```

```
int [] index = new int[4];
```

```
y = y + 1;
```

```
class TestArrays {
    public static void main(String [] args) {
```

```
File Edit Window Help Bikini
%java TestArrays
island = Fiji
island = Cozumel
island = Bermuda
island = Azores
```

**quebra-cabeças:** quebra-cabeças na piscina

## Quebra-cabeças na Piscina

Sua *tarefa* é pegar os trechos de código da piscina e inseri-los nas linhas em branco do código. Você **pode** usar o mesmo trecho mais de uma vez e não precisa empregar todos os trechos. Seu *objetivo* é criar uma classe que seja compilada e executada, produzindo a saída listada.

*(Podemos não usar uma classe de teste separada, por estarmos tentando economizar espaço na página.)*

```
class Triangle {
    double area;
    int height;
    int length;
    public static void main(String [] args) {
        _____
        _____
        while ( _____ ) {
            _____.height = (x + 1) * 2;
            _____.length = x + 4;
            _____
            System.out.print("triangle "+x+", area");
            System.out.println(" = " + _____.area);
            _____
        }
        _____
        x = 27;
        Triangle t5 = ta[2];
        ta[2].area = 343;
        System.out.print("y = " + y);
        System.out.println(", t5 area = "+ t5.area);
    }
    void setArea() {
        _____ = (height * length) / 2;
    }
}
```

### Saída

```
File Edit Window Help Bermuda
%java Triangle
triangle 0, area = 4.0
triangle 1, area = 10.0
triangle 2, area = 18.0
triangle 3, area = _____
y = _____
```

### Pergunta adicional!

Para tentar ganhar mais pontos, use os trechos da piscina para preencher o que falta na saída (acima).

**Nota:** Cada trecho de código da piscina pode ser usado mais de uma vez!

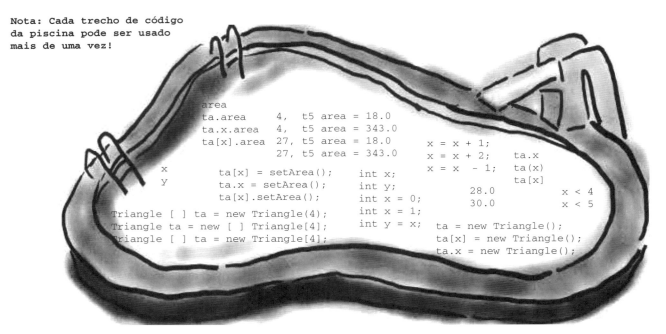

*variáveis primitivas e de referência*

## Uma pilha de problemas

Um programa Java pequeno está listado à direita. Quando a linha '// executa algo' for alcançada, alguns objetos e variáveis de referência terão sido criados. Sua tarefa é determinar que variáveis de referência apontarão para quais objetos. Nem todas as variáveis de referência serão usadas, e alguns objetos podem ser referenciados mais de uma vez. Desenhe linhas conectando as variáveis de referência aos seus respectivos objetos.

***Dica:*** a menos que você seja mais esperto que nós, provavelmente terá que desenhar diagramas como os das páginas 42 e 43 deste capítulo. Use um lápis para poder desenhar e, em seguida, apague os vínculos das referências (as setas que vão do controle remoto da referência para um objeto).

```
class HeapQuiz {
    int id = 0;
    public static void main(String [] args) {
        int x = 0;
        HeapQuiz [ ] hq = new HeapQuiz[5];
        while ( x < 3 ) {
            hq[x] = new HeapQuiz();
            hq[x].id = x;
            x = x + 1;
        }
        hq[3] = hq[1];
        hq[4] = hq[1];
        hq[3] = null;
        hq[4] = hq[0];
        hq[0] = hq[3];
        hq[3] = hq[2];
        hq[2] = hq[0];
        // executa algo
    }
}
```

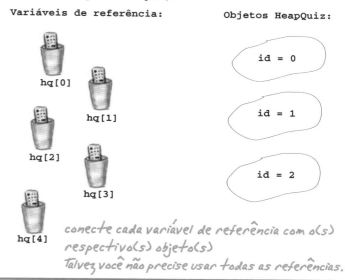

conecte cada variável de referência com o(s) respectivo(s) objeto(s)
Talvez você não precise usar todas as referências.

---

Mistério dos Cinco Minutos

## O caso das referências roubadas

Era uma noite escura e chuvosa. Tawny caminhava para a cela dos programadores como se fosse proprietária do local. Ela sabia que todos os programadores ainda estariam trabalhando e queria ajuda. Precisava de um novo método adicionado à classe principal, que devia ser carregada no novo celular altamente secreto e habilitado com Java do cliente. O espaço na pilha de memória do celular estava tão apertado quanto o vestido de Tawny, e todo mundo sabia disso. O murmúrio normalmente rouco na cela silenciou quando Tawny se encaminhou para o quadro branco. Ela desenhou uma visão resumida da funcionalidade do novo método e lentamente examinou a sala. "Bem meninos, hora de trabalhar", murmurou. "Quem criar uma versão para esse método que use a memória mais eficientemente irá comigo à festa de lançamento do cliente em Maui amanhã... Para me ajudar a instalar o novo software."

Na manhã seguinte, Tawny entrou na cela usando seu curto vestido Aloha. "Senhores", ela sorriu, "o avião parte em algumas horas, mostrem-me o que vocês tem!" Bob foi o primeiro; quando ele começou a desenhar seu projeto no quadro branco Tawny disse: "Vamos direto ao ponto Bob, mostre-me como você manipulou a atualização da lista de objetos de contato." Bob escreveu rapidamente um fragmento de código no quadro:

```
Contact [] ca = new Contact[10];
while ( x < 10 ) {    // cria 10 objetos de contato
  ca[x] = new Contact();
  x = x + 1;
} // executa complicada atualização da lista de objetos Contact com ca
```

"Tawny, sei que temos pouca memória, mas suas especificações diziam que tínhamos que ser capazes de acessar informações específicas de todos os dez contatos permitidos, e esse foi o melhor esquema que pude criar", disse Bob. Kent foi o próximo, já imaginando coquetéis de coco com Tawny. "Bob", ele disse, "sua solução é um pouco complicada não acha?" Kent sorriu, "Dê uma olhada neste bebezinho":

```
Contact refc;
while ( x < 10 ) {    // make 10 contact objects
  refc = new Contact();
  x = x + 1;
} // executa complicada atualização da lista de objetos Contact com refc
```

"Economizei muitas variáveis de referência que usariam memória, Bobizinho, portanto, pode guardar seu protetor solar", gozou Kent. "Não tão rápido, Kent!", disse Tawny, "você economizou um pouco de memória, mas é Bob que vem comigo".

***Por que Tawny escolheu o método de Bob e não o de Kent, se o de Kent usava menos memória?***

# soluções dos exercícios

## Soluções dos Exercícios
### Ímãs de Geladeira :

```java
class TestArrays {
    public static void main(String [] args) {
        int [] index = new int[4];
        index[0] = 1;
        index[1] = 3;
        index[2] = 0;
        index[3] = 2;
        String [] islands = new String[4];
        islands[0] = "Bermuda";
        islands[1] = "Fiji";
        islands[2] = "Azores";
        islands[3] = "Cozumel";
        int y = 0;
        int ref;
        while (y < 4) {
            ref = index[y];
            System.out.print("island = ");
            System.out.println(islands[ref]);
            y = y + 1;
        }
    }
}
```

```
File Edit Window Help Bikini
%java TestArrays
island = Fiji
island = Cozumel
island = Bermuda
island = Azores
```

## Soluções dos quebra-cabeças

### O caso das referências roubadas

Tawny percebeu que o método de Kent tinha uma falha séria. É verdade que ele não usou tantas variáveis de referência quanto Bob, mas não havia como acessar nenhum dos objetos Contact que esse método criava, exceto o último. A cada passagem do loop, ele estava atribuindo um novo objeto à variável de referência, portanto, o objeto referenciado anteriormente era abandonado na pilha - *inalcançável*. Sem acessar nove dos dez objetos criados, o método de Kent era inútil.

(O software foi um grande sucesso, e o cliente deu a Tawny e Bob uma semana a mais no Havaí. Gostaríamos de lhe dizer que, ao terminar este livro, você também conseguirá coisas desse tipo.)

**Variáveis de referência:**          **Objetos HeapQuiz:**

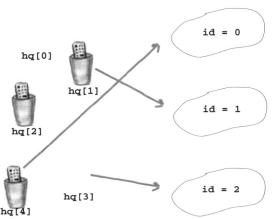

```java
class Books {
    String title;
    String author;
}
class BooksTestDrive {
    public static void main(String [] args) {
        Books [] myBooks = new Books[3];
        int x = 0;
        myBooks[0] = new Books();
        myBooks[1] = new Books();
        myBooks[2] = new Books();
        myBooks[0].title = "The Grapes of Java";
        myBooks[1].title = "The Java Gatsby";
        myBooks[2].title = "The Java Cookbook";
        myBooks[0].author = "bob";
        myBooks[1].author = "sue";
        myBooks[2].author = "ian";
        while (x < 3) {
            System.out.print(myBooks[x].title);
            System.out.print(" by ");
            System.out.println(myBooks[x].author);
            x = x + 1;
        }
    }
}
```

A — Lembre-se: temos que criar realmente os objetos Book!

```java
class Hobbits {
    String name;
    public static void main(String [] args) {
        Hobbits [] h = new Hobbits[3];
        int z = -1;
        while (z < 2) {
            z = z + 1;
            h[z] = new Hobbits();
            h[z].name = "bilbo";
            if (z == 1) {
                h[z].name = "frodo";
            }
            if (z == 2) {
                h[z].name = "sam";
            }
            System.out.print(h[z].name + " is a ");
            System.out.println("good Hobbit name");
        }
    }
}
```

B — Lembre-se: as matrizes começam com o elemento 0!

```java
class Triangle {
    double area;
    int height;
    int length;
    public static void main(String [] args) {
        int x = 0;
        Triangle [ ] ta = new Triangle[4];
        while ( x < 4 ) {
            ta[x] = new Triangle();
            ta[x].height = (x + 1) * 2;
            ta[x].length = x + 4;
            ta[x].setArea();
            System.out.print("triangle "+x+", area");
            System.out.println(" = " + ta[x].area);
            x = x + 1;
        }
        int y = x;
        x = 27;
        Triangle t5 = ta[2];
        ta[2].area = 343;
        System.out.print("y = " + y);
        System.out.println(", t5 area = "+ t5.area);
    }
    void setArea() {
        area = (height * length) / 2;
    }
}
```

# 4 os métodos usam variáveis de instância

# Como os Objetos se Comportam

*Isso deve mudar seu estado!*

**O estado afeta o comportamento, o comportamento afeta o estado.** Sabemos que os objetos têm **estado** e **comportamento**, representados pelas **variáveis de instância** e **métodos**. Mas, até agora, não examinamos como o estado e o comportamento estão relacionados. Já sabemos que cada instância de uma classe (cada objeto de um tipo específico) pode ter seus próprios valores exclusivos para suas variáveis de instância. O cão A pode ter o nome "Fido" e peso de 37 quilos. O cão B se chama "Killer" e pesa 5 quilos. E se a classe Cão tiver um método emitirSom( ), bem, você não acha que um cão de 37 quilos latirá um pouco mais alto do que o de 5 quilos? (Supondo que o som incômodo de um ganido possa ser considerado um latido.) Felizmente, isso é o que há de importante em um objeto — ele tem um comportamento que atua sobre seu estado. Em outras palavras, os **métodos usam os valores das variáveis de instância**. Por exemplo: "Se o cão pesar menos de 8 quilos, emita um ganido, caso contrário..." ou "aumente o peso em 3 quilos". **Alteremos alguns estados!**

*este é um novo capítulo* 53

*os objetos possuem estado e comportamento*

## Lembre-se: uma classe descreve o que um objeto <u>conhece</u> e o que ele <u>faz</u>

**Uma classe é o projeto de um objeto.** Quando você criar uma classe, estará descrevendo como a JVM deve criar um objeto desse tipo. Você já sabe que todo objeto desse tipo pode ter diferentes valores para as *variáveis de instância*. Mas e quanto aos métodos?

## Cada objeto desse tipo pode ter um método com comportamento diferente?

Bem... *Mais ou menos.\**

Todas as instâncias de uma classe específica têm os mesmos métodos, mas eles podem *se comportar* diferentemente com base no valor das variáveis de instância.

A classe Song tem duas variáveis de instância, *title* e *artist*. O método play( ) reproduz uma canção, mas a instância em que você o chamar reproduzirá a canção representada pelo valor da variável de instância *title* (título) dessa instância. Portanto, se você chamar o método play( ) em uma instância, reproduzirá a canção "politik", enquanto outra instância reproduzirá "Darkstar". O código do método, porém, é o mesmo.

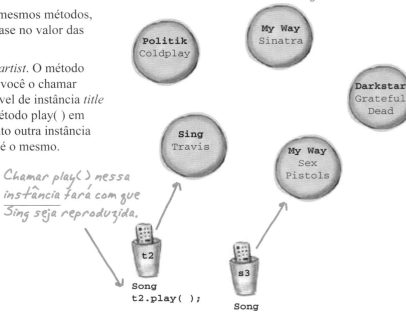

```
void play() {
    soundPlayer.playSound(title);
}

Song t2 = new Song();
t2.setArtist("Travis");
t2.setTitle("Sing");
Song s3 = new Song();
s3.setArtist("Sex Pistols");
s3.setTitle("My Way");
```

\*Sim, outra resposta surpreendentemente clara!

## O tamanho afeta o latido

O latido de um cão pequeno é diferente do de um cão grande

A classe Dog tem uma variável de instância *size* (tamanho), que o método *bark( )* usa para decidir que tipo de som emitir para o latido.

```
class Dog {
    int size;
    String name;

    void bark() {
        if (size > 60) {
            System.out.println("Wooof! Wooof!");
        } else if (size > 14) {
            System.out.println("Ruff!  Ruff!");
        } else {
            System.out.println("Yip! Yip!");
        }
    }
}
```

```
class DogTestDrive {

  public static void main (String[] args) {
    Dog one = new Dog();
    one.size = 70;
    Dog two = new Dog();
    two.size = 8;
    Dog three = new Dog();
    three.size = 35;

    one.bark();
    two.bark();
    three.bark();
  }
}
```

```
File Edit Window Help Playdead
%java DogTestDrive
Woof! Woof!
Yip! Yip!
Ruff! Ruff!
```

## Você pode enviar valores para um método

Como é de se esperar de qualquer linguagem de programação, você pode passar valores para seu método. Pode, por exemplo, querer informar a um objeto Dog quantas vezes latir chamando:

`d.bark(3);`

Dependendo de sua experiência em programação e preferências pessoais, *você* pode usar o termo *argumentos* ou talvez *parâmetros* para os valores passados para um método. Embora essas sejam distinções formais na ciência da computação que pessoas que usam jalecos e que quase certamente não lerão este livro fazem, temos coisas mais importantes com que nos preocupar aqui. Portanto, *você* pode chamá-los como quiser (argumentos, *donuts*, bolas de pêlo, etc.), mas usaremos essa convenção:

## Um método usa parâmetros. Um chamador passa argumentos.

Os argumentos são os valores que você passará para os métodos. Um **argumento** (um valor como 2, "Foo" ou uma referência que aponte para um objeto Dog) será inserido diretamente em um... Adivinhe... **Parâmetro**. E um parâmetro nada mais é do que uma variável local. Uma variável com um tipo e um nome, que poderá ser usada dentro do corpo do método.

Mas aqui está a parte importante: **se um método usar um parâmetro, você** *terá* **que passar algo para ele**. E esse algo deve ser um valor do tipo apropriado.

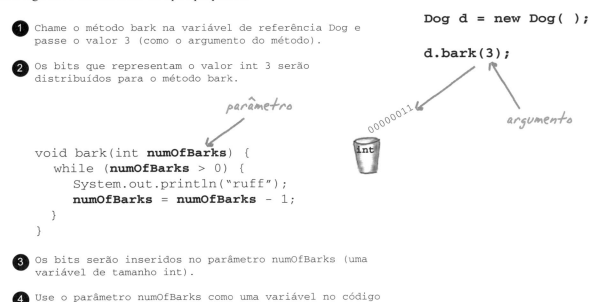

## Você pode fazer valores serem retornados por um método

Os métodos retornam valores. Todos os métodos são declarados com um tipo de retorno, mas até agora criamos todos os nossos métodos com o tipo de retorno **void**, o que significa que eles não retornam nada.

*vários argumentos*

```
void go() {
}
```

Mas podemos declarar um método que retorne um tipo específico de valor para o chamador, como em:

```
int giveSecret() {
   return 42;
}
```

Se você declarar um método que retorne um valor, *terá* que retornar um valor do tipo declarado! (Ou um valor que seja *compatível* com o tipo declarado. Nós nos aprofundaremos mais nisso quando falarmos sobre polimorfismo nos capítulos 7 e 8.)

## O que você disser que retornará é bom que seja mesmo retornado!

O compilador não permitirá que você retorne o tipo errado de coisa.

Esses tipos devem ser iguais

Os bits que representam 42 são retornados pelo método giveSecret() e inseridos na variável chamada theSecret.

esse valor precisa caber em um int!

## Você pode enviar mais de um valor para um método

Os métodos podem ter vários parâmetros. Separe-os com vírgulas ao declará-los e separe os argumentos com vírgulas ao passá-los. O mais importante é que se um método tiver parâmetros, você *deve* passar argumentos do tipo e na ordem corretos.

**Chamando um método de dois parâmetros e enviando dois argumentos para ele.**

```
void go() {
  TestStuff t = new TestStuff();
  t.takeTwo(12, 34);
}

void takeTwo(int x, int y) {
  int z = x + y;
  System.out.println("Total is " + z);
}
```

Os argumentos serão inseridos na mesma ordem em que você os passar. O primeiro argumento será inserido no primeiro parâmetro, o segundo argumento no segundo parâmetro e assim por diante.

**Você pode passar variáveis para um método, contanto que o tipo da variável seja igual ao tipo do parâmetro.**

```
void go() {
  int foo = 7;
  int bar = 3;
  t.takeTwo(foo, bar);
}

void takeTwo(int x, int y) {
  int z = x + y;
  System.out.println("Total is " + z);
}
```

Os valores de foo e bar serão inseridos nos parâmetros x e y. Portanto, agora os bits de x serão idênticos aos de foo (o padrão de bits do inteiro 7) e os bits de y serão idênticos aos de bar.

Qual é o valor de z? O resultado será o mesmo que você obteria se somasse foo + bar ao passá-los para o método takeTwo

os métodos *usam* *variáveis de instância*

# O Java passa por valor.
# Isso significa passar por cópia.

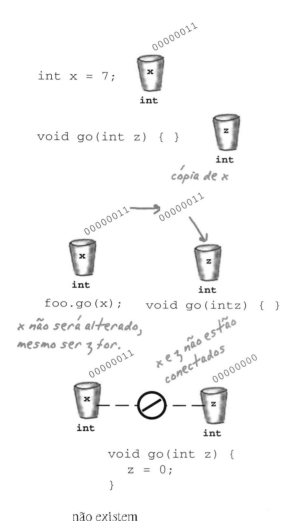

① Declare uma variável int e atribua a ela o valor '7'. O padrão de bits do número 7 será inserido na variável chamada x.

② Declare um método com um parâmetro int chamado z.

③ Chame o método go( ), passando a variável x como argumento. Os bits de x serão copiados, e a cópia será inserida em z.

④ Altere o valor de z dentro do método. O valor de x não será alterado! O argumento passado para o parâmetro z era apenas uma cópia de x.
O método não pode alterar os bits que estavam na variável x que o chamou.

não existem
Perguntas Idiotas

**P:** O que aconteceria se o argumento que você quisesse passar fosse um objeto em vez de uma variável primitiva?

**R:** Você aprenderá mais sobre isso em capítulos posteriores, mas já sabe a resposta. A Java passa tudo por valor. Tudo. Porém... Valor significa os bits existentes na variável. E lembre-se de que você não pode inserir objetos em variáveis; a variável é um controle remoto — uma referência a um objeto. Portanto, se você passar a referência de um objeto para um método, estará passando uma cópia do controle remoto. Mas fique atento, temos muito mais há dizer sobre isso.

**P:** Um método pode declarar diversos valores de retorno? Ou há alguma maneira de retornar mais de um valor?

**R:** Mais ou menos. Um método pode declarar somente um valor de retorno. MAS... Se você quiser retornar, digamos, três valores int, então, o tipo de retorno declarado pode ser uma matriz int. Insira esses tipos int dentro da

*você está aqui* ▶   57

*argumentos e valores de retorno*

matriz e retorne-a. É um pouco mais complicado retornar diversos valores com tipos diferentes; falaremos sobre isso em um capítulo posterior quando discutirmos o objeto ArrayList.

**P:** Tenho que retornar o tipo exato que declarei?

**R:** Você poderá retornar qualquer coisa que possa ser implicitamente elevada a esse tipo. Portanto, pode passar um byte onde um int for esperado. O chamador não se importará, porque o byte caberá perfeitamente no int que ele usará para atribuir o resultado. Você deve usar uma conversão explícita quando o tipo declarado for menor do que o que você estiver tentando retornar.

**P:** Tenho que fazer algo com o valor de retorno de um método? Posso apenas ignorá-lo?

**R:** O Java não exige que o valor de retorno seja usado. Você pode querer chamar um método com um tipo de retorno que não seja nulo, ainda que não se importe com o valor de retorno. Nesse caso, estará chamando o método pelo que ele executa internamente, em vez de pelo que retorna. Em Java, você não precisa atribuir ou usar o valor de retorno.

### Lembrete: O Java acha o tipo importante!

Você não pode retornar uma Girafa quando o tipo de retorno for declarado como um Coelho. O mesmo ocorre com os parâmetros. Você não pode passar uma Girafa para um método que use um Coelho.

## PONTOS DE BALA

- As classes definem o que um objeto conhece e o que ele faz.
- As coisas que um objeto conhece são suas **variáveis de instância** (estado).
- As coisas que um objeto faz são seus **métodos** (comportamento).
- Os métodos podem usar variáveis de instância para que objetos do mesmo tipo possam se comportar diferentemente.
- Um método pode ter parâmetros, o que significa que você pode passar um ou mais valores para ele.
- A quantidade e o tipo dos valores que você passar devem corresponder à ordem e tipo dos parâmetros declarados pelo método.
- Os valores passados para dentro e fora dos métodos podem ser elevados implicitamente a um tipo maior ou convertidos explicitamente para um tipo menor.
- O valor que você passar como argumento para um método pode ser literal (2, 'c', etc.) ou uma variável com o tipo de parâmetro declarado (por exemplo, *x* onde *x* for uma variável int). (Há outras coisas que você pode passar como argumentos, mas ainda não chegamos lá.)
- Um método *deve* declarar um tipo de retorno. Um tipo de retorno void significa que o método não retorna nada.
- Se um método declarar um tipo de retorno que não seja void, *deve* retornar um valor compatível com o tipo declarado.

## Coisas interessantes que você pode fazer com os parâmetros e tipos de retorno

Agora que vimos como os parâmetros e tipos de retorno funcionam, é hora de lhes darmos alguma utilidade prática: os métodos **Getter** e **Setter**. Se você quiser ser formal com relação a isso, pode preferir chamá-los de *acessadores* e *modificadores*. Mas desperdiçaria sílabas. Além do que, Getter e Setter se enquadram na convenção de nomeação Java, portanto, é assim que os chamaremos.

Os método Getter (de captura) e Setter (de configuração) permitirão que você, bem, *capture e configure coisas*. Geralmente variáveis de instância. A única finalidade de um método de captura é enviar, como valor de retorno, o valor do que quer que esse método de captura específico capture. Portanto, não é surpresa que um método de configuração só exista para esperar a chance de receber o valor de um argumento e usá-lo para *configurar* uma variável de instância.

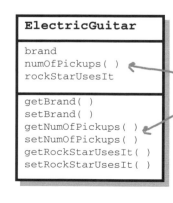

Nota: usar essas convenções de nomeação significa que você estará seguindo um importante padrão Java!

58  capítulo 4

*os métodos usam variáveis de instância*

```
class ElectricGuitar {

   String brand;
   int numOfPickups;
   boolean rockStarUsesIt;

   String getBrand() {
      return brand;
   }

   void setBrand(String aBrand) {
      brand = aBrand;
   }

   int getNumOfPickups() {
      return numOfPickups;
   }

   void setNumOfPickups(int num) {
      numOfPickups = num;
   }

   boolean getRockStarUsesIt() {
      return rockStarUsesIt;
   }

   void setRockStarUsesIt(boolean yesOrNo) {
      rockStarUsesIt = yesOrNo;
   }
}
```

## Encapsulamento

### Use-o ou arrisque-se a ser humilhado e ridicularizado.

Até esse momento tão importante, cometemos uma das piores falhas na OO (e não estamos falando de violações menores como não usar 'B maiúsculo' em BYOB). Não, estamos falando de uma Falha com 'F' maiúsculo.

Qual foi nossa transgressão vergonhosa?

Expor nossos dados!

Aqui estamos nós, apenas seguindo em frente sem sequer nos importarmos em deixar nossos dados expostos para que *todos* vejam e até mesmo mexam.

Talvez você já tenha experimentado esse sentimento vagamente inquietante que surge quando deixamos nossas variáveis de instância expostas.

Exposto significa alcançável através do operador ponto, como em:

```
theCat.height = 27;
```

Pense nessa idéia do uso de nosso controle remoto para fazermos uma alteração direta na variável de instância do tamanho do objeto Cat. Nas mãos da pessoa errada, uma variável de referência (controle remoto) seria uma arma bem perigosa. Porque nada impediria isso:

**`theCat.height = 0;`** ← *Opa! Não podemos deixar isso acontecer!*

Seria péssimo. Precisamos construir métodos de configuração para todas as variáveis de instância e encontrar uma maneira de forçar os outros códigos a chamarem esses métodos em vez de acessar os dados diretamente.

```
public void setHeight(int ht) {
   if (ht > 9) {
      height = ht;
   }
}
```

*Inserimos verificações para garantir uma altura mínima para o objeto Cat.*

*Ao forçar todos os códigos a chamarem um método de configuração, podemos proteger o objeto Cat de alterações inaceitáveis no tamanho.*

*você está aqui* ▶

*desenvolvedores profissionais* usam o encapsulamento

## Oculte os dados

Sim, é muito simples passar de uma implementação que esteja pedindo para receber dados inválidos para uma que proteja seus dados *e* seu direito de alterá-la posteriormente.

Certo, então como exatamente *ocultar* os dados? Com os modificadores de acesso **public** e **private**. Você está familiarizado com **public** — ele foi usado em todos os métodos main.

Aqui está uma regra prática *inicial* para o encapsulamento (todas as isenções de responsabilidade referentes às regras práticas são aplicáveis): marque suas variáveis de instância com *private* e forneça métodos de captura e configuração *public,* para ter controle sobre o acesso. Quando você conhecer melhor o projeto e a codificação em Java, provavelmente fará as coisas de uma forma um pouco diferente, mas, por enquanto, essa abordagem o manterá seguro.

> Marque as variáveis de instância com **private**.
>
> Marque os métodos de configuração e captura com **public**.

```
"Infelizmente, Bill se
esqueceu de encapsular sua
classe Cat e acabou com um
gato gordo."
```
(Ouvido no bebedouro.)

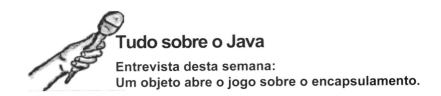

### Tudo sobre o Java

**Entrevista desta semana:**
**Um objeto abre o jogo sobre o encapsulamento.**

**Use a Cabeça!:** Qual é o grande problema do encapsulamento?

**Objeto:** Certo, você conhece aquele sonho em que está fazendo uma palestra para 500 pessoas quando subitamente percebe estar *nu*?

**Use a Cabeça!:** Sim, já aconteceu conosco. É semelhante àquele da máquina Pilates e... Bem, isso não importa. Certo, então você se sente nu. Mas além de estar um pouco exposto, há algum perigo?

**Objeto:** Se há algum perigo? Algum *perigo*? [começa a rir] Ei, instâncias, ouviram isso, "*Há algum perigo?*", ele pergunta? [rola de tanto rir]

**Use a Cabeça!:** Qual é a graça? Me parece uma pergunta sensata.

**Objeto:** Certo, vou explicar. É que [não consegue controlar o riso novamente]

**Use a Cabeça!:** Posso pegar algo para você? Água?

**Objeto:** Uau! Nossa. Não, estou bem. Falarei a sério. Vou respirar fundo. Certo. Prossiga.

**Use a Cabeça!:** Então, de que o encapsulamento o protege?

**Objeto:** O encapsulamento cria um campo de força ao redor de minhas variáveis de instância, portanto, ninguém pode configurá-las com, digamos, algo *inapropriado*.

**Use a Cabeça!:** Você pode citar um exemplo?

**Objeto:** Não é preciso ser um PhD. A maioria dos valores das variáveis de instância é codificada com certas definições sobre seus limites. Por exemplo, pense em todas as coisas que não funcionariam se números negativos fossem permitidos. A quantidade de banheiros de um escritório. A velocidade de um avião. Aniversários. O peso de halteres. Números de celular. A potência de fornos de microondas.

**Use a Cabeça!:** Entendo o que você quer dizer. E como o encapsulamanto permite a definição de limites?

**Objeto:** Ao forçar os outros códigos a passarem por métodos de configuração. Dessa forma, o método de configuração pode validar o parâmetro e decidir se é viável. Ele poderá rejeitá-lo e não fazer nada ou lançar uma exceção (por exemplo, se houver um número de CPF nulo em um aplicativo de cartões de crédito) ou ainda arredondar o parâmetro enviado para o valor mais próximo aceitável. O importante é o seguinte: você pode fazer o que quiser no método de configuração, contanto que não faça *nada* se suas variáveis de instância forem públicas.

**Use a Cabeça!:** Mas às vezes vejo métodos de configuração que simplesmente configuram o valor sem verificar nada. Se você tiver uma variável de instância que não tenha um limite, esse método de configuração não geraria uma sobrecarga desnecessária? Um impacto no desempenho?

**Objeto:** O importante nos métodos de configuração (e também nos de captura) é que ***você pode mudar de idéia posteriormente, sem travar o código de ninguém!*** Imagine se metade das pessoas da empresa usasse sua classe com variáveis de instância públicas e um dia você percebesse, de repente, que "opa — há algo que não planejei para esse valor, terei que passar para um método de configuração". Você travaria o código de todo mundo. O interessante no encapsulamento é que *você pode mudar de idéia*. E ninguém é prejudicado. O ganho no desempenho pelo uso das variáveis diretamente é tão pequeno que raramente vale a pena, *se é que vale*.

60   capítulo 4

*os métodos usam variáveis de instância*

## Encapsulando a classe GoodDog

```
class GoodDog {

   private int size;

   public int getSize() {
      return size;
   }

   public void setSize(int s) {
      size = s;
   }

   void bark() {
      if (size > 60) {
         System.out.println("Wooof! Wooof!");
      } else if (size > 14) {
         System.out.println("Ruff!  Ruff!");
      } else {
         System.out.println("Yip! Yip!");
      }
   }
}

class GoodDogTestDrive {

   public static void main (String[] args) {
      GoodDog one = new GoodDog();
      one.setSize(70);
      GoodDog two = new GoodDog();
      two.setSize(8);
      System.out.println("Dog one: " + one.getSize());
      System.out.println("Dog two: " + two.getSize());
      one.bark();
      two.bark();
   }
}
```

*Torna a variável de instância privada.*

*Torna os métodos de captura e configuração públicos.*

| GoodDog |
|---|
| size |
| getSize( ) |
| setSize( ) |
| bark( ) |

*Ainda que os métodos não adicionem realmente uma nova funcionalidade, o interessante é que você pode mudar de idéia posteriormente. Pode voltar e tornar um método mais seguro, mais rápido e melhor.*

**Qualquer local onde um valor específico puder ser usado, uma chamada de método que retorne esse tipo poderá ser empregada.**
em vez de:

   int x = 3 + 24;

você pode usar:

   int x = 3 + one.getSize( );

## Como os objetos de uma matriz se comportam?

Exatamente como qualquer outro objeto. A única diferença é como você os *capturará*. Em outras palavras, como o controle remoto. Tentaremos chamar métodos nos objetos Dog de uma matriz.

**1** Declare e crie uma matriz Dog, que tenha 7 referências Dog.

```
Dog[] pets;
pets = new Dog[7];
```

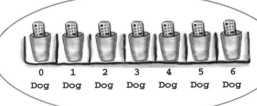

objeto de matriz Dog (Dog[ ])

**2** Criar dois novos objetos Dog, e assinale eles para os primeiros dois elementos da matriz

```
pets[0] = new Dog();
pets[1] = new Dog();
```

**3** Chame métodos nos dois objetos Dog

```
pets[0].setSize(30);
int x = pets[0].getSize();
pets[1].setSize(8);
```

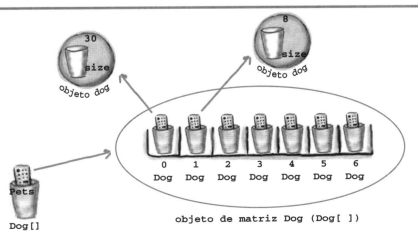

objeto de matriz Dog (Dog[ ])

*inicializando variáveis de instância*

## Declarando e inicializando variáveis de instância

Você já sabe que uma declaração de variável precisa de pelo menos um nome e um tipo:

```
int size;
String name;
```

E sabe que pode inicializar (atribuir um valor) a variável ao mesmo tempo:

```
int size = 420;
String name = "Donny";
```

Mas se você não inicializar uma variável de instância, o que acontecerá quando chamar um método de captura? Em outras palavras, qual será o *valor* de uma variável de instância *antes* de você a inicializar?

> **As variáveis de instância sempre recebem um valor padrão. Se você não atribuir explicitamente um valor a uma variável de instância, ou não chamar um método de configuração, mesmo assim ela terá um valor!**
>
> | inteiros | 0 |
> | pontos flutuantes | 0,0 |
> | booleanos | false |
> | referências | null |

```
class PoorDog {

    private int size;
    private String name;

    public int getSize() {
        return size;
    }
    public String getName() {
        return name;
    }
}

public class PoorDogTestDrive {
    public static void main (String[] args) {
        PoorDog one = new PoorDog();
        System.out.println("O tamahho do cão é " + one.getSize());
        System.out.println("O nome do cão é " + one.getName());
    }
}
```

*Declara duas variáveis de instância, mas não atribui um valor*

*O que esses métodos retornarão?*

*O que você acha?*
*Isso será compilado?*

*Não é preciso inicializar variáveis de instância, porque elas sempre têm um valor padrão. Números primitivos (inclusive do tipo char) recebem o valor 0, booleanos recebem false e variáveis de referência de objeto ficam com valor null.*

*(Lembre-se de que null significa apenas um controle remoto que não está controlando/programado para nada. É uma referência, porém sem um objeto real.)*

```
Arquivo Editar Janela Ajuda ChamarVet

%java PoorDogTestDrive

O tamanho do cão é 0

O nome do cão é null
```

## A diferença entre variáveis de instância e locais

**1** As variáveis **de instância** são declaradas dentro de uma classe, mas não dentro de um método.

```
class Horse {
    private double height = 15.2;
    private String breed;
    // mais código...
}
```

**2** As variáveis **locais** são declaradas dentro de um método.

```
class AddThing {
    int a;
    int b = 12;

    public int add() {
        int total = a + b;
        return total;
    }
}
```

**As variáveis locais NÃO recebem um valor padrão! O compilador reclamará se você tentar usar uma variável local antes dela ser inicializada.**

**62** *capítulo 4*

*os métodos usam variáveis de instância*

**3** As variáveis **locais** DEVEM ser inicializadas antes de ser usadas!

```
class Foo {
   public void go() {
      int x;
      int z = x + 3;
   }
}
```

*Não será compilado! Você pode declarar x sem um valor, mas, assim que tentar USÁ-lo, o compilador ficará confuso.*

```
File Edit Window Help Yikes
%javac Foo.java
Foo.java:4: variable x might not have
been initialized
         int z = x + 3;
1 error             ^
```

não existem
## Perguntas Idiotas

**P:** E quanto aos parâmetros do método? Como as regras sobre variáveis locais se aplicam a eles?

**R:** Os parâmetros dos métodos são praticamente iguais às variáveis locais — são declarados dentro do método (bem, tecnicamente eles são declarados na lista de argumentos do método em vez de dentro do corpo dele, mas ainda são variáveis locais e não variáveis de instância). Porém nunca serão inicializados, e você nunca verá uma mensagem de erro do compilador informando que uma variável de parâmetro não foi inicializada.

Mas isso ocorre porque o compilador exibirá uma mensagem de erro se você tentar chamar um método sem enviar os argumentos de que ele precisa. Portanto, os parâmetros são SEMPRE inicializados, já que o compilador garante que esses métodos sejam sempre chamados com argumentos que correspondam aos parâmetros declarados para eles, e os argumentos são atribuídos (automaticamente) aos parâmetros.

## Comparando variáveis (primitivas ou de referência)

Haverá situações em que você pode querer saber se duas variáveis *primitivas* são iguais. Isso é muito fácil, basta que use o operador ==. Em outras, pode querer saber se duas variáveis de referência apontam para o mesmo objeto da pilha. Também é fácil, use o operador ==. Mas você pode querer saber se dois *objetos* são iguais. E para fazer isso, precisará do método .equals( ). A idéia de igualdade no que diz respeito a objetos depende do tipo de objeto. Por exemplo, se dois objetos String diferentes tiverem os mesmos caracteres (digamos, "ativo"), serão significativamente equivalentes, independentemente de serem dois objetos distintos da pilha. Mas e quanto a um Cão? Você vai querer tratar dois Cães como se fossem iguais se, por acaso, tiverem o mesmo tamanho e peso? Provavelmente não. Portanto, o fato de dois objetos diferentes serem tratados como se fossem iguais dependerá do que for relevante para esse tipo de objeto específico. Examinaremos a noção de igualdade entre objetos novamente em capítulos posteriores (e no Apêndice B), mas, por enquanto, temos que saber que o operador == é usado *apenas* para comparar os bits de duas variáveis. *O que* esses bits representam não interessa. Eles são iguais ou não.

> **Use == para comparar duas variáveis primitivas ou saber se duas referências apontam para o mesmo objeto.**
>
> **Use o método equals( ) para saber se dois objetos diferentes são iguais.**
>
> (Como dois objetos String diferentes representando os caracteres de "Fred".)

## Para comparar duas variáveis primitivas, use o operador ==

O operador == pode ser usado para comparar duas variáveis de qualquer tipo, e ele comparará apenas os bits.

A instrução if (a==b) {...} examinará os bits de a e b e retornará verdadeiro se o padrão de bits for o mesmo (porém ela não verificará o tamanho da variável, logo, os zeros do lado esquerdo são irrelevantes).

```
int a = 3;
byte b = 3;
if (a = = b) { // verdadeiro }
```

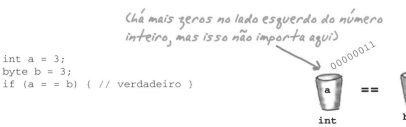

*(Há mais zeros no lado esquerdo do número inteiro, mas isso não importa aqui)*

*os padrões de bits são os mesmos, portanto, essas duas variáveis serão iguais se usarmos ==*

*igualdade* de objetos

## Para saber se duas referências são iguais (o que significa que elas referenciam o mesmo objeto da pilha) use o operador = =

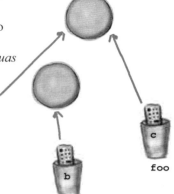

Os padrões de bits são os mesmos para a e c, portanto, serão iguais se usarmos = =

Lembre-se de que o operador = = só leva em consideração o padrão de bits da variável. As regras serão as mesmas, sendo a variável uma referência ou um tipo primitivo. Portanto, o operador = = retornará verdadeiro se duas variáveis de referência apontarem para o mesmo objeto! Nesse caso, não saberemos qual é o padrão de bits (porque não depende da JVM e essa informação estará oculta), mas *sabemos* que, qualquer que seja, *será o mesmo para duas referências que apontem para o mesmo objeto.*

```
Foo a =  new Foo();
Foo b = new Foo();
Foo c = a;

if (a = = b) { // falso}
if (a = = c) { // verdadeiro}
if (b = = c) { // falso}
```

a = = c é verdadeiro

a = = b é falso

Sempre mantenho minhas variáveis privadas. Se você quiser vê-las, terá que conversar com meus métodos.

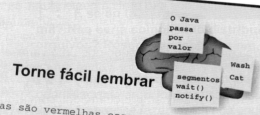

### Torne fácil lembrar

O Java passa por valor

segmentos
wait()
notify()

Wash Cat

As rosas são vermelhas essa poesia é aleatória passar por valor é passar por cópia.

Oh, acha que pode fazer melhor? Tente. Substitua nosso estúpido segundo verso pelo seu próprio. Melhor ainda, substitua o poema inteiro por suas próprias palavras, e você nunca o esquecerá.

---

### ✏️ Aponte seu lápis

#### O que é válido?

Dado o método a seguir, qual das chamadas listadas à direita são válidas?

Insira uma marca de seleção próxima às chamadas que forem válidas. (Algumas instruções só foram incluídas para atribuir os valores usados nas chamadas do método.)

Mantenha-se à direita

```
int calcArea(int height, int width) {
   return height * width;
}
```

```
int a = calcArea(7, 12);
short c = 7;
calcArea(c,15);
int d = calcArea(57);
calcArea(2,3);
long t = 42;
int f = calcArea(t,17);
int g = calcArea();
calcArea();
byte h = calcArea(4,20);
int j = calcArea(2,3,5);
```

os métodos usam variáveis de instância

## Seja o compilador

Cada um dos arquivos Java dessa página representa um arquivo-fonte completo. Sua tarefa é personificar o compilador e determinar se cada um deles pode ser compilado. Se não puderem ser compilados, como você os corrigiria, e, se eles forem compilados, qual seria sua saída?

### A

```
class XCopy {
    public static void main(String [] args) {
        int orig = 42;
        XCopy x = new XCopy();
        int y = x.go(orig);
        System.out.println(orig + " " + y);
    }
    int go(int arg) {
        arg = arg * 2;
        return arg;
    }
}
```

### B

```
class Clock {
    String time;

    void setTime(String t) {
        time = t;
    }

    void getTime() {
        return time;
    }
}

class ClockTestDrive {
    public static void main(String [] args) {
        Clock c = new Clock();

        c.setTime("1245");
        String tod = c.getTime();
        System.out.println("time: " + tod);
    }
}
```

## Quem sou eu?

Um grupo de componentes Java, vestidos a rigor, está participado do jogo, "Quem sou eu?" Eles lhe darão uma pista e você tentará adivinhar quem são, baseado no que disserem. Suponha que eles sempre digam a verdade quando falam de si mesmos. Se por acaso disserem algo que possa ser verdadeiro para mais de um deles, anote todos aos quais a frase possa ser aplicada. Preencha as linhas em branco próximas à frase com os nomes de um ou mais candidatos.

### Candidatos desta noite:

Variável de instância, argumento, retorno, método de captura, método de configuração, encapsulamento, public, private, passar por valor, método

Uma classe pode ter quantos quiser. _____

O método só pode ter um. _____

Pode ser elevado implicitamente. _____

Prefiro minhas variáveis de instância privadas. _____

Na verdade significa 'fazer uma cópia'. _____

Só os métodos de configuração devem atualizá-los. _____

Um método pode ter muitos deles. _____

Retorno algo por definição. _____

Não devo ser usado com variáveis de instância. _____

Posso ter muitos argumentos. _____

Por definição, uso um argumento. _____

Ajudam a criar o encapsulamento. _____

Estou sempre sozinho. _____

**quebra-cabeças:** *mensagens misturadas*

## Mensagens misturadas

Um programa Java curto está listado à sua direita. Dois blocos do programa estão faltando. Seu desafio é **comparar os blocos de código candidatos** (a seguir) **com a saída** que você veria se eles fossem inseridos.

Nem todas as linhas de saída serão usadas, e algumas delas podem ser usadas mais de uma vez. Desenhe linhas conectando os blocos de código candidatos à saída de linha de comando correspondente.

**Candidatos:**

```
x < 9
index < 5
```

```
x < 20
index < 5
```

```
x < 7
index < 7
```

```
x < 19
index < 1
```

**Saídas possíveis:**

```
14  7
```
```
9   5
```
```
19  1
```
```
14  1
```
```
25  1
```
```
7   7
```
```
20  1
```
```
20  5
```

```java
public class Mix4 {
    int counter = 0;
    public static void main(String [] args) {
        int count = 0;
        Mix4 [] m4a  =new Mix4[20];
        int x = 0;

        while (          ) {

            m4a[x] = new Mix4();
            m4a[x].counter = m4a[x].counter + 1;
            count = count + 1;
            count = count + m4a[x].maybeNew(x);
            x = x + 1;
        }
        System.out.println(count + " " + m4a[1].counter);
    }

    public int maybeNew(int index) {

        if (          ) {

            Mix4 m4 = new Mix4();
            m4.counter = m4.counter + 1;
            return 1;
        }
        return 0;
    }
}
```

# Quebra-cabeças na Piscina

Sua **tarefa** é pegar os trechos de código da piscina e inseri-los nas linhas em branco do código. Você pode **não** usar o mesmo trecho mais de uma vez e não precisa empregar todos os trechos. Seu **objetivo** é criar uma classe que seja compilada e executada produzindo a saída listada.

**Saída**

```
File Edit Window Help BellyFlop
%java Puzzle4

result 543345
```

```java
public class Puzzle4 {
    public static void main(String [] args) {
        Puzzle4b [] obs = new Puzzle4b[6];
        int y = 1;
        int x = 0;
        int result = 0;
        while (x < 6) {
            obs[x] = new Puzzle4b();
            obs[x].ivar = y;
            y = y * 10;
            x = x + 1;
        }
        x = 6;
        while (x > 0) {
            x = x - 1;
            result = result + obs[x].doStuff(x);
        }
        System.out.println("result " + result);
    }
}

class Puzzle4b {
    int ivar;
    public int doStuff(int factor) {
        if (ivar > 100) {
            return ivar * factor;
        } else {
            return ivar * (5 - factor);
        }
    }
}
```

*Nota: Cada trecho de código da piscina pode ser usado só uma vez!*

Trechos da piscina:

```
doStuff(x);
obs.doStuff(x);
obs[x].doStuff(factor);
obs[x].doStuff(x);

ivar = x;           ivar            ivar + factor;         Puzzle4
obs.ivar = x;       factor          ivar * (2 + factor);   Puzzle4b
obs[x].ivar = x;    public          ivar * (5 - factor);   Puzzle4b( )
obs[x].ivar = y;    private         ivar * factor;            x = x + 1;
                                                              x = x - 1;
Puzzle4 [ ] obs = new Puzzle4[6];       int    obs [x] = new Puzzle4b(x);
Puzzle4b [ ] obs = new Puzzle4b[6];     short  obs [ ] = new Puzzle4b( );
Puzzle4b [ ] obs = new Puzzle4[6];             obs [x] = new Puzzle4b( );
                                               obs = new Puzzle4b( );
```

**quebra-cabeças:** *Mistério dos Cinco Minutos*

Mistério dos Cinco Minutos

## Tempos difíceis em Stim-City

Quando Buchanan encostou sua arma em Jai, ele congelou. Jai sabia que Buchanan era tão estúpido quanto feio e não queria assustar o grandalhão. Buchanan ordenou que ele entrasse no escritório de seu chefe, mas como Jai não tinha feito nada de errado (ultimamente), pensou que conversar com Leveler, o chefe de Buchanan, não seria tão ruim. Ele vinha movimentando muitos estimulantes neurais no lado oeste nos últimos tempos e achava que Leveler ficaria satisfeito. Estimulantes do mercado negro não geravam as maiores quantias que circulavam, mas eram inofensivos. A maioria dos viciados em estimulantes que ele conheceu desistiu após algum tempo e voltou à vida normal, talvez um pouco menos concentrada do que antes.

O 'escritório' de Leveler era um esconderijo de má aparência, mas quando Buchanan o empurrou para dentro, Jai pôde ver que tinha sido modificado para fornecer toda a velocidade e segurança extra que um chefe local como Leveler poderia esperar. "Jai meu caro", sussurrou Leveler, "bom te ver novamente". "A recíproca é verdadeira...", disse Jai, sentindo a malícia por trás do cumprimento de Leveler, "devíamos estar quites, Leveler, há algo que eu não saiba?" "Ah! Você está fazendo tudo direitinho, Jai, sua carga foi preenchida, mas tenho sentido, digamos, algumas 'falhas' ultimamente..." disse Leveler.

Jai recuou involuntariamente, ele tinha sido um ótimo hacker no auge de sua carreira. Sempre que alguém descobria como burlar a segurança de um sistema, uma atenção indesejada se voltava para Jai. "Não fui eu meu caro", disse Jai, "não vale a pena. Eu me aposentei das invasões, agora cuido dos meus próprios negócios". "Sim, sim", sorriu Leveler, "tenho certeza de que dessa vez não foi você, mas vou perder grandes margens de lucro até que esse novo hacker seja eliminado!" "Bem, boa sorte Leveler, me deixe aqui e eu conseguirei mais algumas 'unidades' para você antes de terminar por hoje", disse Jai.

"Receio que não seja tão fácil, Jai, Buchanan disse que agora você está trabalhando com a J37NE", insinuou Leveler. "A Edição Neural? É verdade que me divirto um pouco com ela, e daí?", Jai respondeu sentindo-se um pouco preocupado. "A edição neural é como deixo os viciados em estimulantes saberem onde poderão encontrar a próxima dose", explicou Leveler. "O problema é que algum viciado ficou sem o estimulante por tempo suficiente para descobrir como invadir meu banco de dados WareHousing". "Preciso de alguém que pense rápido como você, Jai, para examinar minha classe J37NE StimDrop; os métodos, as variáveis de instância, o conjunto todo, e descobrir como estão invadindo. Você terá...". "Ei!", exclamou Buchanan, "não quero nenhum hacker como Jai examinando meu código!". "Calma grandão", Jai percebeu uma chance, "Tenho certeza de que você fez um ótimo trabalho com seu modificador de aces...". "Você acha mesmo, embaralhador de bits!", gritou Buchanan, "Deixei públicos todos os métodos usados pelos viciados, para que eles pudessem acessar os dados do site, mas marquei todos os métodos críticos do WareHousing como privados. Ninguém do ambiente externo pode acessar esses métodos meu caro, ninguém!"

"Acho que posso identificar a falha, Leveler; o que diz de deixarmos Buchanan aqui e darmos uma volta pelo quarteirão", sugeriu Jai. Buchanan procurou sua arma, mas a mão de Leveler já estava em seu pescoço, "Deixe estar, Buchanan", sorriu Leveler, "Largue a arma e saia, acho que Jai e eu temos alguns planos a pôr em prática".

### De que Jai suspeitou?

### Ele conseguirá sair do esconderijo de Leveler com todos os ossos no lugar?

Soluções dos Exercícios

### A

A classe 'XCopy' será compilada e executada na forma em que se encontra! A saída será: '42 84'. Lembre-se de que a Java passa por valor (o que significa passar por cópia), a variável 'orig' não será alterada pelo método go( ).

### B

```
class Clock {
    String time;
    void setTime(String t) {
        time = t;
    }
    String getTime() {
        return time;
    }
}

class ClockTestDrive {
    public static void main(String [] args) {
        Clock c = new Clock();
        c.setTime("1245");
        String tod = c.getTime();
        System.out.println("time: " + tod);
    }
}
```

Nota: os métodos 'de captura' têm um tipo de retorno por definição.

| | |
|---|---|
| Uma classe pode ter quantos quiser. | variáveis de instância, métodos de captura e configuração |
| O método só pode ter um. | retorno |
| Pode ser elevado implicitamente. | retorno, argumento |
| Prefiro minhas variáveis de instância privadas. | encapsulamento |
| Na verdade significa 'fazer uma cópia'. | passar por valor |
| Só os métodos de configuração devem atualizá-las. | variáveis de instância |
| Um método pode ter muitos deles. | argumento |
| Retorno algo por definição. | método de captura |
| Não devo ser usado com variáveis de instância. | public |
| Posso ter muitos argumentos. | método |
| Por definição, uso um argumento. | método de configuração |
| Ajudam a criar o encapsulamento. | métodos de captura e configuração, public, private |
| Estou sempre sozinho. | retorno |

Soluções dos Quebra-cabeças

```
public class Puzzle4 {
    public static void main(String [] args) {
        Puzzle4b [ ] obs = new Puzzle4b[6];
        int y = 1;
        int x = 0;
        int result = 0;
        while (x < 6) {
            obs[x] = new Puzzle4b( );
            obs[x] . ivar = y;
            y = y * 10;
            x = x + 1;
        }
        x = 6;
        while (x > 0) {
            x = x - 1;
            result = result + obs[x].doStuff(x);
        }
        System.out.println("result " + result);
    }
}

class Puzzle4b {
    int ivar;
    public int doStuff(int factor) {
        if (ivar > 100) {
            return ivar * factor;
        } else {
            return ivar * (5 - factor);
        }
    }
}
```

## Mistério dos Cinco Minutos Resolvido...

Jai sabia que Buchanan não era muito inteligente. Quando falou sobre seu código, Buchanan não mencionou as variáveis de instâncias. Jai suspeitou que embora Buchanan tivesse realmente manipulado seus métodos corretamente, não tinha marcado suas variáveis de instância com private. Esse deslize pode facilmente ter custado milhões a Leveler.

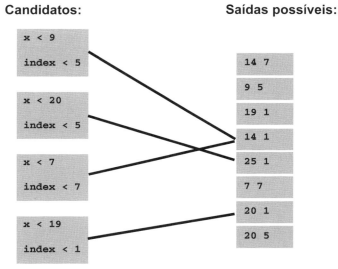

# 5 escrevendo um programa

# Métodos Extra Fortes

**Fortaleceremos nossos métodos.** Você esmiuçou as variáveis, brincou com alguns objetos e escreveu um pouco de código. Mas estávamos vulneráveis. Precisamos de mais ferramentas. Como os **operadores**. Precisamos de mais operadores, para que possamos fazer algo um pouco mais interessante do que, digamos, latir. E loops. Precisamos de **loops**, mas o que há de errado com os discretos loops while? Precisamos de loops **for** se quisermos fazer algo sério. Poderia ser útil **gerar números aleatórios**. E **converter uma string em um inteiro**, sim, isso seria avançado. É melhor aprendermos isso também. E por que não aprender tudo criando algo real, para sabermos como é escrever (e testar) um programa a partir do zero. **Talvez um jogo**, como a Batalha Naval. Essa é uma tarefa pesada, portanto, precisarei de dois capítulos para terminar. Construiremos uma versão simples neste capítulo e, em seguida, uma mais poderosa e sofisticada no Capítulo 6.

construindo *um jogo real*

## Construiremos um jogo no estilo Batalha Naval: "Sink a Dot Com"

Será você contra o computador, mas diferente do jogo de Batalha Naval real, aqui nenhum navio será nosso. Em vez disso, sua tarefa será afundar os navios do computador no menor número de tentativas.

Ah, e não afundaremos navios. Eliminaremos Dot Coms (empresas na Internet). (Demonstrando assim a importância das empresas para que você possa avaliar o custo deste livro.)

**Objetivo:** afundar todas as Dot Coms do computador no menor número de tentativas. Você receberá uma classificação ou nível, baseado em como foi seu desempenho.

**Preparação:** quando o programa do jogo for iniciado, o computador inserirá três DotComs em uma **grade virtual 7 x 7**. Concluída essa etapa, o jogo solicitará seu primeiro palpite.

**Como você jogará:** ainda não aprendemos a construir uma GUI, portanto essa versão funcionará na linha de comando. O computador solicitará que você insira um palpite (uma célula), que deve ser digitado na linha de comando como "A3", "C5", etc. Em resposta a seu palpite, você verá um resultado na linha de comando, "Correto", "Errado" ou "Você afundou a Pets.Com" (ou qualquer que seja a Dot Com de sorte do dia). Quando você tiver eliminado todas as três Dot Coms, o jogo terminará exibindo sua classificação.

**Você vai construir o jogo** Sink a Dot Com, **com uma grade 7 x 7 e três Dot Coms. Cada Dot Com ocupa três células.**

### parte de interação do jogo

```
Arquivo Editar Janela Ajuda Vender
%java DotComBust
Insira um palpite A3
errado
Insira um palpite B2
errado
Insira um palpite C4
errado
Insira um palpite D2
correto
Insira um palpite D3
correto
Insira um palpite D4
Ora! Você afundou a Pets.com :(
eliminar
Insira um palpite B4
errado
Insira um palpite G3
correto
Insira um palpite G4
correto
Insira um palpite G5
Ora! Você afundou a AskMe.com :(
```

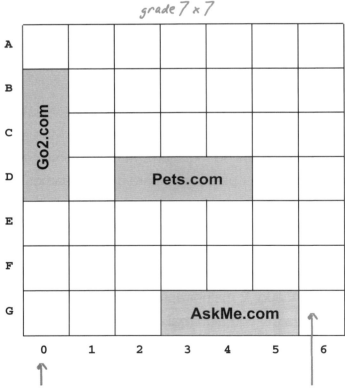

## Primeiro, um projeto de alto nível

Sabemos que precisamos de classes e métodos, mas como eles devem ser? Para responder isso, precisamos de mais informações sobre o que o jogo deve fazer.

*escrevendo um programa*

Primeiro, temos que descrever o fluxo geral do jogo. Aqui está a idéia básica:

**1** **O usuário inicia o jogo**

   **A** O jogo cria três Dot Coms

   **B** O jogo insere as três Dot Coms em uma grade virtual

**2** **O jogo começa**

   Repita as etapas a seguir até não haver mais Dot Coms:

   **A** Solicita ao usuário um palpite ("A2", "C0", etc.)

   **B** Confronta o palpite do usuário com as Dot Coms para procurar um acerto, um erro ou uma eliminação. Toma a medida apropriada: se for um acerto, excluir a célula (A2, D4, etc.). Se for uma eliminação, excluir a Dot Com.

**3** **O jogo termina**

   Fornece ao usuário uma classificação, baseando-se na quantidade de palpites.

Agora temos uma idéia do tipo de coisas que o programa precisa fazer. A próxima etapa é definir de que tipos de **objetos** precisaremos para fazer o trabalho. Lembre-se, pense como Brad em vez de Larry; enfoque as *coisas* do programa e não os *procedimentos*.

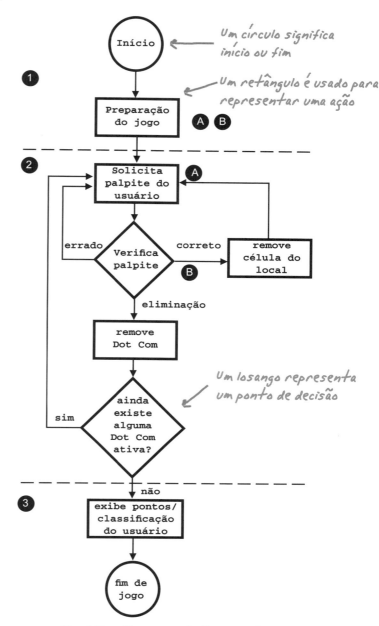

**Uau! Um diagrama de fluxo real**

## O "Jogo Dot Com Simples"

## Uma introdução mais amigável

Parece que precisaremos de pelo menos duas classes, uma classe Game e uma classe DotCom. Mas antes de construirmos o jogo **Sink a Dot Com** completo, começaremos com uma versão simplificada, o **Jogo Dot Com Simples**. Construiremos a versão simples *neste* capítulo, seguida pela versão sofisticada que construiremos no *próximo* capítulo.

Tudo será mais simples nesse jogo. Em vez de uma grade 2-D, ocultaremos a Dot Com em uma única *linha*. E em vez de *três* Dot Coms, usaremos *uma*.

No entanto, o objetivo será o mesmo, logo, o jogo ainda precisará criar uma instância da Dot Com, atribuir a ela um local qualquer na linha, solicitar a entrada do usuário e, quando todas as células da Dot Com tiverem sido adivinhadas, o jogo terminará. Essa versão simplificada nos ajudará muito na construção do jogo completo. Se conseguirmos fazer essa versão menor funcionar, poderemos convertê-la na versão mais complexa posteriormente.

Nessa versão simples, a classe Game não terá variáveis de instância, e todo o código do jogo ficará no método main( ). Em outras palavras, quando o programa for iniciado e main( ) começar a ser executado, ele criará uma

você está aqui ▶   73

*versão mais simples do jogo*

e somente uma instância da Dot Com, selecionará um local para ela (três células consecutivas na única linha virtual de sete células), solicitará ao usuário um palpite, verificará esse palpite e repetirá isso até todas as três células terem sido adivinhadas.

Lembre-se de que a linha virtual é... *Virtual*. Em outras palavras, ela não existe em nenhum local do programa. Contanto que o usuário e o jogo saibam que a Dot Com está oculta em três células consecutivas entre sete delas (começando em zero), a linha propriamente dita não terá que ser representada no código. Você pode ficar tentado a construir uma matriz de sete ints e, em seguida, atribuir a Dot Com a três dos sete elementos da matriz, mas não é preciso fazer isso. Tudo de que precisamos é uma matriz que contenha apenas as três células que a Dot Com ocupa.

**1** **O jogo é iniciado**, cria UMA Dot Com e define um local para ela em três células da linha única de sete células.
Em vez de "A2", C4", etc., os locais são apenas números inteiros. Por exemplo: 1, 2, e 3 são os locais das células nessa figura:

**2** **O jogo começa a ser disputado.** Solicitará um palpite ao usuário e, em seguida, verificará se ele acertou alguma das três células da Dot Com. Se houver um acerto, ele incrementará a variável numOfHits.

**3** **O jogo terminará** quando todas as três células tiverem sido adivinhadas (a variável numOfHits será igual a 3) e informará ao usuário quantos palpites ele usou para afundar a Dot Com.

**Uma interação completa do jogo**

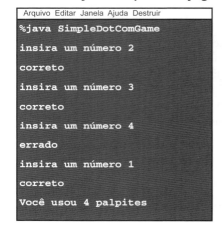

## Desenvolvendo uma classe

Como programador, provavelmente você tem uma metodologia/processo/abordagem para escrever código. Bem, nós também. Nossa seqüência foi projetada para ajudá-lo a ver (e aprender) o que pensamos quando trabalhamos na codificação de uma classe. Não se trata necessariamente da maneira como nós (ou você) escrevemos códigos no dia-a-dia. É claro que, nesse contexto, você seguirá a abordagem que suas preferências pessoais, o projeto ou seu chefe impuserem. Nós, no entanto, podemos fazer o que quisermos. E quando criamos uma classe Java como uma "experiência de aprendizado", geralmente o fazemos desta forma:

- Definimos o que a classe deve *fazer*.
- Listamos as **variáveis de instância e métodos**.
- Escrevemos um **código preparatório** para os métodos. (Você verá isso em breve.)
- Escrevemos um **código de teste** para os métodos.
- **Implementamos** a classe.
- **Testamos** os métodos.
- **Depuramos** e **reimplementamos** quando necessário.
- Agradecemos por não ser necessário testar nosso assim chamado aplicativo de *experiência de aprendizado* com usuários ativos reais.

**PODER DO CÉREBRO**

Flexione esses dendrites.

Como você definiria que classe ou classes construir *primeiro*, quando estiver escrevendo um programa? Supondo que todos os programas, exceto os menores, precisem de mais de uma classe (se você estiver seguindo os bons princípios da OO e não tiver *uma* classe que execute muitas tarefas diferentes), onde iniciaria?

74 capítulo 5

*escrevendo um programa*

## As três coisas que escreveremos para cada classe:

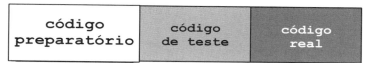

Essa barra será exibida no primeiro conjunto de páginas para lhe mostrar em que parte você está trabalhando. Por exemplo, se você encontrar essa figura na parte superior de uma página, significa que estará trabalhando no código preparatório da classe SimpleDotCom.

```
classe SimpleDotCom
```

**Para fazer:**

**classe SimpleDotCom**
- escreva o código preparatório
- escreva o código de teste
- escreva o código Java final

**classe SimpleDotComGame**
- escreva o código preparatório
- escreva o código de teste [não]
- escreva o código Java final

### código preparatório
Um tipo de pseudocódigo, para ajudá-lo a enfocar a lógica sem se preocupar com a sintaxe.

### código de teste
Uma classe ou os métodos que testarão o código real e avaliarão se ele está fazendo a coisa certa.

### código real
A implementação real da classe. Trata-se do código Java real.

```
SimpleDotCom

int[] locationCells
int numOfHits

String checkYouself(String guess)
void selfLocationCells(int[] loc)
```

Você terá uma idéia de como o código preparatório (nossa versão do pseudocódigo) funciona quando examinar esse exemplo. Ele é como um intermediário entre o código Java real e uma descrição simples da classe em português. A maioria dos códigos preparatórios inclui três partes: declarações de variáveis de instância, declarações de métodos, lógica dos métodos. A parte mais importante do código preparatório é a lógica dos métodos, porque ela define *o que* tem que acontecer, que posteriormente converteremos em *como*, quando escrevermos realmente o código do método.

**Declare** uma *matriz int* para armazenar os locais das células. Chame-a de *locationCells*.

**Declare** um *int* para armazenar o número de acertos. Chame-o de *numOfHits* e configure-o com 0.

**Declare** um método *checkYourself( )* que use uma *String* para o palpite do usuário ("1", "3", etc.), verifique a string e retorne um resultado que represente um "acerto", "erro" ou "eliminação".

**Declare** um método de configuração *setLocationCells( )* que use uma *matriz int* contendo os três locais das células na forma de *números inteiros* (2, 3, 4, etc.).

```
Método: String checkYourself(String userGuess)
    Capture o palpite do usuário como um parâmetro de String
    Converta o palpite do usuário em um int
    Repita isso para cada local de célula da matriz int
        // Confronte o palpite do usuário com o local da célula
        Se o palpite do usuário estiver correto
            Incremente o número de acertos
            // Verifique se essa foi a última célula:
            Se o número de acertos for igual a 3, retorne "eliminação" como resultado
            Caso contrário não terá sido uma eliminação, portanto, retorne, "correto"
            End If
        Caso contrário o palpite do usuário não estará correto, portanto, retorne "errado"
        End If
    Fim da iteração
    Fim do método
```

*classe SimpleDotCom*

```
Método: void setLocationCells(int[] cellLocations)
    Capture os locais das células como um parâmetro de matriz int
    Atribua o parâmetro dos locais das células à variável de instância desses locais
Fim do método
```

[código preparatório] [**código de teste**] [código real]

## Escrevendo a implementação dos métodos

## Escreveremos o código real do método agora e faremos essa belezinha funcionar.

Antes de começarmos a codificar os métodos, faremos uma pausa para escrever algum código que os *teste*. É exatamente isso, escreveremos o código de teste *antes* de haver algo para testar!

O conceito de escrever o código de teste primeiro é uma das práticas da Extreme Programming (XP) e ela pode tornar mais fácil (e rápida) a criação de seu código. Não estamos dizendo necessariamente que você deva usar a XP, mas gostamos da parte sobre escrever os testes primeiro. E o termo XP *soa* bem.

### Extreme Programming (XP)

A Extreme Programming (XP) é uma novidade no mundo da metodologia de desenvolvimento de softwares. Considerada por muitos "a maneira como os programadores querem realmente trabalhar", a XP surgiu no fim dos anos 1990 e tem sido adotada por empresas que vão da loja de garagem com apenas duas pessoas à Ford Motor Company. O destaque da XP é que o cliente obtém o que deseja, quando deseja, mesmo quando as especificações são alteradas na última hora.

A XP se baseia em um conjunto de práticas testadas que foram projetadas para funcionar em conjunto, embora muitas pessoas selecionem algumas e adotem somente uma parte das regras. Essas práticas incluem coisas como:

Criar versões pequenas, mas freqüentes.

Desenvolver em ciclos repetitivos.

Não inserir nada que não esteja na especificação (não importa o quanto você fique tentado a criar funcionalidades "para uso futuro").

Escrever o código de teste *primeiro.*

Não seguir prazos apertados; cumprir as horas normais.

Redefinir (aperfeiçoar o código) quando e onde notar a oportunidade.

Não lançar nada que não tenha passado por todos os testes.

Definir prazos realistas, baseando-se em versões pequenas.

Manter a simplicidade.

Programar em pares e com rotatividade para que todos conheçam bem tudo sobre o código.

## Escrevendo o código de teste da classe SimpleDotCom

Precisamos escrever um código de teste que consiga criar um objeto SimpleDotCom e executar seus métodos. Para a classe SimpleDotCom, só nos preocupamos realmente com o método *checkYourself( )*, embora seja *preciso* implementar o método *setLocationCells( )* para que o método *checkYourself( )* seja executado corretamente.

Examine bem o código preparatório a seguir, do método *checkYourself( )* (O método (*setLocationCells( )* é um método de configuração simples, portanto, não nos preocuparemos com ele, mas em um aplicativo 'real' poderíamos querer um método 'de configuração' mais robusto, que *pudéssemos* testar.)

Em seguida, pergunte para você mesmo: "Se o método checkYourself( ) fosse implementado, que código de teste eu poderia escrever que me provasse que ele está funcionando corretamente?"

*escrevendo um programa*

## Baseado nesse código preparatório:

**Método:** *String checkYourself(String userGuess)*

**Capture** o palpite do usuário como um parâmetro de String

**Converta** o palpite do usuário em um *int*

**Repita** isso para cada local de célula da matriz *int*

    // **Confronte** o palpite do usuário com o local da célula

    **Se** o palpite do usuário estiver correto

        **Incremente** o número de acertos

        // **Verifique** se essa foi a última célula:

        **Se** o número de acertos for igual a 3, **retorne** "eliminação" como resultado

        **Caso contrário** não terá sido uma eliminação, portanto, **retorne** "correto"

        End If

    **Caso contrário** o palpite do usuário não estará correto, portanto, retorne "errado"

    End If

  Fim da iteração

Fim do método

## Aqui está o que devemos testar:

1 Instanciar um objeto SimpleDotCom.

2. Atribuir um local para ele (uma matriz de 3 ints, como {2, 3, 4}).

3. Criar uma String que represente um palpite do usuário ("2", "0", etc.).

4. Chamar o método checkYourself( ), passando para ele o palpite de usuário fictício.

5. Exibir o resultado para avaliar se está correto ("bem-sucedido" ou "com falhas").

não existem

# Perguntas Idiotas

**P:** **Talvez eu não esteja entendendo alguma coisa aqui, mas como exatamente executar um teste em algo que ainda não existe?**

**R:** Isso não é possível. Nunca dissemos que você começaria executando o teste; começará escrevendo o teste. Quando estiver escrevendo o código de teste, você não terá nada em que usá-lo, portanto, provavelmente não poderá compilá-lo até escrever o código 'stub' que possa ser compilado, mas isso fará com que o teste falhe (por exemplo, retornando nulo).

**P:** **Ainda não entendi. Por que não esperar até o código ser escrito e, então, projetar o código de teste?**

**R:** O ato de planejar (e escrever) o código de teste ajudará a clarear seus pensamentos sobre o que o método propriamente dito precisa fazer.

Assim que seu código de implementação estiver concluído, você já terá um código de teste apenas esperando para validá-lo. Além disso, você sabe que, se não o fizer agora, nunca o fará. Há sempre algo mais interessante a fazer.

O ideal seria escrever um pequeno código de teste e, em seguida, criar apenas o código de implementação que você precisa que passe no teste. Depois escreva um pouco mais de código de teste e crie apenas o novo código de implementação que terá que passar nesse novo teste. A cada repetição do teste, você executará todos os testes já escritos, para que continue a avaliar se seus últimos acréscimos ao código não interromperão código já testado.

*você está aqui* ▶ 77

*classe* *SimpleDotCom*

| código preparatório | código de teste | código real |
| --- | --- | --- |

## Código de teste da classe SimpleDotCom

```java
public class SimpleDotComTestDrive {
   public static void main (String[] args) {
      SimpleDotCom dot = new SimpleDotCom();

      int[] locations = {2,3,4};

      dot.setLocationCells(locations);

      String userGuess = "2";

      String result = dot.checkYourself(userGuess);
      String testResult = "failed";
      if (result.equals("hit") ) {
         testResult = "passed";
      }

      System.out.println(testResult);
   }
}
```

*instancia um objeto SimpleDotCom*

*cria uma matriz int para o local das dot com (3 ints consecutivos entre 7 possíveis)*

*chama o método de configuração na variável dot com*

*cria um palpite de usuário fictício*

*chama o método checkYourself( ) no objeto dot com e passa para ele o palpite fictício*

*se o palpite fictício (2) retornar um acerto, o código estará funcionando*

*exibe o resultado do teste (bem-sucedido ou com falhas)*

### Aponte seu lápis

Nas próximas páginas implementaremos a classe SimpleDotCom e posteriormente retornaremos à classe de teste. Se examinarmos o código de teste anterior, o que mais deve ser adicionado? O que *não* estamos testando nesse código, que *deveríamos* testar? Escreva suas idéias (ou linhas de código) a seguir:

*escrevendo um programa*

| código preparatório | código de teste | código real |
|---|---|---|

## O método checkYourself( )

Não há uma conversão perfeita de código preparatório para código Java; você verá alguns ajustes. O código preparatório nos deu uma idéia muito melhor do *que* o código precisa fazer e agora temos que encontrar o código Java que consiga definir a *maneira* de fazer.

Em segundo plano, pense em que partes desse código você pode querer (ou ter que) aperfeiçoar. Os números dentro do círculo são para indicar as coisas (recursos de sintaxe e linguagem) que você ainda não viu. Elas são explicadas na outra página.

**Capture** o palpite do usuário

```java
public String checkYourself(String stringGuess) {
```
(1)

**Converta** o palpite do usuário em um *int*

```java
    int guess = Integer.parseInt(stringGuess);
```
← *converte a String em um int*

```java
    String result = "miss";
```
← *cria uma variável para armazenar o resultado que retornaremos. Insere miss como o padrão (isto é, estamos presumindo que ocorrerá um erro)*

(2)

**Repita** isso para cada célula da matriz *int*

```java
    for (int cell : locationCells) {
```
← *repete para cada célula da matriz locationCells (cada local de célula do objeto)*

**Se** o palpite do usuário estiver correto

```java
        if (guess == cell) {
```
← *compara o palpite do usuário com esse elemento (célula) da matriz*

**Incremente** o número de acertos

```java
            result = "hit";
```
(3)
```java
            numOfHits++;
```
← *tivemos um acerto!*

(4)
```java
            break;
        } // fim do teste if
    } // fim do loop for
```
← *sai do loop, não é preciso testar as outras células*

```java
    // Verifique se essa foi a última célula
```

**Se** o número de acertos for igual a 3

```java
    if (numOfHits == locationCells.length) {
```
← *estamos fora do loop, mas vejamos se já terminamos (acertamos 3 vezes) e alteramos a string do resultado para kill*

**Retorne** "eliminação" como resultado

```java
        result = "kill";
    } // fim do teste if
```

**Caso contrário** não terá sido uma eliminação, portanto, **Retorne**, "correto"

```java
    System.out.println(result);
```
← *exibe o resultado para o usuário (Miss, a menos que seja alterado para Hit ou Kill)*

**Caso contrário Retorne** "errado"

```java
    return result;
} // fim do método
```
← *retorna o resultado para o método chamador*

*você está aqui ▶* **79**

*classe SimpleDotCom*

| código preparatório | código de teste | código real |
|---|---|---|

## As novidades

O que ainda não vimos se encontra nesta página. Pare de se preocupar! O resto dos detalhes está no final do capítulo. Isso é o suficiente para que você possa continuar.

*Um método da classe Integer que sabe como converter uma string no inteiro que ela representa.*

*Uma classe que vem com a Java.*

*Usa uma String.*

(1) Convertendo uma **string em um int**

```
Integer.parseInt("3")
```

*Leia essa declaração do loop for desta forma: repita para cada elemento da matriz locationCells: extraia o próximo elemento da matriz e atribua-o à variável int cell.*

*O sinal de dois-pontos (:) significa de, portanto, o conjunto todo significa para cada valor int DE locationCells...*

(2) O loop **for**

```
for (int cell : locationCells) { }
```

*Declara uma variável que armazenará um elemento da matriz. A cada vez que o loop for percorrido, essa variável (nesse caso uma variável int chamada cell), armazenará um elemento diferente da matriz, até que não haja mais elementos (ou o código faça uma interrupção... Consulte o item 4 a seguir).*

*A matriz que o loop percorrerá. A cada vez que o loop for percorrido, o próximo elemento da matriz será atribuído à variável cell. (Veremos mais sobre isso no final deste capítulo.)*

*O sinal ++ significa somar 1 ao que quer que venha antes (em outras palavras, incrementar em 1).*

(3) O **operador pós-incremento**

```
numOfHits++
```

*numOfHits++ é o mesmo (neste caso) que dizer numOfHits = numOfHits + 1, exceto por ser um pouco mais eficiente.*

(4) Instrução **break**

```
break;
```

*Fará você sair de um loop. Imediatamente. Neste exato momento. Sem iteração, nenhum teste booleano, saia agora!*

---

não existem
## Perguntas Idiotas

---

P: **O que aconteceria em Integer.parseInt( ) se você passasse algo que não fosse um número? A instrução reconhece números por extenso, como em "three"?**

R: Integer.parseInt( ) só funciona com strings que representem os valores ascii dos dígitos (0, 1, 2, 3, 4, 5, 6, 7, 8, 9). Se você tentar converter algo como "two" ou "blurp", o código será interrompido no tempo de execução. (Por interrompido, queremos dizer na verdade que ele lançará uma exceção, mas não falaremos sobre exceções até chegarmos ao capítulo sobre elas. Portanto, por enquanto, interrompido é o que chega mais próximo.)

**80** *capítulo 5*

*escrevendo um programa*

P: No começo do livro, havia um exemplo de loop for muito diferente desse — há dois tipos diferentes de loop for?

R: Sim! Na primeira versão do Java havia apenas um tipo de loop for (que será explicado posteriormente neste capítulo) com a seguinte aparência:

```
for (int i = 0; i < 10; i++) {
   // faz algo 10 vezes
}
```

Você pode usar esse formato para qualquer tipo de loop de que precisar. Mas... A partir do Java 5.0 (Tiger), também pode usar o loop for aperfeiçoado (essa é a descrição oficial) quando seu loop tiver que percorrer os elementos de uma matriz (ou outro tipo de conjunto, como você verá no próximo capítulo). Você sempre poderá usar o loop for antigo para percorrer uma matriz, mas o loop for aprimorado tornará isso mais fácil.

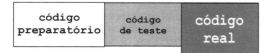

## Código final de SimpleDotCom e SimpleDotComTester

```java
public class SimpleDotComTestDrive {

   public static void main (String[] args) {
      SimpleDotCom dot = new SimpleDotCom();
      int[] locations = {2,3,4};
      dot.setLocationCells(locations);
      String userGuess = "2";
      String result = dot.checkYourself(userGuess);
   }
}
```

```java
public class SimpleDotCom {

   int[] locationCells;
   int numOfHits = 0;

   public void setLocationCells(int[] locs) {
      locationCells = locs;
   }

   public String checkYourself(String stringGuess) {
      int guess = Integer.parseInt(stringGuess);
      String result = "miss";
      for (int cell : locationCells) {
         if (guess == cell) {
            result = "hit";
            numOfHits++;
            break;
         }
      } // fora do loop

      if (numOfHits ==
      locationCells.length) {
         result = "kill";
      }
      System.out.println(result);
      return result;
   } // fecha o método
} // fecha a classe
```

**O que devemos ver quando executarmos esse código?**

O código de teste cria um objeto SimpleDotCom e fornece um local para ele nas posições 2, 3 e 4. Em seguida, envia um palpite de usuário fictício igual a "2" para o método checkYourself( ). Se o código estiver funcionando corretamente, devemos ver a exibição do resultado:

```
Java SimpleDotComTestDrive
hit
```

**Há um pequeno erro à espreita aqui. O código será compilado e executado, mas em alguns momentos... Não se preocupe por enquanto, mas teremos que enfrentar isso um pouco mais adiante.**

você está aqui ▶   81

*classe SimpleDotCom*

| código preparatório | código de teste | código real |
|---|---|---|

### Aponte seu lápis

Construímos a classe de teste e a classe SimpleDotCom. Mas ainda não temos o *jogo* real. Dado o código da página anterior, e as especificações do jogo real, escreva suas idéias para o código preparatório da classe do jogo. Forneceremos uma linha ou outra para ajudá-lo a começar. O código do jogo real está na próxima página, portanto, ***não olhe a página até ter feito esse exercício!***

Você deve obter algo entre 12 e 18 linhas (incluindo as que escrevemos, porém *sem* incluir as linhas que apresentam apenas uma chave).

**Método** `public static void main(String[] args)`

    **Declare** uma variável int para armazenar o número de palpites do usuário chamada `numOfGuesses`

    **Gere** um número aleatório entre 0 e 4 que será a célula da posição inicial

    **Enquanto** a dot com existir:
        **Capture** entradas do usuário na linha de comando

**A classe SimpleDotComGame precisa fazer isto:**

1. Criar apenas um objeto SimpleDotCom.

2. Criar um local para ele (três células consecutivas na mesma linha de sete células virtuais).

3. Pedir ao usuário um palpite.

4. Verificar os palpites.

5. Repetir isso até a dot com ser eliminada.

6. Informar ao usuário quantos palpites ele usou.

**Uma interação completa do jogo**

```
Arquivo Editar Janela Ajuda Destruir
%java SimpleDotComGame
insira um número 2
correto
insira um número 3
correto
insira um número 4
errado
insira um número 1
correto
Você usou 4 palpites
```

## Código preparatório da classe SimpleDotComGame

## Tudo acontece em main( )

Há algumas coisas em que você terá apenas que acreditar. Por exemplo, temos uma linha de código preparatório que diz, "CAPTURE entradas do usuário na linha de comando". Na verdade, isso vai um pouco além do que gostaríamos de implementar nesse momento. Mas, felizmente, estamos usando a OO. E isso significa que você solicitará a *outra* classe/objeto que faça o que é necessário, sem se preocupar com a *maneira* como será feito. Quando você escrever o código preparatório, deve presumir que *de alguma forma* será capaz de fazer o que for preciso, assim poderá dedicar todo o seu poder mental à construção da lógica.

**82** *capítulo 5*

*escrevendo um programa*

| código preparatório | código de teste | código real |

```
public static void main(String[] args)
    Declare uma variável int para armazenar o número de palpites do usuário, chamada
    numOfGuesses, e configure-a com 0.
    Crie uma nova instância de SimpleDotCom.
    Gere um número aleatório entre 0 e 4 que será a célula da posição inicial.
    Crie uma matriz int com 3 inteiros usando o número gerado aleatoriamente, esse número
    incrementado em 1 e esse número incrementado em 2 (exemplo: 3,4,5).
    Chame o método setLocationCells( ) na instância de SimpleDotCom.
    Declare uma variável booleana que representará o estado do jogo, chamada isAlive, e
configure-a com verdadeiro.

    Enquanto a dot com existir (isAlive = = true):
        Capture entradas do usuário na linha de comando.
        // Verifique o palpite do usuário
        Chame o método checkYourself( ) na instância de SimpleDotCom.
        Incremente a variável numOfGuesses.
        // Verifique se a dot com foi eliminada
        Se o resultado for "kill"
            Configure isAlive com falso (o que significa que não entraremos no loop
novamente).
            Exiba o número de palpites do usuário.
        End If
    End While
Fim do método.
```

## dica metacognitiva

Não use apenas uma parte do cérebro por muito tempo. Usar apenas o lado esquerdo do cérebro por mais de 30 minutos é como usar apenas seu *braço* esquerdo durante esse período. Dê a cada lado de seu cérebro uma pausa, alternado-os em intervalos regulares. Quando você passar para um dos lados, o outro descansará e se recuperará. As atividades do lado esquerdo do cérebro incluem coisas como seqüências em etapas, resolução de problemas lógicos e análise, enquanto o lado direito se encarrega de metáforas, resolução de problemas que usam a criatividade, comparação de padrões e visualização.

## PONTOS DE BALA

- Seu programa Java deve começar com um projeto de alto nível.
- Normalmente escrevemos três coisas quando criamos uma nova classe:
código preparatório
código de teste
código real (Java)
- O código preparatório deve descrever *o que* fazer e não *como* fazê-lo. A implementação vem depois.
- Use o código preparatório como ajuda no projeto do código de teste.
- Escreva o código de teste *antes* de implementar os métodos.
- Use loops *for* em vez de *while* quando souber quantas vezes deseja repetir o código do loop.
- Use o operador pré/pós-*incremento* para adicionar uma unidade a uma variável (x++).
- Use o operador pré/pós-*decremento* para subtrair uma unidade de uma variável (x—).
- Use Integer.parseInt( ) para capturar o valor int de uma String.
- Integer.parseInt( ) só funcionará se a String representar um dígito ("0", "1", "2", etc.).
- Use *break* para sair antecipadamente de um loop (isto é, mesmo se a condição do teste booleano ainda for verdadeira).

*você está aqui* ▶ 83

*classe* **SimpleDotComGame**

## O método main( ) do jogo

Exatamente como você fez com a classe SimpleDotCom, pense nas partes desse código que pode querer (ou ter que) aperfeiçoar. Os números dentro de um círculo são para as coisas que queremos destacar. Elas serão explicadas na outra página. Ah, se estiver querendo saber por que saltamos a fase do código de teste nessa classe, não precisamos de uma classe de teste para o jogo. Ele só tem um método, portanto, o que você faria em seu código de teste? Criaria uma classe *separada* que chamasse main( ) *nessa* classe? Não é necessário.

*Quantos você acertou mês passado?*
*Sim...*
*Incluindo visitantes recorrentes?*
③

**Bem-vindo à cidade fantasma**

**Declare** uma variável para armazenar a contagem de palpites do usuário e configure-a com 0.

**Crie** um objeto SimpleDotCom.
**Gere** um número aleatório entre 0 e 4.

**Crie** uma matriz int com o local das três células e **chame** setLocationCells no objeto dot com.
**Declare** uma variável booleana isAlive

**enquanto** a dot com existir.
**Capture** a entrada do usuário.
// **Verifique-a**

**Chame** checkYourself( ) no objeto dot com.

**Incremente** numOfGuesses.
**Se** o resultado for "kill",
**Configure** gameAlive com falso.

**Exiba** o número de palpites do usuário.

```
public static void main(String[] args) {
    int numOfGuesses = 0;




    GameHelper helper = new GameHelper();



    SimpleDotCom theDotCom = new SimpleDotCom();
    int randomNum = (int) (Math.random() * 5);
      ①


    int[] locations = {randomNum, randomNum+1, randomNum+2};
    theDotCom.setLocationCells(locations);
    boolean isAlive = true;





    while(isAlive == true) {
      ②
        String guess = helper.getUserInput("insira um número");


        String result = theDotCom.checkYourself(guess);


        numOfGuesses++;
        if (result.equals("kill")) {
            isAlive = false;




            System.out.println("Você usou " + numOfGuesses + " palpites");
        } // encerra a instrução if
    } // encerra while
} // encerra main
```

*cria uma variável para controlar quantos palpites o usuário usou*

*essa é uma classe especial que criamos e que contém o método de captura de entradas do usuário. Por enquanto, considere-a como parte do Java*

*cria o objeto dot com*

*gera um número aleatório para a primeira célula e o usa para criar a matriz de locais de células*

*fornece à dot com sua localização (a matriz)*

*cria uma variável booleana que será usada no teste do loop while para registrar se o jogo continua ativo. Repete o loop enquanto o jogo estiver ativo.*

*captura a string da entrada do usuário*

*solicita à dot com para verificar o palpite; salva o resultado retornado em uma string*

*incrementa a contagem de palpites*

*foi uma eliminação? Se for, configura isAlive com falso (para não entrarmos novamente no loop) e exibe a contagem de palpites do usuário*

escrevendo *um programa*

| código preparatório | código de teste | **código real** |

## random( ) e getUserInput( )

Duas coisas que precisam de uma explicação um pouco melhor estão nessa página. Trata-se apenas de uma visão geral para que você possa continuar; mais detalhes sobre a classe GameHelper se encontram no fim deste capítulo.

*Isso é uma conversão e ela forçará o que estiver imediatamente após a ficar com o seu tipo (isto é, o tipo entre parênteses). Math.random retornará um tipo double, portanto teremos que convertê-lo em um int (queremos um número inteiro entre 0 e 4). Nesse caso, a conversão eliminará a parte fracionária do tipo double.*

*O método Math.random retornará um número no intervalo entre zero e menor que um. Portanto, essa fórmula (com a conversão), retornará um número de 0 a 4 (isto é, de 0 a 4,999..., convertido em um inteiro).*

(1) Gere um número aleatório

```
int randomNum = (int) (Math.random( ) * 5)
```

*Declaramos uma variável int que armazenará o número aleatório fornecido.*

*Uma classe que vem com a Java.*

*Um método da classe Math.*

*Uma instância que criamos anteriormente, de uma classe que construímos para auxiliar o jogo. Ela se chama GameHelper e você ainda não a viu (mas verá).*

*Esse método recebe um argumento de String que usa para interagir com o usuário na linha de comando. Qualquer coisa que você passar aqui será exibida no terminal imediatamente antes do método começar a procurar a entrada do usuário.*

(2) Capturando a entrada do usuário usando a classe GameHelper

```
String guess = helper.getUserInput("insira um número");
```

*Declaramos uma variável de String que armazenará a string da entrada fornecida pelo usuário (3, 5, etc.).*

*Um método da classe GameHelper que solicita ao usuário entrada na linha de comando, a lê depois que o usuário pressiona Enter e retorna o resultado como uma String.*

## Uma última classe: GameHelper

Criamos a classe *dot com*.

Criamos a classe *do jogo*.

**Só falta a classe *auxiliar*** - a do método getUserInput( ). O código para capturar entrada na linha de comando vai além do que queremos explicar agora. Ele abre caminho para muitos tópicos, o que é melhor deixarmos para depois. (Na verdade no Capítulo 14.)

Basta copiar* o código da próxima página e compilá-lo em uma classe chamada GameHelper. Insira todas as três classes (SimpleDotCom, SompleDotComGame, GameHelper) no mesmo diretório e faça com ele seja seu diretório de trabalho.

Sempre que você encontrar o logotipo **Código predefinido**, verá um código que terá que digitar do modo em que se encontra e acreditar em seu funcionamento. Pode confiar. Você aprenderá como esse código funciona *posteriormente*.

Tenho um código predefinido, portanto, você não terá que criá-lo.

*Sabemos como você aprecia digitar, mas para os raros momentos em que preferir fazer outra coisa, disponibilizamos o Código Predefinido em wickedlysmart.com.

você está aqui ▶ 85

*classe GameHelper (pré-definida)*

código preparatório | código de teste | **código real**

**Código pré-definido**

```
import java.io.*;
public class GameHelper {
    public String getUserInput(String prompt) {
        String inputLine = null;
        System.out.print(prompt + "  ");
        try {
            BufferedReader is = new BufferedReader(new InputStreamReader(System.in));
            inputLine = is.readLine();
            if (inputLine.length() == 0 )  return null;
        } catch (IOException e) {
            System.out.println("IOException: " + e);
        }
        return inputLine;
    }
}
```

## Agora podemos jogar

Veja o que acontecerá quando executarmos o código e inserimos os números 1, 2, 3, 4, 5, 6. Parece funcionar bem.

**Uma interação completa do jogo**
(sua pontuação pode variar)

```
Arquivo Editar Janela Ajuda Sorria
%java SimpleDotComGame
insira um número 1
errado
insira um número 2
errado
insira um número 3
errado
insira um número 4
correto
insira um número 5
correto
insira um número 6
eliminar
Você usou 6 palpites
```

## O que é isso? Um erro?
## Opa!

Veja o que acontece quando inserimos 1, 1, 1.

**Uma interação diferente do jogo**
(epa)

```
Arquivo Editar Janela Ajuda Desmaiar
%java SimpleDotComGame
insira um número 1
correto
insira um número 1
correto
insira um número 1
eliminar
Você usou 3 palpites
```

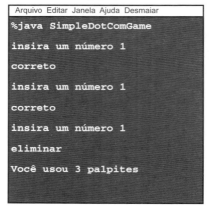

**É uma situação-limite!**

**Encontraremos o erro?
Corrigiremos o erro?**

Não perca o próximo capítulo, onde responderemos essas perguntas e muitas outras...

Mas por enquanto, veja se consegue ter uma idéia do que deu errado e de como corrigir.

## Mais informações sobre os loops for

Abordamos todo o código do jogo *neste* capítulo (mas voltaremos a ele para terminar a versão sofisticada no próximo capítulo). Não quisemos interromper seu trabalho com alguns dos detalhes e informações secundárias, portanto retornaremos a eles aqui. Começaremos com os detalhes dos loops for e, se você é programador de C++, poderá ler apenas superficialmente essas últimas páginas...

## Loops for comuns (não-aperfeiçoados)

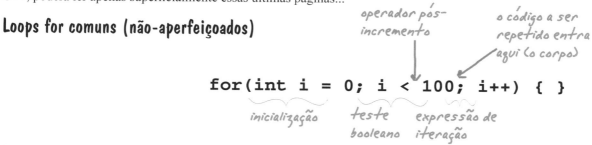

### O que significa em português simples: "repetir 100 vezes."

**Como o compilador interpreta:**

- criar uma variável *i* e configurar com 0.
- repetir enquanto *i* for menor que 100.
- no fim de cada iteração do loop, acrescentar uma unidade a *i*.

**Parte um: inicialização**

Use essa parte para declarar e inicializar uma variável que será usada dentro do corpo do loop. Geralmente essa variável é usada como um contador. Na verdade você pode inicializar mais de uma variável aqui, mas veremos isso posteriormente no livro.

**Parte dois: teste booleano**

É aqui que o teste condicional entrará. Independentemente do que houver nele, *terá* que ser convertido em um valor booleano (você sabe, **verdadeiro** ou **falso**). Você pode ter um teste, como (x>=4), ou até mesmo chamar um método que retorne um booleano.

**Parte três: expressão iterativa**

Nessa parte, insira uma ou mais coisas que você deseja que ocorram a cada passagem do loop. Lembre-se de que elas acontecerão no *final* de cada loop.

**repita 100 vezes:**

## Percorrendo um loop

```
for (int i = 0; i < 8; i++) {
   System.out.println(i);
}
System.out.println("done");
```

**saída:**

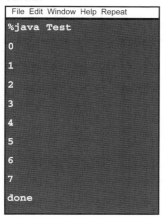

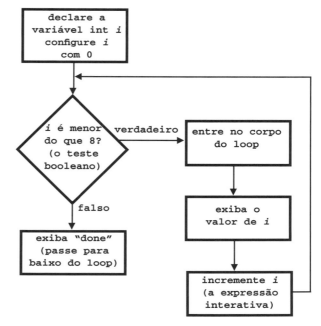

## Diferença entre <u>for</u> e <u>while</u>

Um loop *while* apresenta apenas o teste booleano; não tem uma expressão interna de inicialização ou iteração. Ele será útil quando você não souber quantas vezes o loop será executado e quiser continuar a execução apenas enquanto alguma condição for verdadeira. Mas se você *souber* quantas vezes o loop será executado (por exemplo, dependendo do tamanho de uma matriz, 7 vezes, etc.), um loop *for* será mais simples. Aqui está o loop anterior reescrito usando-se *while*:

```
int i = 0;  ⟵——————————————————— temos que declarar e inicializar o contador
while (i < 8) {
    System.out.println(i);
    i++;  ⟵——————————————————— temos que incrementar o contador
}
System.out.println("done");
```

---

**++        - -**

### Operador de pré e pós-incremento/decremento

O atalho para se adicionar ou subtrair 1 unidade de uma variável.

**x++;**

é o mesmo que:

**x = x + 1;**

As duas instruções significam a mesma coisa nesse contexto:

"adicione 1 unidade ao valor atual de x" ou "***incremente*** x em 1 unidade"

E:

**x- -;**

é o mesmo que:

**x = x - 1;**

É claro que isso não é tudo. A inserção do operador (antes ou depois da variável) pode afetar o resultado. Inserir o operador *antes* da variável (por exemplo, ++x), significa "*primeiro*, incremente x em 1 unidade e, *em seguida*, use esse novo valor de x". Isso só será importante quando x++ fizer parte de alguma expressão maior e não de apenas uma instrução.

**int x = 0;          int z = ++x;**

produzirá: x é igual a 1, z é igual a 1

Mas, se inserirmos o sinal ++ *depois* de x, teremos um resultado diferente:

**int x = 0;          int z = x++;**

produzirá: x é igual a 1, mas *z é igual a 0*! Z receberá o valor de x e, *em seguida*, x será incrementado.

---

## O loop <u>for</u> aperfeiçoado

A partir do Java 5.0 (Tiger), a linguagem passou a ter um segundo tipo de loop *for* chamado *for aperfeiçoado*, que torna mais fácil a iteração por todos os elementos de uma matriz ou outros tipos de conjunto (você aprenderá sobre *outros* conjuntos no próximo capítulo). Na verdade isso é tudo que o loop for aperfeiçoado fornece — uma maneira mais simples de percorrer todos os elementos do conjunto, mas já que essa é a finalidade mais comum de um loop *for*, valeu a pena adicioná-lo à linguagem. Revisitaremos o *loop for aperfeiçoado* no próximo capítulo, quando falarmos sobre conjuntos que *não são* matrizes.

*escrevendo um programa*

Declara uma variável de iteração que armazenará apenas um elemento da matriz.

O sinal de dois-pontos (:) significa DE.

O código a ser repetido entra aqui (o corpo).

```
for (String name: nameArray) { }
```

Os elementos da matriz DEVEM ser compatíveis com o tipo declarado para a variável.

A cada iteração um elemento diferente da matriz será atribuído à variável name.

O conjunto de elementos que você deseja percorrer. Suponhamos que em algum ponto anterior do código tivéssemos: String[] nameArray = {"Fred", "Mary", "Bob"}; Na primeira iteração, a variável name teria o valor "Fred", na segunda o valor "Mary", etc.

**O que isso significa em português claro:** "a cada elemento de nameArray, atribua o elemento à variável 'name' e execute o corpo do loop."

**Como o compilador interpretaria:**

- Criar uma variável de string chamada *name* e configurá-la com nulo.

- Atribuir o primeiro valor de *nameArray* à variável name.

- Executar o corpo do loop (o bloco de código dentro das chaves).

- Atribuir o próximo valor de *nameArray* a name.

- Repetir enquanto *ainda houver elementos na matriz.*

Nota: dependendo da linguagem de programação que tiverem usado no passado, algumas pessoas podem chamar o loop for aperfeiçoado de for each ou for in, porque é assim que se interpreta: para (for) CADA (each) elemento DO (in) conjunto...

**Parte um:** *declaração da variável de iteração*

Use essa parte para declarar e inicializar uma variável que será usada dentro do corpo do loop. A cada iteração do loop, essa variável armazenará um elemento diferente do conjunto. O tipo da variável deve ser compatível com os elementos da matriz! Por exemplo, você não pode declarar uma variável de iteração *int* para usar com uma matriz *String[]*.

**Parte dois:** *o conjunto atual*

Deve ser uma referência que aponte para uma matriz ou outro conjunto. Não se preocupe ainda com os *outros* tipos de conjunto que não são matrizes - você os verá no próximo capítulo.

---

### Convertendo uma string em um inteiro

```
int guess = Integer.parseInt(stringGuess);
```

O usuário digitará seu palpite na linha de comando quando o jogo solicitar. Esse palpite chegará na forma de uma string ("2", "0", etc.), e o jogo passará essa string para o método checkYourself( ).

Mas os locais das células são simplesmente os inteiros de uma matriz, e você não poderá comparar um inteiro com uma string.

Por exemplo, *isso não funcionará:*

```
String num = "2";
int x = 2;
if (x == num)  //confronto incompatível!
```

Tentar compilar esse código fará o compilador rir e zombar de você:

```
operator == cannot be applied to int,java.lang.String
        if (x == num) { }
                ^
```

Portanto, para contornar as diferenças, temos que converter a *string* "2" no *inteiro* 2. Embutida na biblioteca de classes Java temos uma classe chamada Integer (certo, trata-se da classe Integer e não de um tipo *primitivo* int) e uma de suas tarefas é pegar strings que representam números e convertê-las em números *reais*.

---

uma classe que vem com o Java

usa uma string

```
Integer.parseInt("3")
```

um método da classe Integer que sabe como converter uma string no inteiro que ela representa.

*você está aqui ▶*    **89**

# Convertendo tipos primitivos

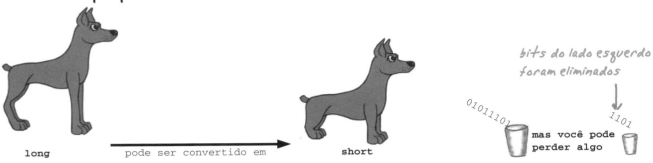

No Capítulo 3 falamos sobre os tamanhos dos vários tipos primitivos e que você não pode inserir algo grande diretamente em um recipiente pequeno:

```
long y = 42;
int x = y;     // não será compilado
```

Um tipo *longo* é maior do que um *inteiro* e o compilador não terá certeza de onde esse *longo* saiu. Pode ter estado bebendo com outros longos e recebendo valores realmente altos. Para forçar o compilador a espremer o valor de uma variável primitiva maior em um tipo menor, você pode usar o operador **de conversão**. Ele tem esta aparência:

```
long y = 42;       // até aqui tudo bem
int x = (int) y;   // x = 42 muito bom!
```

Se você inserir a conversão, estará solicitando ao compilador que pegue o valor de y, converta-o para o tamanho de um inteiro e configure x com o que sobrar. Se o valor de y for maior do que o valor máximo de x, acabaremos com um número estranho (mas calculável*):

```
long y = 40002;
// 40002 excede o limite de 16 bits de um tipo curto
short x = (short) y;   // agora x é igual a -25534!
```

Mesmo assim, o importante é que o compilador lhe permita continuar. E digamos que você tivesse um número de ponto flutuante e quisesse apenas a parte inteira (*int*) dele:

```
float f = 3.14f;
int x = (int) f;    //  x será igual a 3
```

Mas nem *pense* em converter algo em um booleano ou vice-versa — deixe como está.

*Isso envolve os bits de sinais, o sistema binário, 'complementos de dois' e outros detalhes, que serão discutidos no começo do Apêndice B.*

---

Exercício

## Seja a JVM

**O arquivo Java dessa página representa um arquivo-fonte completo. Sua tarefa é personificar a JVM e determinar qual será a saída quando o programa for executado?**

```java
class Output {
    public static void main(String [] args) {
        Output o = new Output();
        o.go();
    }
    void go() {
        int y = 7;
        for(int x = 1; x < 8; x++) {
            y++;
            if (x > 4) {
                System.out.print(++y + " ");
            }
            if (y > 14) {
                System.out.println(" x = " + x);
                break;
            }
        }
    }
}
```

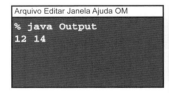

```
Arquivo Editar Janela Ajuda OM
% java Output
12 14
```

OU

```
Arquivo Editar Janela Ajuda Incenso
% java Output
12 14 x = 6
```

OU

```
Arquivo Editar Janela Ajuda Fé
% java Output
13 15 x = 6
```

# escrevendo um programa

Exercício

## Ímãs de Geladeira

Um programa Java funcional está todo misturado sobre a geladeira. Você conseguiria reorganizar os trechos de código para criar um programa Java funcional que produzisse a saída listada a seguir? Algumas das chaves caíram no chão e são muito pequenas para que as recuperemos, portanto, fique à vontade para adicionar quantas delas precisar!

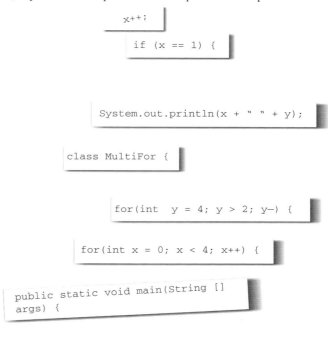

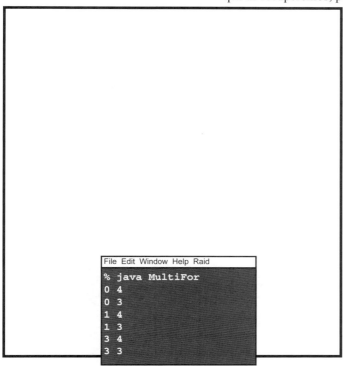

```
File Edit Window Help Raid
% java MultiFor
0 4
0 3
1 4
1 3
3 4
3 3
```

Mensagens misturadas

Um programa Java curto é listado a seguir. Um bloco do programa está faltando. Seu desafio é **comparar o bloco de código candidato** (à esquerda) **com a saída** que você veria se ele fosse inserido. Nem todas as linhas de saída serão usadas e algumas delas podem ser usadas mais de uma vez. Desenhe linhas conectando os blocos de código candidatos à saída de linha de comando correspondente. (As respostas estão no final do capítulo.)

```
class MixFor5 {
    public static void main(String [] args) {
        int x = 0;
        int y = 30;
        for (int outer = 0; outer < 3; outer++) {
            for(int inner = 4; inner > 1; inner-) {

                [                              ]

                y = y - 2;
                if (x == 6) {
                    break;
                }
                x = x + 3;
            }
            y = y - 2;
        }
        System.out.println(x + " " + y);
    }
}
```

O código candidato entra aqui

**Candidatos:**

| x = x +3; |
| x = x +6; |
| x = x +2; |
| x++; |
| x--; |
| x = x +0; |

**Saídas possíveis:**

| 45 6 |
| 36 6 |
| 54 6 |
| 60 10 |
| 18 6 |
| 6 14 |
| 12 14 |

Compare cada candidato com uma das saídas possíveis

**quebra-cabeças:** *cruzadas Java*

## Cruzadas Java

Como um jogo de palavras cruzadas o ajudará a aprender Java? Bem, todas as palavras **têm** relação com o Java. Além disso, as pistas fornecem metáforas, trocadilhos e coisas do tipo. Esses atalhos mentais disponibilizarão rotas alternativas para o aprendizado Java, diretamente em seu cérebro!

### Horizontais

1. Palavra engraçada em informática que significa construir
4. Loop de várias partes
6. Teste primeiro
7. 32 bits
10. Resposta do método
11. Código preparatório
13. Alteração
15. O grande kit de ferramentas
17. Uma unidade da matriz
18. De instância ou local
20. Kit de ferramentas automático
22. Parece um tipo primitivo, mas...
25. Não conversível
26. Método de Math
28. Método conversor
29. Sair antes

### Verticais

1. Estabelecer o primeiro valor
2. Tipo de incremento
3. Cavalo-de-batalha da classe
5. O pré é um tipo de _____
7. Um ciclo
8. While ou For
9. Atualizar uma variável de instância
12. Contagem regressiva
14. Compilar e _____
16. Pacote de comunicação
19. Mensageiro dos métodos (abrev.)
21. Como se
23. Adicionar depois
24. A casa do pi
27. Valor do operador ++
30. _____ de iteração do loop for

92  *capítulo 5*

# Soluções dos Exercícios

## Seja a JVM:

```java
class Output {
    public static void main(String [] args) {
        Output o = new Output();
        o.go();
    }
    void go() {
        int y = 7;
        for(int x = 1; x < 8; x++) {
            y++;
            if (x > 4) {
                System.out.print(++y + " ");
            }
            if (y > 14) {
                System.out.println(" x = " + x);
                break;
            }
        }
    }
}
```

**Você se lembrou de considerar a instrução break? Como isso afetou a saída?**

```
Arquivo Editar Janela Ajuda ManuençãoMotocicleta
% java Output
13 15 x = 6
```

## Ímãs de Geladeira

```java
class MultiFor {
    public static void main(String [] args) {
        for(int x = 0; x < 4; x++) {
            for(int y = 4; y > 2; y--) {
                System.out.println(x + " " + y);
            }
            if (x == 1) {
                x++;
            }
        }
    }
}
```

**O que aconteceria se esse bloco de código viesse antes do loop for de 'y'?**

```
Arquivo Editar Janela Ajuda Monopólio
% java MultiFor
0 4
0 3
1 4
1 3
3 4
3 3
```

*quebra-cabeças:* cruzadas Java

Soluções dos quebra-cabeças

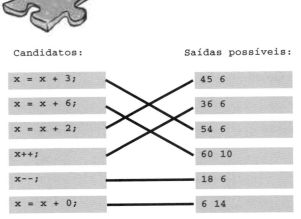

# 6 conheça o API Java

# Usando a Biblioteca Java

**O Java vem com centenas de classes predefinidas.** Você não terá que reinventar a roda se souber como encontrar o que precisa na biblioteca Java, normalmente conhecida como **API Java.** Há coisas melhores a fazer. Se você pretende escrever códigos, pode escrever somente as partes que forem exclusivas de seu aplicativo. Conhece o tipo de programador que vai embora toda tarde às 5 PM? Aqueles que não chegam antes das 10 AM? **Eles usam a API Java.** E nas aproximadamente oito páginas seguintes, nós também usaremos. A principal biblioteca Java é uma pilha gigante de classes apenas esperando para serem usadas como blocos de construção, para que você construa seu próprio programa usando código em grande parte predefinido. A seção de códigos Java predefinidos deste livro são trechos que você não terá que criar do zero, mas mesmo assim precisará digitá-los. A API Java está cheio de códigos que você não terá nem mesmo que digitar. Tudo que precisa fazer é aprender a usá-lo.

*este é um novo capítulo* 95

*ainda temos um erro*

# Em nosso último capítulo, deixamos você com uma situação-limite. Um erro.

## Como o código deve funcionar

Veja o que acontecerá quando executarmos o código e inserirmos os números 1, 2, 3, 4, 5, 6. Parece funcionar bem.

### Uma interação completa do jogo
(sua pontuação pode variar)

```
Arquivo Editar Janela Ajuda Sorria
%java SimpleDotComGame
insira um número 1
errado
insira um número 2
errado
insira um número 3
errado
insira um número 4
correto
insira um número 5
correto
insira um número 6
eliminar
Você usou 6 palpites
```

## Como o erro se manifesta

Veja o que acontece quando inserimos 2, 2, 2.

### Uma interação diferente do jogo
(epa)

```
Arquivo Editar Janela Ajuda Desmaiar
%java SimpleDotComGame
insira um número 2
correto
insira um número 2
correto
insira um número 2
eliminar
Você usou 3 palpites
```

**Na versão atual, quando você acertar, terá apenas que repetir esse palpite mais duas vezes para eliminar!**

## Mas o que aconteceu?

*É aqui que está o erro. Contamos um acerto a cada vez que o usuário adivinhou uma célula, mesmo quando esse local já tinha sido adivinhado! Precisamos de uma maneira de saber se quando o usuário deu um palpite, ele já não adivinhou essa célula. Se já tiver adivinhado, então, não iremos contá-la como um acerto.*

```java
public String checkYourself(String stringGuess) {
    int guess = Integer.parseInt(stringGuess);      // converte a String em um int
    String result = "miss";                          // cria uma variável para armazenar o resultado
                                                     // que retornaremos. Insere miss como o
                                                     // padrão (isto é, estamos presumindo um erro)

    for (int cell : locationCells) {                 // repete para cada célula da matriz

        if (guess == cell) {                         // compara o palpite do usuário com esse
            result = "hit";                          // elemento (célula) da matriz
            numOfHits++;                             // tivemos um acerto!

            break;                                   // sai do loop, não é preciso
                                                     // testar as outras células
        } // fim do teste if

    } // fim do loop for

    if (numOfHits == locationCells.length) {         // estamos fora do loop, mas vejamos se
        result = "kill";                             // já terminamos (acertamos 3 vezes) e
                                                     // alteramos a string do resultado para kill
    } // fim do teste if

    System.out.println(result);                      // exibe o resultado para o usuário (miss, a
                                                     // menos que seja alterado para hit ou kill)
    return result;                                   // retorna o resultado para o método chamador

} // fim do método
```

96 *capítulo 6*

# Como corrigir?

Precisamos de uma maneira de saber se uma célula já foi adivinhada. Examinaremos algumas possibilidades, mas, primeiro, revisaremos o que sabemos até agora...

Temos uma linha virtual com sete células e um objeto DotCom ocupará três células consecutivas em algum local dessa linha. A linha virtual abaixo exibe um objeto DotCom situado nas células das posições 4, 5 e 6.

A linha virtual, com os locais das três células do objeto DotCom.

O objeto DotCom tem uma variável de instância — uma matriz int — que contém os locais das células em que ele se encontra.

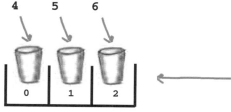

A variável de instância da matriz que contém os locais das células do objeto DotCom. Esse objeto DotCom contém os 3 valores 4, 5 e 6. Esses são os números que o usuário tem que adivinhar.

## A opção um é muito complicada

A opção um parece dar mais trabalho do que gostaríamos. Significa que, a cada vez que o usuário acertar, você terá que alterar o estado da *segunda* matriz (a matriz 'hitCells'), ah — mas primeiro será preciso VERIFICAR a matriz 'hitCells' para sabermos se essa célula já foi adivinhada. Funcionaria, mas tem que haver algo melhor...

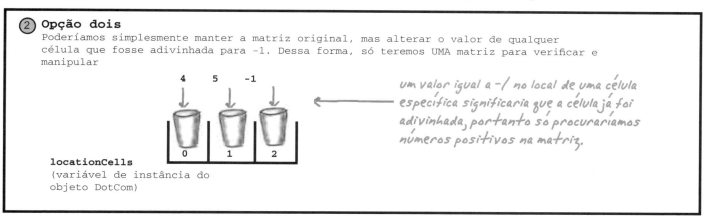

## A opção dois é um pouco melhor, mas ainda bem complicada

A opção dois é um pouco menos complicada, mas não é muito eficiente. Você ainda teria que percorrer todos os três espaços (posições de índice) da matriz, mesmo que um ou mais já fossem inválidos por terem sido 'adivinhados' (tendo o valor -1). Tem que haver algo melhor...

*código preparatório*

 **Opção três**
Excluiríamos cada local de célula quando ele fosse adivinhado e alteraríamos a matriz tornando-a menor. Porém as matrizes não podem mudar de tamanho, logo, teremos que criar uma **nova** matriz e copiar as células restantes da matriz antiga para a nova matriz menor.

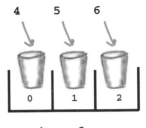

`matriz locationCells`
ANTES de qualquer célula ser adivinhada

*A matriz inicialmente tem um tamanho igual a 3, de modo que percorreremos todas as três células (posições da matriz) para procurar uma coincidência entre o palpite do usuário e o valor da célula (4, 5, 6).*

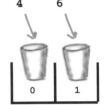

`matriz locationCells`
DEPOIS da célula '5', que estava no índice 1 da matriz, ser adivinhada

*Quando a célula 5 for adivinhada, criaremos uma nova matriz menor somente com os locais das células restantes e a atribuiremos à variável de referência locationCells original.*

**A opção três seria muito melhor se a matriz pudesse ser reduzida, para que não tivéssemos que criar uma nova matriz menor, copiar os valores restantes nela e reatribuir a referência.**

## O código preparatório original referente à parte do método checkYourself( ):

## Tudo seria melhor se pudéssemos alterá-lo para:

**Repita** para cada local de célula da matriz *int* ⟶ **Repita** para cada local de célula **remanescente**

    // *Compare* o palpite do usuário com o local da célula

    **Se** o palpite do usuário estiver correto

        **Incremente** o número de acertos ⟶ **Remova** essa célula da matriz

        // *Verifique* se essa foi a última célula

        **Se** o número de acertos for igual a 3, **Retorne** "eliminação" ⟶ **Se** agora a matriz estiver vazia, **Retorne** "eliminação"

        **Caso contrário** não terá sido uma eliminação, portanto **Retorne** "correto"

    End If

    **Caso contrário** o palpite do usuário não coincide, portanto **Retorne** "errado"

End If

Fim da iteração

---

// *Compare* o palpite do usuário com o local da célula

**Se** o palpite do usuário estiver correto

    **Remova** essa célula da matriz

    // *Verifique* se essa foi a última célula

    **Se** agora a matriz estiver vazia, **Retorne** "eliminação"

    **Caso contrário** não terá sido uma eliminação, portanto **Retorne** "correto"

End If

**Caso contrário** o palpite do usuário não coincide, portanto **Retorne** "errado"

End If

Fim da iteração

*conheça* o API Java

> Se pelo menos eu conseguisse encontrar uma matriz que pudesse ser reduzida quando removêssemos algo. Uma que não tivéssemos que percorrer para verificar cada elemento, mas em vez disso pudéssemos apenas perguntar se ela contém o que estamos procurando. Então ela permitiria que excluíssemos seus elementos, sem que tivéssemos que saber exatamente em que posição eles estão. Isso seria um sonho. Mas sei que é apenas ilusão...

## Anime-se e conheça a biblioteca

## Como em um passe de mágica, na verdade há algo assim.

## Mas não é uma matriz, é uma ArrayList.

## Uma classe da biblioteca Java principal (o API).

A Java Standard Edition (que é a que você deve ter a menos que esteja trabalhando com a Micro Edition para dispositivos pequenos e acredite, *você saberia*) vem com centenas de classes predefinidas. Exatamente como em nossa seção de códigos predefinidos exceto por essas classes predefinidas já terem sido compiladas.

**Isso significa que não é preciso digitar. apenas use as classes.**

*Uma das diversas classes da biblioteca Java.*
*Você poderá usá-la em seu código como se a tivesse criado.*

*(Nota: na verdade o método add(Object element) tem uma aparência um pouco mais estranha do que o mostrado aqui... Chegaremos ao método real posteriormente no livro. Por enquanto, apenas considere-o como o método add( ) que receberá o objeto que você quiser adicionar).*

```
ArrayList

add(Object elem)
    Adicionará o parâmetro de objeto à lista.
remove(int index)
    Removerá o objeto do parâmetro de índice.
remove(Object elem)
    Removerá esse objeto (se ele estiver na ArrayList).
contains(Object elem)
    Retornará 'verdadeiro' se houver uma coincidência com
    o parâmetro de objeto
isEmpty( )
    Retornará 'verdadeiro' se a lista não tiver elementos
indexOf(Object element)
    Retornará o índice do parâmetro de objeto ou -1
size( )
    Retornará a quantidade de elementos existentes na
    lista atualmente
get(int index)
    Retornará o objeto que se encontra atualmente no
    parâmetro de índice
```

*Isso é apenas um exemplo de ALGUNS dos métodos de ArrayList.*

você está aqui ▶   99

## Algumas coisas que você pode fazer com <u>ArrayList</u>

*Não se preocupe com essa nova sintaxe de sinais maior e menor (<Egg>) agora; ela significa apenas crie uma lista de objetos Egg com essa instrução.*

(1) **Criar um objeto ArrayList**

`ArrayList<Egg> myList = new ArrayList<Egg>();`

*Um novo objeto ArrayList é criado na pilha. E pequeno porque está vazio.*

(2) **Inserir algo nele**

`Egg s = new Egg();`

`myList.add(s);`

*Agora o objeto ArrayList cresceu até o tamanho de uma caixa para armazenar o objeto Egg.*

(3) **Inserir mais alguma coisa nele**

`Egg b = new Egg();`

`myList.add(b);`

*O objeto ArrayList cresceu novamente para armazenar o segundo objeto Egg.*

(4) **Saber quantos itens existem nele**

`int theSize = myList.size();`

*O objeto ArrayList está armazenando 2 objetos, portanto o método size() retornará 2*

(5) **Saber se ele contém algo**

`boolean isIn = myList.contains(s);`

*O objeto ArrayList contém REALMENTE o objeto EGG referenciado por s, portanto contains() retornará <u>verdadeiro</u>*

(6) **Saber onde está algo (isto é, seu índice)**

`int idx = myList.indexOf(b);`

*O objeto ArrayList tem base 0 (o que significa que o primeiro índice é 0) e já que o objeto referenciado por b é o segundo item da lista, indexOf() retornará <u>1</u>*

(7) **Saber se ele está vazio**

`boolean empty = myList.isEmpty();`

*ele definitivamente não está vazio, portanto isEmpty() retornará <u>falso</u>*

(8) **Remover algo dele**

`myList.remove(0);`

*Ei veja — ele diminui!*

## Aponte seu lápis

Preencha o resto da tabela a seguir examinando o código de ArrayList à esquerda e inserindo como você acha que ele ficaria se usasse uma matriz comum. Não esperamos que você acerte todos, portanto faça o melhor que puder.

| ArrayList | matriz comum |
|---|---|
| `ArrayList<String> myList = new ArrayList<String>();` | `String [] myList = new String[2];` |
| `String a = new String("whoohoo");` `myList.add(a);` | `String a = new String("whoohoo");` |
| `String b = new String("Frog");` `myList.add(b);` | `String b = new String("Frog");` |
| `int theSize = myList.size();` |  |
| `Object o = myList.get(1);` |  |
| `myList.remove(1);` |  |
| `boolean isIn = myList.contains(b);` |  |

### não existem
## Perguntas Idiotas

**P: Quer dizer que o objeto ArrayList é avançado, mas como eu iria saber de sua existência?**

**R:** A pergunta na verdade seria "Como vou saber o que existe no API?" e essa é a chave para que você tenha sucesso como programador Java. Para não mencionar que também é a chave para você poder ser tão preguiçoso quanto quiser e ainda assim conseguir desenvolver softwares. Você ficará surpreso com quanto tempo conseguirá economizar, se alguém já tiver feito grande parte do trabalho pesado e tudo que terá que fazer será intervir e criar a parte divertida.

Mas mudaremos de abordagem. Uma resposta direta seria que você passasse algum tempo examinando o que existe no API principal. A resposta detalhada se encontra no fim deste capítulo, onde você aprenderá como fazer isso.

**P: Mas esse é um grande problema. Não tenho apenas que saber que a biblioteca Java vem com ArrayList, o mais importante é saber que ArrayList é o objeto que fará o que eu quiser! Portanto, como passarei do estado de ter que fazer algo para a maneira como fazê-lo usando o API?**

**R:** Agora você está realmente chegando ao âmago da coisa. Quando tiver terminado este livro, terá uma boa compreensão da linguagem e o resto de sua curva de aprendizado estará relacionado a saber como ir do problema à solução, com a digitação da menor quantidade de código possível. Se você puder esperar mais algumas páginas, começaremos a falar sobre isso no final deste capítulo.

## Tudo sobre o Java
**Entrevista desta semana:**
**ArrayList, tudo sobre as matrizes**

**Use a Cabeça!:** Então quer dizer que ArrayLists são como matrizes, certo?

**ArrayList:** Até parece! *Sou* um *objeto*, graças a Deus.

**Use a Cabeça!:** Se não estou enganado, as matrizes também são objetos. Elas residem na pilha junto com os outros objetos.

**ArrayList:** É verdade, as matrizes ficam na pilha, mas uma matriz ainda é um projeto de ArrayList. Uma tentativa. Os objetos têm estado *e* comportamento, certo? Estamos de acordo nisso. Mas já tentou chamar um método em uma matriz?

**Use a Cabeça!:** Já que você mencionou, acho que não. Mas que método eu chamaria? Só tento chamar métodos nos elementos que insiro *na* matriz e não na própria matriz. E posso usar a sintaxe das matrizes quando quiser inserir e extrair elementos delas.

**ArrayList:** Tem certeza? Você está tentando me dizer que *removeu* realmente algo de uma matriz? (Nossa, onde vocês são *treinados*? No McJava?)

**Use a Cabeça!:** É *claro* que consigo remover algo de uma matriz. Se eu tiver a instrução Dog d = dogArray[1] consigo retirar o objeto Dog do índice 1 da matriz.

**ArrayList:** Tudo bem, tentarei falar com mais calma para você conseguir acompanhar. Você *não*, repito, *não* removeu esse objeto Dog da matriz. Tudo que fez foi criar uma cópia da *referência de Dog* e atribuí-la a outra variável Dog.

**Use a Cabeça!:** Ah, entendo o que você está dizendo. Não, realmente não removi o objeto Dog da matriz. Ele ainda está lá. Mas acho que posso configurar sua referência com nulo.

**ArrayList:** Porém eu sou um objeto de primeira classe, logo, tenho métodos e posso realmente, você sabe, *fazer* coisas como remover a referência de Dog de minha lista e não apenas configurá-la com nulo. E posso alterar meu tamanho, *dinamicamente* (veja). Tente fazer isso com uma *matriz*!

**Use a Cabeça!:** Bem, odeio entrar nesse assunto, mas há rumores de que você não passa de uma matriz afamada porém pouco eficiente. Que na verdade você é apenas a classe encapsuladora de uma matriz, com métodos adicionais para coisas como o redimensionamento que eu teria que criar por conta própria. E já que chegamos a esse ponto, *você não consegue nem armazenar tipos primitivos*! Isso não é uma grande limitação?

**ArrayList:** Você acredita realmente nessa lenda urbana? Não, eu *não* sou apenas uma matriz menos eficiente. Admito que haja algumas situações *extremamente* raras em que uma matriz possa ser apenas um pouco, repito, *um pouco* mais rápida para certas coisas. Mas vale a pena o minúsculo ganho no desempenho e desistir de todo esse *poder*? Veja toda essa *flexibilidade*. E quanto aos tipos primitivos, é *claro* que você pode inserir um tipo primitivo em um objeto ArrayList, contanto que ele seja encapsulado em uma classe encapsuladora primitiva (você verá mais detalhes sobre isso no Capítulo 10). E, a partir da Java 5.0, esse encapsulamento (e sua remoção quando você extrair o tipo primitivo novamente) ocorre automaticamente. Certo, *reconheço* que é verdade, se você usar uma ArrayList de tipos *primitivos*, provavelmente terá mais rapidez com uma matriz, por causa do encapsulamento e sua remoção, mas mesmo assim... Quem usa tipos primitivos *atualmente*?

Oh, veja que horas são! *Estou atrasado para o Pilates*. Teremos que voltar a esse assunto posteriormente.

_conheça o API Java_

# Comparando ArrayList com uma matriz comum

| ArrayList | matriz comum |
|---|---|
| `ArrayList<String> myList = new ArrayList<String>();` | `String [] myList = new String[2];` |
| `String a = new String("whoohoo");` | `String a = new String("whoohoo");` |
| `myList.add(a);` | `myList[0] = a;` |
| `String b = new String("Frog");` | `String b = new String("Frog");` |
| `myList.add(b);` | `myList[1] = b;` |
| `int theSize = myList.size();` | `int theSize = myList.length;` |
| `Object o = myList.get(1);` | `String o = myList[1];` |
| `myList.remove(1);` | `myList[1] = null;` |
| `boolean isIn = myList.contains(b);` | `boolean isIn = false;`<br>`for (String item : myList) {`<br>`   if (b.equals(item)) {`<br>`      isIn = true;`<br>`      break;`<br>`   }`<br>`}` |

> É aqui que começa a ficar realmente diferente...

Observe que com ArrayList, você estará trabalhando com um objeto de tipo ArrayList, portanto estará apenas chamando os métodos antigos comuns em um objeto como qualquer outro, usando o velho operador ponto.

Com uma _matriz_, você usará a _sintaxe especial das matrizes_ (como em myList[0] = foo) que não empregará em nenhum outro local exceto com matrizes. Ainda que uma matriz _seja_ um objeto, ela vive em seu próprio mundo particular e você não poderá chamar nenhum método usando-a, embora possa acessar sua única variável de instância, _length_.

# Comparando ArrayList com uma matriz comum

**(1) Uma matriz comum tem que saber seu tamanho na hora que é criada.**
Mas com ArrayList, você terá apenas que criar um objeto de tipo ArrayList. Sempre. Não é preciso saber seu tamanho, porque ele crescerá e diminuirá quando objetos forem adicionados ou removidos.

`New String[2]` ← _Precisa de um tamanho._

`New ArrayList<String>( )` _O tamanho não é necessário (embora você possa fornecer um se quiser)._

**(2) Para inserir um objeto em uma matriz comum, você terá que atribuí-lo a um local específico.**
(Um índice de 0 a uma unidade a menos que o tamanho da matriz).

`myList[1] = b;` ← _Precisa de um índice_

Se esse índice estiver fora dos limites da matriz (por exemplo, se a matriz tiver sido declarada com um tamanho igual a 2 e agora você estiver tentando atribuir algo ao índice 3), ela transbordará no tempo de execução.
Com ArrayList, você poderá especificar um índice usando o método _add(anInt, anObject)_ ou continuar usando _add(anObject)_ e o objeto ArrayList continuará a crescer para fazer espaço para o novo item.

`myList.add(b);` ← _Sem índice._

**(3) As matrizes usam uma sintaxe própria que não é empregada em nenhum outro local em Java.**
Mas os objetos ArrayList são os antigos objetos Java comuns, portanto não têm sintaxe especial.

`myList[1]` ← _Os colchetes da matriz fazem parte de uma sintaxe especial usada somente com matrizes._

_você está aqui ▶_ **103**

*o código DotCom com falha*

**④ Os objetos ArrayList da Java 5.0 são parametrizados.**
Acabamos de dizer que, diferentemente das matrizes, os objetos ArrayList não têm uma sintaxe especial. Mas na verdade eles usam algo especial que foi adicionado à Java 5.0 Tiger - **tipos parametrizados**.

ArrayList<String> ← *A <String> com os sinais maior e menor é um tipo parametrizado. ArrayList<String> significa simplesmente uma lista de Strings, diferentemente de ArrayList<Dog>, que significa uma lista de objetos Dog.*

Antes do Java 5.0, não havia uma maneira de declarar o *tipo* do que seria inserido na ArrayList, portanto, para o compilador, todas as ArrayLists eram simplesmente conjuntos heterogêneos de objetos. Mas agora, com o uso da sintaxe <tipoEntraAqui>, podemos declarar e criar uma ArrayList que conheça (e limite) os tipos de objetos que pode conter. Examinaremos com detalhes os tipos parametrizados nas ArrayLists do capítulo sobre objetos Collection, portanto, por enquanto, não pense muito na sintaxe do sinal maior e menor <> que você verá quando usarmos ArrayLists. Você só tem que saber que se trata de uma maneira de forçar o compilador a permitir apenas um tipo específico de objeto (*o tipo dentro dos sinais maior e menor*) na ArrayList.

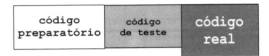

## Agora corrigiremos o código DotCom.

Lembre-se de que foi assim que deixamos a versão com falha:

```
public class DotCom {                    ← Renomearemos a classe com DotCom
                                           (em vez de SimpleDotCom), na versão
    int[] locationCells;                   avançada, mas esse é o mesmo código
    int numOfHits = 0;                     que você viu no último capítulo.

    public void setLocationCells(int[] locs) {
        locationCells = locs;
    }

    public String checkYourself(String stringGuess) {

        int guess = Integer.parseInt(stringGuess);

        String result = "miss";

        for (int cell : locationCells) {

            if (guess == cell) {

                result = "hit";         ← É aqui que se encontra o erro.
                                          Contamos cada palpite como um
                numOfHits++;              acerto, sem verificar se essa
                                          célula já foi adivinhada.
                break;

            }

        } // fora do loop

        if (numOfHits == locationCells.length) {

            result = "kill";

        }

        System.out.println(result);

        return result;

    } // encerra o método

} // encerra a classe
```

## A nova classe DotCom aperfeiçoada

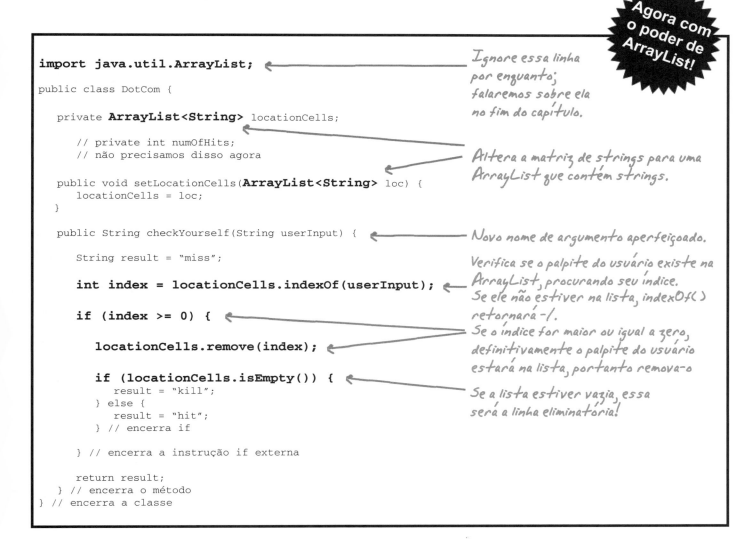

```java
import java.util.ArrayList;

public class DotCom {

   private ArrayList<String> locationCells;

      // private int numOfHits;
      // não precisamos disso agora

   public void setLocationCells(ArrayList<String> loc) {
      locationCells = loc;
   }

   public String checkYourself(String userInput) {

      String result = "miss";
      int index = locationCells.indexOf(userInput);

      if (index >= 0) {

         locationCells.remove(index);

         if (locationCells.isEmpty()) {
            result = "kill";
         } else {
            result = "hit";
         } // encerra if

      } // encerra a instrução if externa

      return result;
   } // encerra o método
} // encerra a classe
```

Anotações (à direita do código):
- *Ignore essa linha por enquanto; falaremos sobre ela no fim do capítulo.*
- *Altera a matriz de strings para uma ArrayList que contém strings.*
- *Novo nome de argumento aperfeiçoado.*
- *Verifica se o palpite do usuário existe na ArrayList, procurando seu índice. Se ele não estiver na lista, indexOf( ) retornará -1.*
- *Se o índice for maior ou igual a zero, definitivamente o palpite do usuário estará na lista, portanto remova-o*
- *Se a lista estiver vazia, essa será a linha eliminatória!*

Selo: **Agora com o poder de ArrayList!**

## Agora construiremos o jogo REAL: "Sink a Dot Com"

Temos trabalhado na versão 'simples', mas agora construiremos a real. Em vez de uma única linha, usaremos uma grade. E em vez de um objeto DotCom, usaremos três.

**Objetivo:** afundar todas as Dot Coms do computador no menor número de tentativas. Você receberá uma classificação ou nível, baseado em seu desempenho.

**Preparação:** quando o programa do jogo for iniciado, o computador inserirá três DotComs, aleatoriamente, na **grade virtual 7 x 7**. Concluída essa etapa, o jogo solicitará seu primeiro palpite.

**Como você jogará:** ainda não aprendemos a construir uma GUI, portanto essa versão funcionará na linha de comando. O computador solicitará que você insira um palpite (uma célula), que deve ser digitado na linha de comando (como "A3", "C5", etc). Em resposta a seu palpite, você verá um resultado na linha de comando, "Correto", "Errado" ou "Você afundou a Pets.Com" (ou qualquer que seja a Dot Com de sorte do dia). Quando você tiver eliminado todas as três Dot Coms, o jogo terminará exibindo sua classificação.

# criando DotComBust

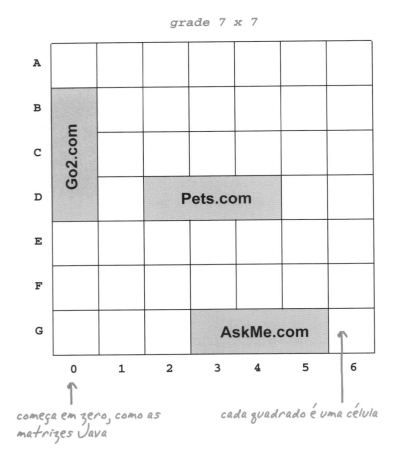

grade 7 x 7

começa em zero, como as matrizes Java

cada quadrado é uma célula

**Você vai construir o jogo Sink a Dot Com, com uma grade 7 x 7 e três Dot Coms. Cada Dot Com ocupa três células.**

### parte de interação do jogo

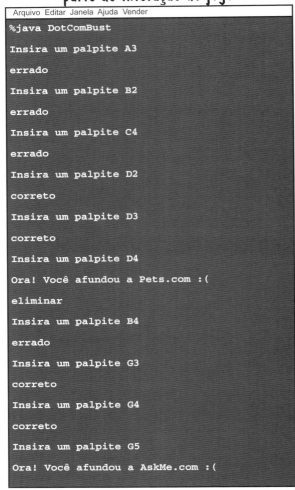

## O que precisa ser alterado?

Temos três classes que precisam ser alteradas: a classe DotCom (que agora se chama DotCom em vez de SimpleDotCom), a classe do jogo (DotComBust) e a classe auxiliar (com a qual não nos preocuparemos agora).

### A Classe DotCom

- **Adicione uma variável *name*** para armazenar o nome da DotCom ("Pets.com", "Go2.com", etc.) para que cada objeto possa exibir seu nome quando for eliminado (consulte a tela de saída na página ao lado).

### B Classe DotComBust (o jogo)

- Crie *três* objetos DotCom em vez de um.

- Dê um *nome* a cada um dos três objetos DotCom.

Chame um método de configuração em cada instância de DotCom, para que o objeto possa atribuir o nome a sua variável de instância name.

- Insira as DotComs em uma grade em vez de em uma única linha, não esquecendo de usar as três DotComs.

### Continuação da classe DotComBust...

Agora essa etapa será muito mais complexa do que antes, porque inseriremos as DotComs aleatoriamente. Já que não estamos aqui para manipular cálculos, incluiremos o algoritmo que fornecerá um local às DotComs na classe (predefinida) GameHelper.

- **Verifique cada palpite de usuário** *usando todas as três DotComs*, em vez de apenas uma.

- **Continue com o jogo** (isto é, aceitando os palpites do usuário e comparando-os com as DotComs restantes) *até que não haja mais DotComs.*

- **Saia do método main.** Mantivemos a versão simples em main apenas para... Deixá-la simples. Mas não é isso que queremos no jogo real.

conheça o API Java

## 3 classes:

Usa para receber entradas do usuário e criar locais para as DotComs

Cria e joga com

| DotComBust | DotCom | GameHelper |
|---|---|---|
| **A classe do jogo.** Cria DotComs, recebe entradas do usuário, mantém o jogo até todas as DotComs serem eliminadas | **Os objetos DotCom reais.** As DotComs sabem seu nome, local e como verificar se um palpite de usuário coincide. | **A classe auxiliar** (predefinida). Sabe como aceitar entradas do usuário na linha de comando e cria locais para as DotComs. |

## 5 objetos:

DotComBust

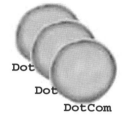
DotCom

GameHelper

Mais 4 ArrayLists: 1 para DotComBust e 1 para cada um dos três objetos DotCom.

## Quem faz o que no jogo DotComBust (e quando)

| DotComBust |
|---|
| A classe do jogo. |

instancia → objeto DotComBust

O método main() da classe DotComBust instancia o objeto DotComBust que executa todo o jogo.

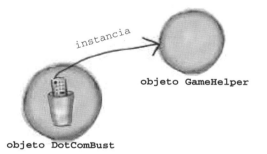

O objeto DotComBust (o jogo) cria uma instância de GameHelper, o objeto que ajudará o jogo a fazer seu trabalho.

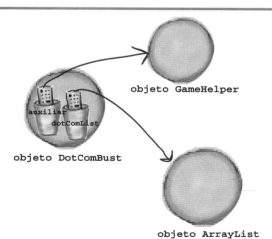

O objeto DotComBust instancia uma ArrayList que conterá os 3 objetos DotCom.

você está aqui ▶ 107

*estrutura detalhada do jogo*

**4**

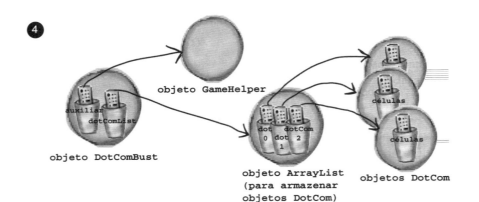

O objeto DotComBust cria três objetos DotCom (e os insere no ArrayList)

**5**

O objeto DotComBust solicita ao objeto auxiliar um local para um objeto DotCom (faz isso três vezes, uma para cada DotCom)

O objeto DotComBust fornece um local (que obtem do objeto auxiliar) para cada um dos objetos DotCom na forma A2, B2, etc. Cada objeto DotCom insere o local de sua célula em um ArrayList

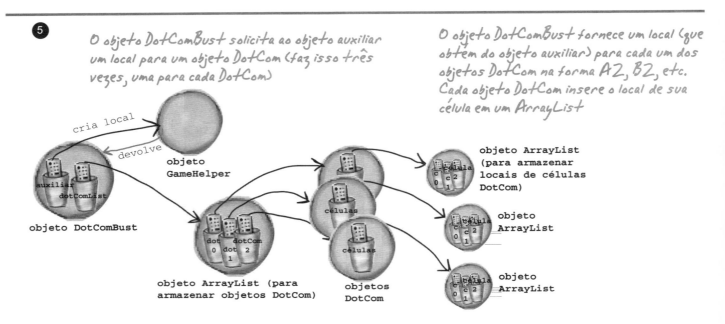

**6**

O objeto DotComBust solicita ao objeto auxiliar um palpite de usuário (o objeto auxiliar solicita ao usuário e captura a entrada na linha de comando)

O objeto DotComBust percorre a lista de objetos DotCom e solicita a cada um que verifique se contém o palpite do usuário. O objeto DotCom verifica seu ArrayList de locais e retorna um resultado (correto, errado, etc.)

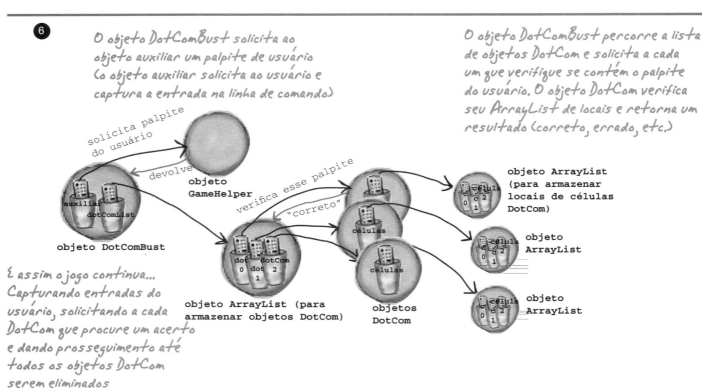

E assim o jogo continua... Capturando entradas do usuário, solicitando a cada DotCom que procure um acerto e dando prosseguimento até todos os objetos DotCom serem eliminados

## Código preparatório da classe DotComBust real

A classe DotComBust tem três tarefas principais: configurar o jogo, continuar o jogo até os objetos DotCom serem eliminados e terminar o jogo. Embora pudéssemos converter essas três tarefas diretamente em três métodos, dividiremos a tarefa intermediária (continuar o jogo) em *dois* métodos, para mantermos a granularidade menor. Métodos menores (o que significa blocos menores de funcionalidade) nos ajudarão a testar, depurar e alterar o código mais facilmente.

**Declarações de variáveis**

**Declare** e crie a variável de instância GameHelper, chamada *helper*.

**Declare** e instancie um objeto *ArrayList* para armazenar a lista de objetos DotCom (inicialmente três). Chame-o de *dotComsList*.

**Declare** uma variável int para armazenar o número de palpites do usuário (para que possamos lhe fornecer uma pontuação no fim do jogo). Chame-a de *numOfGuesses* e configure-a com 0.

**Declarações de métodos**

**Declare** um método *setUpGame( )* para criar e inicializar os objetos DotCom com nomes e locais. Exiba instruções resumidas para o usuário.

**Declare** um método *startPlaying( )* que solicite palpites ao usuário e chame o método checkUserGuess( ) até todos os objetos DotCom serem removidos do jogo.

**Declare** um método *checkUserGuess( )* que percorra todos os objetos DotCom restantes e chame o método checkYourself( ) de cada objeto DotCom.

**Declare** um método *finishGame( )* que exiba uma mensagem sobre o desempenho do usuário, baseando-se em quantos palpites ele usou para eliminar todos os objetos DotCom.

**Implementações de métodos**

**Método:** *void setUpGame( )*

    // cria três objetos DotCom e os nomeia

    **Crie** três objetos DotCom.

    **Configure** um nome para cada DotCom.

    **Adicione** os objetos DotCom à *dotComsList* (o ArrayList).

    **Repita** para cada um dos objetos DotCom da matriz *dotComsList*

        **Chame** o método *placeDotCom( )* no objeto auxiliar, a fim de obter um local selecionado aleatoriamente para esse objeto DotCom (três células, alinhadas vertical ou horizontalmente, em uma grade 7 X 7).

        **Configure** o local de cada objeto DotCom baseando-se no resultado da chamada a *placeDotCom( )*.

    Fim da iteração

Fim do método

*continuação das implementações de métodos*

## Continuação das implementações de métodos:

**Método:** *void startPlaying( )*

> **Repita** enquanto existir algum objeto DotCom
>
> > **Capture** a entrada do usuário chamando o método auxiliar *getUserInput( )*
> >
> > **Avalie** o palpite do usuário com o método *checkUserGuess( )*
>
> Fim da iteração

Fim do método

**Método:** *void checkUserGuess(String userGuess)*

> *// verifica se houve o acerto (e eliminação) de algum DotCom*
>
> **Incremente** o número de palpites do usuário na variável *numOfGuesses*.
>
> **Configure** a variável *result* do local (uma *String*) com "correto", para o caso de o usuário ter acertado o palpite.
>
> **Repita** para cada um dos objetos DotCom da matriz *dotComsList*
>
> > **Avalie** o palpite do usuário chamando o método *checkYourself( )* do objeto DotCom.
> >
> > **Configure** a variável de resultado com "correto" ou "eliminar" se apropriado.
>
> **Se** o resultado for "eliminar", **remova** o objeto DotCom de *dotComsList*.
>
> Fim da iteração.
>
> **Exiba** o valor de *result* para o usuário.

Fim do método.

**Método:** *void finishGame( )*

> **Exiba** uma mensagem genérica "fim de jogo" e, em seguida:
>
> **Se** o número de palpites do usuário for pequeno,
>
> > **Exiba** uma mensagem de congratulação.
>
> **Caso contrário,**
>
> > **Exiba** uma mensagem provocativa.
>
> Fim do teste if.

Fim do método.

---

### Aponte seu lápis

Como devemos passar do código preparatório para o final? Começaremos com o código de teste e, em seguida, testaremos e construiremos nossos métodos passo a passo. Não ficaremos mostrando o código de teste neste livro, portanto chegou a hora de você pensar no que precisa saber para testar esses métodos. E que método testar e escrever primeiro? Tente criar um código preparatório para um conjunto de testes. O código preparatório ou até mesmo a discriminação dos pontos são o suficiente nesse exercício, mas, se você quiser tentar escrever o código de teste *real* (em Java), arregace as mangas.

---

| código preparatório | código de teste | código real |
|---|---|---|

```java
import java.util.*;
public class DotComBust {

    private GameHelper helper = new GameHelper();          // (1)
    private ArrayList<DotCom> dotComsList = new ArrayList<DotCom>();
    private int numOfGuesses = 0;

    private void setUpGame() {
        // primeiro cria alguns objetos DotCom e fornece seus locais
        DotCom one = new DotCom();
        one.setName("Pets.com");
        DotCom two = new DotCom();
        two.setName("eToys.com");
        DotCom three = new DotCom();          // (2)
        three.setName("Go2.com");
        dotComsList.add(one);
        dotComsList.add(two);
        dotComsList.add(three);
```

### Aponte seu lápis

**Comente você mesmo o código!**

**Compare as anotações na parte inferior da próxima página com os números no código. Escreva o número no espaço em frente ao comentário correspondente.**

**Você usará cada comentário apenas uma vez e precisará de todos.**

*conheça* o API Java

```java
        System.out.println("Seu objetivo é eliminar três dot coms.");
        System.out.println("Pets.com, eToys.com, Go2.com");         ③
        System.out.println("Tente eliminar todas com o menor número de palpites");
        for (DotCom dotComToSet : dotComsList) {      ④
            ArrayList<String> newLocation = helper.placeDotCom(3);      ⑤
            dotComToSet.setLocationCells(newLocation);      ⑥
        } // encerra o loop for
    } // encerra o método setUpGame

    private void startPlaying() {
        while(!dotComsList.isEmpty()) {      ⑦
            String userGuess = helper.getUserInput("Insira um palpite");      ⑧
            checkUserGuess(userGuess);      ⑨
        } // encerra while
        finishGame();      ⑩
    } // encerra o método startPlaying

    private void checkUserGuess(String userGuess) {
        numOfGuesses++;      ⑪
        String result = "errado";      ⑫
        for (DotCom dotComToTest : dotComsList) {      ⑬
            result = dotComToTest.checkYourself(userGuess);      ⑭
            if (result.equals("correto")) {
                break;      ⑮
            }
            if (result.equals("eliminar")) {
                dotComsList.remove(dotComToTest);      ⑯
                break;
            }
        } // encerra for
        System.out.println(result);      ⑰
    } // encerra o método

    private void finishGame() {
        System.out.println("Todas as Dot Coms foram eliminadas! Agora seu conjunto está vazio.");
        if (numOfGuesses <= 18) {
            System.out.println("Você só usou " + numOfGuesses + " palpites.");
            System.out.println("Você saiu antes de eliminar suas opções.");
        } else {                                                                        ⑱
            System.out.println("Demorou demais. "+ numOfGuesses + " palpites.");
            System.out.println("Não haverá pesca com essas opções.");
        }
    } // encerra o método

    public static void main (String[] args) {
        DotComBust game = new DotComBust();      ⑲
        game.setUpGame();      ⑳
        game.startPlaying();      ㉑
    } // encerra o método
}
```

**Faça o que quiser, mas NÃO vire a página! Não até ter terminado esse exercício. Nossa versão está na próxima página.** ➡

---

__ declara e inicializa as variáveis de que precisaremos

__ exibe instruções resumidas para o usuário

__ chama nosso próprio método finishGame

__ captura a entrada do usuário

__ chama o método de configuração nesse objeto DotCom para lhe passar o local que você acabou de obter do objeto auxiliar

__ cria três objetos DotCom, fornece nomes para eles e os insere na ArrayList

__ solicita ao objeto auxiliar o local de um objeto DotCom

__ repete para cada DotCom da lista

__ chama nosso próprio método checkUserGuess

__ contanto que a lista de objetos DotCom NÃO esteja vazia

__ esse objeto foi eliminado, portanto remova-o da lista de objetos DotCom e, em seguida, saia do loop

__ incrementa o número de palpites que o usuário usou

__ sai do loop antecipadamente, não são necessários outros testes

__ repete para todos os objetos DotCom da lista

__ solicita ao objeto de jogo que inicie o loop principal de execução da partida (solicita entradas do usuário e verifica palpites continuamente)

__ exibe uma mensagem informando ao usuário como ele se saiu no jogo

__ presume um 'acerto', a menos que seja informado do contrário

__ exibe o resultado para o usuário

__ solicita ao objeto de jogo que configure a partida

__ solicita ao objeto DotCom que verifique o palpite do usuário, procurando um acerto (ou eliminação)

__ cria o objeto de jogo

*você está aqui* ▶ **111**

*o código de DotComBust (o jogo)*

```
[ código preparatório ]  [ código de teste ]  [ código real ]
```

Declara e inicializa as variáveis de que precisaremos.

Cria uma ArrayList de objetos DotCom (em outras palavras, uma lista que armazenará SOMENTE objetos DotCom, da mesma forma que DotCom [ ] significaria uma matriz de objetos DotCom).

```java
import java.util.*;
public class DotComBust {

    private GameHelper helper = new GameHelper();
    private ArrayList<DotCom> dotComsList = new ArrayList<DotCom>();
    private int numOfGuesses = 0;

    private void setUpGame() {
        // primeiro cria alguns objetos DotCom e fornece seus locais
        DotCom one = new DotCom();
        one.setName("Pets.com");
        DotCom two = new DotCom();
        two.setName("eToys.com");
        DotCom three = new DotCom();
        three.setName("Go2.com");
        dotComsList.add(one);
        dotComsList.add(two);
        dotComsList.add(three);

        System.out.println("Seu objetivo é eliminar três dot coms.");
        System.out.println("Pets.com, eToys.com, Go2.com");
        System.out.println("Tente eliminar todas com o menor número de palpites");

        for (DotCom dotComToSet : dotComsList) {

            ArrayList<String> newLocation = helper.placeDotCom(3);

            dotComToSet.setLocationCells(newLocation);
        } // encerra o loop for
    } // encerra o método setUpGame

    private void startPlaying() {
        while (!dotComsList.isEmpty()) {

            String userGuess = helper.getUserInput("Insira um palpite");

            checkUserGuess(userGuess);
        } // encerra while
        finishGame();
    } // encerra o método startPlaying

    private void checkUserGuess(String userGuess) {
        numOfGuesses++;

        String result = "errado";

        for (DotCom dotComToTest : dotComsList) {

            result = dotComToTest.checkYourself(userGuess);
            if (result.equals("correto")) {

                break;
            }
            if (result.equals("eliminar")) {

                dotComsList.remove(dotComToTest);
                break;
            }
        } // encerra for
        System.out.println(result);
    } // encerra o método
```

Cria três objetos DotCom, fornece nomes para eles e os insere na ArrayList.

Exibe instruções resumidas para o usuário.

Repete para cada DotCom da lista.

Solicita ao objeto auxiliar o local de um objeto DotCom (uma ArrayList de Strings).

Chama o método de configuração nesse objeto DotCom para lhe passar o local que você acabou de obter do objeto auxiliar.

Contanto que a lista de objetos DotCom NÃO esteja vazia (o ! significa NÃO, é o mesmo que (dotComsList.isEmpty( ) == false).

Captura a entrada do usuário.

Chama nosso próprio método checkUserGuess.

Chama nosso próprio método finishGame.

Incrementa o número de palpites que o usuário usou.

Presume um erro, a menos que seja informado do contrário.

Repete para todos os objetos DotCom da lista.

Solicita ao objeto DotCom que verifique o palpite do usuário, procurando um acerto (ou eliminação).

Sai do loop antecipadamente, não são necessários outros testes.

Esse objeto foi eliminado, portanto remova-o da lista de objetos DotCom e, em seguida, saia do loop.

Exibe o resultado para o usuário.

**112** *capítulo 6*

*conheça* o API Java

```
    private void finishGame() {
        System.out.println("Todas as Dot Coms foram eliminadas! Agora seu conjunto está vazio.");
        if (numOfGuesses <= 18) {
            System.out.println("Você só usou " + numOfGuesses + " palpites.");
            System.out.println("Você saiu antes de eliminar suas opções.");
        } else {
            System.out.println("Demorou demais. "+ numOfGuesses + " palpites.");
            System.out.println("Não haverá pesca com essas opções.");
        }
    } // encerra o método
```

*Exibe uma mensagem informando ao usuário como ele se saiu no jogo.*

```
    public static void main (String[] args) {
        DotComBust game = new DotComBust();
```
*Cria o objeto de jogo.*

```
        game.setUpGame();
```
*Solicita ao objeto de jogo que configure a partida.*

```
        game.startPlaying();
    } // encerra o método
}
```
*Solicita ao objeto de jogo que inicie o loop principal de execução da partida (solicita entradas do usuário e verifica palpites continuamente).*

| código preparatório | código de teste | código real |
|---|---|---|

## A versão final da classe DotCom

```
    import java.util.*;

    public class DotCom {
        private ArrayList<String> locationCells;
        private String name;
```
*Variáveis de instância de DotCom:*
*- uma ArrayList de locais de células*
*- o nome do objeto DotCom*

```
        public void setLocationCells(ArrayList<String> loc) {
            locationCells = loc;
        }
```
*Um método de configuração que atualiza o local do objeto DotCom. (Local aleatório fornecido pelo método placeDotCom() de GameHelper.)*

```
        public void setName(String n) {
            name = n;
        }
```
*Seu método básico de configuração*

```
        public String checkYourself(String userInput) {
            String result = "errado";
            int index = locationCells.indexOf(userInput);
            if (index >= 0) {
```
*O método indexOf() de ArrayList em ação! Se o palpite do usuário coincidir com uma das entradas de ArrayList, indexOf() retornará seu local na lista. Caso contrário, indexOf() retornará -1.*

```
                locationCells.remove(index);
```
*Usando o método remove() de ArrayList para excluir uma entrada.*

```
                if (locationCells.isEmpty()) {
                    result = "eliminar";
```
*Usando o método isEmpty() para saber se todos os locais foram adivinhados.*

```
                    System.out.println("Ora! Você afundou " + name + "    : ( ");
```
*Informa ao usuário quando um objeto DotCom foi eliminado.*

```
                } else {
                    result = "correto";
                }  // encerra if
            } // encerra if
            return result;
```
*Retorna errado, correto ou eliminar.*

```
        } // encerra o método
    } // encerra a classe
```

*você está aqui* ▶  **113**

*expressões booleanas super-poderosas*

# Expressões booleanas super-poderosas

Até agora, só usamos expressões booleanas simples em nossos loops ou testes if. Usaremos expressões booleanas mais poderosas em alguns dos códigos predefinidos que você verá em breve e mesmo sabendo que você não vai olhar, achamos que esse seria um bom momento para discutirmos como aperfeiçoar suas expressões.

## Operadores 'E' e 'Ou' (&&, ||)

Suponhamos que você estivesse criando um método chooseCamera( ), com várias regras sobre que câmera selecionar. Você pode querer selecionar câmeras no intervalo entre $50 e $1.000, mas em alguns casos vai preferir limitar o intervalo de preços com mais precisão. Talvez queira dizer algo como:

'Se o *intervalo* de preços estiver entre $300 *e* $400, então, selecione X'.

```
if (price >= 300 && price < 400) {
  camera = "X";
}
```

Suponhamos que, das dez marcas de câmeras disponíveis, você tenha alguma lógica aplicável a apenas *algumas* da lista:

```
if (brand.equals("A") || brand.equals("B") ) {
  // executa algo somente para a marca A ou a marca B
}
```

As expressões booleanas podem ficar muito grandes e complicadas:

```
if ((zoomType.equals("optical") &&
  (zoomDegree >= 3 && zoomDegree <= 8)) ||
  (zoomType.equals("digital") &&
  (zoomDegree >= 5 && zoomDegree <= 12))) {
  // executa uma operação relacinada ao zoom
}
```

Se você quiser adotar uma postura *realmente* técnica, talvez pergunte algo sobre a *precedência* desses operadores. Em vez de se tornar um especialista no enigmático universo da precedência, recomendamos que **use parênteses** para tornar seu código claro.

## Operador de exceção (!= e !)

Suponhamos que você tivesse uma lógica do tipo "dos dez modelos de câmera disponíveis, uma certa coisa é *verdadeira para todos exceto um*".

```
if (model != 2000) {
  //  executa algo que não é aplicável ao modelo 2000
}
```

ou para comparar objetos como as strings...

```
if (!brand.equals("X")) {
  // executa algo que não é aplicável à marca X
}
```

## Operadores de abreviação (&&, ||)

Os operadores que examinamos há pouco, && e ||, são conhecidos como operadores de **abreviação**. No caso de &&, a expressão será verdadeira somente se *os dois* lados forem verdadeiros. Portanto, se a JVM detectar que o lado esquerdo de uma expressão && é falso, ela parará exatamente aí! Não se preocupará em examinar o lado direito.

De maneira semelhante, com o operador ||, a expressão será verdadeira se *um* dos lados for verdadeiro, portanto se a JVM detectar que o lado esquerdo é verdadeiro, ela considerará a instrução inteira verdadeira e não se importará em verificar o lado direito.

Por que isso é bom? Suponhamos que você tivesse uma variável de referência sem ter certeza se ela foi atribuída a um objeto. Se tentar chamar um método usando essa variável de referência nula (isto é, no caso dela não ter sido atribuída a nenhum objeto), você verá uma exceção NullPointerException. Portanto, tente isto:

```
if (refVar != null &&
  refVar.isValidType() ) {
  // executa a operação se o tipo for válido
}
```

## Operadores sem abreviação (&, |)

Quando usados em operações booleanas, os operadores & e | agem como seus correlatos && e ||, exceto por forçarem a JVM a *sempre* verificar os *dois* lados da expressão. Normalmente, & e | são usados em outro contexto, para a manipulação de bits.

**114** *capítulo 6*

conheça o API Java

**Código pré-definido**

Essa é a classe auxiliar do jogo. Além do método das entradas de usuário (que solicita ao usuário e lê as entradas na linha de comando), a grande tarefa da classe auxiliar é criar os locais dos objetos DotCom nas células. Se fôssemos você, não mexeríamos nesse código, exceto para digitar e compilá-lo. Tentamos mantê-lo bem simples para que você não tivesse que digitar muito, mas isso significa que ele não ficou muito legível. E lembre-se de que você não poderá compilar o classe de jogo DotComBust até ter *essa* classe.

**Nota: como exercício adicional, você pode tentar 'desativar' as linhas System.out. println( ) do método placeDotCom, apenas para vê-lo funcionar! Essas instruções de exibição permitirão que você "trapaceie" ao fornecerem o local dos objetos DotCom, mas o ajudarão a testá-lo.**

```java
import java.io.*;
import java.util.*;

public class GameHelper {

    private static final String alphabet = "abcdefg";
    private int gridLength = 7;
    private int gridSize = 49;
    private int [] grid = new int[gridSize];
    private int comCount = 0;

    public String getUserInput(String prompt) {
        String inputLine = null;
        System.out.print(prompt + "  ");
        try {
            BufferedReader is = new BufferedReader(
            new InputStreamReader(System.in));
            inputLine = is.readLine();
            if (inputLine.length() == 0 )  return null;
        } catch (IOException e) {
            System.out.println("IOException: " + e);
        }
        return inputLine.toLowerCase();
    }

    public ArrayList<String> placeDotCom(int comSize) {
        ArrayList<String> alphaCells = new ArrayList<String>();
        String [] alphacoords = new String [comSize];        // contém as coordenadas de tipo 'f6'
        String temp = null;                                   // string temporária para concatenação
        int [] coords = new int[comSize];                     // coordenada dos candidatos atuais
        int attempts = 0;                                     // contador das tentativas atuais
        boolean success = false;                              // flag = encontrou um bom local?
        int location = 0;                                     // local inicial atual
        comCount++;                                           // enésima dot com a inserir
        int incr = 1;                                         // configura o incremento horizontal
        if ((comCount % 2) == 1) {                            // se dot com ímpar (inserir verticalmente)
            incr = gridLength;                                // configura o incremento vertical
        }
        while ( !success & attempts++ < 200 ) {               // loop de pesquisa principal (32)
            location = (int) (Math.random() * gridSize);      // captura ponto inicial aleatório
            //System.out.print(" try " + location);
            int x = 0;                                        // enésima posição de dot com a inserir
            success = true;                                   // presume sucesso
            while (success && x < comSize) {                  // procura locais adjacentes não utilizados
                if (grid[location] == 0) {                    // se ainda não estiverem sendo usados
                    coords[x++] = location;                   // salva o local
                    location += incr;                         // tenta o 'próximo' local adjacente
                    if (location >= gridSize){                // fora dos limites - 'embaixo'
                        success = false;                      // falha
                    }
                    if (x>0 && (location % gridLength == 0)) {// fora dos limites - canto direito
                        success = false;                      // falha
                    }
                } else {                                      // encontrou local já utilizado
                    // System.out.print(" used " + location);
                    success = false;                          // falha
                }
            }
        }                                                     // fim de while
        int x = 0;
        int row = 0;
        int column = 0;
        // System.out.println("\n");
        while (x < comSize) {
            grid[coords[x]] = 1;                              // marca os pontos da grade como 'usados'
```

## pacotes do API

```
            row = (int) (coords[x] / gridLength);        // captura o valor da linha
            column = coords[x] % gridLength;             // captura o valor numérico da coluna
            temp = String.valueOf(alphabet.charAt(column));  // converte em alfabético
            alphaCells.add(temp.concat(Integer.toString(row)));
             x++;
            // System.out.print("   coord "+x+" = " + alphaCells.get(x-1));
        }
        // System.out.println("\n");
        return alphaCells;
    }
}
```

← Essa é a instrução que lhe informará exatamente onde o objeto DotCom está localizado.

## Usando a biblioteca (a API Java)

Você conseguir concluir o jogo DotComBust, graças à ajuda da ArrayList. E agora, como prometido, é hora de aprender como pesquisar na biblioteca Java.

### Na API Java, as classes estão agrupadas em pacotes.

### Para usar uma classe da API, você terá que saber em que <u>pacote</u> ela está.

Todas as classes da biblioteca Java pertencem a um pacote. O pacote tem um nome, como **javax.swing** (um pacote que contém algumas das classes de GUI do Swing sobre as quais você aprenderá em breve). ArrayList está no pacote chamado **java.util**, que, por surpresa, contém uma pilha de classes *utilitárias*. Você aprenderá muito mais sobre os pacotes no Capítulo 17, inclusive como inserir suas *próprias* classes em seus *próprios* pacotes. Por enquanto, queremos apenas *usar* algumas das classes que vêm com a Java.

É simples usar uma classe da API em um código que você criar. Basta tratar a classe como se você mesmo a tivesse criado... Como se a tivesse compilado e lá estivesse ela, esperando ser usada. Com uma grande diferença: em algum local de seu código você terá que indicar o nome *completo* da classe de biblioteca que deseja usar, e isso significa nome do pacote + nome da classe.

Caso não saiba, *você já usou classes de um pacote.* System (System.out.println), String e Math (Math.random( )), todas elas pertencem ao pacote **java.lang**.

### Você precisa saber o nome <u>completo</u>* da classe que deseja usar em seu código

ArrayList não é o nome *completo* dessa classe, assim como 'Kathy' não é um nome completo (a menos que seja como Madonna e Cher, mas não entraremos nesse assunto). O nome completo de ArrayList na verdade é:

**java.util.ArrayList**

nome do pacote    nome da classe

### Você tem que informar ao Java que ArrayList deseja usar. Há duas opções:

**Ⓐ IMPORTAR**

Insira uma instrução de importação no início do arquivo de seu código-fonte:

```
import java.util.ArrayList;
public class MyClass {...
```

\* A menos que a classe se encontre no pacote java.lang.

conheça o API Java

## OU

### B DIGITAR

Digite o nome completo em todos os locais de seu código. Sempre que usá-lo. *Em qualquer local* que usá-lo.

Quando você declarar e/ou instanciá-lo:

```
java.util.ArrayList<Dog> list = new java.util.ArrayList<Dog>();
```

Quando usá-lo como o tipo de um argumento:

```
public void go(java.util.ArrayList<Dog> list) { }
```

Quando usá-lo como um tipo de retorno:

```
public java.util.ArrayList<Dog> foo() {...}
```

### não existem
### Perguntas Idiotas

**P: Por que é preciso ter um nome completo? Essa é a única finalidade de um pacote?**

**R:** Os pacotes são importantes por três razões principais. Primeiro, eles ajudam na organização geral de um projeto ou biblioteca. Em vez de termos apenas uma pilha extremamente grande de classes, elas se encontram todas agrupadas de acordo com tipos específicos de funcionalidade (como a GUI, as estruturas de dados, coisas relacionadas a bancos de dados, etc.).

Em segundo lugar, os pacotes lhe fornecerão o escopo de um nome, o que o ajudará a evitar conflitos se você e 12 outros programadores de sua empresa decidirem criar uma classe com o mesmo nome. Se você tiver uma classe chamada Set e em outro local (inclusive no API Java) também houver uma classe chamada Set, você terá uma maneira de informar à JVM que classe Set está tentando usar.

Em terceiro lugar, os pacotes fornecem um certo nível de segurança, porque você poderá restringir o código que escrever de modo que só outras classes do mesmo pacote possam acessá-lo. Você aprenderá tudo sobre isso no Capítulo 16.

**P: Certo, voltamos ao assunto da colisão de nomes. Como um nome completo poderia realmente ajudar? O que fazer para evitar que duas pessoas forneçam a uma classe o mesmo nome de pacote?**

**R:** A Java tem uma convenção de nomeação que geralmente impede que isso ocorra, contanto que os desenvolvedores a adotem. Veremos isso com mais detalhes no Capítulo 16.

---

## De onde saiu esse 'x'?
### (ou, o que significa um pacote começar com javax?)

Na primeira e segunda versões da Java (1.02 e 1.1), todas as classes que vinham com a linguagem (em outras palavras, a biblioteca padrão) se encontravam em pacotes que começavam com *java*. É claro que sempre houve o pacote *java.lang* — aquele que não é preciso importar. E havia o *java.net*, o *java.io*, o *java.util* (embora não houvesse na época algo como a ArrayList) e alguns outros, inclusive o pacote *java.awt* que continha classes relacionadas à GUI.

No entanto, aos poucos surgiram outros pacotes não incluídos na biblioteca padrão. Essas classes eram conhecidas como *extensões* e existiam em duas versões principais: *padrão* e não-padrão. As extensões padrão eram aquelas que a Sun considerava oficiais e não pacotes experimentais, de acesso antecipado ou beta que podiam ou não ser publicados.

Todas as extensões padrão, por convenção, começavam com um 'x' acrescido ao pacote *java* comum inicial. A mãe de todas as extensões padrão foi a biblioteca Swing. Ela incluía vários pacotes, todos começando com *javax.swing*.

*quando as matrizes não são suficientes*

Mas as extensões padrão podem ser promovidas a pacotes de primeira classe da biblioteca, incorporados ao Java, padrão, porém autônomos. E foi isso o que aconteceu com o Swing, a partir da versão 1.2 (que acabou se tornando a primeira versão chamada de 'Java 2').

"Interessante", todos pensaram (inclusive nós). "Agora todas as pessoas que têm Java terão as classes Swing e não precisaremos descobrir como instalá-las com nossos usuários finais."

O problema era ir além do óbvio, no entanto, porque, quando os pacotes são promovidos, fica bem CLARO que eles têm que começar com *java* e não *javax*. Todo mundo SABE que os pacotes da biblioteca padrão não têm esse "x" e que ele só é encontrado nas extensões. Portanto, imediatamente (e queremos dizer no sentido literal) antes de a versão 1.2 ser concluída, a Sun alterou os nomes dos pacotes e excluiu o "x" (entre outras alterações). Livros foram impressos e apareceram nas lojas tendo o código Swing com os novos nomes. As convenções de nomeação continuavam intactas. Tudo estava correndo bem no universo Java.

Exceto pelos cerca de 20.000 desenvolvedores que perceberam que com essa simples alteração no nome viria o desastre! Todos os seus códigos que faziam uso do Swing teriam que ser alterados! Desespero! Pense em todas as instruções de importação que começavam com *javax*...

E, no último momento, histéricos, quando suas esperanças chegavam ao fim, os desenvolvedores convenceram a Sun: "dane-se a convenção, salvem nossos códigos." O resto é história. Portanto, quando você se deparar com um pacote da biblioteca que comece com *javax*, saberá que no início ele era uma extensão e então conseguiu uma promoção.

## PONTOS DE BALA

- **ArrayList** é uma classe do API Java.
- Para inserir algo em um ArrayList, use **add( )**.
- Para remover algo de um ArrayList, use **remove( )**.
- Para saber onde algo se encontra (e se existe) em um ArrayList, use **indexOf( )**.
- Para saber se um ArrayList está vazia, use **isEmpty( )**.
- Para saber o tamanho (quantidade de elementos) de um ArrayList, use o *método* **size( )**.
- Para saber o tamanho (quantidade de elementos) de uma matriz antiga comum, lembre-se, você usará a **variável** length.
- O ArrayList será **redimensionado automaticamente** para o tamanho necessário. Ela crescerá quando objetos forem inseridos e **diminuirá** quando objetos forem removidos.
- Você declarará o tipo da matriz usando um **parâmetro de tipo**, que é o nome de um tipo entre os sinais maior e menor. Exemplo: ArrayList<Button> significa que o ArrayList poderá conter somente objetos de tipo Button (ou subclasses de Button como você aprenderá nos próximos capítulos).
- Embora um ArrayList armazene objetos e não tipos primitivos, o compilador "encapsulará" automaticamente (e "removerá o encapsulamento" quando você o utilizar) um tipo primitivo em um tipo Object e inserirá esse objeto no ArrayList em vez do tipo primitivo. (Veremos mais sobre esse recurso posteriormente no livro.)
- As classes estão agrupadas em pacotes.
- A classe tem um nome completo, que é uma combinação do seu nome com o nome do pacote. A classe ArrayList na verdade se chama java.util.ArrayList.
- Para usar a classe de um pacote diferente de java.lang, você terá que informar ao Java o nome completo da classe.
- Você usará uma instrução de importação no início de seu código-fonte ou poderá digitar o nome completo em todos os locais que usar a classe em seu código.

## não existem Perguntas Idiotas

**P:** A instrução import tornará minha classe maior? Ela fará realmente com que a classe ou o pacote importado seja compilado em meu código?

**R:** Você é programador de C? A instrução import não é igual a include. Portanto, a resposta é absolutamente não. Repita comigo: "uma instrução import lhe fará digitar menos". É isso que ocorrerá. Você não terá que se preocupar com o fato de o seu código ficar maior, ou mais lento, por causa de muitas importações. A instrução import é simplesmente uma maneira de você fornecer à Java o nome completo de uma classe.

**P:** Certo, então porque nunca tive que importar a classe String? Ou System?

**R:** Lembre-se de que é possível obter o pacote java.lang como se ele tivesse sido "pré-importado" sem maiores formalidades. Como as classes de java.lang são tão fundamentais, você não terá que usar o nome completo. Há apenas uma classe java.lang.String e uma classe java.lang.System e a Java sabe muito bem onde encontrá-las.

**P:** Tenho que inserir minhas próprias classes em pacotes? Como fazer isso? Posso fazê-lo?

**R:** No dia-a-dia (que deve ser evitado), sim, você vai querer inserir suas classes em pacotes. Discutiremos isso com detalhes no Capítulo 16. Por enquanto, não inseriremos nossos exemplos de código em um pacote.

conheça o API Java

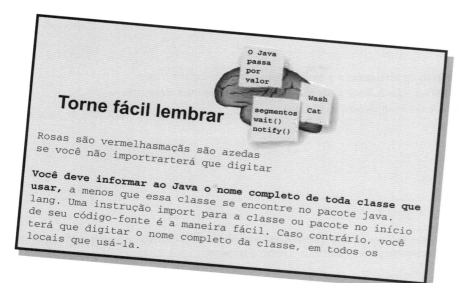

Repetiremos mais uma vez, para o caso improvável de você ainda não ter entendido:

**importe**

**ou**

## Como manipular o API

**Duas coisas que você quer saber:**

1. Que classes existem na biblioteca?
2. Quando encontrar uma classe, como descobrir o que ela consegue fazer?

*"Bom saber que há uma ArrayList no pacote java.util. Mas como poderia descobrir isso sozinha?"*

-Julia, 31, modelo de trabalho manual

1. **Pesquise em um livro**

2. **Use os documentos HTML do API**

você está aqui ▶   119

conhecendo o API

# ❶ Pesquise em um livro

Folhear um livro de referência é a melhor maneira de descobrir o que existe na biblioteca Java. Você pode facilmente encontrar uma classe que pareça útil, apenas examinando as páginas.

*java.util.Currency*

*Returned By:* java.text.DecimalFormat.getCurrency(), java.text.DecimalFormatSymbols.getCurrency(), java.text.NumberFormat.getCurrency(), Currency.getInstance()

*nome da classe* ⟶ **Date**            Java 1.0
*nome do pacote* ⟶ java.util         *cloneable serializable comparable*

*descrição da classe* ⟶ This class represents dates and times and lets you work with them in a system-independent way. You can create a Date by specifying the number of milliseconds from the epoch (midnight GMT, January 1st, 1970) or the year, month, date, and, optionally, the hour, minute, and second. Years are specified as the number of years since 1900. If you call the Date constructor with no arguments, the Date is initialized to the current time and date. The instance methods of the class allow you to get and set the various date and time fields, to compare dates and times, and to convert dates to and from string representations. As of Java 1.1, many of the date methods have been deprecated in favor of the methods of the Calendar class.

```
Object ─────────── Date
Cloneable  Comparable  Serializable
```

```
public class Date implements Cloneable, Comparable, Serializable {
// Public Constructors
    public Date();
    public Date(long date);
  # public Date(String s);
  # public Date(int year, int month, int date);
  # public Date(int year, int month, int date, int hrs, int min);
  # public Date(int year, int month, int date, int hrs, int min, int sec);
// Property Accessor Methods (by property name)
    public long getTime();
    public void setTime(long time);
// Public Instance Methods
    public boolean after(java.util.Date when);
    public boolean before(java.util.Date when);
1.2 public int compareTo(java.util.Date anotherDate);
// Methods Implementing Comparable
1.2 public int compareTo(Object o);
// Public Methods Overriding Object
1.2 public Object clone();
    public boolean equals(Object obj);
    public int hashCode();
    public String toString();
// Deprecated Public Methods
  # public int getDate();
  # public int getDay();
  # public int getHours();
  # public int getMinutes();
  # public int getMonth();
  # public int getSeconds();
  # public int getTimezoneOffset();
  # public int getYear();
  # public static long parse(String s);
  # public void setDate(int date);
  # public void setHours(int hours);
  # public void setMinutes(int minutes);
  # public void setMonth(int month);
```

*métodos (e outras coisas sobre as quais falaremos posteriormente)*

## ❷ Use os documentos HTML do API

O Java vem com um fabuloso conjunto de documentos on-line, estranhamente chamado de API Java. Eles fazem parte de um conjunto maior chamado Java 5 Standard Edition Documentation (que, dependendo do dia da semana em que você examinar, a Sun pode estar chamando de "Java 2 Standard Edition 5.0") e seu download têm que ser feito separadamente; eles não vêm incorporados ao download da Java 5. Se você tiver uma conexão de Internet de alta velocidade, ou muita paciência, também poderá pesquisá-los em java.sun.com. Acredite, aposto que você vai querer esses documentos em seu disco rígido.

Os documentos do API são a melhor referência para a obtenção de mais detalhes sobre uma classe e seus métodos. Suponhamos que você esteja pesquisando no livro de referência e encontre uma classe chamada Calendar, em java.util. O livro lhe informará alguma coisa sobre ela, o bastante para que você saiba que é realmente isso que quer usar, mas será preciso saber mais sobre os métodos.

O livro de referência, por exemplo, lhe informará o que os métodos usam como argumento e o que retornam. Vejamos ArrayList. No livro de referência, você encontrará o método indexOf( ) que usamos na classe DotCom. Mas, se você soubesse apenas que há um método chamado indexOf() que usa um objeto e retorna o índice (um inteiro) dele, ainda teria que saber uma coisa crucial: o que acontecerá se o objeto não estiver na ArrayList? Examinar a assinatura do método isoladamente não lhe informará como ele funciona. Mas os documentos do API informam (pelo menos, na maioria das vezes). Os documentos do API lhe informarão que o método indexOf( ) retornará -1 se o parâmetro de objeto não estiver na ArrayList. É assim que saberemos se é possível usá-lo como uma maneira de verificar se um objeto existe *na* ArrayList e também para conhecer o índice, se o objeto estiver nesse local. Mas, sem os documentos do API, podemos achar que o método indexOf( ) não funcionará se o objeto não estiver na ArrayList.

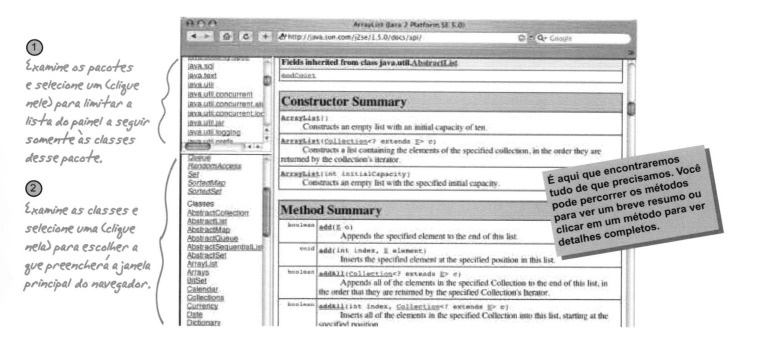

*exercício:* Ímãs de Geladeira

Exercício

# Ímãs de Geladeira

Você conseguiria reorganizar os trechos de código para criar um programa Java funcional que produzisse a saída listada a seguir? **Nota:** Para fazer esse exercício, você precisará de um NOVO tipo de informação — se procurar ArrayList no API, encontrará um *segundo* método add que usa dois argumentos:

```
Add(int index, Object o)
```

Ele permitirá que você especifique para a ArrayList *onde* inserir o objeto que você está adicionando.

```
a.remove(2);

printAL(a);

a.add(0,"zero");

printAL(a);

a.add(1,"one");

public static void printAL(ArrayList<String> al) {

if (a.contains("two")) {
    a.add("2.2");
}

a.add(2,"two");

public static void main (String[] args) {

System.out.print(element + " ");
}
System.out.println(" ");

if (a.contains("three")) {
    a.add("four");
}

public class ArrayListMagnet {

if (a.indexOf("four") != 4) {
    a.add(4, "4.2");
}

}  }

import java.util.*;

}

printAL(a);

ArrayList<String> a = new ArrayList<String>();

for (String element : al) {

a.add(3,"three");

printAL(a);
```

```
File Edit Window Help Dance
% java ArrayListMagnet
zero one two three
zero one three four
zero one three four 4.2
zero one three four 4.2
```

122 *capítulo 6*

conheça o API Java

## Cruzadas Java 7.0

Como esse jogo de palavras cruzadas o ajudará a aprender Java? Bem, todas as palavras **têm** relação com a Java (exceto em uma tentativa de confundi-lo).

**Dica:** quando estiver em dúvida, lembre-se de ArrayList.

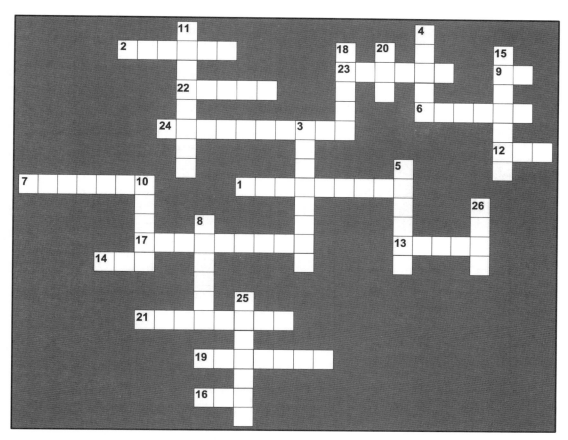

### Horizontais

1. Não consigo me comportar
2. Onde a ação ocorre em Java
6. Or, perante o tribunal
7. A posição certa
9. A origem de uma bifurcação
12. Aumenta uma ArrayList
13. Muito extenso
14. Cópia do valor
16. Não é um objeto
17. Uma matriz aperfeiçoada
19. Extensão
21. Termo correlato ao do item 19
22. Petiscos espanhóis dos nerds. (Nota: isso não tem nada a ver com Java.)
23. Para dedos preguiçosos
24. Onde os pacotes dominam

### Verticais

3. Unidade endereçável
4. Segundo menor
5. Padrão fracionário
8. A maior unidade da biblioteca
10. Deve ter baixa densidade
11. Está aí em algum lugar
15. Como se
18. O que compras e matrizes têm em comum
20. Acrônimo da biblioteca
25. Método da escassez
26. O que gira

**Mais dicas:**

### Horizontais
1. 8 tipos
2. O que pode ser sobreposto?
7. Lembre da ArrayList
16. Tipo primitivo comum
21. Extensão da matriz
22. Não tem relação com a Java - aperitivos espanhóis

### Verticais
3. Lembre-se da ArrayList
4. & 10. Primitivo
18. Ele está fazendo uma _____
25. Lembre da ArrayList

você está aqui ▶ 123

## Soluções dos Exercícios

```
import java.util.*;
public class ArrayListMagnet {
    public static void main (String[] args) {
        ArrayList<String> a = new ArrayList<String>();
        a.add(0,"zero");
        a.add(1,"one");
        a.add(2,"two");
        a.add(3,"three");
        printAL(a);
        if (a.contains("three")) {
            a.add("four");
        }
        a.remove(2);
        printAL(a);
        if (a.indexOf("four") != 4) {
            a.add(4, "4.2");
        }
        printAL(a);
        if (a.contains("two")) {
            a.add("2.2");
        }
        printAL(a);
    }
    public static void printAL(ArrayList<String> al) {
        for (String element : al) {
            System.out.print(element + "   ");
        }
        System.out.println(" ");
    }
}
```

```
File Edit Window Help Dance
% java ArrayListMagnet
zero one two three
zero one three four
zero one three four 4.2
zero one three four 4.2
```

## Respostas das Cruzadas Java

## Aponte seu lápis

Escreva seu PRÓPRIO conjunto de pistas! Examine cada palavra e tente escrever suas próprias pistas. Tente torná-las mais fáceis, mais difíceis ou mais técnicas do que as já mostradas.

**Horizontais**
1.
6.
7.
9.
12.
13.
14.
16.
17.
19.
21.
22.
23.
24.

**Verticais**
2.
3.
4.
5.
8.
10.
11.
15.
16.
18.
20.
21.

# 7 herança e polimorfismo

## Melhor Viver em Objetópolis

*Éramos codificadores que ganhávamos mal e trabalhávamos muito até testarmos o Planejamento do Polimorfismo. Mas, graças ao Planejamento, nosso futuro é brilhante. O seu também pode ser!*

**Planeje seus programas com o futuro em mente.** Se houvesse uma maneira de escrever código Java de tal modo que se pudesse tirar mais férias, o quanto isso seria bom para você? E se pudesse escrever códigos que outra pessoa conseguisse estender **facilmente**? E se pudesse escrever códigos que fossem flexíveis, para aquelas irritantes alterações de último minuto nas especificações, isso seria algo no qual estaria interessado? Então este é seu dia de sorte. Por apenas três pagamentos facilitados de 60 minutos, você poderá ter tudo isso. Quando chegar ao Planejamento do Polimorfismo, você aprenderá as 5 etapas para a obtenção de um projeto de classes mais adequado, os 3 truques do polimorfismo, as 8 maneiras de criar um código flexível e, se agir agora — uma lição bônus sobre as 4 dicas para a exploração da herança. Não demore, uma oferta dessa grandeza lhe fornecerá a liberdade para projetar e a flexibilidade para programar que você merece. É rápido, é fácil e já está disponível. Comece hoje e forneceremos um nível extra de abstração!

*o poder da herança*

## A guerra das cadeiras revisitada...

*Lembra-se do Capítulo 4, quando Larry (o profissional dos procedimentos) e Brad (o sujeito da OO) estavam competindo pela cadeira Aeron? Vejamos alguns trechos dessa história para examinarmos os aspectos básicos da herança.*

**Larry:** Você tem código duplicado! O procedimento de rotação aparece em todos os quatro itens Shape. É um projeto estúpido. Você tem que manter *quatro* "métodos" de rotação diferentes. Em que isso poderia ser bom?

**Brad:** Oh, acho que você não viu o projeto final. Deixe que eu lhe mostre como a **herança** da OO funciona, Larry.

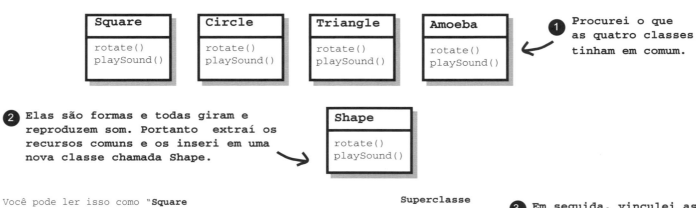

① Procurei o que as quatro classes tinham em comum.

② Elas são formas e todas giram e reproduzem som. Portanto extraí os recursos comuns e os inseri em uma nova classe chamada Shape.

Você pode ler isso como "**Square herda de Shape**", "**Circle herda de Shape**" e assim por diante. Removi rotate( ) e playSound( ) das outras formas, portanto agora há apenas uma cópia a manter. Diz-se que a classe Shape é a **superclasse** das outras quatro classes. As outras quatro são as **subclasses** de Shape. As subclasses herdam os métodos da superclasse. Em outras palavras, *se a classe Shape tiver uma funcionalidade, então, as subclasses automaticamente terão essa mesma funcionalidade.*

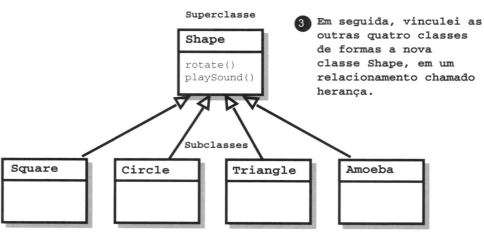

③ Em seguida, vinculei as outras quatro classes de formas a nova classe Shape, em um relacionamento chamado herança.

### E quanto ao método rotate( ) de Amoeba?

**Larry:** Não é esse o problema aqui — que a forma de amoeba tinha um procedimento de rotação e reprodução de som totalmente diferentes?

Como a amoeba pode fazer algo diferente se ela *herda* sua funcionalidade da classe Shape?

**Brad:** Essa é a última etapa. A classe Amoeba *sobrepõe* os métodos da classe Shape. Portanto, no tempo de execução, a JVM saberá exatamente que método rotate( ) executar quando alguém solicitar que o objeto Amoeba gire.

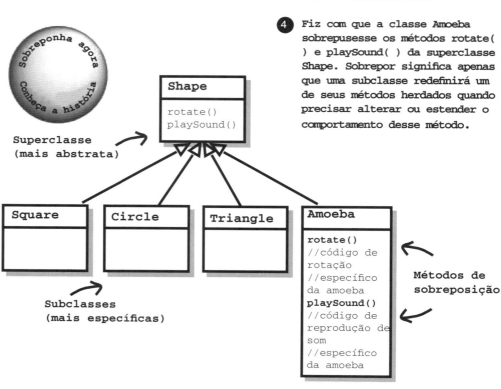

④ Fiz com que a classe Amoeba sobrepusesse os métodos rotate( ) e playSound( ) da superclasse Shape. Sobrepor significa apenas que uma subclasse redefinirá um de seus métodos herdados quando precisar alterar ou estender o comportamento desse método.

126   *capítulo 7*

*herança* e *polimorfismo*

 PODER DO CÉREBRO

Como você representaria um gato doméstico e um tigre, em uma estrutura de herança? Um gato doméstico seria a versão especializada de um tigre? Qual seria a subclasse e quem seria a superclasse? Ou os dois são subclasses de alguma *outra* classe?

Como você projetaria uma estrutura de herança? Que métodos seriam sobrepostos?

Pense nisso. *Antes* de continuar lendo.

## Entendendo a herança

Quando você projetar usando herança, inserirá código comum em uma classe e, em seguida, informará a outras classes mais específicas que a classe comum (mais abstrata) é sua superclasse. Quando uma classe herda de outra, *a subclasse herda da superclasse.*

Em Java, dizemos que a **subclasse** *estende* **a superclasse**. Um relacionamento de herança significa que a subclasse herdará os **membros** da superclasse. Com o termo "membros de uma classe" queremos nos referir às variáveis de instância e métodos. Por exemplo, se HomemPantera for uma subclasse de SuperHerói, a classe HomemPantera herdará automaticamente as variáveis de instância e métodos comuns a todos os super-heróis inclusive roupa, malha, poderEspecial, usarPoderEspecial( ) e assim por diante. Mas a **subclasse HomemPantera poderá adicionar novos métodos e variáveis de instância** exclusivos e **sobrepor os métodos que herdar da superclasse** SuperHerói.

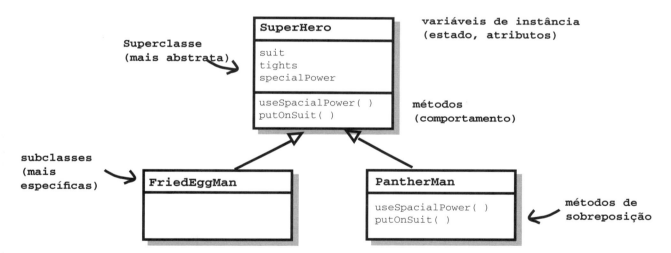

O HomemOvoFrito não precisa de nenhum comportamento que seja exclusivo, portanto ele não sobrepõe nenhum método. Os métodos e variáveis de instância de SuperHerói são suficientes. No entanto, o HomemPantera apresenta requisitos específicos quanto à roupa e aos poderes especiais, portanto usarPoderEspecial( ) e colocarRoupa( ) são sobrepostos na classe HomemPantera.

**As variáveis de instância não são sobrepostas** porque não precisam ser. Elas não definem nenhum comportamento especial, logo, uma subclasse pode fornecer a uma variável de instância herdada o valor que quiser. O HomemPantera pode configurar a malha que herdou com roxo, enquanto o HomemOvoFrito configurará a sua com branco.

## Um exemplo de herança

```
public class Doctor {

    boolean worksAtHospital;

    void treatPatient() {
        // faz um check-up
    }
}

public class FamilyDoctor extends Doctor {

    boolean makesHouseCalls;
    void giveAdvice() {
        // dá conselhos
    }

}

public class Surgeon extends Doctor{

    void treatPatient() {
        // executa cirurgia
    }

    void makeIncision() {
        // faz incisão (eca!)
    }
}
```

*Herdei meus procedimentos, portanto não me preocupei em cursar medicina. Relaxe, isso não doerá nada (onde coloquei aquela serra...)*

### Aponte seu lápis

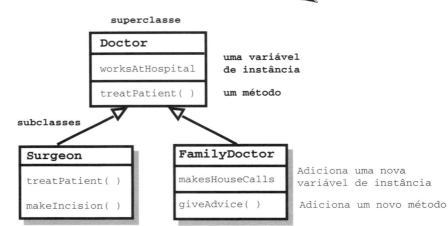

Quantas variáveis de instância tem Surgeon?

Quantas variáveis de instância tem FamilyDoctor?

Quantos métodos tem Doctor?

Quantos métodos tem Surgeon?

Quantos métodos tem FamilyDoctor?

Uma classe FamilyDoctor pode usar o método treatPatient( )?

Uma classe FamilyDoctor pode usar o método makeIncision( )?

*herança* e *polimorfismo*

## Projetemos a árvore de herança de um programa de simulação de animais

Suponhamos que você fosse solicitado a projetar um programa de simulação que permitisse ao usuário reunir vários animais diferentes em um ambiente para ver o que acontece. Não temos que codificá-lo agora, estamos mais interessados no projeto.

Recebemos uma lista com *alguns* dos animais que estarão no programa, mas não todos. Sabemos que cada animal será representado por um objeto e que os objetos se moverão dentro de um ambiente, fazendo o que cada tipo específico for programado para fazer.

***E queremos que outros programadores possam adicionar novos tipos de animais ao programa a qualquer momento.***

Primeiro temos que descobrir as características comuns abstratas que todos os animais apresentam e inseri-las dentro de uma classe que todas as classes de animais possam estender.

**1** Procure objetos que possuam atributos e comportamentos em comum.

O que esses seis tipos têm em comum? Isso o ajudará a abstrair os comportamentos (etapa 2). Como esses tipos estão relacionados? Isso o ajudará a definir os relacionamentos da árvore de herança (etapas 4-5)

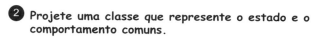

## Usando a herança para evitar a duplicação de código em subclasses

Temos cinco **variáveis de instância**:

*picture* - o nome do arquivo que representa a figura JPEG desse animal

*food* - o tipo de alimento que esse animal come. No momento, só podemos ter dois valores: carne ou grama.

*hunger* - um inteiro que representa o nível de fome do animal. Sua alteração depende de quando (e quanto) o animal come.

*boundaries* - valores que representam a altura e largura do 'espaço' (por exemplo, 640 X 480) em que os animais circularão.

*location* - as coordenadas X e Y de onde o animal se encontra no espaço.

Temos quatro **métodos**:

*makeNoise()* - comportamento para quando o animal tiver que fazer algum ruído.

*eat()* - comportamento para quando o animal encontrar sua fonte de comida preferida, *carne (meat)* ou *capim (grass)*.

*sleep()* - comportamento para quando considerarmos o animal sonolento.

*roam()* - comportamento para quando o animal não estiver comendo ou dormindo (provavelmente estará apenas circulando até encontrar uma fonte de alimento ou chegar ao limite do espaço).

**2** Projete uma classe que represente o estado e o comportamento comuns.

Esses objetos são todos animais, portanto criaremos uma superclasse comum chamada Animal. Inseriremos métodos e variáveis de instância que todos os animais podem precisar.

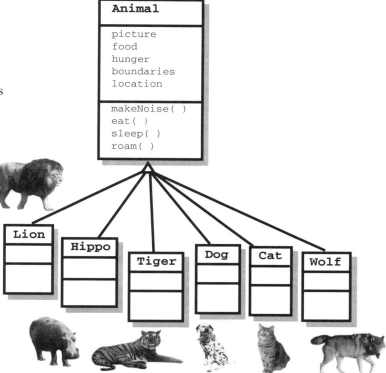

*você está aqui* ▶ **129**

*projetando* a herança

## Todos os animais comem da mesma maneira?

Suponhamos que concordássemos com uma coisa: as variáveis de instância de *todos* os tipos de animais serão iguais. Um leão terá seu próprio valor para a figura, comida (estamos pensando em *carne*), fome, limites e local. Um hipopótamo terá *valores* diferentes para suas variáveis de instância, mas ele ainda terá as mesmas variáveis que os outros tipos de animais tiverem. O mesmo ocorrerá com o cão, o tigre e assim por diante. Mas e quanto ao *comportamento*?

## Que métodos devemos sobrepor?

Um leão faz o mesmo **ruído** de um cão? Um gato **come** como um hipopótamo? Talvez em *sua* versão, mas, na nossa, comer e fazer ruídos são específicos do tipo de animal. Não sabemos como codificar esses métodos de uma maneira que eles sejam adequados a qualquer animal. Certo, isso não é verdade. Poderíamos escrever o método makeNoise( ), por exemplo, de um modo que tudo que teria que fazer seria reproduzir um arquivo de som definido em uma variável de instância desse tipo, mas isso não seria muito especializado. Alguns animais podem fazer ruídos diferentes em situações distintas (como um ruído para comer e outro quando ele salta sobre um inimigo, etc.).

Portanto exatamente como a amoeba sobrepôs o método rotate( ) da classe Shape, para ter um comportamento mais específico (em outras palavras, *exclusivo*), teremos que fazer o mesmo em nossas subclasses de Animal.

❸ **Defina se uma subclasse precisa de comportamentos (implementações de métodos) que sejam específicos desse tipo de subclasse em particular.**

Examinando a classe Animal, definimos que eat( ) e makeNoise( ) devem ser sobrepostos pelas subclasses individuais.

## Procurando mais oportunidades de usar a herança

A hierarquia de classes está começando a se compor. Cada classe está sobrepondo os métodos *makeNoise( )* e *eat( )*, para que não haja confusão entre o latido de um cão e o miado de um gato (o que seria um insulto para os dois grupos). E um hipopótamo não comerá como um leão.

Mas talvez possamos fazer mais. Temos que examinar as subclasses de Animal e ver se duas ou mais podem ser agrupadas de alguma maneira, recebendo um código que seja comum apenas a *esse* novo grupo. O lobo e o cão apresentam semelhanças. Assim como o leão, o tigre e o gato.

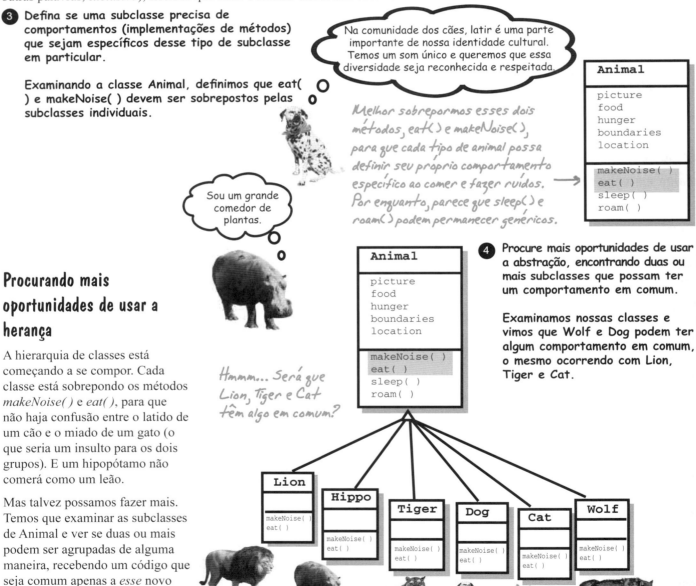

❹ **Procure mais oportunidades de usar a abstração, encontrando duas ou mais subclasses que possam ter um comportamento em comum.**

Examinamos nossas classes e vimos que Wolf e Dog podem ter algum comportamento em comum, o mesmo ocorrendo com Lion, Tiger e Cat.

*herança* e *polimorfismo*

**5** Termine a hierarquia de classes

Como os animais já têm uma hierarquia organizacional (a divisão em reino, gênero e família), podemos usar o nível que fizer mais sentido ao projeto das classes. Usaremos as "famílias" biológicas para organizar os animais, criando uma classe Feline e uma classe Canine. Decidimos que a classe dos caninos poderia usar um métodos roam( ) em comum, porque eles tendem a se mover em grupos. Também vimos que os felinos poderiam usar um método roam( ) em comum, porque tendem a evitar outros de seu próprio tipo. Deixaremos que a classe Hippo continue a usar seu método roam( ) herdado — o método genérico que ela herdou de Animal. Terminamos o projeto por enquanto, mas voltaremos a ele posteriormente neste capítulo.

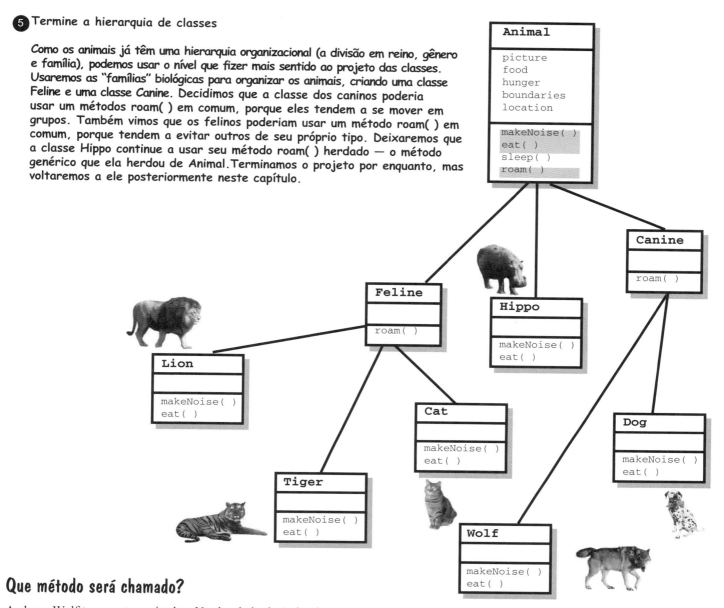

## Que método será chamado?

A classe Wolf tem quatro métodos. Um herdado de Animal, um herdado de Canine (que na verdade é a versão sobreposta de um método da classe Animal) e dois sobrepostos pela própria classe Wolf. Quando você criar um objeto Wolf e atribuí-lo a uma variável, poderá usar o operador ponto nessa variável de referência para chamar todos os quatro métodos. Mas que *versão* desses métodos será chamada?

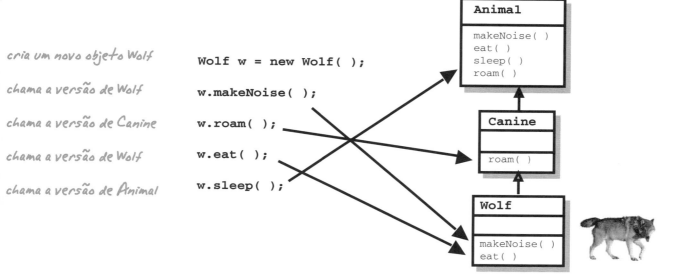

*você está aqui* ▶ 131

*projeto prático de uma árvore de herança*

Quando você chamar um método em uma referência de objeto, estará chamando a versão mais específica do método para esse tipo de objeto.

Em outras palavras, *o inferior vence!*

"Inferior" significando o mais baixo na árvore de herança. Canine é inferior a Animal e Wolf é inferior a Canine, portanto chamar um método na referência a um objeto Wolf significa que a JVM examinará primeiro a classe Wolf. Se não encontrar uma versão do método nessa classe, começará a retroceder na hierarquia de herança até achar algo que atenda.

## Projetando uma árvore de herança

| Classe | Superclasse | Subclasse |
|--------|-------------|-----------|
| Roupas | — | Short, Camisa |
| Short | Roupas | |
| Camisa | Roupas | |

Tabela de herança

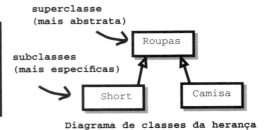

Diagrama de classes da herança

### Aponte seu lápis

Defina os relacionamentos que fazem sentido. Preencha as duas últimas colunas.

Desenhe um digrama de herança aqui.

| Classe | Superclasse | Subclasse |
|--------|-------------|-----------|
| Músico | | |
| Cantor de rock | | |
| Fã | | |
| Baixista | | |
| Pianista clássico | | |

*Dica: nem todas as classes podem ser conectadas a alguma outra classe.*
*Dica: você pode aumentar ou alterar as classes listadas.*

### Perguntas Idiotas (não existem)

**P:** Você disse que a JVM iniciará subindo a árvore de herança, a partir do tipo de classe em que o método foi chamado (como no exemplo de Wolf na página anterior). Mas o que acontecerá se ela não conseguir encontrar algo correspondente?

**R:** Boa pergunta! Mas você não tem que se preocupar com isso. O compilador garante que um método específico possa ser chamado para um determinado tipo de referência, mas não informa (ou verifica) a classe de onde esse método veio realmente no tempo de execução. No exemplo de Wolf, o compilador procurará um método sleep( ), mas não se importará com o fato de ele ter sido definido (e herdado) na classe Animal. Lembre-se de que, se uma classe herdar um método, ela terá o método. Onde o método herdado foi definido (em outras palavras, em que superclasse ele foi definido) não faz diferença para o compilador. Mas no tempo de execução, a JVM sempre usará o método correto. E por correto queremos dizer a versão mais específica desse objeto em particular.

## Usando É-UM e TEM-UM

Lembre-se de que, quando uma classe herda de outras, dizemos que a subclasse *estende* a superclasse. Quando você quiser saber se uma coisa deve estender outra, aplique o teste É-UM.

O triângulo É-UMA Forma, sim, isso faz sentido.

O Gato é É-UM Felino, isso também faz sentido

*herança* e *polimorfismo*

O Cirurgião É-UM Médico, continua fazendo sentido

Banheira estende Banheiro, soa sensato.

*Até você aplicar o teste É-UM.*

Para saber se você projetou seus tipos corretamente, pergunte "Faz sentido dizer X É-UM tipo Y?". Se não fizer, você saberá que algo está errado no projeto, portanto, se aplicarmos o teste É-UM, Banheira É-UM Banheiro é definitivamente falso.

E se invertermos para Banheiro estende Banheira? Isso ainda não faz sentido, Banheiro É-UMA Banheira não funciona.

Banheira e Banheiro *estão* relacionados, mas não através da herança. Estão associados por um relacionamento TEM-UM. Faz sentido dizermos "O Banheiro TEM-UMA Banheira?". Se fizer, isso significa que Banheiro (Bathroom) tem uma variável de instância Banheira (Tub). Em outras palavras, Bathroom tem uma *referência* a Tub, mas não estende Tub e vice-versa.

> Faz sentido dizer Uma Banheira É-UM Banheiro? Ou um Banheiro É-UMA Banheira? Bem, para mim não. O relacionamento entre minha Banheira e meu Banheiro é do tipo TEM-UM. O Banheiro TEM-UMA Banheira. Isso significa que Bathroom tem uma variável de instância Tub.

```
        Tub
        int size
        Bubbles b;
                           Bubbles
Bathroom                   int radius;
Tub bathtub;               int colorAmt;
Sink theSink;
```

Bathroom TEM-UMA variável de instancia Tub e
Tub TEM-UMA variável Bubbles.

Mas ninguém herda (estende) nada de ninguém.

## Mas espere! Há mais!

O teste É-UM funciona em *qualquer local* da árvore de herança. Se sua árvore de herança tiver sido bem projetada, o teste É-UM deve fazer sentido quando você perguntar a *qualquer* subclasse se ela É-UM de seus supertipos.

**Se a classe B estende a classe A, ela É-UMA classe A.**

**Isso será verdadeiro em qualquer local da árvore de herança. Se a classe C estender a classe B, ela passará no teste É-UM tanto com a classe B quanto com a classe A.**

*Canine estende Animal*

*Wolf estende Canine*

*Wolf estende Animal*

*O Canino É-UM Animal*
*O Lobo É-UM Canino*
*O Lobo É-UM Animal*

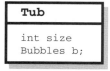

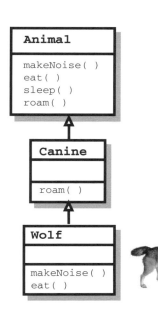

Em uma árvore de herança como a mostrada aqui, você *sempre* poderá dizer "**Wolf estende Animal**" ou "**O Lobo É-UM Animal**". Não faz diferença se Animal é a superclasse da superclasse de Wolf. Na verdade, **contanto que Animal esteja em** *algum local* **da hierarquia de herança acima de Wolf, Lobo É-UM Animal sempre será verdadeiro**.

A estrutura da árvore de herança de Animal mostra claramente que:

"o Lobo É-UM Canino, portanto pode fazer qualquer coisa que um Canino faria. E o Lobo É-UM Animal, logo, pode fazer qualquer coisa que um Animal faria."

Não faz diferença se Wolf sobrepõe alguns dos métodos de Animal ou Canine. No escopo geral (dos códigos), Wolf pode executar esses quatro métodos. *Como* os executa ou *em que classe eles são sobrepostos* não faz diferença. Wolf pode executar makeNoise( ), eat( ), sleep( ) e roam( ) porque estende a classe Animal.

você está aqui ▶ 133

explorando o poder dos objetos

## Como saber se você construiu sua herança corretamente?

É claro que há mais coisas envolvidas do que o que foi abordado até agora, mas examinaremos outras questões referentes à OO no próximo capítulo (onde acabaremos detalhando e aperfeiçoando parte do projeto que construímos *neste* capítulo).

Por enquanto, porém, uma boa diretriz é usar o teste É-UM. Se "X É-UM Y" fizer sentido, é provável que as duas classes (X e Y) residam na mesma hierarquia de herança. Há chances de terem comportamentos iguais ou sobrepostos.

## Lembre-se de que o relacionamento É-UM da herança funciona somente em uma direção!

O Triângulo É-UMA Forma faz sentido, portanto Triângulo pode estender Forma.

Mas o inverso — a Forma É-UM Triângulo — *não* faz sentido, portanto a Forma não deve estender o Triângulo. Lembre-se de que o relacionamento É-UM implica que, se X É-UM Y, logo, X pode fazer qualquer coisa que Y faria (e possivelmente mais).

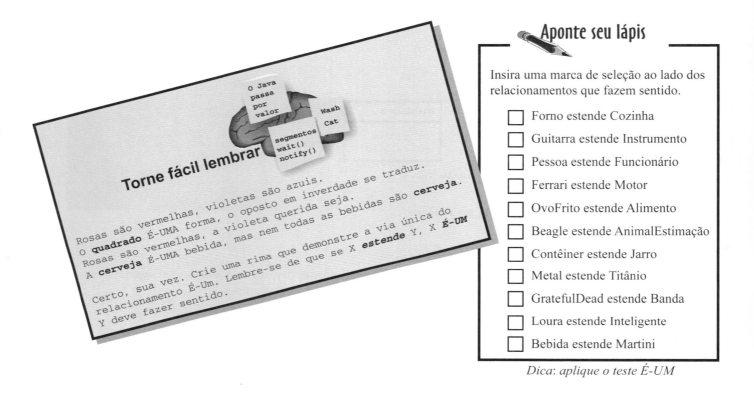

**Torne fácil lembrar**

Rosas são vermelhas, violetas são azuis.
O **quadrado** É-UMA forma, o oposto em inverdade se traduz.
Rosas são vermelhas, a violeta querida seja.
A **cerveja** É-UMA bebida, mas nem todas as bebidas são **cerveja**.
Certo, sua vez. Crie uma rima que demonstre a via única do relacionamento É-Um. Lembre-se de que se X **estende** Y, X *É-UM* Y deve fazer sentido.

**Aponte seu lápis**

Insira uma marca de seleção ao lado dos relacionamentos que fazem sentido.

☐ Forno estende Cozinha
☐ Guitarra estende Instrumento
☐ Pessoa estende Funcionário
☐ Ferrari estende Motor
☐ OvoFrito estende Alimento
☐ Beagle estende AnimalEstimação
☐ Contêiner estende Jarro
☐ Metal estende Titânio
☐ GratefulDead estende Banda
☐ Loura estende Inteligente
☐ Bebida estende Martini

*Dica: aplique o teste É-UM*

### Perguntas Idiotas (não existem)

**P:** Vimos como uma subclasse faz para herdar um método da superclasse, mas e se a superclasse quiser usar a versão do método da subclasse?

**R:** Uma superclasse não conhece necessariamente todas suas subclasses. Você pode criar uma classe e muito tempo depois outra pessoa pode estendê-la. Mas mesmo se o criador da superclasse não conhecer (e quiser usar) a versão de um método da subclasse, não existe algo do tipo herança inversa ou regressiva. Pense bem, as crianças herdam dos pais e não o contrário.

**P:** Em uma subclasse, digamos que eu quisesse usar um método tanto com a versão da superclasse quanto com minha versão de sobreposição existente na subclasse? Em outras palavras, não quero substituir totalmente a versão da superclasse, apenas adicionar algo mais a ela.

**R:** Você pode fazer isso! E é um recurso importante do projeto. Pense na palavra "estende" significando "quero estender a funcionalidade da superclasse".

_**herança** e polimorfismo_

```
public void roam() {
    super.roam();
    // meu próprio método roam
}
```

_esse bloco chama a versão herdada de roam( ) e, em seguida, retorna à execução do código específico da subclasse_

Você pode atribuir os métodos de sua superclasse de uma maneira que eles contenham implementações de métodos que funcionarão para qualquer subclasse, mesmo se as subclasses tiverem que 'adicionar' mais código. No método de sobreposição de sua subclasse, você pode chamar a versão da superclasse usando a palavra-chave super. É como dizer "primeiro execute a versão da superclasse e, em seguida, volte e termine com meu próprio código...".

---

## Quem fica com o Porsche e quem fica com a porcelana?
## (como saber o que uma subclasse pode herdar de sua superclasse)

Uma subclasse herda membros da superclasse. Os membros incluem as variáveis de instância e métodos, porém mais adiante neste livro examinarmos outros membros herdados. Uma superclasse pode selecionar se quer ou não que uma subclasse herde um membro específico pelo nível de acesso que esse membro receber.

Há quatro níveis de acesso que abordaremos neste livro. Indo do maior ao menor nível de restrição, os quatro níveis de acesso são:

| private | default | protected | public |
|---------|---------|-----------|--------|

**Os níveis de acesso controlam** _quem vê o quê,_ e são essenciais a um código Java robusto e bem-projetado. Por enquanto enfocaremos apenas os acessos público e privado. As regras desses dois são simples:

### membros public <u>são</u> herdados

### membros private <u>não</u> são herdados

Quando uma subclasse herda um membro, é _**como se ela própria o definisse.**_ No exemplo de Shape, Square herdou os métodos rotate( ) e playSound( ) e para o ambiente externo (outros códigos) essa classe simplesmente _possui_ os dois métodos.

Os membros de uma classe incluem as variáveis e métodos definidos na classe mais qualquer coisa herdada de uma superclasse.

_Nota: veja mais detalhes sobre os acessos padrão e protegido no Capítulo 16 (implantação) e no Apêndice B._

## Ao projetar empregando a herança, você está usando ou abusando?

Já que algumas das razões para a existência dessas regras só serão reveladas posteriormente neste livro, por enquanto, simplesmente _conhecer_ algumas regras o ajudará a construir um projeto de herança mais adequado.

**USE** a herança quando uma classe for o tipo mais específico de uma superclasse. Exemplo: Salgueiro _é_ um tipo mais específico de Árvore, portanto Salgueiro estender Árvore faz sentido.

**CONSIDERE** a herança quando tiver um comportamento (código implementado) que deva ser compartilhado entre várias classes do mesmo tipo geral. Exemplo: Square, Circle e Triangle precisam girar e reproduzir som, portanto inserir essa funcionalidade em uma superclasse Shape pode fazer sentido e proporcionará mais facilidade na manutenção e extensibilidade. Lembre-se, no entanto, de que, embora a herança seja um dos recursos-chave da programação orientada a objetos, não é necessariamente a melhor maneira de conseguirmos reutilizar comportamentos. Ela lhe ajudará a começar, e geralmente é a melhor opção de projeto, mas os padrões de projeto o ajudarão a conhecer outras opções mais sutis e flexíveis. Caso não conheça os padrões de projeto, um bom acompanhamento a este livro seria _Use a Cabeça! Padrões de Projeto._

**NÃO** use a herança apenas para poder reutilizar o código de outra classe, se o relacionamento entre a superclasse e a subclasse violar uma das duas regras acima. Por exemplo, suponhamos que você escrevesse um código especial de impressão na classe Alarme e agora tivesse que imprimir o código da classe Piano, portanto precisaria que Piano estendesse Alarme para que herdasse o código de impressão. Isso não faz sentido! Um Piano _não_ é um tipo mais específico de Alarme. (Logo, o código de exibição deveria estar em uma classe Impressora, da qual todos os objetos imprimíveis pudessem se beneficiar através de um relacionamento TEM-UM.)

**Não** use a herança se a subclasse e a superclasse não passarem no teste É-UM. Pergunte sempre se a subclasse É-UM tipo mais específico da superclasse. Exemplo: Chá É-UMA Bebida faz sentido. Bebida É-UM Chá não.

_você está aqui_ ▶  **135**

*explorando o poder dos objetos*

## PONTOS DE BALA

- A subclasse *estende* a superclasse.

- Uma subclasse herda todas as variáveis de instância e métodos *públicos* da superclasse, mas não suas variáveis de instância e métodos *privados*.

- Os métodos herdados podem ser sobrepostos; as variáveis de instância *não* (embora possam ser *redefinidas* na subclasse, mas isso não é a mesma coisa, e quase nunca é preciso fazê-lo).

- Use o teste É-UM para verificar se sua hierarquia de herança é válida. Se X *estende* Y, então, X *É-UM* Y deve fazer sentido.

- O relacionamento É-UM funciona em uma única direção. Um hipopótamo é uma animal, mas nem todos os animais são hipopótamos.

- Quando um método é sobreposto em uma subclasse e é chamado em uma instância dela, a versão sobreposta do método é que é chamada. (*O inferior vence.*)

- Se a classe B estende A e C estende B, a classe B É-UMA classe A e a classe C É-UMA classe B, portanto a classe C também É-UMA classe A.

## Mas o que toda essa herança lhe proporcionará?

Você se beneficiará muito da OO projetando com a herança. Poderá eliminar código duplicado generalizando o comportamento comum a um grupo de classes e inserindo esse código em uma superclasse. Assim, quando precisar alterá-lo, terá apenas um local a atualizar, e *a alteração repercutirá instantaneamente em todas as classes que herdarem esse comportamento*. Bem, não se trata de mágica, na verdade *é* muito simples: faça a alteração e compile a classe novamente. Apenas isso. **Você não terá que mexer nas subclasses!**

**Basta distribuir a superclasse recém-alterada, e todas as classes que a estenderem usarão automaticamente a nova versão.**

Um programa Java nada mais é do que uma pilha de classes, portanto as subclasses não precisam ser recompiladas para usar a nova versão da superclasse. Contanto que a superclasse não *trave* nada na subclasse, tudo estará bem. (Discutiremos o que a palavra 'travar' significa nesse contexto posteriormente no livro. Por enquanto, pense nela como a modificadora de algo na superclasse de que a subclasse dependa, como os argumentos ou o tipo de retorno de um método específico ou o nome do método, etc.)

(1) **Você evitará código duplicado.**
Insira o código comum em um local e deixe as subclasses herdarem esse código de uma superclasse. Quando quiser alterar esse comportamento, só precisará fazê-lo em um local e todo mundo (isto é, todas as subclasses) ficará sabendo da alteração.

(2) **Você definirá um protocolo comum para um grupo de classes.**

## A herança lhe permitirá garantir que todas as classes agrupadas sob um certo supertipo tenham todos os métodos que o supertipo tem.*

**Em outras palavras, você definirá um protocolo comum para um conjunto de classes relacionadas através da herança.**

Quando você definir métodos em uma superclasse, que possam ser herdados por subclasses, estará anunciando um tipo de protocolo para outros códigos que diz "todos os meus subtipos (isto é, as subclasses) poderão fazer essas coisas, com esses métodos que têm essa assinatura..."

---

*Quando dizemos "todos os métodos" estamos nos referindo a "todos os métodos que *podem ser herdados*", o que por enquanto significa "todos os métodos *públicos*", porém essa definição será melhorada posteriormente.

*herança e polimorfismo*

Em outras palavras, você estabelecerá um *contrato*.

A classe Animal estabelece um protocolo comum para todos os seus subtipos:

```
Animal
fazerRuído( )
comer( )
dormir( )
circular( )
```

*Você está dizendo para o resto do mundo que qualquer animal pode fazer essas quatro coisas. Isso inclui os argumentos e tipos de retorno do método.*

E lembre-se de que, quando dizemos *qualquer animal*, estamos nos referindo à classe Animal e *qualquer outra classe que a estenda*. O que significa também, *qualquer classe que tenha a classe Animal em algum local acima dela na hierarquia de herança*.

Mas ainda nem chegamos na parte realmente interessante, porque deixamos o melhor - *o polimorfismo* - por último.

Quando você definir um supertipo para um grupo de classes, *qualquer subclasse desse supertipo poderá ser substituída onde o supertipo for esperado*.

Como é mesmo?

Não se preocupe, ainda não acabamos de explicar. Após avançarmos duas páginas, você será um especialista.

## E me preocupo porque...

Porque você se beneficiará do polimorfismo.

## O que importa para mim porque...

Porque você poderá chamar o objeto de uma subclasse usando uma referência declarada como o supertipo.

## E isso significa para mim que...

Você poderá escrever códigos realmente flexíveis. Códigos que serão mais claros (mais eficientes e simples). Códigos que não serão apenas mais fáceis de *desenvolver*, mas também muito mais fáceis de *estender*, de maneira que você nunca imaginou no momento em que originalmente os escreveu.

Isso significa que você poderá tirar aquelas férias tropicais enquanto seus colaboradores atualizam o programa e talvez eles nem precisem de seu código-fonte.

Você verá como isso funciona logo abaixo.

Não o conhecemos, mas pessoalmente, achamos as férias tropicais particularmente motivadoras.

## Para ver como o polimorfismo funciona, temos que voltar para examinar a maneira como normalmente declaramos uma referência e criamos um objeto...

**As 3 etapas de declaração e atribuição de objetos**

```
    1         2
Dog myDog = new Dog();
        3
```

### ① Declare uma variável de referência

**Dog myDog** = new Dog( );

Solicita à JVM para alocar espaço para uma variável de referência. A variável de referência será sempre do tipo Dog. Em outras palavras, um controle remoto que tenha botões que controlem um objeto Dog, mas não um objeto Car, Buttton ou Socket.

Dog

*como o polimorfismo funciona*

### ❷ Crie um objeto

`Dog myDog = new Dog( );`

Solicita à JVM para alocar espaço para um novo objeto Dog na pilha de lixo coletável.

objeto Dog

### ❸ Vincule o objeto e a referência

`Dog myDog = new Dog( );`

Atribui o novo objeto Dog à variável de referência myDog. Em outras palavras, **programa o controle remoto**.

## O importante é que o tipo da referência E o tipo do objeto sejam iguais.
## Nesse exemplo, os dois são do tipo Dog.

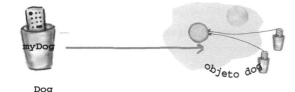

*Esses dois tipos são iguais. O tipo da variável de referência foi declarado como Dog e o objeto foi criado como novo objeto Dog( ).*

## Mas com o polimorfismo, a referência e o objeto podem ser diferentes.

`Animal myDog = new Dog( );`

*Esses dois NÃO são tipos iguais. O tipo da variável de referência foi declarado como Animal, mas o objeto foi declarado como novo objeto Dog( ).*

## No polimorfismo, o tipo da referência pode ser uma superclasse com o tipo do objeto real.

Quando você declarar uma variável de referência, qualquer objeto que passar no teste É-UM quanto ao tipo declarado para ela poderá ser atribuído a essa referência. Em outras palavras, qualquer coisa que *estender* o tipo declarado para a variável de referência poderá ser *atribuída* a ela. *Isso permitirá que você faça coisas como criar matrizes polimórficas.*

Uh... Não adianta. Ainda não entendi.

## Certo, talvez um exemplo ajude.

```
Animal[] animals = new Animal[5];

animals [0] = new Dog();
animals [1] = new Cat();
animals [2] = new Wolf();
animals [3] = new Hippo();
animals [4] = new Lion();

for (int i = 0; i < animals.length; i++) {
    animals[i].eat();
    animals[i].roam();
}
```

*Declara uma matriz de tipo Animal. Em outras palavras, uma matriz que conterá objetos de tipo Animal.*

*Mas olhe o que você pode fazer... Pode inserir QUALQUER subclasse de Animal na matriz Animal!*

*E aqui está a melhor parte do polimorfismo (o objetivo do exemplo): você pode percorrer a matriz e chamar um dos métodos da classe Animal, e todos os objetos se comportarão da forma correta!*

*Quando i for igual a 0, um objeto Dog estará no índice 0 da matriz, portanto você acionará o método eat( ) de Dog. Quando i for igual a 1, você acionará o método eat( ) de Cat*

*O mesmo acontecerá com roam( ).*

*herança* e *polimorfismo*

# Mas espere! Há mais!
## Você pode ter argumentos e tipos de retorno polimórficos.

Se você declarar a variável de referência de um supertipo, digamos, Animal, e atribuir um objeto da subclasse a ela, digamos, Dog, pense em como isso irá funcionar quando a referência for o argumento de um método...

```
class Vet {
   public void giveShot(Animal a) {
      // faz coisas horríveis com o animal na
      // outra extremidade do parâmetro 'a'
      a.makeNoise();
   }
}

class PetOwner {
   public void start() {
      Vet v = new Vet();

      Dog d = new Dog();
      Hippo h = new Hippo();

      v.giveShot(d);
      v.giveShot(h);
   }
}
```

O parâmetro de Animal pode usar QUALQUER tipo de animal como argumento. Quando o veterinário tiver aplicado a injeção, o parâmetro solicitará ao animal que façaRuídos() e, independentemente do animal que estiver na pilha, seu método makeNoise() será executado.

O método giveShot() de Vet pode usar qualquer objeto Animal que você fornecer para ele. Contanto que o objeto que você passar como argumento seja uma subclasse de Animal, ele funcionará.

O método makeNoise() de Dog será executado

O método makeNoise() de Hippo será executado

> AGORA entendi! Se eu escrever meu código usando argumentos polimórficos, onde declarar o parâmetro do método como um tipo da superclasse, poderei passar qualquer objeto da subclasse no tempo de execução. Interessante. Porque isso também significa que posso escrever meu código, tirar férias, e outra pessoa poderá adicionar novos tipos de subclasse ao programa sem que meus métodos deixem de funcionar... (A única desvantagem é que estou tornando a vida mais fácil para aquele idiota do Jim.)

## Com o polimorfismo, você pode escrever um código que não tenha que ser alterado quando novos tipos de subclasse forem introduzidos no programa.

Lembra da classe Vet? Se você criar essa classe usando argumentos declarados com o tipo Animal, seu código poderá manipular qualquer *subclasse* de Animal. Isso significa que, se outras pessoas quiserem se beneficiar de sua classe Vet, tudo que elas terão que fazer será se certificarem de que *seus* novos tipos estendam a classe Animal. Os métodos de Vet ainda funcionarão, ainda que essa classe tenha sido criada sem conhecer nenhum dos novos subtipos de Animal com que trabalhará.

PODER DO CÉREBRO

Por que podemos ter certeza de que o polimorfismo funcionará dessa maneira? Por que é sempre seguro supor que qualquer tipo de *subclasse* terá os métodos que achamos estar chamando no tipo da *superclasse* (o tipo da referência da superclasse no qual estamos usando o operador ponto)?

*você está aqui* ▶ 139

## sobrepondo métodos

### Perguntas Idiotas
*não existem*

**P:** Há algum limite prático quanto à criação de níveis de subclasses? Até onde podemos ir?

**R:** Se você examinar a API Java, verá que a maioria das hierarquias de herança é ampla horizontalmente, mas não verticalmente. A maioria não passa de um ou dois níveis verticais, embora haja exceções (principalmente nas classes de GUI). Você perceberá que geralmente faz mais sentido manter as árvores de herança achatadas, mas não se trata de um limite rígido (bem, não de um que você tenha que obedecer).

**P:** Acabei de pensar em algo... Se você não tiver acesso ao código-fonte de uma classe, mas quiser alterar a maneira como um método dessa classe funciona, poderia usar subclasses para fazer isso? Para estender a classe "inválida" e sobrepor o método com seu próprio código aprimorado?

**R:** Sim. Esse é um recurso interessante da OO e às vezes evita a necessidade de reescrever a classe a partir do zero ou de procurar o programador que ocultou o código-fonte.

**P:** Podemos estender qualquer classe? Ou é como ocorre com os membros que quando a classe é privada não é possível herdá-los...

**R:** Não há classes privadas, exceto em um caso muito especial chamado classe interna, que ainda não examinamos. Mas há três coisas que podem impedir uma classe de gerar subclasses.

A primeira é o controle de acesso. Ainda que uma classe não possa ser marcada com private, ela pode não ser pública (o que ocorre quando não declaramos a classe como public). Uma classe não-pública pode gerar subclasses somente a partir de classes do mesmo pacote que ela. As classes de um pacote diferente não poderão criar subclasses (ou mesmo usar) da classe não-pública.

A segunda coisa que impede uma classe de gerar subclasses é o modificador cuja palavra-chave é final. Uma classe final significa que ela está no fim da linha de herança. Ninguém, em hipótese alguma, pode estender uma classe final.

O terceiro problema é que, se uma classe tiver somente construtores privados (examinaremos os construtores no Capítulo 9), ela não poderá gerar subclasses.

**P:** Qual o interesse em criar uma classe final? Qual a vantagem de impedir que uma classe gere subclasses?

**R:** Normalmente, não marcamos nossas classes como finais. Mas se você precisar de segurança - a segurança de saber que os métodos sempre funcionarão da maneira que você os criou (por não poderem ser sobrepostos) -, uma classe final proporcionará isso. Várias classes do API Java são finais por essa razão. A classe String, por exemplo, é final porque, bem, imagine a confusão se alguém alterasse a maneira como as Strings se comportam!

**P:** Podemos fazer com que um método seja final, sem que a classe inteira tenha que ser?

**R:** Se você quiser evitar que um método específico seja sobreposto, marque-o com o modificador final. Marque a classe inteira com final se quiser garantir que nenhum dos métodos dessa classe seja sobreposto.

## Mantendo o contrato: regras para a sobreposição

Quando você sobrepuser o método de uma superclasse, estará concordando em obedecer o contrato. O contrato que diz, por exemplo, "não uso argumentos e retorno um booleano". Em outras palavras, os argumentos e tipos de retorno de seu método de sobreposição devem parecer para o ambiente externo *exatamente* como o método sobreposto da superclasse.

**Os métodos *são* o contrato**.

Para o polimorfismo ser eficaz, a versão de Toaster para o método sobreposto de Appliance tem que funcionar no tempo de execução. Lembre-se de que o compilador examinará o tipo da referência para decidir se você poderá chamar um método específico nela. No caso da referência de Appliance a um objeto Toaster, o compilador só se preocupará em saber se a classe *Appliance* tem o método que você está chamando na referência. Mas no tempo de execução, a JVM não examinará o tipo da *referência* (Appliance), mas o objeto *Toaster* real na pilha. Portanto, se o compilador já tiver *aprovado* a chamada do método, a única maneira dele funcionar será se o método de sobreposição tiver os mesmos argumentos e tipos

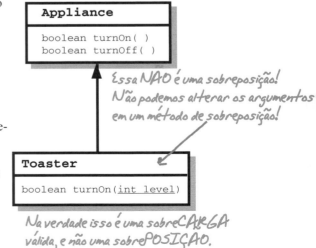

*herança e polimorfismo*

de retorno. Caso contrário, alguém com uma referência de Appliance poderia chamar turnOn( ) como um método sem argumentos, ainda que haja uma versão de Toaster que use um int. Qual será chamada no tempo de execução? A de Appliance. Em outras palavras, *o método turnOn(int level) de Toaster não é uma sobreposição!*

## ① Os argumentos devem ser iguais e os tipos de retorno devem ser compatíveis.

```
O contrato da superclasse define como outros
códigos podem usar um método. Independentemente do
argumento que a superclasse usar, a subclasse que
sobrepuser o método deve usar esse mesmo argumento. E
independentemente do tipo de retorno que a superclasse
declarar, o método de sobreposição deve declarar o
mesmo tipo ou um tipo da subclasse. Lembre-se de que um
objeto da subclasse tem que poder fazer tudo que sua
superclasse declarar, portanto é seguro retornar uma
subclasse onde a superclasse for esperada.
```

## ② O método não pode ser menos acessível.

```
Isso significa que o nível de acesso deve ser o mesmo,
ou mais amigável. Ou seja, você não pode, por exemplo,
sobrepor um método público e torná-lo privado. Que
surpresa seria para um código que chamasse o que
pensava (no tempo de compilação) ser um método público,
se repentinamente a JVM se opusesse porque a versão de
sobreposição chamada no tempo de execução é privada!
```

```
Até agora falamos sobre dois níveis de acesso: privado
e público. Os outros dois estão no capítulo sobre
implantação (Lance seu código) e no Apêndice B. Também
há outra regra a respeito de sobreposição relacionada
à manipulação de exceções, mas esperaremos o capítulo
sobre exceções (Comportamento arriscado) para abordar
esse assunto.
```

```
┌──────────────────────────────┐
│ Appliance                    │
├──────────────────────────────┤
│ public boolean turnOn( )     │
│ public boolean turnOn( )     │
└──────────────────────────────┘
               ▲
               │
```

*Inválido!*
*Não é uma sobreposição válida, porque você restringiu o nível de acesso. Nem é uma sobreCARGA válida, porque você não alterou os argumentos.*

```
┌──────────────────────────────┐
│ Toaster                      │
├──────────────────────────────┤
│ private boolean turnOn( )    │
└──────────────────────────────┘
```

## Sobrecarregando um método

A sobrecarga de métodos nada mais é do que termos dois métodos com o mesmo nome, porém listas de argumentos diferentes. Ponto. Não há polimorfismo envolvido com métodos sobrecarregados!

A sobrecarga lhe permitirá criar diversas versões de um método, com listas de argumentos diferentes, para a conveniência dos chamadores. Por exemplo, se você tiver um método que use somente um int, o código que o chamar terá que converter, digamos, um double em um int antes de chamar seu método. Mas, se você sobrecarregou o método com outra versão que usa um double, tornou tudo mais fácil para o chamador. Veremos mais sobre isso quando examinarmos os construtores no capítulo sobre o ciclo de vida dos objetos.

Já que um método de sobrecarga não tem que obedecer ao contrato de polimorfismo definido por sua superclasse, os métodos sobrecarregados têm muito mais flexibilidade.

**Um método sobrecarregado é apenas um método diferente que por acaso tem o mesmo nome. Não há nenhuma relação com a herança e o polimorfismo. Um método sobre<u>carregado</u> NÃO é o mesmo que um método sobre<u>posto</u>.**

## ① Os tipos de retorno podem ser diferentes.

```
Você poderá alterar os tipos de retorno de métodos sobrecarregados, contanto que as
listas de argumentos sejam diferentes.
```

## ② Você não pode alterar SOMENTE o tipo de retorno.

```
Se somente o tipo de retorno for diferente, essa não será uma sobrecarga válida — o
compilador presumirá que você está tentando sobrepor o método. E nem mesmo isso será
válido, a menos que o tipo de retorno seja um subtipo do tipo de retorno declarado na
```

*você está aqui* ▶ **141**

*exercício:* *mensagens misturadas*

superclasse. Para sobrecarregar um método, você DEVE alterar a lista de argumentos, embora *possa* alterar o tipo de retorno para qualquer coisa.

### ③ Você pode variar os níveis de acesso em qualquer direção.

Você poderá sobrecarregar um método com outro que seja mais restritivo. Não haverá problema, já que o novo método não é obrigado a obedecer ao contrato do método sobrecarregado.

## Exemplos válidos de sobrecarga de métodos:

```
public class Overloads {

    String uniqueID;

    public int addNums(int a, int b) {
        return a + b;
    }

    public double addNums(double a, double b) {
        return a + b;
    }

    public void setUniqueID(String theID) {
        // um extenso código de validação e então:
        uniqueID = theID;
    }

    public void setUniqueID(int ssNumber) {
        String numString = "" + ssNumber;
        setUniqueID(numString);
    }
}
```

---

Exercício

## Mensagens misturadas

a = 6;     56
b = 5;     11
a = 5;     65

Um programa Java curto é listado a seguir. Um bloco do programa está faltando! Seu desafio é comparar o bloco de código candidato (à esquerda) com a saída que você veria se ele fosse inserido. Nem todas as linhas de saída serão usadas e algumas delas podem ser usadas mais de uma vez. Desenhe linhas conectando os blocos de código candidatos à saída de linha de comando correspondente.

**o programa:**

```
class A {
    int ivar = 7;
    void m1() {
        System.out.print("A's m1, ");
    }
    void m2() {
        System.out.print("A's m2, ");
    }
    void m3() {
        System.out.print("A's m3, ");
    }
}

class B extends A {
    void  m1() {
        System.out.print("B's m1, ");
    }
}
```

```
class C extends B {
    void m3() {
        System.out.print("C's m3, "+(ivar + 6));
    }
}

public class Mixed2 {
    public static void main(String [] args) {
        A a = new A();
        B b = new B();
        C c = new C();
        A a2 = new C();

        [                    ]   O código candidato entra
                                 aqui (três linhas)
    }
}
```

---

**códigos candidatos:**

```
b.m1();  }      b.m2();  }
c.m2();         c.m3();
a.m3();

                a2.m1();
c.m1();  }      a2.m2();  }
c.m2();         a2.m3();
c.m3();
a.m1();
```

**saída:**

```
A's m1, A's m2, C's m3, 6
B's m1, A's m2, A's m3,
A's m1, B's m2, A's m3,
B's m1, A's m2, C's m3, 13
B's m1, C's m2, A's m3,
B's m1, A's m2, C's m3, 6
A's m1, A's m2, C's m3, 13
```

Exercício

### Seja o compilador

Qual dos pares de métodos A-B listados à direita, quando inseridos nas classes à esquerda, seriam compilados e produziriam a saída mostrada?
(O método A é inserido na classe Monster e o método B é inserido na classe Vampire.)

```
public class MonsterTestDrive {
   public static void main(String [] args) {
      Monster [] ma = new Monster[3];
      ma[0] = new Vampire();
      ma[1] = new Dragon();
      ma[2] = new Monster();
      for(int x = 0; x < 3; x++) {
         ma[x].frighten(x);
      }
   }
}
class Monster {

   A

}

class Vampire extends Monster {

   B

}

class Dragon extends Monster {
   boolean frighten(int degree) {
      System.out.println("breath fire");
      return true;
   }
}
```

```
File Edit Window Help SaveYourself
% java MonsterTestDrive
a bite?
breath fire
arrgh
```

**1**
A:
```
boolean frighten(int d) {
    System.out.println("arrrgh");
    return true;
}
```
B:
```
boolean frighten(int x) {
    System.out.println("a bite?");
    return false;
}
```

**2**
A:
```
boolean frighten(int x) {
    System.out.println("arrrgh");
    return true;
}
```
B:
```
int frighten(int f) {
    System.out.println("a bite?");
    return 1;
}
```

**3**
A:
```
boolean frighten(int x) {
    System.out.println("arrrgh");
    return false;
}
```
B:
```
boolean scare(int x) {
    System.out.println("a bite?");
    return true;
}
```

**4**
A:
```
boolean frighten(int z) {
    System.out.println("arrrgh");
    return true;
}
```
B:
```
boolean frighten(byte b) {
    System.out.println("a bite?");
    return true;
}
```

**quebra-cabeças:** *quebra-cabeças na piscina*

## Quebra-cabeças na Piscina

Sua *tarefa* é pegar os trechos de código da piscina e inseri-los nas linhas em branco do código. Você pode usar o mesmo trecho mais de uma vez e talvez não precise empregar todos os trechos. Seu *objetivo* é criar um conjunto de classes que sejam compiladas e executadas juntas como um programa. Não se iluda - é mais difícil do que parece.

```java
public class Rowboat _____ _____ {
   public _____ rowTheBoat() {
      System.out.print("stroke natasha");
   }
}

public class _____ {
   private int _____ ;
   _____ void _____ ( _____ ) {
      length = len;
   }
   public int getLength() {
      _____ _____ ;
   }
   public _____ move() {
      System.out.print("_____");
   }
}

public class TestBoats {
   _____ _____ _____ main('String[] args){
      _____ b1 = new Boat();
      Sailboat b2 = new _____();
      Rowboat _____ = new Rowboat();
      b2.setLength(32);
      b1._____();
      b3._____();
      _____.move();
   }
}

public class _____ _____ Boat {
   public _____ _____() {
      System.out.print("_____");
   }
}
```

**Saída**

`drift  drift  hoist sail`

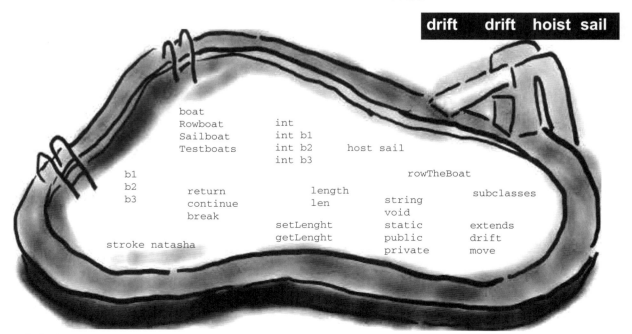

boat
Rowboat       int
Sailboat      int b1
Testboats     int b2       host sail
              int b3
b1                         rowTheBoat
b2   return   length
b3   continue len           string       subclasses
     break                  void
              setLenght    static        extends
              getLenght    public        drift
stroke natasha             private       move

144 capítulo 7

Soluções dos exercícios

## Seja o Compilador

**O conjunto 1 funcionará.**

O conjunto 2 não será compilado por causa do tipo de retorno (int) de Vampire.

O método frighten( ) de Vampire (B) não é uma sobreposição OU sobrecarga válida do método frighten( ) de Monster. Alterar SOMENTE o tipo de retorno não é suficiente para a criação de uma sobrecarga válida e, já que um int não é compatível com um booleano, o método não é uma sobreposição válida. (Lembre-se de que se você alterar SOMENTE o tipo de retorno, terá que ser para um tipo que seja compatível com o tipo de retorno da versão da superclasse, então teríamos uma sobre*posição*.)

Os conjuntos 3 e 4 serão compilados, mas produzirão:

```
arrrgh
breath fire
arrrgh
```

Lembre-se de que a classe Vampire não sobre*pôs* o método frighten( ) da classe Monster. (O método frighten( ) do conjunto 4 de Vampire usa um byte e não um int.)

## Mensagens misturadas

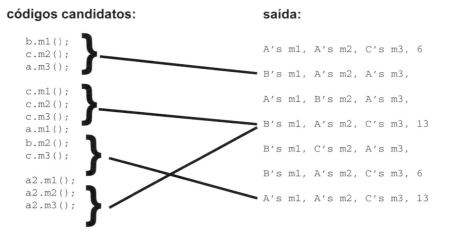

**Respostas do** *quebra-cabeças na piscina*

**Saída**

```
drift    drift    hoist sail
```

```java
public class Rowboat extends Boat {
    public void rowTheBoat() {
        System.out.print("stroke natasha");
    }
}

public class Boat {
    private int length ;
    public void setLength (int len) {
        length = len;
    }
    public int getLength() {
        return length ;
    }
    public void move() {
        System.out.print("drift  ");
    }
}
```

```java
public class TestBoats {
    public static void main(String[] args){
        Boat b1 = new Boat();
        Sailboat b2 = new Sailboat();
        Rowboat b3 = new Rowboat();
        b2.setLength(32);
        b1.move();
        b3.move();
        b2.move();
    }
}

public class Sailboat extends Boat {
    public void move() {
        System.out.print("hoist sail ");
    }
}
```

# 8 interfaces e classes abstratas

# Polimorfismo Real

**A herança é apenas o começo.** Para explorar o polimorfismo, precisamos de interfaces (mas não do tipo GUI). Temos que ir além da simples herança até um nível de flexibilidade que você só conseguirá projetando e codificando com especificações de interfaces. Algumas das partes mais interessantes do Java não poderiam ao menos existir sem interfaces, portanto mesmo se você não projetar com elas por sua própria conta, ainda terá que usá-las. Mas você vai querer projetar com elas. Precisará projetar com elas. **Vai se perguntar como conseguiu viver sem elas**. O que é uma interface? É uma classe 100% abstrata. O que é uma classe abstrata? É uma classe que não pode ser instanciada. Em que isso é útil? Você verá em breve. Mas se pensar no final do último capítulo e em como usamos argumentos polimórficos para que apenas um método de Vet pudesse usar subclasses de Animal de todos os tipos, bem, isso apenas arranhou a superfície. As interfaces representam o prefixo *poli* de polimorfismo. O *ab* de abstrato. A *cafeína* em Java.

*este é um novo capítulo* **147**

*projetando com* a herança

## Esquecemos algo quando projetamos essa classe?

A estrutura da classe não está tão ruim. Foi projetada para que os códigos duplicados fossem mantidos em um nível mínimo e sobrepusemos os métodos que achamos que deveriam ter implementações específicas da subclasse. Foi construída para ser adequada e flexível a partir de uma perspectiva polimórfica, já que podemos projetar programas usando a classe Animal e seus argumentos (e declarações de matrizes), para que qualquer subtipo de Animal — ***inclusive aqueles em que não pensamos no momento em que escrevemos nosso código*** — possa ser passado e usado no tempo de execução. Inserimos o protocolo comum a todos os objetos Animal (os quatro métodos que queremos que todos saibam que qualquer objeto Animal tem) na superclasse Animal e estamos prontos para começar a criar novos objetos Lion, Tiger e Hippo.

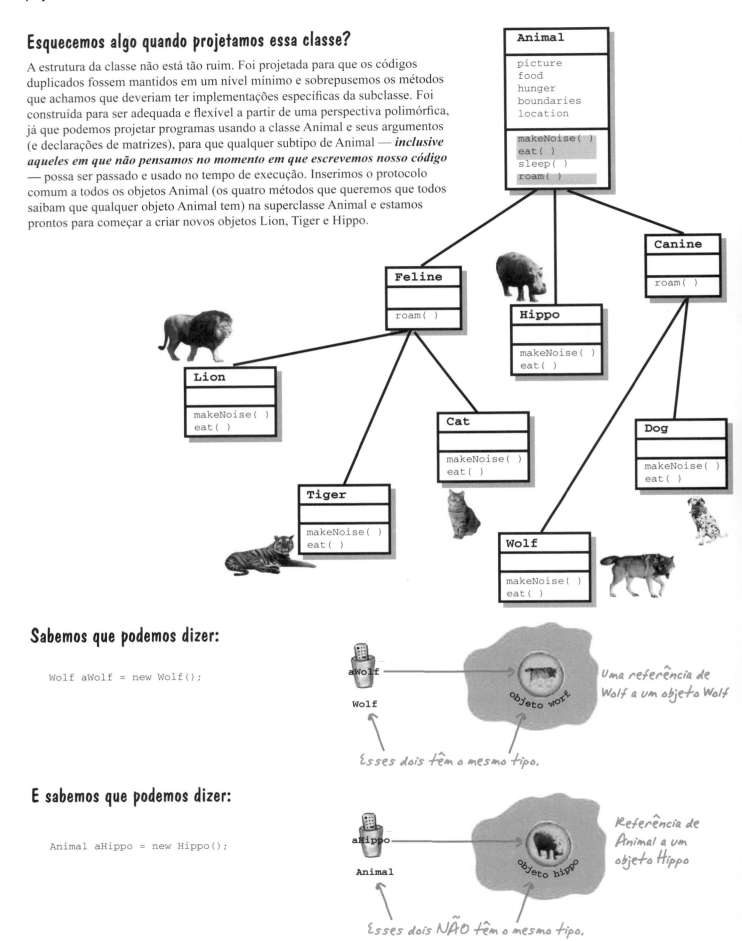

### Sabemos que podemos dizer:

```
Wolf aWolf = new Wolf();
```

Uma referência de Wolf a um objeto Wolf

Esses dois têm o mesmo tipo.

### E sabemos que podemos dizer:

```
Animal aHippo = new Hippo();
```

Referência de Animal a um objeto Hippo

Esses dois NÃO têm o mesmo tipo.

## Mas aqui é que começa a ficar estranho:

```
Animal anim = new Animal();
```

*Referência animal à um objeto animal*

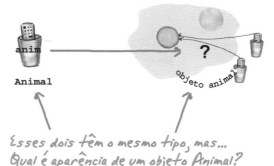

*Esses dois têm o mesmo tipo, mas... Qual é aparência de um objeto Animal?*

## Qual a aparência de um novo objeto Animal( )?

*objetos estranhos*

## Quais são os valores das variáveis de instância?

## Algumas classes não deviam ser instanciadas!

Faz sentido criar um objeto Wolf, um objeto Hippo ou um objeto Tiger, mas o que exatamente *é* um objeto Animal? Que forma ele tem? Que cor, tamanho, quantidade de pernas...

Tentar criar um objeto de tipo Animal é como **ter um pesadelo em que acontece um acidente no teletransporte de Jornada nas Estrelas™**. Aquele em que em algum local do processo de teletransporte algo errado acontece ao buffer.

Mas como lidar com isso? *Precisamos* de uma classe Animal, devido à herança e o polimorfismo. Mas queremos que os programadores instanciem somente as *subclasses* menos abstratas da classe Animal, e não a própria classe Animal. Queremos objetos Tiger e objetos Lion e ***não objetos Animal***.

Felizmente, há uma maneira simples de impedir que uma classe seja instanciada. Em outras palavras, de impedir que alguém use **"new"** com esse tipo. Se marcarmos a classe com **abstract**, o compilador impedirá que qualquer código, esteja onde estiver, crie uma instância desse tipo.

Você ainda poderá usar esse tipo abstrato como um tipo de referência. Na verdade, em grande parte é por isso que você tem essa classe abstrata (para usá-la como um argumento ou tipo de retorno polimórfico ou para criar uma matriz polimórfica).

Quando você estiver projetando sua estrutura de herança de classe, terá que decidir que classes serão *abstratas* e quais serão *concretas*. As classes concretas são aquelas específicas o suficiente para ser instanciadas. Uma classe ser *concreta* significa apenas que não há problemas em se criar objetos desse tipo.

Criar uma classe abstrata é fácil — insira a palavra-chave **abstract** antes da declaração da classe:

```
abstract class Canine extends Animal {
    public void roam() { }
}
```

## O compilador não permitirá que você instancie uma classe abstrata

Uma classe ser abstrata significa que ninguém poderá criar uma nova instância dessa classe. Você ainda poderá usar essa classe abstrata como um tipo de referência na declaração, para fins de polimorfismo, mas não terá que se preocupar com o fato de alguém criar objetos desse tipo. O compilador *garante* isso.

## classe abstratas e concretas

```
abstract public class Canine extends Animal {
    public void roam() { }
}

public class MakeCanine {

    public void go() {

        Canine c;
        c = new Dog();

        c = new Canine();

        c.roam();
    }
}
```

*Isso está correto, porque você sempre poderá atribuir um objeto da subclasse a uma referência da superclasse, mesmo se a superclasse for abstrata.*

*a classe Canine está marcada com asbtract, portanto o compilador NÃO permitirá que você faça isso.*

```
File Edit Window Help BeamMeUp
% javac MakeCanine.java

MakeCanine.java:5: Canine is abstract;
cannot be instantiated
        c = new Canine();
            ^
1 error
```

Uma **classe abstrata** praticamente* não tem utilidade, valor, razão de existir, a menos que seja **estendida**.

No caso da classe abstrata, quem se encarregará do trabalho no tempo de execução serão **instâncias de uma subclasse** de sua classe abstrata.

\* Há uma exceção aqui — uma classe abstrata pode ter membros estáticos (consulte o Capítulo 10).

## Abstrato versus concreto

Uma classe que não é abstrata é chamada de classe *concreta*. Na árvore de herança de Animal, se tornarmos Animal, Canine e Feline abstratas, isso deixará Hippo, Wolf, Dog, Tiger, Lion e Cat como as subclasses concretas.

Examine o API Java e você encontrará várias classes abstratas, principalmente na biblioteca de GUIs. Qual a aparência de um componente de GUI? Component é a superclasse das classes relacionadas às GUIs para coisas como botões, áreas de texto, barras de rolagem, caixas de diálogo e o que mais pudermos imaginar. Você não criará a instância de um objeto *Component* genérico e o inserirá na tela, criará um objeto JButton. Em outras palavras, você instanciará somente uma *subclasse concreta* de Component, mas nunca o próprio objeto Component.

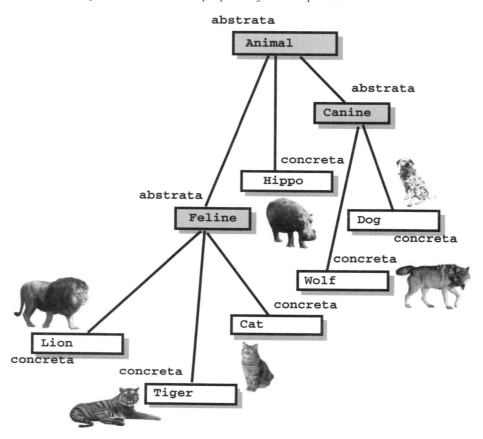

## abstrato ou concreto?

Como saber quando uma classe deve ser abstrata? *Vinho* provavelmente é abstrata. Mas e quanto a *Tinto* e *Branco*? Provavelmente abstratas também (para alguns de nós são mesmo). Mas em que ponto da hierarquia as coisas se tornam concretas?

Você acha que *PinotNoir* é concreta ou também é abstrata? Parece que o Camelot Vineyards 1997 Pinot Noir é concreto. Mas como ter certeza?

Examine a árvore de herança de Animal acima. As opções que fizemos para que classes são abstratas e quais das que são concretas parecem apropriadas? Você alteraria algo na árvore de herança de Animal (que não fosse adicionar mais objetos Animal, é claro)?

## Métodos abstratos

Além das classes, você também pode marcar os *métodos* como abstratos. Uma classe abstrata significa que ela deve ser *estendida*; um método abstrato significa que ele deve ser *sobreposto*. Você pode chegar à conclusão de que alguns (ou todos) comportamentos de uma classe abstrata não terão sentido, a menos que sejam implementados por uma subclasse mais específica. Em outras palavras, não é possível pensar na implementação de um método genérico que pudesse ser útil para as subclasses. Qual seria a aparência de um método *eat( )* genérico?

## Um método abstrato não tem corpo!

Como você já decidiu que nenhum código faria sentido no método abstrato, não inserirá um corpo no método. Portanto, não haverá chaves — simplesmente termine a declaração com um ponto-e-vírgula

`public abstract void eat( );` ← *Nenhum corpo no método! Termine-o com um ponto-e-vírgula.*

**Se você declarar um método como abstrato, também DEVE marcar a classe como abstrata. Não é possível ter um método abstrato em uma classe não-abstrata.**

Mesmo se você inserir apenas um método abstrato em uma classe, terá que torná-la abstrata. Mas é *possível* combinar métodos abstratos e não abstratos na classe abstrata.

---

### não existem
### Perguntas Idiotas

**P:** Qual é a vantagem em se ter um método abstrato? Pensei que a finalidade de uma classe abstrata seria termos um código comum que pudesse ser herdado pelas subclasses.

**R:** As implementações de métodos herdáveis (em outras palavras, métodos com corpos reais) são algo bom de se inserir em uma superclasse. Quando isso faz sentido. E em uma classe abstrata, geralmente não faz sentido, porque você não conseguirá criar um código genérico que seja útil para as subclasses. A vantagem de um método abstrato é que ainda que você não tenha inserido nenhum código de método real, terá definido parte do protocolo para um grupo de subtipos (subclasses).

*você deve implementar os métodos abstratos*

P: Qual é boa porque...

R: Por causa do polimorfismo! Lembre-se, o que queremos é a possibilidade de usar um tipo da superclasse (geralmente abstrato) como argumento, tipo de retorno ou tipo de matriz de um método. Dessa forma, você poderá adicionar novos subtipos (como uma nova subclasse de Animal) ao seu programa sem ter que reescrever (ou adicionar) novos métodos para lidar com esses novos tipos. Imagine o que você teria que alterar na classe Vet, se ela não usasse Animal como o tipo de argumento de seus métodos. Seria preciso ter um método separado para cada subclasse de Animal! Um método que usasse um objeto Lion, um que usasse um objeto Wolf, um que usasse... Percebeu? Portanto, com um método abstrato, você está dizendo, "todos os subtipos desse tipo têm ESSE método" para se beneficiar do polimorfismo.

## Você DEVE implementar todos os métodos abstratos

### Implementar um método abstrato é como sobrepor um método.

Os métodos abstratos não têm um corpo; eles existem somente por causa do polimorfismo. Isso significa que a primeira classe concreta da árvore de herança deve implementar *todos* os métodos abstratos.

No entanto, você pode retardar o processo sendo o máximo possível abstrato. Se tanto Animal quanto Canine forem abstratas, por exemplo, e as duas tiverem métodos abstratos, a classe Canine não terá que implementar os métodos abstratos de Animal. Mas, assim que chegarmos à primeira subclasse concreta, como Dog, essa subclasse terá que implementar *todos* os métodos abstratos tanto de Animal quanto de Canine.

Mas lembre-se de que uma classe abstrata pode ter tanto métodos abstratos quanto *não*-abstratos, portanto Canine, por exemplo, poderia implementar um método abstrato de Aninmal, para que Dog não tivesse que fazê-lo. Mas se Canine não fizer nada com os métodos abstratos de Animal, Dog terá que implementar todos eles.

Quando dizemos "você deve implementar o método abstrato", isso significa que *deve fornecer um corpo*. Significa que você deve criar um método não-abstrato em sua classe com a mesma assinatura (nome e argumentos) e um tipo de retorno que seja compatível com o declarado para o método abstrato. O que você vai inserir nesse método é problema seu. O Java só verificará se o método está *lá*. Em sua subclasse concreta.

### Aponte seu lápis

### Classes abstratas versus concretas

Passemos toda essa retórica abstrata para uma prática concreta. Na coluna do meio listamos algumas classes. Sua tarefa será imaginar aplicativos onde a classe listada possa ser concreta e aplicativos em que ela possa ser abstrata. Demos palpites nos primeiros para ajudar. Por exemplo, a classe Árvore seria abstrata no programa de um viveiro de árvores, onde as diferenças entre um Carvalho e um Álamo são importantes. Mas em um programa de simulação de golfe, a árvore pode ser uma classe concreta (talvez uma subclasse de Obstáculo), porque ele não dá importância ou faz a distinção entre diferentes tipos de árvore. (Não existe uma resposta correta; isso vai depender de seu projeto.)

| **Concreta** | **Exemplo de classe** | **Abstrata** |
|---|---|---|
| simulação de um curso de golfe | Árvore | aplicativo de viveiro de árvores |
| _____ | Casa | aplicativo de arquitetura |
| aplicativo de fotografia por satélite | Cidade | _____ |
| _____ | Jogador de Futebol | aplicativo de treinamento |
| _____ | Cadeira | _____ |

# Aponte seu lápis (continuação)

| Concreta | Exemplo de classe | Abstrata |
|---|---|---|
| _____ | Cliente | _____ |
| _____ | Pedido de Compra | _____ |
| _____ | Livro | _____ |
| _____ | Loja | _____ |
| _____ | Fornecedor | _____ |
| _____ | Clube de Golfe | _____ |
| _____ | Carburador | _____ |
| _____ | Forno | _____ |

## O polimorfismo em ação

Suponhamos que quiséssemos criar nosso *próprio* tipo de classe de lista, que armazenasse objetos Dog, mas vamos fingir por um momento que não conhecemos a classe ArrayList. Na primeira versão, daremos a ela apenas um método *add( )*. Usaremos uma matriz Dog simples (Dog[]) para armazenar os objetos Dog adicionados e atribuiremos o tamanho 5. Quando chegarmos ao limite de 5 objetos Dog, você ainda poderá chamar o método *add( )* mas ele não fará nada. Se *não* estivermos no limite, o método *add( )* inserirá o objeto Dog na matriz na próxima posição de índice disponível e, em seguida, incrementará esse próximo índice disponível (nextIndex).

### Construindo nossa própria lista específica de objetos Dog

(Talvez a pior tentativa já feita de criar nosso próprio tipo de classe ArrayList, a partir do zero.)

versão 1

**MyDogList**

Dog[] dogs
int nextIndex

add(Dog d)

```java
public class MyDogList {
    private Dog [] dogs = new Dog[5];   ← Usa uma matriz Dog antiga em segundo plano.

    private int nextIndex = 0;   ← Incrementaremos isso sempre que um novo objeto Dog for adicionado.

    public void add(Dog d) {
        if (nextIndex < dogs.length) {   ← Se ainda não tivermos chegado ao limite da matriz
            dogs[nextIndex] = d;              de cães, adiciona o objeto Dog e exibe a mensagem.
            System.out.println("Cão adicionado em " + nextIndex);
            nextIndex++;   ← Incrementa, para fornecer o próximo índice que será usado.
        }
    }
}
```

## Bem, agora também temos que armazenar objetos Cat.

Temos algumas opções aqui:

1) Criar uma classe separada, MyCatList, que armazenará objetos Cat. Muito complicado.

2) Criar um única classe, DogAndCatList, que terá duas matrizes diferentes como variáveis de instância e dois métodos add( ) distintos: addCat(Cat c) e addDog(Dog d). Outra solução complicada.

3) Criar a classe heterogênea AnimalList, que usará *qualquer* tipo de subclasse de Animal (já que sabemos que, se a especificação for alterada para adicionar objetos Cats, não demorará a termos também algum *outro* tipo de animal adicionado). Preferimos essa opção, portanto alteraremos nossa classe para torná-la mais genérica e usar objetos Animal em vez de apenas objetos Dog. Realçamos as alterações-chave (a lógica é a mesma, é claro, mas o tipo foi alterado de Dog para Animal em todos os locais do código).

*a superclasse superior: Object*

## Construindo nossa própria lista específica de objetos Animal

```
public class MyAnimalList {

    private Animal[] animals = new Animal[5];
    private int nextIndex = 0;

    public void add(Animal a) {
        if (nextIndex < animals.length) {
            animals[nextIndex] = a;
            System.out.println("Animal adicionado em " + nextIndex);
            nextIndex++;
        }
    }
}
```

*Não se assuste. Não estamos criando um novo objeto Animal; estamos criando um novo objeto de matriz, de tipo Animal. (Lembre-se de que você não pode criar uma nova instância de um tipo abstrato, mas PODE criar um objeto de matriz declarado para CONTER esse tipo.)*

② 

```
public class AnimalTestDrive{
    public static void main (String[] args) {
        MyAnimalList list = new MyAnimalList();
        Dog a = new Dog();
        Cat c = new Cat();
        list.add(a);
        list.add(c);
    }
}
```

```
Arquivo Editar Janela Ajuda Ferir
% java AnimalTestDrive
Animal adicionado em 0
Animal adicionado em 1
```

### E quanto aos objetos que não forem animais? Por que não criar uma classe genérica o bastante para poder armazenar qualquer coisa?

③ *Esses são apenas alguns dos métodos de ArrayList... Há muitos outros.*

Você sabe para onde isso está nos levando. Queremos alterar o tipo da matriz, e o argumento do método *add( )*, para algo que esteja *acima* de Animal. Algo ainda *mais* genérico, *mais* abstrato do que Animal. Mas como podemos fazê-lo? Não *temos* uma superclasse para Animal.

Mais uma vez, talvez tenhamos...

Lembram-se dos métodos de ArrayList? Observe como os métodos remove, contains e indexOf usam um objeto de tipo... **Object!**

### Todas as classes em Java estendem a classe Object.

A classe Object é a mãe de todas as classes; é a superclasse de *tudo*.

Mesmo se você se beneficiar do polimorfismo, ainda terá que criar uma classe com métodos que usem e retornem *seu* tipo polimórfico. Sem uma superclasse comum para tudo em Java, não haveria uma maneira de os desenvolvedores criarem classes com métodos que pudessem usar os *seus* tipos personalizados... *Os tipos que eles não conheciam quando criaram a classe ArrayList.*

Portanto, você esteve criando subclasses da classe Object desde o início sem nem mesmo saber disso. **Toda classe que você criar estenderá Object**, sem que seja preciso declará-lo. Mas você pode considerar isso como se tivesse criado uma classe dessa forma:

```
public class Dog extends Object {}
```

Porém espere um minuto, Dog *já* estende algo, *Canine*. Sem problemas. O compilador fará *Canine* estender Object. Mas *Canine* estende Animal. Sem problemas, o compilador fará com que *Animal* estenda Object.

### Qualquer classe que não estender explicitamente outra classe estenderá implicitamente Object.

Então, já que Dog estende Canine, não estenderá *diretamente* Object (embora o estenda indiretamente) e o mesmo é verdade para Canine, mas Animal estende diretamente Object.

```
ArrayList
boolean remove(Object elem)
    Removerá o objeto
    informado no parâmetro
    de índice. Retornará
    'verdadeiro' se o
    elemento estiver na
    lista.
boolean contains(Object elem)
    Retornará 'verdadeiro'
    se houver uma
    coincidência com o
    parâmetro de objeto.
boolean isEmpty( )
    Retornará 'verdadeiro'
    se a lista não tiver
    elementos.
int indexOf(Object elem)
    Retornará o índice do
    parâmetro de objeto ou -1.
Object get(int index)
    Retornará o elemento
    que estiver nessa
    posição na lista.
boolean add(Object elem)
    Adiciona o elemento à
    lista (retorna
    'verdadeiro').
// outros
```

*Muitos dos métodos de ArrayList usam o tipo polimórfico superior, Object. Já que toda classe em Java é uma subclasse de Object, esses métodos de ArrayList podem usar qualquer coisa! [Nota: a partir da Java 5.0, os métodos get( ) e add( ) parecem realmente um pouco diferentes dos mostrados aqui, mas por enquanto essa será a maneira como os consideraremos. Abordaremos a estória completa um pouco mais à frente.]*

*interfaces* e *classes abstratas*

## Mas o que é essa ultrasupermegaclasse Object?

Se você fosse a Java, que comportamento iria querer que *todo* objeto tivesse? Hmmmm... Vejamos... Que tal um método que lhe permita descobrir se um objeto é igual a outro? E um que possa lhe informar o tipo de classe real desse objeto? Talvez um método que forneça um código de hashing para o objeto, para que você possa usá-lo em tabelas de hashing (falaremos sobre as tabelas de hashing da Java no Capítulo 16). Ah, pensei em algo interessante — um método que exiba uma mensagem na forma de string para esse objeto.

E quer saber? Como se por encanto, a classe Object tem realmente métodos para essas quatro coisas. Isso não é tudo, mas esses são os métodos que nos importam realmente.

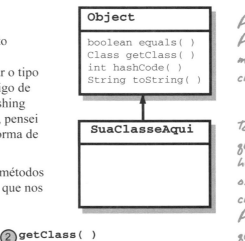

Apenas ALGUNS dos métodos da classe Object.

Toda classe que você criar herdará todos os métodos da classe Object. As classes que já criou herdaram métodos que você nem sabia que tinha.

① `equals(Object o)`

```
Dog a = new Dog();
Cat c = new Cat();

if (a.equals(c)) {
   System.out.println("true");
} else {
   System.out.println("false");
}
```

```
File Edit Window Help Stop
% java TestObject
false
```

*Informa se dois objetos são considerados iguais (falaremos sobre o que significa realmente igual no Apêndice B).*

② `getClass()`

```
Cat c = new Cat();
System.out.println(c.getClass());
```

```
File Edit Window Help Faint
% java TestObject
class Cat
```

*Retorna a classe em que o objeto foi instanciado.*

③ `hashCode()`

```
Cat c = new Cat();
System.out.println(c.hashCode());
```

```
File Edit Window Help Drop
% java TestObject
8202111
```

*Exibe o código de hashing do objeto (por enquanto, considere-o como uma identificação exclusiva).*

④ `toString()`

```
Cat c = new Cat();
System.out.println(c.toString());
```

```
File Edit Window Help LapseIntoComa
% java TestObject
Cat@7d277f
```

*Exibe uma mensagem na forma de string com o nome da classe e alguns outros números que raramente interessam.*

---

### não existem Perguntas Idiotas

P: **A classe Object é abstrata?**

R: Não. Bem, não no sentido formal em Java. Object é uma classe não-abstrata porque tem códigos de implementação de métodos que todas as classes podem herdar e usar independentemente, sem ser preciso empregar a sobreposição.

P: **Então podemos sobrepor os métodos de Object?**

R: Alguns deles. Mas outros estão marcados com final, o que significa que você não poderá sobrepô-los. Recomendamos que sobreponha hashCode(), equals() e toString() em suas próprias classes, o que você aprenderá a fazer posteriormente no livro. Mas alguns dos métodos, como getClass(), executam coisas que devem funcionar de uma maneira específica e garantida.

*você está aqui* ▶ **155**

*Object* e as classes abstratas

**P:** Se os métodos de ArrayList são suficientemente genéricos para usar Object, o que significa dizer ArrayList<DotCom>? Achei que estivesse limitando a ArrayList a só conter objetos DotCom?

**R:** E você a estava limitando. Antes do Java 5.0, as ArrayLists não podiam ser limitadas. Eram todas essencialmente o que você terá no Java 5.0 atualmente se escrever ArrayList<Object>. Em outras palavras, uma ArrayList limitada a qualquer coisa que fosse um objeto, o que significa qualquer objeto em Java, instanciado a partir de qualquer tipo de classe! Abordaremos os detalhes dessa nova sintaxe <tipo> posteriormente no livro.

**P:** Certo, voltando ao fato de a classe Object ser não-abstrata (portanto, acho que isso significa que ela é concreta), COMO permitir que alguém crie um objeto de tipo Object? Isso não é tão estranho quanto criar um objeto Animal?

**R:** Boa pergunta! Por que é aceitável criar uma nova instância de Object? Porque em algumas situações você pode querer usar um objeto genérico como, bem, um objeto. Um objeto leve. Sem dúvida, o uso mais comum de uma instância de tipo Object é na sincronização de threads (sobre a qual você aprenderá no Capítulo 15). Por enquanto, deixe isso em segundo plano e suponha que raramente criará objetos de tipo Object, ainda que possa fazê-lo.

**P:** Então estaria correto dizer que a finalidade principal do tipo Object é podermos usá-lo como argumento e tipo de retorno polimórfico? Como em ArrayList?

**R:** A classe Object serve a duas finalidades principais: agir como um tipo polimórfico para métodos que tenham que ser usados em qualquer classe que você ou outra pessoa criar, e fornecer códigos de métodos reais dos quais todos os objetos do Java precisam no tempo de execução (e inseri-los na classe Object significa

que todas as outras classes os herdarão). Alguns dos métodos mais importantes de Object estão relacionados a segmentos e os estudaremos posteriormente no livro.

**P:** Se é tão bom usar tipos polimórficos, por que não fazer com que TODOS os métodos usem e retornem o tipo Object?

**R:** Vejamos... Pense no que aconteceria. Em primeiro lugar, você invalidaria a importância da 'segurança de tipos', um dos melhores mecanismos de proteção do Java para seu código. Com a segurança de tipos, o Java garantirá que você não solicite ao objeto errado para fazer algo que queria pedir a outro tipo de objeto. Como solicitar a uma Ferrari (que você acha que é uma Torradeira) que cozinhe a si mesma. Mas a verdade é que você não precisa se preocupar com esse cenário causticante da Ferrari, mesmo se realmente usar referências de Object para tudo. Porque, quando os objetos são referenciados por um tipo Object, a Java interpreta que ele está referenciando uma instância de tipo Object. E isso significa que os únicos métodos que você pode chamar nesse objeto são os declarados na classe Object! Portanto, se você escrevesse este código:

```
Object o = new Ferrari();
o.goFast(); //Não é válido!
```

Não conseguiria nem fazê-lo passar pelo compilador. Já que o Java é uma linguagem fortemente tipificada, para se certificar o compilador verificará se você está chamando um método em um objeto que seja realmente capaz de responder. Em outras palavras, você pode chamar um método em uma referência de objeto somente se a classe do tipo da referência tiver o método. Abordaremos isso com muito mais detalhes um pouco mais adiante, portanto não se preocupe se o cenário não tiver ficado muito claro.

## O uso de referências polimórficas de tipo Object tem um preço...

Antes de você começar a usar o tipo Object em todos os seus argumentos e tipos de retorno ultra-flexíveis, terá que considerar um pequeno problema do uso do tipo Object como uma referência. E lembre-se que não estamos falando da criação de instâncias de tipo Object; estamos falando sobre a criação de instâncias de algum outro tipo, porém com o uso de uma referência de tipo Object.

Quando você inserir um objeto em uma ArrayList<**Dog**>, ele será inserido como um objeto Dog e também sairá como um objeto Dog:

```
ArrayList<Dog> myDogArrayList = new ArrayList<Dog>();
```
*Cria uma ArrayList declarada para armazenar objetos Dog.*

```
Dog aDog = new Dog();
```
*Cria um objeto Dog.*

```
myDogArrayList.add(aDog);
```
*Adiciona o objeto Dog à lista.*

```
Dog d = myDogArrayList.get(0);
```
*Atribui o objeto Dog da lista a uma nova variável de referência Dog.*
*[ Considere isso como se o método get( ) declarasse um tipo de retorno Dog porque você usou ArrayList<Dog>. ]*

**156** *capítulo 8*

*interfaces* e *classes abstratas*

Mas o que acontecerá quando você declará-la como ArrayList<**Object**>? Se quiser criar uma ArrayList que use literalmente *qualquer* tipo de objeto, terá que declará-la desta forma:

```
ArrayList<Object> myDogArrayList = new ArrayList<Object>();   ← Cria uma ArrayList declarada para conter qualquer tipo de objeto.
Dog aDog = new Dog();   ← Cria um objeto Dog.
myDogArrayList.add(aDog);   ← Adiciona o objeto Dog à lista.
```
[Essas duas etapas são iguais.]

E o que acontecerá quando você tentar capturar o objeto Dog e atribuí-lo a uma variável de referência Dog?

```
Dog d = myDogArrayList.get(0);
```
🚫 Não será compilado!! Quando você usar ArrayList<Object>, o método get() retornará o tipo Object. O compilador só saberá que o objeto herda de Object (em algum local de sua árvore de herança), mas não saberá que se trata de Dog!!

*Em uma ArrayList<Object> só serão capturadas referências de tipo Object, independentemente de qual for realmente o objeto ou de qual era o tipo de referência quando você adicionou o objeto à lista.*

**Os objetos serão inseridos como BolaFutebol, Peixe, Guitarra e Carro**

**Mas sairão como se fossem de tipo Object.**

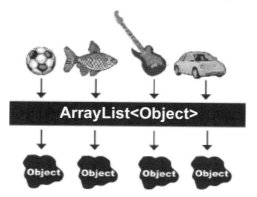

**Os objetos saem de uma ArrayList<Object> agindo como se fossem instâncias genéricas da classe Object. O compilador não terá como saber se o objeto que está sendo capturado é de algum tipo diferente de Object.**

## Quando um cão não age como um cão

O problema de tratarmos tudo polimorficamente como um tipo Object é que os objetos *parecem* perder (mas não permanentemente) sua verdadeira essência. *O cão parece perder sua natureza canina.* Vejamos o que acontece quando passamos um objeto Dog para um método que retorna uma referência ao mesmo objeto Dog, mas declara o tipo de retorno como Object em vez de Dog.

💭 Não sei do que você está falando. Sentar? Ficar quieto? Latir? Hmmmm... Não me lembro de saber o que é isso.

**Inválido**
```
public void go() {

    Dog aDog = new Dog();

    Dog sameDog = getObject(aDog);   ← Essa linha não funcionará! Ainda que o método retornasse uma
}                                       referência ao mesmo objeto Dog referenciado pelo argumento, o tipo
                                        de retorno Object significa que o compilador não permitirá que você
                                        atribua a referência retornada a outra coisa que não seja Object.

public Object getObject(Object o) {
    return o;   ← Estamos retornando uma referência ao mesmo objeto
}                  Dog, mas com um tipo de retorno Object. Essa parte é
                   perfeitamente válida. Nota: isso é semelhante a como o
                   método get() funciona quando temos ArrayList<Object>
                   em vez de ArrayList<Dog>.
```

```
File Edit Window Help Remember
DogPolyTest.java:10: incompatible types
found     : java.lang.Object
required  : Dog
    Dog sameDog = takeObjects(aDog);
1 error                      ^
```
← O compilador não sabe se o que foi retornado pelo método é realmente um objeto Dog, portanto ele não permitirá que você o atribua a uma variável de referência Dog. (Você verá por que na próxima página.)

você está aqui ▶ **157**

## Quando um Cão perde sua Natureza Canina

**Válido**

```
public void go() {
   Dog aDog = new Dog();
   Object sameDog = getObject(aDog);
}

public Object getObject(Object o) {
   return o;
}
```

*Isso funcionará (embora talvez não seja muito útil, como você verá em breve), porque podemos atribuir QUALQUER COISA a uma referência de tipo Object, já que todas as classes passariam no teste É-UM de Object. Em Java todos os objetos são uma instância de tipo Object, porque todas as classes têm Object no topo de sua árvore de herança.*

## Objetos não latem.

Portanto, agora sabemos que, quando um objeto é referenciado por uma variável declarada com o tipo Object, ele não pode ser atribuído a uma variável declarada com o tipo real do objeto. E sabemos que isso pode acontecer quando um tipo de retorno ou argumento é declarado com o tipo Object, como seria o caso, por exemplo, quando o objeto é inserido em uma ArrayList de tipo Object através de ArrayList<Object>. Mas quais são as implicações disso? Seria um problema termos que usar uma variável de referência Object para referenciar um objeto Dog? Tentemos chamar métodos de Dog em nosso Cão-Que-O-Compilador-Pensa-Que-É-Um-Objeto.

*Quando você capturar uma referência de objeto em ArrayList<Object> (ou qualquer método que declare Object como o tipo de retorno), ela retornará como um tipo de referência Object polimórfico. Portanto, você terá uma referência de Object (nesse caso) a uma instância de Dog.*

```
Object o = al.get(index);
int i = o.hashCode();
o.bark();
```

*Isso é adequado. A classe Object tem um método hashCode(), portanto você pode chamar esse método em QUALQUER objeto em Java.*

**Não será compilado!**

*Você não pode fazer isso! A classe Object não sabe o que significa bark(). Ainda que VOCÊ saiba que o que está no índice é na verdade um objeto Dog, o compilador não sabe disso.*

> **O compilador decidirá se você pode chamar um método com base no tipo da referência e não no tipo do objeto real.**

Mesmo se você *souber* que o objeto é válido ("...mas ele é mesmo um objeto Dog, juro..."), o compilador o verá como um tipo Object genérico. Para o compilador, você terá inserido um objeto Button. Ou um objeto Microwave. Ou alguma outra coisa que realmente não sabe latir. O compilador verificará a classe do tipo de *referência* — e não do tipo de *objeto* — para saber se você pode chamar um método usando essa referência.

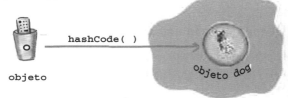

**Object**
equals( )
getClass( )
hashCode( )
toString( )

*O método que você estiver chamando em uma referência DEVE existir na classe desse tipo de referência. Não importa qual é o objeto real.*

`o.hashCode( );`

*A referência o foi declarada com o tipo Object, portanto você só pode chamar métodos se eles existirem na classe Object.*

> Ele me trata como um objeto. Mas sou capaz de muito mais... Se, pelo menos, ele me considerasse pelo que realmente sou.

## Entre em contato com seu objeto interior.

Um objeto contém *tudo* que ele herda de cada uma de suas superclasses. Isso significa que *todo* objeto — independentemente de seu tipo de classe real — *também* é uma instância da classe Object. Ou seja, qualquer objeto em Java pode ser tratado não só como um objeto Dog, Button ou Snowboard, mas também como Object. Quando você escrever **new Snowboard( )**, capturará um único objeto da pilha — um objeto Snowboard —, mas ele estará envolvendo um núcleo interno que representa sua parte Object (com "O" maiúsculo).

158 capítulo 8

*interfaces* e *classes abstratas*

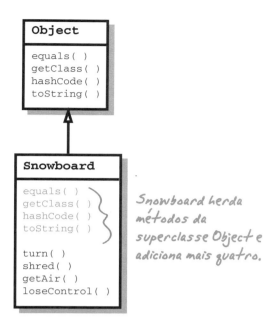

Snowboard herda métodos da superclasse Object e adiciona mais quatro.

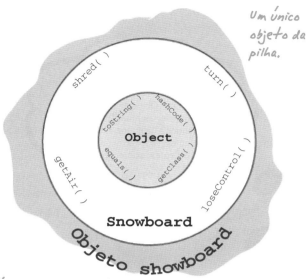

Um único objeto da pilha.

Há apenas UM objeto na pilha aqui. Um objeto Snowboard. Mas ele contém tanto partes referentes à classe Snowboard quanto partes referentes à classe Object.

## 'Polimorfismo' significa 'muitas formas'
### Você pode tratar um snowboard como um snowboard ou como um objeto.

Se uma referência é como um controle remoto, esse terá cada vez mais botões conforme você descer pela árvore de herança. Um controle remoto (referência) de tipo Object terá apenas alguns botões — os botões para os métodos expostos pela classe Object. Mas um controle remoto de tipo Snowboard incluirá todos os botões da classe Object, mais qualquer novo botão (para novos métodos) da classe Snowboard. Quanto mais específica a classe, mais botões ela poderá ter.

É claro que isso nem sempre é verdade; uma subclasse pode não adicionar nenhum método novo, mas simplesmente sobrepor os métodos de sua superclasse. O ponto-chave é que mesmo se o *objeto* for do tipo Snowboard, uma *referência* de Object a esse objeto não terá como saber quais são os métodos específicos de Snowboard.

**Quando você inserir um objeto em uma ArrayList<Object>, poderá tratá-lo somente como um tipo Object, independentemente do tipo que ele tinha quando foi inserido.**

**Quando você capturar uma referência em ArrayList<Object>, ela terá sempre o tipo Object.**

**Isso significa que você capturará um controle remoto de tipo Object.**

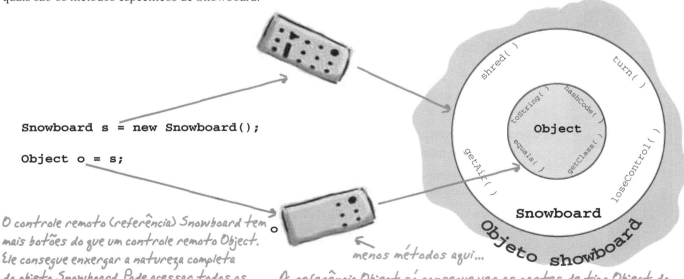

```
Snowboard s = new Snowboard();

Object o = s;
```

O controle remoto (referência) Snowboard tem mais botões do que um controle remoto Object. Ele consegue enxergar a natureza completa do objeto Snowboard. Pode acessar todos os métodos de Snowboard, inclusive os métodos herdados de Object e da classe Snowboard.

menos métodos aqui...

A referência Object só consegue ver as partes de tipo Object do objeto Snowboard. Ela pode acessar somente os métodos da classe Object. Tem menos botões que o controle remoto Snowboard.

você está aqui ▶ 159

convertendo *objetos*

## Convertendo uma referência de objeto novamente em seu tipo real.

Continua sendo um *objeto* Dog, mas se você quiser chamar seus métodos, precisará de uma referência declarada com o tipo Dog. Se tiver *certeza*\* de que se trata realmente de um objeto Dog, você poderá criar uma nova referência Dog desse objeto copiando a referência Object e forçando essa cópia a entrar em uma variável de referência Dog, usando uma conversão (para Dog). Você pode usar a nova referência para chamar métodos de *Dog*.

```
Object o = al.get(index);
Dog d = (Dog) o;
d.roam();
```

*converte o tipo Object novamente para um tipo Dog que sabemos estar*

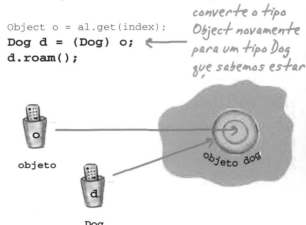

\*Se você *não* tiver certeza se é um objeto Dog, poderá usar o operador **instanceof** para verificar. Porque, se estiver errado quando fizer a conversão, verá uma exceção ClassCastException no tempo de execução e produzirá uma interrupção inesperada.

```
if (o instanceof Dog) {
   Dog d = (Dog) o;
}
```

*Converta o suposto tipo Object (que sabemos na verdade ser um objeto Dog) para o tipo Dog, para que você possa tratá-lo como o objeto Dog que ele realmente é.*

## Portanto, agora você sabe o quanto o Java se preocupa com os métodos da classe da variável de referência.

**Você só pode chamar um método em um objeto se a classe da variável de referência o tiver.**

**Considere os métodos públicos de sua classe como um contrato, o que você se compromete a fazer para o mundo externo.**

Quando criamos uma classe, quase sempre *expomos* alguns dos métodos a códigos externos a ela. *Expor* um método significa torná-lo acessível, geralmente marcando-o como público.

Imagine esse cenário: você está escrevendo o código de um pequeno programa de contabilidade empresarial. Um aplicativo personalizado para a "Simon's Surf Shop". Como está acostumado à reutilização, você encontrou uma classe Account que parece atender perfeitamente as necessidades, de acordo com sua documentação. Cada instância de conta representa a conta de um cliente na loja. Portanto, aí está você, cuidando de sua tarefa, chamando os métodos *credit( )* e *debit( )* em um objeto de conta quando percebe que precisa capturar o saldo de uma conta. Sem problemas — há um método *getBalance( )* que deve atender satisfatoriamente.

*interfaces e classes abstratas*

Porém... Quando você chamou o método *getBalance( )*, o processo inteiro foi interrompido no tempo de execução. Esqueça a documentação, a classe não tem esse método. Droga!

Mas isso não acontecerá realmente, porque sempre que você usar o operador ponto em uma referência (a.fazerAlgo( )), o compilador examinará o tipo da *referência* (o tipo que 'a' foi declarado para ter) e verificará essa classe para se certificar se ela tem o método e se o método usa realmente o argumento que está sendo passado e retorna o tipo de valor que estamos esperando.

**Apenas lembre-se de que o compilador verifica a classe da variável de *referência* e não a classe do *objeto* real para o qual a referência aponta.**

```
Account
debit(double amt)
credit(double amt)
double getBalance()
```

## E se você tiver que alterar o contrato?

Certo, suponhamos que você fosse um objeto Dog. Sua classe Dog não é o *único* contrato que define quem você é. Lembre-se de que você herdará os métodos acessíveis (o que geralmente significa *públicos*) de todas as suas superclasses.

É verdade que sua classe Dog define um contrato.

Mas não *todo* o seu contrato.

**Tudo que existir na classe *Canine* fará parte de seu contrato.**

**Tudo que existir na classe *Animal* fará parte de seu contrato.**

**Tudo que existir na classe *Object* fará parte de seu contrato.**

De acordo com o teste É-UM, você *é* todas essas coisas — Canino, Animal e Objeto.

Mas e se a pessoa que projetou sua classe tivesse em mente o programa de simulação de animais e agora quisesse usar você (a classe Dog) em um tutorial da feira de ciências sobre objetos Animal.

Tudo bem, talvez você possa ser reutilizado para isso.

Entretanto, e se posteriormente ela quiser usá-lo no programa de uma Pet Shop? *Você não tem nenhum comportamento de **animal doméstico (Pet)**.* Um objeto Pet precisa de métodos como *serAmigável( )* e *brincar( )*.

Bem, agora suponhamos que você fosse o programador da classe Dog. Sem problemas, certo? Apenas adicione mais alguns métodos a ela. Você não estará prejudicando o código das outras pessoas *adicionando* métodos, já que não está mexendo nos métodos existentes que outro código pode estar chamando em objetos Dog.

Consegue identificar alguma desvantagem nessa abordagem? (Adicionar métodos de Pet à classe Dog?)

Pense no que VOCÊ faria se fosse o programador da classe Dog e precisasse alterá-la para que também pudesse ter métodos de Pet. Sabemos que simplesmente adicionar novos comportamentos (métodos) de Pet à classe Dog será satisfatório e não interromperá o código de ninguém.

Mas... Esse é o programa de uma Pet Shop. Ele tem mais do que apenas objetos Dog! E se alguém quiser usar sua classe Dog em um programa que tenha cães *selvagens*? Que opções você acha que teria, e sem se preocupar com a maneira como a Java manipula as coisas, apenas tente imaginar como *gostaria* de resolver o problema da alteração de algumas de suas classes Animal para incluir comportamentos de Pet.

Faça uma pausa imediatamente e pense nisso, **antes de olhar a próxima página** onde começaremos a resolver o problema.

(Tornando, portanto, o exercício completamente inútil, eliminando sua Grande Chance de queimar algumas calorias cerebrais.)

## Examinemos algumas opções de projeto para a reutilização de algumas de nossas classes em um programa PetShop.

Nas próximas páginas, vamos analisar algumas possibilidades. Ainda não estamos preocupados se o Java conseguirá realmente *fazer* o que nos ocorrer. Estaremos avançando quando tivermos uma boa idéia de algumas correlações.

você está aqui ▶ 161

*alterando* classes existentes

### ① Opção um
Tomaremos o caminho mais fácil e inseriremos os métodos de Pet na classe Animal.

**Vantagens:**
Todos os objetos Animal herdarão instantaneamente os comportamentos de Pet. Definitivamente não teremos que mexer nas subclasses de Animal, de modo que qualquer subclasse de Animal criada no futuro também se beneficiará da vantagem de herdar esses métodos. Portanto, a classe Animal poderá ser usada como o tipo polimórfico de qualquer programa que queira tratar os objetos Animal como objetos Pet.

**Desvantagens:**
Bem... Quando foi a última vez que você viu um hipopótamo em uma loja de animais domésticos? E um leão? Um lobo? Poderia ser perigoso fornecer comportamentos de animal doméstico a animais selvagens.

Além disso, é quase certo que tenhamos que mexer em classes de Pet como Dog e Cat, porque (pelo menos em nossa casa) os cães e gatos tendem a implementar comportamentos de animais domésticos de maneira MUITO diferente.

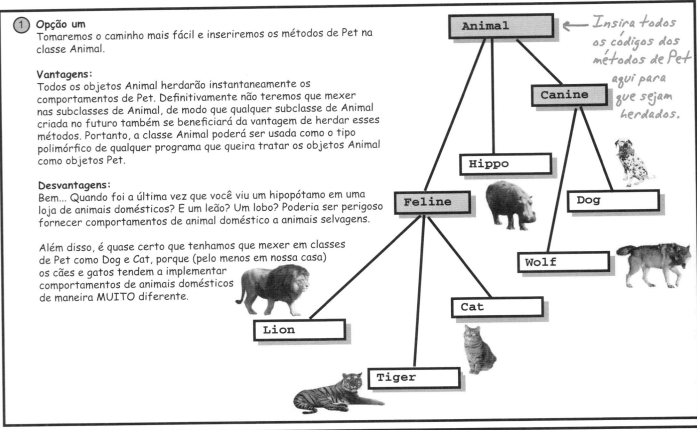

### ② Opção dois
Começaremos com a Opção Um, inserindo os métodos de Pet na classe Animal, mas os tornaremos abstratos, forçando as subclasses de Animal a sobrepô-los.

**Vantagens:**
Isso nos proporcionaria todos os benefícios da Opção Um, mas sem a desvantagem de termos animais selvagens com comportamentos de animais domésticos (como serAmigável( )). Todas as classes de Animal teriam o método (por ter sido inserido nessa classe), mas já que ele é abstrato as classes de animais selvagens não herdariam nenhuma funcionalidade. Todas as classes DEVEM sobrepor os métodos, mas podem torná-los "inúteis".

**Desvantagens:**
Já que os métodos de Pet são abstratos na classe Animal, as subclasses concretas de Animal serão forçadas a implementar todos eles. (Lembre-se de que os métodos abstratos DEVEM ser implementados pela primeira subclasse concreta da árvore de herança.) Que perda de tempo! Você terá que sentar e digitar cada método de Pet em cada classe concreta que não for de Pet e em todas as subclasses futuras. E embora isso resolva o problema de animais selvagens TEREM um comportamento de animais domésticos (o que aconteceria se eles herdassem a funcionalidade de Pet da classe Animal), o contrato não é satisfatório. Todas as classes de Animal anunciariam para todo mundo que também têm os comportamentos de Pet, ainda que na verdade eles não FAÇAM nada quando são chamados.

Essa abordagem não parece nem um pouco adequada. Parece errado inserir tudo que mais de um tipo de animal pode precisar na classe Animal, A MENOS que se aplique a TODAS as subclasses de Animal.

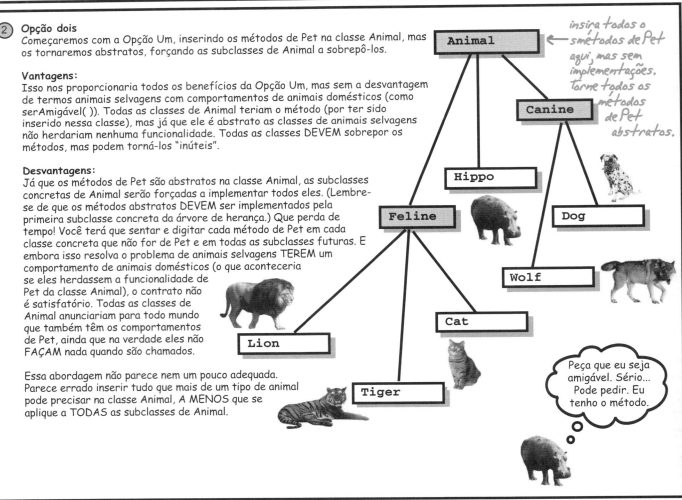

*interfaces* e classes abstratas

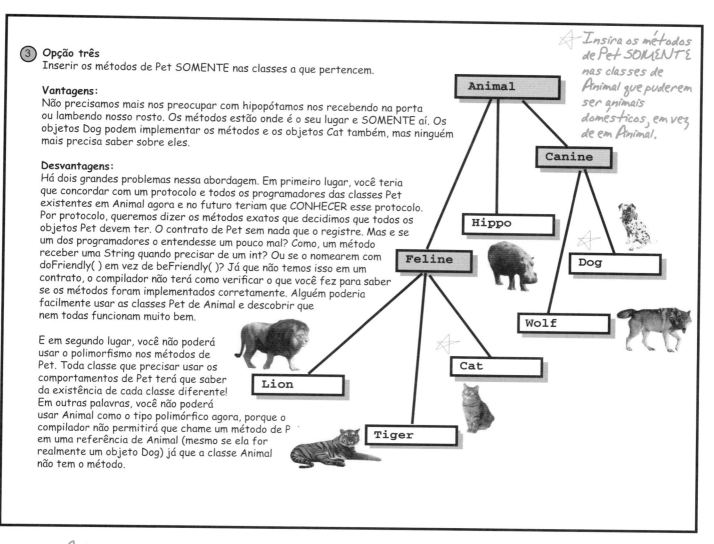

③ **Opção três**
Inserir os métodos de Pet SOMENTE nas classes a que pertencem.

**Vantagens:**
Não precisamos mais nos preocupar com hipopótamos nos recebendo na porta ou lambendo nosso rosto. Os métodos estão onde é o seu lugar e SOMENTE aí. Os objetos Dog podem implementar os métodos e os objetos Cat também, mas ninguém mais precisa saber sobre eles.

**Desvantagens:**
Há dois grandes problemas nessa abordagem. Em primeiro lugar, você teria que concordar com um protocolo e todos os programadores das classes Pet existentes em Animal agora e no futuro teriam que CONHECER esse protocolo. Por protocolo, queremos dizer os métodos exatos que decidimos que todos os objetos Pet devem ter. O contrato de Pet sem nada que o registre. Mas e se um dos programadores o entendesse um pouco mal? Como, um método receber uma String quando precisar de um int? Ou se o nomearem com doFriendly( ) em vez de beFriendly( )? Já que não temos isso em um contrato, o compilador não terá como verificar o que você fez para saber se os métodos foram implementados corretamente. Alguém poderia facilmente usar as classes Pet de Animal e descobrir que nem todas funcionam muito bem.

E em segundo lugar, você não poderá usar o polimorfismo nos métodos de Pet. Toda classe que precisar usar os comportamentos de Pet terá que saber da existência de cada classe diferente! Em outras palavras, você não poderá usar Animal como o tipo polimórfico agora, porque o compilador não permitirá que chame um método de P em uma referência de Animal (mesmo se ela for realmente um objeto Dog) já que a classe Animal não tem o método.

*Insira os métodos de Pet SOMENTE nas classes de Animal que puderem ser animais domésticos, em vez de em Animal.*

## Então NA VERDADE precisamos de:

- Uma maneira de termos comportamentos de animal doméstico **apenas** em classes Pet

- Uma maneira de garantir que todas as classes Pet tenham os mesmos métodos definidos (mesmo nome, mesmos argumentos, mesmos tipos de retorno, nenhum método faltando, etc.), sem ser preciso cruzar os dedos e rezar para que todos os programadores pensem igual.

- Uma maneira de nos beneficiarmos do polimorfismo para que todos os objetos Pet possam ter seus métodos chamados, sem que tenhamos que usar argumentos, tipos de retorno e matrizes específicos de cada classe Pet.

## Parece que precisamos de **DUAS** superclasses no topo da árvore

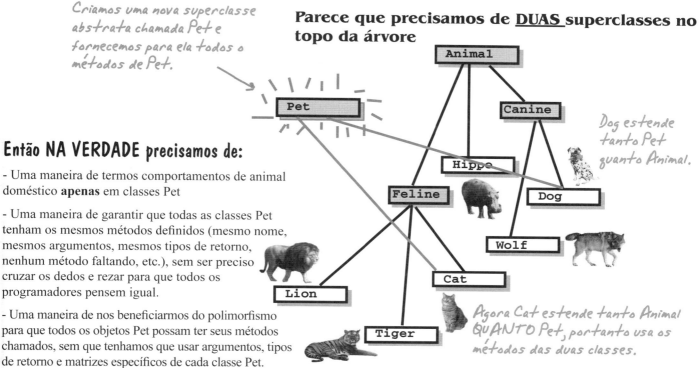

*Criamos uma nova superclasse abstrata chamada Pet e fornecemos para ela todos o métodos de Pet.*

*Dog estende tanto Pet quanto Animal.*

*Agora Cat estende tanto Animal QUANTO Pet, portanto usa os métodos das duas classes.*

*Os animais que não são domésticos não herdam nada de Pet.*

você está aqui ▸ 163

*herança múltipla?*

## Chama-se "herança múltipla" e pode ser Algo Realmente Perigoso.

Isto é, se fosse possível ocorrer em Java.

Mas não é, porque a herança múltipla apresenta um problema conhecido como O Losango Mortal.

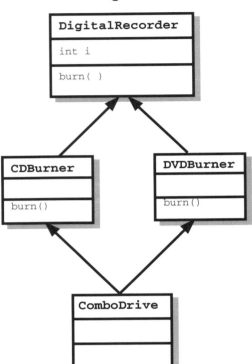

**Losango Mortal**

*Tanto CDBurner quanto DVDBurner herdam de DigitalRecorder e as duas classes sobrepõem o método burn(). Ambas herdam a variável de instância i.*

*Imagine se a variável de instância i for usada por CDBurner e DVDBurner, com valores diferentes. O que aconteceria se ComboDrive precisasse usar os dois valores de i?*

*Problema da herança múltipla. Que método burn() será executado quando você chamar burn() em ComboDrive?*

Uma linguagem que permita o Losango Mortal pode levar a algumas complexidades desagradáveis, porque você precisará de regras especiais para lidar com as possíveis ambigüidades. E regras adicionais significarão mais trabalho para você tanto no *aprendizado* dessas regras quanto na precaução contra esses "casos especiais". O Java foi projetada para ser *simples*, com regras consistentes que não travem em alguns cenários. Portanto, (diferente da C++) ela o protegerá de ter que pensar no Losango Mortal. Mas isso nos traz de volta ao problema original! *Como manipularemos a questão Animal/Pet?*

## A interface vem nos socorrer!

O Java lhe fornecerá uma solução. Uma *interface*. Não a interface de uma GUI, nem o uso genérico da *palavra* interface como em "essa é a interface pública para a API da classe Button", mas a palavra-chave Java **interface**.

Uma interface Java resolverá seu problema de herança múltipla fornecendo muitos dos *benefícios* polimórficos desse tipo de herança sem a ameaça do Losango Mortal (DDD, Deadly Diamond of Death).

A maneira como as interfaces se livram do DDD é surpreendentemente simples: *elas tornam todos os métodos abstratos!* Dessa forma, a subclasse **terá** que implementar os métodos (lembre-se de que os métodos abstratos *devem* ser implementados pela primeira subclasse concreta), portanto, no tempo de execução, a JVM não ficará confusa com relação a *qual* das duas versões herdadas deve chamar.

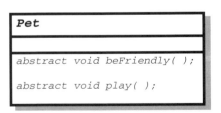

### Uma interface Java é como uma classe 100% abstrata.

*Todos os métodos de uma interface são abstratos, portanto, qualquer classe que FOR-UM animal doméstico DEVE implementar (isto é, sobrepor) os métodos de Pet.*

## Para <u>definir</u> uma interface:

`public interface Pet {...}` ← *Use a palavra-chave interface em vez de class*

*interfaces* e classes abstratas

## Para implementar uma interface:

```
public class Dog extends Canine implements Pet {...}
```

*Use a palavra-chave implements seguida do nome da interface. Observe que, quando você implementar uma interface, ainda poderá estender uma classe*

## Criando e implementando a interface de Pet

*Você escreverá 'interface' em vez de 'class' aqui*

```
public interface Pet {
    public abstract void beFriendly();
    public abstract void play();
}
```

*Os métodos da interface são implicitamente públicos e abstratos, portanto, digitar public e abstract é opcional (na verdade, não é considerado um estilo adequado digitar as palavras, mas fizemos isso aqui apenas para reforçar e porque nunca fomos escravos de modismos...)*

*Todos os métodos da interface são abstratos, portanto, DEVEM terminar com ponto-e-vírgula. Lembre-se de que eles não têm corpo!*

*Cão É-UM animal e Cão É-UM animal doméstico*

```
public class Dog extends Canine implements Pet {
    public void beFriendly() {...}
    public void play() {..}

    public void roam() {...}
    public void eat() {...}
}
```

*Insira 'implements' seguido do nome da interface*

*Você declarou ser um objeto Pet, portanto DEVE implementar os métodos de Pet. É seu contrato. Observe as chaves em vez do ponto-e-vírgula.*

*Esses são apenas métodos de sobreposição comuns.*

---

### não existem
### Perguntas Idiotas

**P:** **Espere um momento, as interfaces não fornecem realmente a herança múltipla, porque você não pode inserir qualquer código de implementação nelas. Se todos os métodos são abstratos, o que uma interface vai proporcionar realmente?**

**R:** Polimorfismo, polimorfismo, polimorfismo. As interfaces são a última palavra em flexibilidade, porque, se você usá-las em vez das subclasses concretas (ou até mesmo tipos da superclasse abstrata) como argumentos e tipos de retorno, poderá passar qualquer coisa que implemente essa interface. E pense bem — com uma interface, a classe não tem que ser proveniente de apenas uma árvore de herança. Uma classe pode estender uma classe e implementar uma interface. Mas outra classe pode implementar a mesma interface, mesmo vindo de uma árvore de herança completamente diferente! Portanto, você poderá tratar um objeto pelo tipo de classe da qual foi instanciado.

Na verdade, se você escrever um código que use interfaces, não terá nem mesmo que fornecer uma superclasse a ser estendida. Poderá apenas fornecer a interface e dizer "veja, não me importo com o tipo de estrutura de herança de classes que lhe deu origem, apenas implemente essa interface e poderá continuar".

O fato de você não poder inserir código de implementação deixa de ser um problema para a maioria dos bons projetistas, porque grande parte dos métodos da interface não faria sentido se implementada de uma maneira genérica. Em outras palavras, a maioria dos métodos da interface teria que ser sobreposta mesmo se os métodos não fossem forçados a ser abstratos.

*você está aqui* ▶ **165**

*o polimorfismo da interface*

## Classes de árvores de herança diferentes podem implementar a mesma interface.

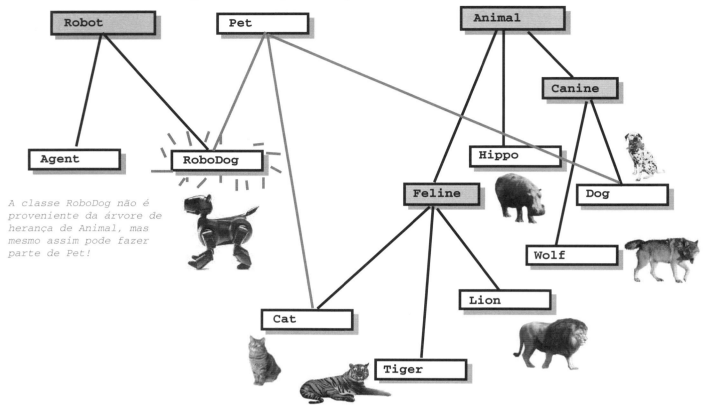

*A classe RoboDog não é proveniente da árvore de herança de Animal, mas mesmo assim pode fazer parte de Pet!*

Quando você usar uma *classe* como um tipo polimórfico (como em uma matriz de tipo Animal ou um método que use um argumento de tipo Canine), os objetos que poderá inserir nesse tipo devem ser provenientes da mesma árvore de herança. Mas não de qualquer local da árvore de herança; os objetos devem ser provenientes de uma classe que seja uma subclasse do tipo polimórfico. Um argumento de tipo Canine pode aceitar um objeto Wolf e um objeto Dog, mas não Cat ou Hippo.

Mas quando você usar uma **interface** como um tipo polimórfico (como em uma matriz de objetos Pet), os objetos poderão ser provenientes de *qualquer local* da árvore de herança. O único requisito é que os objetos sejam provenientes de uma classe que *implemente* a interface. Permitir que classes de árvores de herança diferentes implementem uma interface comum é crucial na API Java. Você quer que um objeto possa salvar seu estado em um arquivo? Implemente a interface Serializable. Precisa que os objetos executem seus métodos em um segmento separado? Implemente Runnable. Você deve ter entendido. Aprenderemos mais sobre Serializable e Runnable em capítulos posteriores, mas, por enquanto, lembre-se de que classes de *qualquer* local da árvore de herança podem ter que implementar essas interfaces. Quase *qualquer* classe pode ter que ser salva ou executada.

## O melhor é que uma classe pode implementar várias interfaces!

Um objeto Dog É-UM tipo Canine, É-UM tipo Animal e É-UM tipo Object, tudo através da herança. Mas Dog É-UM tipo Pet através da implementação da interface e esse objeto também pode implementar outras interfaces. Você poderia escrever:

```
public class Dog extends Animal implements Pet,
Saveable, Paintable { ... }
```

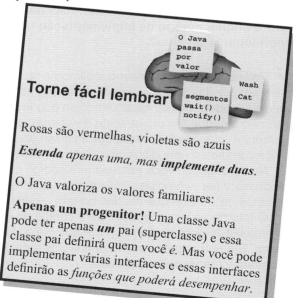

Rosas são vermelhas, violetas são azuis

**Estenda** apenas uma, mas **implemente duas**.

O Java valoriza os valores familiares:

**Apenas um progenitor!** Uma classe Java pode ter apenas **um** pai (superclasse) e essa classe pai definirá quem você é. Mas você pode implementar várias interfaces e essas interfaces definirão as *funções* que poderá desempenhar.

*interfaces e classes abstratas*

## Como saber se você deve criar uma classe, uma subclasse, uma classe abstrata ou uma interface?

- Crie uma classe que não estenda nada (a não ser Object) quando sua nova classe não passar no teste É-UM com nenhum outro tipo.

- Crie uma subclasse (em outras palavras, *estenda* uma classe) somente quando tiver que criar uma versão **mais específica** de uma classe e precisar sobrepor ou adicionar novos comportamentos.

- Use uma classe abstrata quando quiser definir um **modelo** para um grupo de subclasses e tiver pelo menos *algum* código de implementação que todas as subclasses possam usar. Torne a classe abstrata quando quiser garantir que ninguém possa criar objetos desse tipo.

- Use uma interface quando quiser definir uma **função** que outras classes possam desempenhar, independentemente de onde essas classes estejam na árvore de herança.

## Chamando um método na versão da superclasse

P: E se você criar uma subclasse concreta e tiver que sobrepor um método, mas quiser o comportamento da versão do método existente na superclasse? Em outras palavras, e se você não precisar substituir o método através de uma sobreposição e quiser apenas acrescentar a ele algum código específico adicional.

R: Vejamos... Pense no significado da palavra 'estender'. Há uma área para o desenvolvimento de um projeto adequado de OO que cuida de como deve ser projetado um código concreto que tenha que ser sobreposto. Em outras palavras, você escreveu o código do método em, digamos, uma classe abstrata, que executa uma tarefa genérica o suficiente para dar suporte às implementações concretas comuns. Mas, o código concreto não é suficiente para manipular todas as tarefas específicas da subclasse. Portanto, a subclasse sobreporá o método e o estenderá adicionando o resto do código. A palavra-chave super permitirá que você chame a versão da superclasse de um método sobreposto, de dentro da subclasse.

```java
abstract class Report {
    void runReport() {
        // configura relatório
    }
    void printReport() {
        // impressão genérica
    }
}
```

*a versão da superclasse para o método executa tarefa importante que as subclasses poderiam usar*

```java
class BuzzwordsReport extends Report {

    void runReport() {
        super.runReport();
        buzzwordCompliance();
        printReport();

    }
    void buzzwordCompliance() {...}
}
```

*chama versão da superclasse e, em seguida, volta a executar alguma tarefa específica da subclasse*

*Se o código de um método existente dentro de uma subclasse BuzzwordReport tiver:*

**super.runReport( );**

*o método runReport( ) da superclasse Report será executado*

*método da subclasse (sobrepõe a versão da superclasse)*

runReport( )
buzzwordCompliance( )

runReport( )
printReport( )

**Report**

**BuzzwordReport**

*métodos da superclasse (inclusive o método runReport( ) sobreposto)*

**super.runReport( );**
*Uma referência ao objeto da subclasse (BuzzwordReport) sempre chamará a versão da subclasse de um método sobreposto. Isso é polimorfismo. Mas o código da subclasse pode chamar super. runReport( ) para usar a versão da superclasse.*

*A palavra-chave super é na verdade uma referência à parte de um objeto relacionada à superclasse. Quando o código da subclasse usar super, como em super.runReport( ), a versão da superclasse para o método será executada.*

voçê está aqui ▸ **167**

*discriminação dos pontos*

# PONTOS DE BALA

- Quando você não quiser que uma classe seja instanciada (em outras palavras, não quiser que ninguém crie um novo objeto desse tipo de classe) marque-a com a palavra-chave **abstract**.

- Uma classe abstrata pode ter tanto métodos abstratos quanto não-abstratos.

- Se uma classe tiver ao menos *um* método abstrato, ela deve ser marcada como abstrata.

- O método abstrato não tem corpo e a declaração termina com ponto-e-vírgula (não há chaves).

- Todos os métodos abstratos devem ser implementados na primeira subclasse concreta da árvore de herança.

- Toda classe em Java é uma subclasse direta ou indireta da classe **Object** (java.lang.Object).

- Os métodos podem ser declarados com argumentos e/ou tipos de retorno de Object.

- Você *só* poderá chamar métodos em um objeto se eles existirem na classe (ou interface) usada como o tipo da variável de *referência*, independentemente do tipo real do *objeto*. Portanto, uma variável de referência de tipo Object só poderá ser usada para chamar métodos definidos na classe Object, a despeito do tipo do objeto para o qual a referência apontar.

- Uma variável de referência de tipo Object não pode ser atribuída a qualquer outro tipo de referência sem uma *conversão*. A conversão pode ser usada para atribuir uma variável de referência de um tipo a uma variável de referência de um subtipo, mas no tempo de execução a conversão falhará se o objeto da pilha NÃO for de um tipo compatível com ela.

Exemplo: Dog d = (Dog) x.getObject(aDog);

- Todos os objetos capturados em ArrayList<Object> terão o tipo Object (o que significa que só poderão ser referenciados por uma variável de referência Object, a menos que você use uma *conversão*).

- A herança múltipla não é permitida em Java, por causa dos problemas associados ao "Losango Mortal". Isso significa que você só poderá estender uma classe (isto é, só poderá ter uma superclasse imediata).

- Uma interface é como uma classe abstrata 100% pura. Ela *só* define métodos abstratos.

- Crie uma interface usando a palavra-chave **interface** em vez da palavra **class**.

- Implemente uma interface usando a palavra-chave **implements**

Exemplo: Dog implements Pet

- Sua classe poderá implementar várias interfaces.

- Uma classe que implementar uma interface *deve* implementar todos os métodos dessa interface, já que *eles serão implicitamente públicos e abstratos.*

- Para chamar um método com a versão da superclasse a partir de uma subclasse que o tenha sobreposto, use a palavra-chave **super**. Exemplo: **super**.runReport( );

**P:** Ainda há algo estranho aqui... Você não explicou por que ArrayList<Dog> retorna referências de Dog que não precisam ser convertidas, ainda que a classe ArrayList use Object em seus métodos e não Dog (ou DotCom ou qualquer outra coisa). Que truque especial usamos quando escrevemos ArrayList<Dog>?

**R:** Você está certo em chamar isso de truque especial. É realmente um truque especial ArrayList<Dog> retornar objetos Dog sem que nenhuma conversão seja necessária, já que os métodos de ArrayList parecem não saber nada sobre Dog ou qualquer tipo que não seja Object.

Uma resposta rápida seria que o compilador gerará a conversão para você! Quando você usar ArrayList<Dog>, não haverá uma classe especial com métodos que usem e retornem objetos Dog, mas em vez disso, <Dog> sinalizará para o compilador que você deseja que ele lhe permita inserir SOMENTE objetos Dog e que o impeça se tentar adicionar qualquer outro tipo à lista. E já que o compilador o impedirá de adicionar algo que não seja um objeto Dog a ArrayList, ele também saberá que é seguro converter qualquer coisa proveniente dessa ArrayList em uma referência Dog. Em outras palavras, usar ArrayList<Dog> o poupará de ter que converter o objeto Dog que você capturar. Mas é muito mais importante que isso... Porque lembre-se de que uma conversão pode falhar no tempo de execução, de modo que não seria melhor que seus erros ocorressem no tempo de compilação do que, digamos, quando seu cliente estiver usando o código para algo crítico?

Mas há muito mais detalhes nessa estória e examinaremos todos no capítulo sobre objetos Collection.

**168** *capítulo 8*

*interfaces* e *classes abstratas*

### Exercício

Aqui está uma chance de demonstrar suas habilidades artísticas? À esquerda você encontrará conjuntos de declarações de classe e interface. Sua tarefa é desenhar os diagramas de classe associados à direita. Fizemos o primeiro para você. Use uma linha tracejada para representar "implements" e uma sólida para "extends".

**Dado:**

```
1)
public interface Foo { }
public class Bar implements Foo { }

2)
public interface Vinn { }
public abstract class Vout implements Vinn { }

3)
public abstract class Muffie implements Whuffie { }
public class Fluffie extends Muffie { }
public interface Whuffie { }

4)
public class Zoop { }
public class Boop extends Zoop { }
public class Goop extends Boop { }

5)
public class Gamma extends Delta implements Epsilon { }
public interface Epsilon { }
public interface Beta { }
public class Alpha extends Gamma implements Beta { }
public class Delta { }
```

### Qual é o cenário?

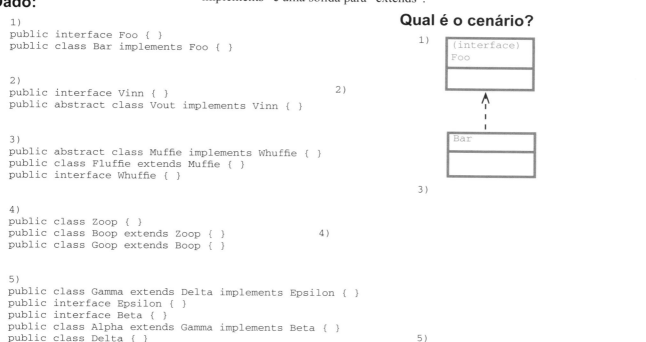

### Exercício

À esquerda você encontrará conjuntos de diagramas de classes. Sua tarefa é convertê-los em declarações Java válidas. Fizemos o número 1 para você (e foi difícil).

**Dado:**

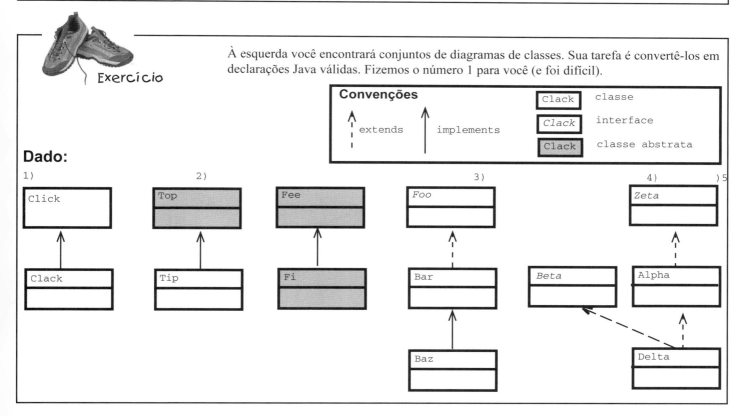

### Qual é a declaração?

```
1) public class Click {}
   public class Clack extends Click {}
2)
```

*quebra-cabeças:* quebra-cabeças na piscina

3)

4)

5)

## Quebra-cabeças na Piscina

Sua *tarefa* é pegar os trechos de código da piscina e inseri-los nas linhas em branco do código e da saída. Você **pode** usar o mesmo trecho mais de uma vez e não precisa empregar todos os trechos. Seu *objetivo* é criar uma classe que seja compilada e executada produzindo a saída listada.

```
_____ Nose {
    _____
}

abstract class Picasso implements _____ {
    _____
        return 7;
    }
}

class _____ _____ _____ { }

class _____ _____ _____ {
    _____
        return 5;
    }
}

public _____ _____ extends Clowns {

    public static void main(String [] args) {
        _____
        i[0] = new _____
        i[1] = new _____
        i[2] = new _____
        for(int x = 0; x < 3; x++) {
            System.out.println(_____ + " " + _____.getClass( ) );
        }
    }
}
```

**Saída**

```
File Edit Window Help BeAfraid
%java _____
5 class Acts
7 class Clowns
        Of76
```

**Nota: cada trecho de código da piscina pode ser usado mais de uma vez!**

```
Acts( );         class
Nose( );         extends
Of76( );         interface
Clowns( );       implements       class
Picasso( );            i          5 class          Acts
                       i( )       7 class          Nose
                       i(x)       7 public class   Of76
                       i[x]                        Clowns
                                                   Picasso
Of76 [ ] i = new Nose[3];     public int iMethod( ) ;
Of76 [ 3 ] i;                 public int iMethod { }
Nose [ ] i = new Nose( );     public int iMethod ( ) {      i.iMethod(x)
Nose [ ] i = new Nose[3];     public int iMethod ( ) { }    i(x).iMethod[ ]
                                                            i[x].iMethod( )
                                                            i[x].iMethod[ ]
```

## Solução dos Exercícios

## Qual é o cenário?

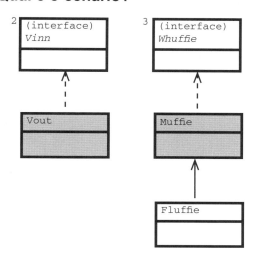

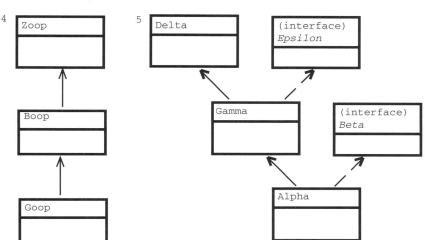

## Qual é a declaração?

2) ```
public abstract class Top { }
public class Tip extends Top { }
```

3) ```
public abstract class Fee { }
public abstract class Fi extends Fee { }
```

4) ```
public interface Foo { }
public class Bar implements Foo { }
public class Baz extends Bar { }
```

5) ```
public interface Zeta { }
public class Alpha implements Zeta { }
public interface Beta { }
public class Delta extends Alpha
implements Beta { }
```

## Solução do Quebra-cabeças

```
interface Nose {
    public int iMethod( ) ;
}
abstract class Picasso implements Nose {
    public int iMethod( ) {
        return 7;
    }
}
class Clowns  extends  Picasso { }
class Acts  extends  Picasso {
    public int iMethod( ) {
        return 5;
    }
}
```

```
public class   Of76 extends Clowns {
    public static void main(String [] args) {
        Nose [ ] i = new Nose [3];
        i[0] = new Acts( );
        i[1] = new Clowns( );
        i[2] = new Of76( );
        for(int x = 0; x < 3; x++) {
            System.out.println(i [x] . iMethod( )
                    + " " + i [x].getClass( ) );
        }
    }
}
```

# 9 **construtores** e coleta de lixo

# Vida e Morte de um Objeto

...então ele disse, "Não consigo sentir minhas pernas!" e eu disse "Joe! Fique comigo Joe!" Mas era... Tarde demais. O coletor de lixo veio e... Ele se foi. O melhor objeto que já tive.

**Objetos nascem e objetos morrem.** Você é quem manda no ciclo de vida de um objeto. Decide quando e como **construí-los**. Também decide quando **destruí-los**. Exceto pelo fato de não ser você próprio que destruirá realmente o objeto, apenas o abandonará. Mas quando ele for abandonado, o desalmado **Coletor de Lixo (gc, garbage collector)** poderá eliminá-lo, solicitando a memória que o objeto estava usando. Quando você empregar a Java, criará objetos. Cedo ou tarde, terá que permitir que alguns deles sejam eliminados ou estará se arriscando a ficar com pouca RAM. Neste capítulo examinaremos como os objetos são criados, onde residem enquanto estão ativos e como manter ou abandoná-los eficientemente. Isso significa que falaremos sobre o acervo, a pilha, o escopo, construtores, superconstrutores, referências nulas e muito mais. Aviso: o capítulo contém material sobre a morte de objetos que algumas pessoas podem achar perturbador. Melhor não se deixar impressionar muito.

*este é um novo capítulo* 173

## A pilha e o acervo: onde as coisas residem

Antes de conseguirmos compreender o que ocorre realmente quando criamos um objeto, temos que retroceder um pouco. Precisamos aprender mais sobre onde tudo reside (e por quanto tempo) em Java. Isso significa que precisamos aprender mais sobre a Pilha e o Acervo. Em Java, nós (os programadores) nos preocupamos com duas áreas da memória — aquela em que os objetos residem (o heap) e aquela em que as chamadas de método e as variáveis locais residem (a pilha). Quando uma JVM é iniciada, ela captura um bloco de memória do sistema operacional subjacente e o usa para executar o programa Java. A *quantidade* de memória, e se é possível ou não ajustá-la, vai depender de que versão da JVM (e em que plataforma) você estiver executando. Mas geralmente *não* é preciso se preocupar com isso. E com uma programação adequada, provavelmente você não terá problemas (veremos mais sobre esse assunto um pouco mais à frente).

Sabemos que todos os *objetos* residem na pilha de lixo coletável, mas ainda não examinamos onde as *variáveis* residem. E o local onde uma variável irá residir vai depender da *espécie* dessa variável. Por "espécie", não queremos dizer *tipo* (isto é, primitivo ou referência de objeto). As duas *espécies* de variável com as quais nos preocuparemos agora são as variáveis de *instância* e as variáveis *locais*. As variáveis locais também são conhecidas como variáveis de *pilha*, o que é uma boa pista de onde elas residem.

**A Pilha**
Onde as chamadas de método e as variáveis locais residem

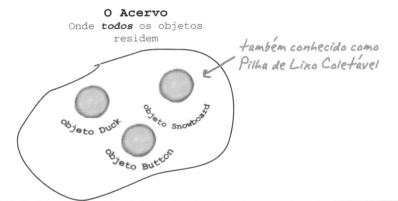

**O Acervo**
Onde **todos** os objetos residem

*também conhecido como Pilha de Lixo Coletável*

### Variáveis de instância

**As variáveis de instância são declaradas dentro de uma classe, mas *não* dentro de um método.** Elas representam os "campos" que cada objeto individual tem (que podem ser preenchidos com valores diferentes para cada instância da classe). As variáveis de instância residem dentro do objeto a que pertencem.

```
public class Duck {
   int size;
}
```

*Todo objeto Duck tem uma variável de instância size.*

### Variáveis locais

**As variáveis locais são declaradas dentro de um *método*, inclusive como parâmetros do método.** Elas são temporárias e só existem enquanto o método está na pilha (em outras palavras, enquanto o método não alcançar a chave de fechamento).

```
public void foo(int x) {
   int i = x + 3;
   boolean b = true;
}
```

*O parâmetro x e as variáveis i e b são todos variáveis locais.*

## Os métodos são empilhados

Quando você chamar um método, ele será inserido no topo de uma pilha de chamadas. Esse novo item que na verdade é empurrado para a pilha é o *ponteiro* da pilha e ele contém o estado do método inclusive que linha de código está executando e os valores de todas as variáveis locais.

O método no *topo* da pilha é sempre o que está sendo executado atualmente para essa pilha (por enquanto, presumiremos que há apenas uma pilha, mas no Capítulo 14 adicionaremos mais). Um método permanece na pilha até atingir sua chave de fechamento (o que significa que ele foi concluído). Se o método *foo( )* chamar o método *bar()*, esse será empilhado acima de *foo()*.

**Uma pilha de chamadas com dois métodos**

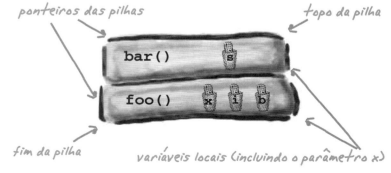

**O método no topo da pilha é sempre aquele que está sendo executado atualmente.**

*construtores e coleta de lixo*

```
public void doStuff() {
   boolean b = true;
   go(4);
}

public void go(int x) {
   int z = x + 24;
   crazy();
      // imagine mais código aqui
}

public void crazy() {
   char c = 'a';
}
```

## O cenário de uma pilha

O código à esquerda é um bloco (não nos preocupamos com a aparência do resto da classe) com três métodos. O primeiro método (*doStuff()*) chama o segundo (*go()*) e o segundo chama o terceiro (*crazy()*). Cada método declara uma variável local dentro do corpo do método e o método *go()* também declara uma variável de parâmetro (o que significa que *go()* tem duas variáveis locais).

①  Um código de outra classe chama o método **doStuff( )** e esse é inserido em um ponteiro no topo da pilha. A variável booleana chamada '**b**' é inserida no ponteiro de pilha de **doStuff( )**.

②  **doStuff( )** chama **go( )**. **go( )** é *empurrado* para o topo da pilha. As variáveis '**x**' e '**z**' estão no ponteiro de pilha de **go( )**.

③  **go( )** chama **crazy( )**. Agora **crazy( )** está no topo da pilha, com a variável '**c**' no ponteiro.

④  **crazy( )** é concluído e seu ponteiro é *retirado* da pilha. A execução retorna pra o método **go( )** e prossegue na linha seguinte à chamada de **crazy( )**.

## E quanto às variáveis locais que forem <u>objetos</u>?

Lembre-se, uma variável não-primitiva armazena a *referência* a um objeto e não o próprio objeto. Você já sabe onde os objetos residem — no acervo. Não importa onde eles forem declarados ou criados. *Se a variável local for uma referência a um objeto, só a variável (a referência/controle remoto) entrará na pilha.*

*O objeto propriamente dito continuará no acervo.*

```
public class StackRef {
   public void foof() {
      barf();
   }

   public void barf() {
      Duck d = new Duck(24);
   }
}
```

*barf() declara e cria uma nova variável de referência d do objeto Duck (já que ela é declarada dentro do método, é uma variável local e será inserida na pilha).*

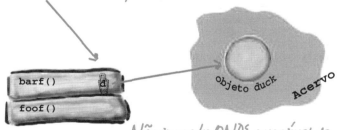

*Não importa ONDE a variável de referência do objeto for declarada (dentro de um método ou como a variável de instância de uma classe) o objeto sempre será inserido no acervo.*

não existem
## Perguntas Idiotas

**P:** Mais uma vez, POR QUE estamos examinando o assunto da pilha/acervo? Em que ele me ajudará? Preciso realmente aprender isso?

**R:** Conhecer os aspectos básicos da Pilha e do Acervo em Java será crucial se você quiser compreender o escopo das variáveis, questões relacionadas à criação de objetos, o gerenciamento da memória, segmentos e a manipulação de exceções. Abordaremos os segmentos e a manipulação de exceções em capítulos posteriores, mas os outros assuntos você aprenderá neste capítulo. Não é preciso saber cada detalhe sobre como a Pilha e o Acervo são implementados em qualquer JVM e/ou plataforma específica. Tudo que você precisa saber sobre a Pilha e o Acervo está nesta página e na anterior. Se memorizar estas páginas, todos os outros tópicos que dependerem do conhecimento do assunto ficarão muito mais fáceis. Novamente, algum dia você nos agradecerá MUITO por lhe termos forçado a estudá-lo.

*referências de objeto na pilha*

## PONTOS DE BALA

- O Java tem duas áreas de memória com as quais nos preocuparemos: a Pilha e o Acervo.
- As variáveis de instância são variáveis declaradas dentro de uma classe, porém fora de qualquer método.
- As variáveis locais são variáveis declaradas dentro de um método ou como seu parâmetro.
- Todas as variáveis locais residem na pilha, no ponteiro correspondente ao método onde foram declaradas.
- As variáveis de referência de objeto funcionam exatamente como as variáveis primitivas — se a referência for declarada como uma variável local, ela será inserida na pilha.
- Todos os objetos residem no acervo, independentemente de a referência ser uma variável local ou de instância.

## Se as variáveis <u>locais</u> residem na pilha, onde residem as variáveis <u>de instância</u>?

Se você escrever new CellPhone(), o Java terá que fazer espaço no Acervo para esse objeto CellPhone. Mas qual o *tamanho* do espaço? Suficiente para o objeto, o que significa o bastante para armazenar todas as suas variáveis de instância. É isso que ocorre, as variáveis de instância residem no Acervo, dentro do objeto a que pertencem.

Lembre-se de que os *valores* das variáveis de instância de um objeto residem dentro do objeto. Se as variáveis de instância forem todas primitivas, o Java criará espaço para elas com base no tipo primitivo. Um int precisará de 32 bits, um longo de 64 bits, etc. O Java não se importa com o valor existente dentro das variáveis primitivas; a quantidade de bits de uma variável de tipo int será o mesmo (32 bits) se o valor do inteiro for 32.000.000 ou 32.

Mas e se as variáveis de instância forem *objetos*? E se CellPhone FOR_UM objeto Antenna? Em outras palavras, se CellPhone tiver uma variável de referência de tipo Antenna.

Se o novo objeto tiver variáveis de instância que forem referências de objeto em vez de tipos primitivos, a dúvida real será: ele precisa de espaço para todos os objetos cujas referências armazena? A resposta é *não exatamente*. De qualquer forma, o Java terá que destinar espaço para os *valores* das variáveis de instância. Mas lembre-se de que o valor de uma variável de referência não é o próprio *objeto*, mas apenas seu *controle remoto*. Portanto, se CellPhone tiver uma variável de instância declarada como um tipo não-primitivo Antenna, o Java fará espaço dentro do objeto CellPhone somente para o *controle remoto* (isto é, a variável de referência) de Antenna e não para o *objeto* Antenna.

Bem, então quando o *objeto* Antenna terá espaço no Acervo? Primeiro temos que descobrir *quando* o próprio objeto Antenna foi criado. Isso vai depender da declaração da variável de instância. Se a variável de instância for declarada, mas nenhum objeto for atribuído a ela, então, só o espaço para a variável de referência (o controle remoto) será criado.

```
private Antenna ant;
```

Nenhum objeto Antenna real será criado no Acervo, a menos ou até que a variável de referência receba um novo objeto Antenna.

```
private Antenna ant = new Antenna();
```

*Objeto com duas variáveis de instância primitivas. O espaço para as variáveis reside no objeto.*

*Objeto com uma variável de instância não-primitiva — uma referência a um objeto Antenna, mas nenhum objeto Antenna real. Isso é o que você obterá se declarar a variável, mas não inicializá-la com um objeto Antenna real.*

```
public class CellPhone {
    private Antenna ant;
}
```

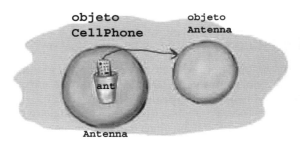

*Objeto com uma variável de instância não-primitiva e a variável Antenna sendo atribuída a um novo objeto Antenna.*

```
public class CellPhone {
    private Antenna ant = new Antenna();
}
```

## O milagre da criação de objetos

Agora que você sabe onde as variáveis e objetos residem, podemos entrar no misterioso mundo da criação de objetos. Você deve se lembrar das três etapas de declaração e atribuição de objetos: declarar uma variável de referência, criar um objeto e atribuir o objeto à referência.

Mas até agora, a etapa dois — onde um milagre ocorre e o novo objeto "nasce" — permanece sendo um Grande Mistério. Prepare-se para aprender os fatos referentes à vida dos objetos. *Espero que você não seja muito sensível.*

## Recapitule as 3 etapas de declaração, criação e atribuição de objetos:

*Cria uma nova variável de referência com o tipo de uma classe ou interface.*

**1** Declare uma variável de referência

   **Duck myDuck** = new Duck();

referência de Duck

*Um milagre ocorre aqui.* → **2** Crie um objeto

   Duck myDuck = **new Duck();**

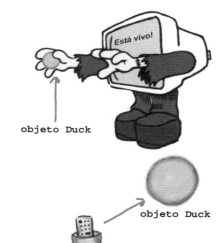
objeto Duck

*Atribui o novo objeto à referência.*

**3** Vincule o objeto e a referência

   Duck myDuck **=** new Duck();

objeto Duck
referência de Duck

## Estamos chamando um método de nome Duck( )?
## Porque parece realmente que estamos.

   Duck myDuck = **new Duck();**  ←  *Parece que estamos chamando um método de nome Duck( ), por causa dos parênteses.*

## Não.

## Estamos chamando o construtor de Duck.

Um construtor *realmente* se parece muito com um método, mas não é um método. Ele contém o código que será executado quando você escrever **new** no código. Em outras palavras, *o código que será executado quando você instanciar um objeto.*

Um CONSTRUTOR contém o código que será executado quando você instanciar um objeto. Em outras palavras, o código que será executado quando você escrever new em um tipo de classe.

Toda classe que for criada terá um construtor, mesmo se não for você que o escrever.

A única maneira de chamar um construtor é com a palavra-chave **new** seguida do nome da classe. A JVM encontrará essa classe e chamará seu construtor. (Certo, tecnicamente essa não é a *única* maneira de chamar um construtor. Mas é o único modo de fazê-lo *fora* de um construtor. Você *pode* chamar um construtor de dentro de outro construtor, com restrições, mas abordaremos isso posteriormente no capítulo.)

*construindo um novo objeto Duck*

## Mas onde está o construtor?
## Se não o escrevemos, quem o fez?

Você pode criar um construtor para sua classe (estamos perto de fazer isso), mas se não o fizer, *o compilador criará um!*

Veja a aparência do construtor padrão do compilador:

```
public Duck() {

}
```

## Notou algo faltando? Em que isso é diferente de um método?

*Onde está o tipo de retorno? Se isso fosse um método, você precisaria de um tipo de retorno entre public e Duck().*

*Seu nome é igual ao nome da classe. Isso é obrigatório.*

```
public Duck() {

   //o código do construtor entra aqui

}
```

## Construa um objeto Duck

O recurso-chave do construtor é que ele é executado *antes* de o objeto poder ser atribuído a uma referência. Isso significa que você poderá interferir e fazer o que for preciso para deixar o objeto pronto para uso. Em outras palavras, antes de alguém poder usar o controle remoto de um objeto, este terá uma chance de ajudar na sua própria construção. No construtor de nosso objeto Duck, não estamos fazendo nada de útil, mas ele demonstra a seqüência de eventos.

```
public class Duck {

   public Duck() {
      System.out.println("Quack");
   }
}

public class UseADuck {

   public static void main (String[] args) {
      Duck d = new Duck();
   }
}
```

*Código do construtor.*

*Isso chamará o construtor de Duck.*

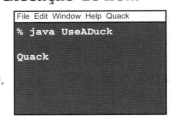

**O construtor lhe dará a chance de entrar no meio da execução de new.**

```
File Edit Window Help Quack
% java UseADuck
Quack
```

### Aponte seu lápis

Um construtor lhe permitirá entrar no meio da etapa de criação do objeto — dentro da execução de **new**. Consegue identificar condições em que isso seria útil? Quais dessas opções poderiam ser úteis no construtor de uma classe Car, se ela fizer parte de um Jogo de Corrida? Marque aquelas para as quais pensou em um cenário.

- Incrementar um contador para registrar quantos objetos desse tipo de classe foram criados.
- Atribuir um estado específico do tempo de execução (dados sobre o que está ocorrendo AGORA).
- Atribuir valores às variáveis de instância importantes do objeto.
- Capturar e salvar uma referência do objeto que está *criando* o novo objeto.
- Adicionar o objeto a uma ArrayList.
- Criar objetos que passem no teste TEM-UM.
- _____ (sua idéia entra aqui)

## Inicializando o estado de um novo objeto Duck

A maioria das pessoas usa construtores para inicializar o estado de um objeto. Em outras palavras, para criar e atribuir valores às variáveis de instância do objeto.

```
public Duck() {
    size = 34;
}
```

Isso não será problema quando o *desenvolvedor* da classe Duck souber o tamanho que o objeto Duck deve ter. Mas e se quisermos que o programador que está *usando* Duck decida o tamanho que um objeto Duck específico deve ter?

Suponhamos que o objeto Duck tivesse uma variável de instância para o tamanho (size) e você quisesse que o programador usasse sua classe Duck para configurar o tamanho do novo objeto Duck. Como faria isso?

Bem, você poderia adicionar um método de configuração setSize() à classe. Mas isso deixaria o objeto Duck temporariamente sem um tamanho* e forçaria o usuário de Duck a escrever *duas* instruções — uma para criar o objeto Duck e outra para chamar o método setSize(). O código abaixo usa um método de configuração para definir o tamanho inicial do novo objeto Duck.

```
public class Duck {
    int size;              ← variável de instância

    public Duck() {
        System.out.println("Quack");   ← construtor
    }

    public void setSize(int newSize) {  ← método de configuração
        size = newSize;
    }
}
```

```
public class UseADuck {

    public static void main (String[] args){
        Duck d = new Duck();

        d.setSize(42);
    }
}
```
↑
*Há algo errado aqui. O objeto Duck já foi criado nesse ponto do código, mas sem um tamanho!\* Portanto, você está confiando no fato do usuário de Duck SABER que a criação do objeto Duck é um processo de duas partes: uma para chamar o construtor e outra para chamar o método de configuração.*

\*Na verdade, as variáveis de instância têm um valor padrão. 0 ou 0,0 para variáveis primitivas numéricas, falso para as booleanas e nulo para referências.

## Usando o construtor para inicializar um estado importante de Duck*

Já que um objeto não deve ser usado até uma ou mais partes de seu estado (variáveis de instância) terem sido inicializadas, não deixe ninguém criar um objeto Duck até que você tenha concluído sua inicialização! Pode ser arriscado demais permitir que alguém crie — e use uma referência de — um novo objeto Duck que ainda não esteja totalmente pronto para uso até essa pessoa resolver chamar o método *setSize()*. Como o usuário de Duck vai *saber* que precisa chamar o método de configuração depois de criar o novo objeto Duck?

O melhor local para inserir o código de inicialização é no construtor. E tudo que você terá que fazer será criar um construtor com argumentos.

## não existem Perguntas Idiotas

**P:** Por que é preciso criar um construtor se o compilador criará um para você?

**R:** Se você precisar de um código que ajude a inicializar seu objeto e torná-lo pronto para uso, terá que criar seu próprio construtor. Você pode, por exemplo, depender de entradas do usuário antes de poder concluir a preparação do objeto. Há outra razão para ter que criar um construtor, mesmo se você mesmo não precisar de nenhum código de construtor. Está relacionada ao construtor de sua superclasse e falaremos sobre isso em breve.

**P:** Como distinguir um construtor de um método? Você também pode ter um método com o mesmo nome da classe?

**R:** A Java permite que você declare um método com o mesmo nome de sua classe. No entanto, isso não o tornará um construtor. O que diferencia um método de um construtor é o tipo de retorno. Os métodos devem ter um tipo de retorno, mas os construtores não podem ter um tipo de retorno.

**P:** Os construtores são herdados? Se não fornecermos um construtor, mas nossa superclasse o fizer, usaremos o construtor da superclasse em vez do padrão?

**R:** Não. Os construtores não são herdados. Examinaremos isso algumas páginas à frente.

*Deixe o usuário criar um novo objeto Duck e configurar seu tamanho em apenas uma chamada. A chamada a new. A chamada ao construtor de Duck.*

\*Não quer dizer que nem todo estado de Duck não seja irrelevante.

*inicializando o estado do objeto*

```
public class Duck {
   int size;

   public Duck(int duckSize) {      ← Adiciona um parâmetro int ao construtor de Duck.
      System.out.println("Quack");
      size = duckSize;              ← Usa o valor do argumento para configurar a variável de instância size.
      System.out.println("O tamanho é igual a " + size);
   }
}
```

```
public class UseADuck {
   public static void main (String[] args) {
      Duck d = new Duck(42);        ← Passa um valor para o construtor.
   }
}
```

Dessa vez há apenas uma instrução. Criaremos o novo objeto Duck e configuraremos seu tamanho em uma instrução.

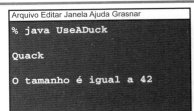

```
% java UseADuck
Quack
O tamanho é igual a 42
```

## Torne fácil a criação de um objeto Duck
## Certifique-se de ter um construtor sem argumentos

O que aconteceria se o construtor de Duck usasse um argumento? Pense nisso. Na página anterior, há apenas *um* construtor de Duck — e ele usa um argumento int para o *tamanho* do objeto Duck. Talvez isso não seja um grande problema, mas com certeza ficará mais difícil para um programador criar um novo objeto Duck, principalmente se ele não *souber* qual deve ser o tamanho de um objeto Duck. Não seria útil termos um tamanho padrão para o objeto Duck, para que quando o usuário não souber qual o tamanho apropriado, ainda possa criar um objeto Duck que funcione?

***Suponhamos que você quisesse que os usuários de Duck tivessem DUAS opções para a criação de um objeto Duck — uma em que eles fornecessem o tamanho de Duck (como o argumento do construtor) e outra em que não especificassem um tamanho e portanto usassem o tamanho <u>padrão</u> que você definiu para Duck.***

Você não pode fazer isso corretamente com apenas um construtor. Lembre-se de que, se um método (ou construtor — as regras são iguais) tiver um parâmetro, você *deve* passar um argumento apropriado quando chamar esse método ou construtor. Não pode apenas dizer "se alguém não passar nada para o construtor, use o tamanho padrão", porque eles não conseguirão nem mesmo compilar sem enviar um argumento int para a chamada do construtor. Você *poderia* fazer algo complicado como o descrito a seguir:

```
public class Duck {
   int size;

   public Duck(int newSize) {
      if (newSize == 0) {       ← Se o valor do parâmetro for zero, forneça ao novo objeto Duck um tamanho padrão, caso contrário use o valor do parâmetro como o tamanho. Essa NÃO é uma solução muito boa.
         size = 27;
      } else {
         size = newSize;
      }
   }
}
```

Mas isso significa que o programador que criar um novo objeto Duck terá que *saber* que passar um "0" é o protocolo para o uso do tamanho padrão de Duck. Muito ruim. E se o outro programador não souber disso? Ou se ele quiser *realmente* um objeto Duck de tamanho zero? (Supondo que um objeto Duck de tamanho zero seja permitido. Se você não quiser objetos Duck de tamanho zero, insira um código de validação no construtor para impedir isso.) O problema é que talvez nem sempre seja possível distinguir entre um argumento genuíno do tipo "quero zero para o tamanho" e um argumento "estou enviando zero, portanto você me fornecerá o tamanho padrão, qualquer que seja".

---

**Você quer ter DUAS maneiras de criar um novo objeto Duck:**

```
public class Duck2 {
   int size;

   public Duck2() {
      // fornece o tamanho padrão
      size = 27;
   }

   public Duck2(int duckSize) {
      // usa o parâmetro duckSize
      size = duckSize;
   }
}
```

**Para criar um objeto Duck quando você souber o tamanho:**

```
Duck2 d = new Duck2(15);
```

**Para criar um objeto Duck quando você *não* souber o tamanho:**

```
Duck2 d2 = new Duck2();
```

Portanto, essa idéia de ter duas opções para se criar um objeto Duck precisa de *dois* construtores. Um que use um int e o outro não. ***Se você tiver mais de um construtor em uma classe, isso significa que tem construtores sobrecarregados.***

180  *capítulo 9*

## O compilador não criará sempre um construtor sem argumentos para mim?

*Não!*

Você pode achar que se criar *somente* um construtor com argumentos, o compilador verá que não existe um construtor sem argumentos e inserirá um. Mas não é assim que funciona. O compilador se envolverá na criação de construtores *somente se você não informar absolutamente nada sobre eles.*

### Se você criar um construtor que use argumentos e ainda quiser um construtor sem argumentos, terá que construí-lo por sua própria conta!

Assim que você fornecer um construtor, QUALQUER tipo de construtor, o compilador recuará dizendo: "Certo meu chapa, parece que agora é você que se encarregará dos construtores."

### Se você tiver mais de um construtor em uma classe, eles precisarão de listas de argumentos diferentes.

A lista de argumentos incluirá a ordem e os tipos dos argumentos. Se elas forem diferentes, você poderá ter mais de um construtor. Também poderá fazer o mesmo com os métodos, mas veremos isso em outro capítulo.

*Certo, vejamos isto... "Você tem o direito de ter seu próprio construtor." Faz sentido.*

*"Se não puder adquirir um construtor, um será fornecido para você pelo compilador." Bom saber.*

### O termo construtores sobrecarregados significa que há mais de um construtor em sua classe.

### Para que seja compilado, cada construtor deve ter uma lista de argumentos diferentes!

A classe abaixo é válida, porque todos os quatro construtores têm listas de argumentos diferentes. Se você tivesse dois construtores que usassem somente um tipo int, por exemplo, a classe não seria compilada. Como você nomeará a variável de parâmetro não importa. É o *tipo* (int, Dog, etc.,) e a *ordem* da variável que importam. Você também pode ter dois construtores que tenham tipos idênticos, **contanto que a ordem seja diferente**. Um construtor que use uma String seguida de um int *não* é o mesmo que um que use um int seguido de uma String.

*Quatro construtores diferentes significam quatro maneiras distintas de criar um novo cogumelo.*

```
public class Mushroom {
    public Mushroom(int size) { }
    public Mushroom( ) { }
    public Mushroom(boolean isMagic) { }
    public Mushroom(boolean isMagic, int size) { }
    public Mushroom(int size, boolean isMagic) { }
}
```

*quando você souber o tamanho, mas não souber se ele é mágico*

*quando você não souber nada*

*quando você souber se ele é ou não mágico, mas não souber o tamanho*

*quando você souber se ele é ou não mágico E também souber o tamanho*

*esses dois construtores têm os mesmos argumentos, mas em ordem diferente, portanto, estão corretos*

## construtores *sobrecarregados*

### PONTOS DE BALA

- As variáveis de instância residem dentro do objeto ao qual pertencem, no Acervo.

- Se a variável de instância for a referência de um objeto, tanto a referência quanto o objeto que ela referenciar ficarão no Acervo.

- Um construtor é o código que é executado quando escrevemos **new** em um tipo de classe.

- Um construtor deve ter o mesmo nome da classe e *não* deve ter um tipo de retorno.

- Você pode usar um construtor para inicializar o estado (isto é, as variáveis de instância) do objeto que está sendo construído.

- Se você não inserir um construtor em sua classe, o compilador inserirá um construtor padrão.

- O construtor padrão é sempre um construtor sem argumentos.

- Se você inserir um construtor — qualquer construtor — em sua classe, o compilador não criará o construtor padrão.

- Se você quiser um construtor sem argumentos e já tiver inserido um com argumentos, terá que criá-lo por sua própria conta.

- Forneça sempre um construtor sem argumentos se puder, para tornar fácil para os programadores criarem um objeto funcional. Forneça valores padrão.

- Os construtores sobrecarregados devem ter listas de argumentos diferentes.

- Você não pode ter dois construtores com a mesma lista de argumentos. Uma lista de argumentos inclui a ordem e/ou o tipo dos argumentos.

- As variáveis de instância receberão um valor padrão, mesmo quando você não atribuir um explicitamente. Os valores padrão são 0/0.0/falso para tipos primitivos e nulo para referências.

### Aponte seu lápis

Ligue a chamada **new** Duck() ao construtor que será executado quando esse objeto Duck for instanciado. Fizemos o mais fácil para ajudá-lo a começar.

```
public class TestDuck {

    public static void main(String[] args){

        int weight = 8;
        float density = 2.3F;
        String name = "Donald";
        long[] feathers = {1,2,3,4,5,6};
        boolean canFly = true;
        int airspeed = 22;

        Duck[] d = new Duck[7];

        d[0] = new Duck();

        d[1] = new Duck(density, weight);

        d[2] = new Duck(name, feathers);

        d[3] = new Duck(canFly);

        d[4] = new Duck(3.3F, airspeed);

        d[5] = new Duck(false);

        d[6] = new Duck(airspeed, density);
    }
}
```

```
class Duck {

    int pounds = 6;
    float floatability = 2.1F;
    String name = "Generic";
    long[] feathers = {1,2,3,4,5,6,7};

    boolean canFly = true;
    int maxSpeed = 25;

    public Duck() {
        System.out.println("type 1 duck");
    }

    public Duck(boolean fly) {
        canFly = fly;
        System.out.println("type 2 duck");
    }

    public Duck(String n, long[] f) {
        name = n;
        feathers = f;
        System.out.println("type 3 duck");
    }

    public Duck(int w, float f) {
        pounds = w;
        floatability = f;
        System.out.println("type 4 duck");
    }

    public Duck(float density, int max) {
        floatability = density;
        maxSpeed = max;
        System.out.println("type 5 duck");
    }
}
```

*construtores e coleta de lixo*

P: **Anteriormente você disse que é bom ter um construtor sem argumentos para que, se as pessoas o chamarem, possamos fornecer valores padrão para os argumentos "ausentes". Mas não há situações em que é impossível ter padrões? Há casos em que não seria recomendável ter um construtor sem argumentos em nossa classe?**

R: Você está certo. Há situações em que um construtor sem argumentos não faz sentido. É possível ver isso na API Java — algumas classes não têm um construtor sem argumentos. A classe Color, por exemplo, representa uma... Cor. Os objetos Color podem ser usados na configuração ou alteração da cor de uma fonte da tela ou de um botão de GUI. Quando você criar uma instância de Color, ela será referente a uma cor específica (você sabe, Marrom-Chocolate, Azul-Cadavérico, Vermelho-Escândalo, etc.). Quando criar um objeto Color, terá que especificar a cor de alguma maneira.

```
Color c = new Color(3,45,200);
```

(Estamos usando três inteiros para os valores RGB aqui. Trataremos do uso de Color depois, nos capítulos sobre o Swing.) Caso contrário, o que você teria? Os programadores na API Java poderiam ter definido que, se chamássemos um construtor de Color sem argumentos, obteríamos uma linda sombra violeta. Mas o bom gosto prevaleceu.

Se você tentar criar um objeto Color sem fornecer um argumento:

```
Color c = new Color();
```

O compilador ficará confuso, porque não conseguirá achar um construtor sem argumentos correspondentes na classe Color.

```
File Edit Window Help StopBeingStupid
cannot resolve symbol
:constructor Color()
location: class java.awt.
Color
Color c = new Color();
                  ^
1 error
```

## Mini-revisão: quatro coisas a memorizar sobre os construtores

① Um construtor é o código que será executado quando alguém escrever **new** em um tipo de classe

```
Duck d = new Duck();
```

② Um construtor deve ter o mesmo nome da classe e **nenhum** tipo de retorno

```
public Duck(int size) { }
```

③ Se você não inserir um construtor em sua classe, o compilador inserirá um construtor padrão. O construtor padrão é sempre um construtor sem argumentos.

```
public Duck() { }
```

④ Você pode ter mais de um construtor em sua classe, contanto que as listas de argumentos sejam diferentes. Ter mais de um construtor em uma classe significa que você tem construtores sobrecarregados.

```
public Duck() { }

public Duck(int size) { }

public Duck(String name) { }

public Duck(String name, int size) { }
```

### PODER DO CÉREBRO

**E quanto às superclasses?**

**Quando você criar um objeto Dog, o construtor de Canine também deve ser executado?**

**Se a superclasse for abstrata, ela deve ter um construtor?**

**Examinaremos isso nas próximas páginas, portanto, faça uma pausa agora e pense nas implicações existentes entre os construtores e as superclasses.**

Está comprovado que fazer todos os exercícios de halterofilismo cerebral produz um aumento de 42% no tamanho dos neurônios. E você sabe o que dizem por aí, "Grandes neurônios..."

### não existem Perguntas Idiotas

P: **Os construtores têm que ser public?**

R: Não. Os construtores podem ser public, private ou padrão (que significa nenhum modificador de acesso). Examinaremos com mais detalhes o acesso padrão no Capítulo 16 e no Apêndice B.

*espaço para as partes da superclasse de um objeto*

P: **Em que um construtor privado poderia ser útil? Ninguém poderia nem mesmo chamá-lo, portanto, não seria possível criar um novo objeto!**

R: Mas isso não é exatamente assim. Marcar algo com private não significa que ninguém poderá acessá-lo, significa apenas que ninguém de fora da classe poderá acessá-lo. Aposto que você está pensando catch 22. Só um código da mesma classe que a do construtor privado pode criar um novo objeto dessa classe, mas sem criar primeiro um objeto, como você conseguirá executar um código dela? Como conseguirá acessar algo dessa classe? Paciência, gafanhoto. Chegaremos lá no próximo capítulo.

### Espere um momento... Ainda não falamos sobre as superclasses e a herança, e o que tudo isso tem a ver com os construtores.

É aqui que começar a ficar divertido. Lembra-se do último capítulo, da parte em que examinamos o objeto Snowboard que envolvia um núcleo interno representando a parte Object da classe Snowboard? A grande descoberta foi que todo objeto contém não só suas *próprias* variáveis de instância, mas também *todos os elementos de sua superclasse* (o que significa, no mínimo, a classe Object, já que *toda* classe estende Object).

Portanto, quando um objeto é criado (porque alguém escreveu **new**; *não há outra maneira* de criar um objeto que não seja alguém, em algum local, escrever **new** no tipo da classe), ele ganha espaço para *todas* as variáveis de instância, no trajeto até o topo da árvore de herança. Pense nisso por um momento... Uma superclasse pode ter métodos de configuração encapsulando uma variável privada. Mas essa variável tem que residir em *algum local*. Quando um objeto é criado, é quase como se *vários* objetos se materializassem — o objeto que está sendo criado e um objeto para cada superclasse. Conceitualmente, no entanto, é muito melhor considerar isso como no cenário a seguir, onde o objeto que está sendo criado tem *camadas* que representam cada superclasse.

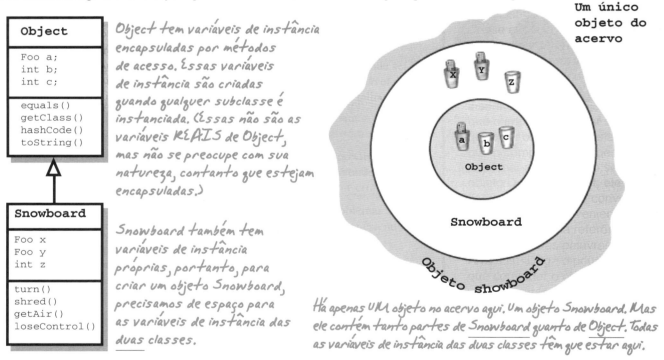

### A função dos construtores da superclasse é dar vida a um objeto

*Todos os construtores da árvore de herança de um objeto devem ser executados quando você criar um novo objeto.*

Pense nisso.

Isso significa que toda superclasse tem um construtor (porque toda classe tem um) e cada construtor superior na hierarquia é executado na hora em que um objeto de uma subclasse é criado.

Escrever **new** é uma Grande Ocorrência. Isso inicia toda a reação em cadeia dos construtores. E sim, até as classes abstratas têm construtores. Embora talvez você nunca escreva new em uma classe abstrata, ela continuará sendo uma superclasse, portanto, seu construtor será executado quando alguém criar uma instância de uma subclasse concreta.

Os superconstrutores são executados para construir as partes do objeto referentes à superclasse. Lembre-se de que uma subclasse pode herdar métodos que dependam do estado da superclasse (em outras palavras, do valor das variáveis de instância da superclasse). Para um objeto ser totalmente formado, todas as suas partes referentes à superclasse devem ser plenamente criadas e é por isso que o superconstrutor *deve* ser executado. Todas as variáveis de instância de qualquer classe da árvore de herança têm que ser declaradas e inicializadas. Mesmo se Animal tiver variáveis de instância que Hippo não herdar (se as variáveis forem privadas, por exemplo), o objeto Hippo ainda dependerá dos métodos de Animal que *usam* essas variáveis.

Quando um construtor é executado, ele chama imediatamente o construtor de sua superclasse, subindo a cadeia até chegar ao construtor da classe Object.

Nas próximas páginas, você aprenderá como os construtores da superclasse são chamados e como podemos chamá-los. Também aprenderá o que fazer se o construtor de sua superclasse tiver argumentos!

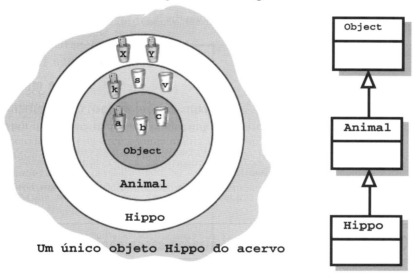

**Um único objeto Hippo do acervo**

Um novo objeto **Hippo** também **É-UM** objeto **Animal** e **É-UM** tipo **Object**. Se você quiser criar um objeto **Hippo**, também deve criar suas partes referentes a **Animal** e **Object**.

Tudo isso acontece em um processo chamado **Encadeamento de Construtores.**

## Criar um objeto Hippo também significa criar as partes referentes a Animal e Object...

```
public class Animal {
   public Animal() {
      System.out.println("Criando um objeto Animal");
   }
}
```

```
public class Hippo extends Animal {
   public Hippo() {
      System.out.println("Criando um objeto Hippo");
   }
}
```

```
public class TestHippo {
   public static void main (String[] args) {
      System.out.println("Iniciando...");
      Hippo h = new Hippo();
   }
}
```

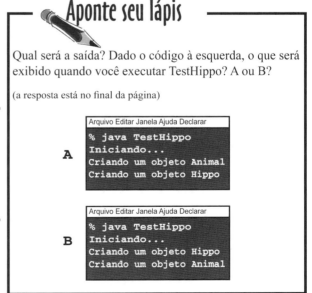

A primeira, A. O construtor Hippo() é chamado antes, mas é a execução do construtor de Animal que termina primeiro.

construção *de objetos*

① O código de outra classe usa **new Hippo( )** e o construtor **Hippo( )** é inserido em um ponteiro no topo da pilha.

② **Hippo( )** chama o construtor da superclasse que força a entrada do construtor **Animal( )** no topo da pilha.

③ **Animal( )** chama o construtor da superclasse que força a entrada do construtor **Object( )** no topo da pilha, já que Object é a superclasse de Animal.

④ A execução de **Object( )** é concluída e seu ponteiro é *eliminado* da pilha. O processamento volta ao construtor **Animal( )**, prosseguindo na linha posterior àquela em que Animal chama o construtor de sua superclasse.

## Como chamar o construtor de uma superclasse?

Você pode achar que em algum local, digamos, do construtor de um objeto Duck, se Duck estender Animal será necessário chamar Animal(). Mas não é assim que funciona:

```
public class Duck extends Animal {
   int size;

   public Duck(int newSize) {
      Animal();         ← Inválido!
      size = newSize;      Não! Isso não é válido!
   }
}
```

A única maneira de chamar um superconstrutor é chamando *super( )*. É isso que ocorre - *super( )* chama o *superconstrutor*.

Quais são as chances de dar certo?

```
public class Duck extends Animal {
   int size;

   public Duck(int newSize) {
      super();    ← basta inserir super()
      size = newSize;
   }
}
```

Uma chamada a *super( )* em seu construtor inserirá o construtor da superclasse no topo da Pilha. E o que você acha que o construtor da superclasse fará? *Chamará o construtor de sua superclasse*. E assim por diante até o construtor de Object estar no topo da Pilha. Quando a execução de *Object( )* for concluída, ele será eliminado da Pilha e a operação seguinte (o construtor da subclasse que chamou *Object( )*) agora estará no topo. A execução *desse* construtor será concluída e o processamento continuará até o construtor original estar no topo da Pilha, onde agora *sua* execução poderá ser concluída.

### E o que ocorrerá se não fizermos isso?

Você já deve ter adivinhado.

**Nosso bom amigo, o compilador, inserirá uma chamada a super( ) se você não o fizer.**

Portanto, o compilar interferirá na criação do construtor em *duas* situações:

① **Se você *não* fornecer um construtor**
O compilador inserirá um que terá esta aparência:

```
public ClassName() {
   super();
}
```

② **Se você *fornecer* um construtor mas *não* inserir a chamada a super( )**
O compilador inserirá uma chamada a super() em cada um de seus construtores sobrecarregados.*
A chamada fornecida pelo compilador terá esta aparência:

```
super();
```

Ela sempre terá essa aparência. A chamada a *super( )* inserida pelo compilador sempre será uma chamada sem argumentos. Se a superclasse tiver construtores sobrecarregados, só o construtor sem argumentos será chamado.

*A menos que o construtor chame outro construtor sobrecarregado (você verá isso algumas páginas adiante).

## O filho pode existir antes dos pais?

Se você está considerando a superclasse como o pai da subclasse, já sabe quem deve existir primeiro. *As partes de um objeto referentes à superclasse têm que estar totalmente formadas (completamente desenvolvidas) antes que as partes referentes à subclasse possam ser construídas.* Lembre-se de que o objeto da subclasse pode depender de coisas que ela herdar da superclasse, portanto, é importante que esses elementos herdados estejam formados. Não há outra saída. O construtor da superclasse deve ter sua execução concluída antes do construtor de sua subclasse.

*construtores* e coleta de lixo

Examine a seqüência da Pilha da página 184 novamente e verá que, embora o construtor de Hippo seja o *primeiro* a ser chamado (é o primeiro item da Pilha), ele é o *último* a ser concluído! O construtor de cada subclasse chamará imediatamente o construtor de sua própria superclasse, até o construtor de Object estar no topo da Pilha. Em seguida, a execução do construtor de Object será concluída e voltaremos a descer a Pilha até o construtor de Animal. Só depois que a execução do construtor de Animal for concluída é que finalmente voltaremos a descer e terminar a execução do construtor de Hippo. Portanto:

### A chamada a super( ) deve ser a primeira instrução de cada construtor!*

> Nossa... Isso é TÃO estranho. Eu não poderia ter nascido antes de meus pais. Isso seria errado.

**Construtores possíveis para a classe Boop**

✓ ```
public Boop() {
    super();
}
```
Esses são válidos porque o programador codificou explicitamente a chamada a super(), como a primeira instrução.

✓ ```
public Boop(int i) {
    super();
    size = i;
}
```

✓ ```
public Boop() {
}
```
Esses são válidos porque o compilador inserirá uma chamada a super() como a primeira instrução.

✓ ```
public Boop(int i) {
    size = i;
}
```

⊘ ```
public Boop(int i) {
    size = i;
    super();
}
```
Inválido!! Não será compilado! Você não pode inserir explicitamente a chamada a super() abaixo do que quer que seja.

*Há uma exceção a essa regra; você a conhecerá na página 252.

## Construtores de superclasse com argumentos

E se o construtor da superclasse tiver argumentos? Você pode passar algo para a chamada de *super( )*? É claro. Se não pudesse, nunca conseguiria estender uma classe que não tivesse um construtor sem argumentos. Imagine esse cenário: todos os animais têm um nome. Há um método *getName( )* na classe Animal que retorna o valor da variável de instância *name*. A variável de instância foi marcada como privada, mas a subclasse (nesse caso, Hippo) herda o método *getName( )*. Portanto, aqui está o problema: Hippo tem um método *getName()* (através da herança) mas não tem a variável de instância *name*. Depende de sua parte referente a Animal para ter a variável de instância name e retorná-la quando alguém chamar *getName( )* em um objeto Hippo. Mas... Como a parte referente a Animal capturará o nome? A única referência que Hippo tem de sua parte referente a Animal é fornecida através de *super( )*, logo, esse é o local onde Hippo enviará seu nome para a parte referente a Animal, para que ela possa armazená-lo na variável de instância privada *name*.

| Animal |
|---|
| private String name |
| Animal(String n) |
| String getName() |

| Hippo |
|---|
| |
| Hippo(String n) |
| [outros métodos específicos de Hippo] |

```
public abstract class Animal {
    private String name;        ← Todos os animais (inclusive as subclasses) têm um nome

    public String getName() {   ← Um método de captura que Hippo herda
        return name;
    }

    public Animal(String theName) {
        name = theName;          ← O construtor que usa o nome e o atribui à variável de instância name
    }
}
```

```
public class Hippo extends Animal {

    public Hippo(String name) {    ← O construtor de Hippo usa um nome
        super(name);                ← Envia o nome para cima na Pilha até o construtor de Animal
    }
}
```

> Minha parte Animal precisa saber meu nome, portanto, usarei um nome em meu próprio construtor de objetos Hippo e, em seguida, o passarei para super( )

você está aqui ▶   187
```

*chamando construtores sobrecarregados*

```java
public class MakeHippo {
    public static void main(String[] args) {
        Hippo h = new Hippo("Buffy");
        System.out.println(h.getName());
    }
}
```

*Cria um objeto Hippo passando o nome Buffy para seu construtor. Em seguida, chama o método getName() herdado por Hippo*

```
File Edit Window Help Hide
%java MakeHippo

Buffy
```

## Chamando um construtor sobrecarregado a partir de outro

E se você tiver construtores sobrecarregados que, exceto pela manipulação de diferentes tipos de argumentos, façam todos a mesma coisa? Você não quer código *duplicado* em cada um dos construtores (a manutenção é difícil, etc.), portanto, gostaria de inserir grande parte do código do construtor [inclusive a chamada a super()] em apenas *um* dos construtores sobrecarregados. Você quer que o construtor que for chamado primeiro chame O Construtor Real e deixe que ele termine a tarefa de construção. É simples: apenas insira *this( )*. Ou *this(aString)*. Ou *this(27, x)*. Em outras palavras, basta usar a palavra-chave *this* como uma referência **ao objeto atual.**

Você só pode inserir *this( )* dentro de um construtor e essa deve ser a primeira instrução do construtor!

Mas isso é um problema, não é? Anteriormente dissemos que super() deve ser a primeira instrução do construtor. Bem, quer dizer que você terá que optar.

> Use this() para chamar um construtor a partir de outro construtor sobrecarregado da mesma classe.
>
> A chamada a this() pode ser usada somente em um construtor e deve ser sua <u>primeira</u> instrução.
>
> Um construtor pode ter uma chamada a super() OU this(), mas nunca ambas!

## Todo construtor pode ter uma chamada a super() ou this(), mas nunca as duas!

```java
class Mini extends Car {

    Color color;

    public Mini() {
        this(Color.Red);
    }

    public Mini(Color c) {
        super("Mini");
        color = c;
        // mais códigos de inicialização
    }

    public Mini(int size) {
        this(Color.Red);
        super(size);
    }
}
```

*O construtor sem argumentos fornece um objeto Color padrão e chama o Construtor Real sobrecarregado [aquele que chama super()].*

*Esse é o Construtor Real que executa realmente o trabalho de inicializar o objeto [incluindo a chamada a super()].*

*Não funcionará!! Não é possível ter super() e this() no mesmo construtor, porque ambas devem ser a primeira instrução!*

```
File Edit Window Help Drive
javac Mini.java

Mini.java:16: call to super must
be first statement in constructor

super();
    ^
```

188  *capítulo 9*

## Aponte seu lápis

Alguns dos construtores da classe SonOfBoo não serão compilados. Veja se consegue reconhecer que construtores não são válidos. Ligue as mensagens de erro do compilador aos construtores de SonOfBoo que as causaram, desenhando uma linha da mensagem de erro ao construtor "inválido".

```
public class Boo {

    public Boo(int i) { }

    public Boo(String s) { }

    public Boo(String s, int i) { }

}
```

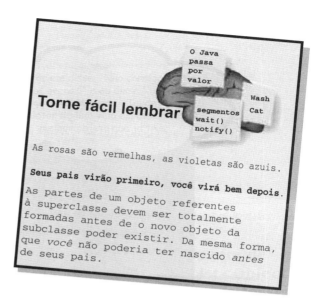

**Torne fácil lembrar**

As rosas são vermelhas, as violetas são azuis.
Seus pais virão primeiro, você virá bem depois.
As partes de um objeto referentes à superclasse devem ser totalmente formadas antes de o novo objeto da subclasse poder existir. Da mesma forma, que *você* não poderia ter nascido *antes* de seus pais.

```
class SonOfBoo extends Boo {

    public SonOfBoo() {
       super("boo");
    }

    public SonOfBoo(int i) {
       super("Fred");
    }

    public SonOfBoo(String s) {
       super(42);
    }

    public SonOfBoo(int i, String s) {
    }

    public SonOfBoo(String a, String b, String c) {
       super(a,b);
    }

    public SonOfBoo(int i, int j) {
       super("man", j);
    }

    public SonOfBoo(int i, int x, int y) {
       super(i, "star");
    }
}
```

```
File Edit Window Help Blahblahblah
%javac SonOfBoo.java
cannot resolve symbol

symbol  :  constructor Boo
(java.lang.String,java.
lang.String)
```

```
File Edit Window Help Yadayadayada
%javac SonOfBoo.java
cannot resolve symbol

symbol  :  constructor Boo
(int,java.lang.String)
```

```
File Edit Window Help ImNotListening
%javac SonOfBoo.java
cannot resolve symbol

symbol  :  constructor Boo()
```

### Agora sabemos como um objeto nasce, mas quanto tempo ele vive?

A vida de um *objeto* depende inteiramente da vida das referências que apontam para ele. Se a referência for considerada "ativa", o objeto continuará ativo no Acervo. Se ela for eliminada (e examinaremos o que isso significa em breve), o objeto também o será.

### Bem, se a vida de um objeto depende da vida da variável de referência, quanto tempo uma variável vive?

Isso vai depender se ela é uma variável *local* ou *de instância*. O código a seguir mostra a vida de uma variável local. No exemplo, a variável é de um tipo primitivo, mas seu tempo de vida será o mesmo se ela for primitiva ou uma variável de referência.

## ciclo de vida dos objetos

```
public class TestLifeOne {
    public void read() {
        int s = 42;
        sleep();
    }

    public void sleep() {
        s = 7;
    }
}
```

*s tem seu escopo no método read(), portanto, não pode ser usada em nenhum outro local.*

*INVÁLIDO!! Não é válido usar s aqui!*

*sleep() não consegue ver a variável s. Como ela não está no ponteiro de sleep() na Pilha, o método não sabe nada sobre essa variável.*

*A variável s está ativa, mas somente no escopo do método read(). Quando a execução de sleep() for concluída e read() estiver no topo da Pilha sendo executado novamente, ele ainda conseguirá ver s. Quando a execução de read() for concluída e ele for eliminado da Pilha, s deixará de existir. Estará digitalmente morta e enterrada.*

> ① **Uma variável local só existe dentro do método que a declarou.**
>
> ```
> public void read() {
>     int s = 42;
>     // 's' só pode ser usada
>     // dentro desse método.
>     // quando sua execução for concluída,
>     // 's' desaparecerá completamente.
> }
> ```
>
> A variável '**s**' *só pode ser usada dentro do método read( ). Em outras palavras,* **a variável só faz parte do escopo de seu próprio método.** Nenhum outro código da classe (ou de qualquer outra classe) conseguirá ver '**s**'.
>
> ② **Uma variável de instância vive o mesmo tempo que o objeto. Se o objeto ainda estiver ativo, suas variáveis de instância também estarão.**
>
> ```
> public class Life {
>     int size;
>
>     public void setSize(int s) {
>         size = s;
>         // 's' desaparecerá no
>         // fim da execução desse método.
>         // mas 'size' pode ser usada
>         // em qualquer local da classe
>     }
> }
> ```
>
> A variável '**s**' (dessa vez um parâmetro do método) existe somente no escopo do método setSize(), mas a variável de instância size tem como escopo a vida do *objeto* e não do *método*.

## A diferença entre vida e escopo para as variáveis locais:

### Vida

Uma variável local estará *ativa* enquanto seu ponteiro estiver na Pilha. Em outras palavras, *até a execução do método ser concluída.*

### Escopo

Uma variável local só existirá no *escopo* do método em que foi declarada. Quando seu método chamar outro método, a variável continuará ativa, mas estará fora do escopo até o seu método voltar a ser executado. ***Você só poderá usar uma variável quando ela fizer parte do escopo.***

```
public void doStuff() {
    boolean b = true;
    go(4);
}

public void go(int x) {
    int z = x + 24;
    crazy();
    // suponhamos que haja mais código aqui
}

public void crazy() {
    char c = 'a';
}
```

① doStuff( ) entra na Pilha. A variável 'b' está ativa e faz parte do escopo.

② go( ) passa para o topo da Pilha. 'x' e 'z' estão ativas e no escopo e 'b' está ativa, porém fora do escopo.

③ crazy( ) é forçada para a Pilha e agora 'c' está ativa e no escopo. As outras três variáveis estão ativas, porém fora do escopo.

④ A execução de crazy( ) foi concluída e o método foi removido da Pilha, portanto, 'c' está fora do escopo e foi eliminada. Quando go( )voltar a ser executado onde parou, 'x' e 'z' estarão ativas e de volta ao escopo. A variável 'b' ainda estará ativa, porém fora do escopo [até a execução de go( ) ser concluída].

Enquanto uma variável local estiver ativa, seu estado persistirá. Enquanto o método doStuff() estiver na Pilha, por exemplo, a variável 'b' manterá seu valor. Mas só poderá ser usada enquanto o ponteiro de doStuff( ) estiver no topo da Pilha. Em outras palavras, você *só* poderá usar uma variável local enquanto seu método estiver sendo executado (e não aguardando a eliminação de ponteiros superiores da Pilha).

## E quanto às variáveis de referência?

As regras são as mesmas para tipos primitivos e referências. Uma variável de referência só poderá ser usada quando fizer parte do escopo, o que significa que você não poderá usar o controle remoto de um objeto a menos que tenha uma variável de referência no escopo. A dúvida é:

### "Como a vida da *variável* afeta a vida do *objeto*?"

Um objeto estará ativo enquanto houver referências ativas apontando para ele. Se uma variável de referência sair do escopo, mas ainda estiver ativa, o objeto que ela *referenciar* continuará ativo no Acervo. Portanto é preciso perguntar: "O que acontecerá quando o ponteiro da Pilha que contém a referência for eliminado ao fim da execução do método?"

Se essa for a *única* referência ativa do objeto, ele estará fora do Acervo. A variável de referência desapareceu com o ponteiro da Pilha, portanto, agora o objeto abandonado foi, *oficialmente*, eliminado. O truque é saber o ponto em que um objeto se torna *qualificável para a coleta de lixo*.

Quando um objeto for qualificável para a coleta de lixo (GC, garbage collection), você não precisará se preocupar em reclamar a memória que ele estava usando. Se seu programa ficar com pouca memória, a GC destruirá alguns ou todos os objetos qualificáveis, para impedir que você fique sem espaço em RAM. Você ainda poderá ficar sem espaço na memória, mas *não* antes de todos os objetos qualificáveis terem sido enviados para a lixeira. É sua responsabilidade se certificar de abandonar os objetos (isto é, torná-los qualificáveis para a GC) quando não precisar mais deles, a fim de que o coletor de lixo tenha algo para reclamar. Se mantiver os objetos, a GC não poderá ajudá-lo e você correrá o risco de seu programa passar por uma indesejada falta de memória.

**A vida de um objeto não terá valor, nenhum significado ou objetivo, a menos que alguém tenha uma referência que aponte para ele.**

**Se você não conseguir acessá-lo, não poderá pedir que faça algo, e ele constituirá apenas um grande desperdício de bits.**

**Mas, se um objeto não puder ser alcançado, o Coletor de Lixo descobrirá isso. Cedo ou tarde, esse objeto será eliminado.**

**Um objeto se torna qualificável para a GC quando sua última referência ativa desaparece.**

**Há três maneiras de eliminar a referência de um objeto:**

(1) A referência sair do escopo permanentemente.

```
void go() {
   Life z = new Life();
}
```
a referência z será eliminada ao fim da execução do método.

(2) A referência é atribuída a outro objeto.

```
Life z = new Life();
z = new Life();
```
o primeiro objeto é abandonado quando z é reprogramada para um novo objeto.

(3) A referência é configurada explicitamente com nula.

```
Life z = new Life();
z = null;
```
o primeiro objeto é abandonado quando z é desprogramada.

*ciclo de vida dos objetos*

# Exterminador de objetos número 1

**A referência sai do escopo permanentemente.**

```
public class StackRef  {
   public void foof() {
      barf();
   }

   public void barf() {
      Duck d = new Duck();
   }
}
```

**1** foof( ) é forçado para a Pilha, nenhuma variável é declarada.

**2** barf( ) é forçado para a Pilha, onde declara uma variável de referência e cria um novo objeto atribuído a essa referência. O objeto é criado no Acervo e a referência está ativa e faz parte do escopo.

*O novo objeto Duck será inserido no Acervo e enquanto barf() estiver sendo executado, a referência d estará ativa e no escopo, portanto o objeto Duck será considerado ativo.*

**3** A execução de barf( ) é concluída e o método é eliminado da Pilha. Seu ponteiro desaparece, portanto, agora 'd' foi eliminada. A execução retornará para foof( ), mas esse método não poderá usar 'd'.

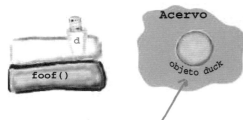

*Opa. A variável d sumiu quando o ponteiro de barf() foi eliminado da pilha, portanto, o objeto Duck será abandonado. Virou isca do coletor de lixo.*

# Exterminador de objetos número 2

**Atribua a referência a outro objeto**

```
public class ReRef {

   Duck d = new Duck();

   public void go() {
      d = new Duck();
   }
}
```

*O novo objeto Duck entra no Acervo, referenciado por d. Já que d é uma variável de instância, o objeto Duck estará ativo enquanto o objeto ReRef que o instanciou também estiver. A menos que...*

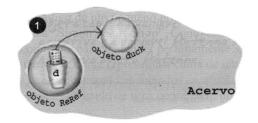

192 *capítulo 9*

*construtores* e coleta de lixo

Quando alguém chamar o método go(), esse objeto Duck será abandonado. Sua única referência foi reprogramada para um objeto Duck diferente.

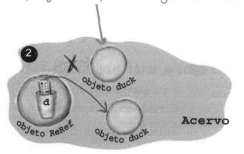

Cara, tudo que você tinha que fazer era reconfigurar a referência. Acho que eles não tinham gerenciamento de memória na época.

d recebeu um novo objeto Duck, deixando o objeto Duck original (o primeiro) abandonado. Agora esse primeiro objeto pode ser considerado eliminado.

## Exterminador de objetos número 3

**Configurar explicitamente a referência com nula**

```
public class ReRef {

    Duck d = new Duck();

    public void go() {
        d = null;
    }
}
```

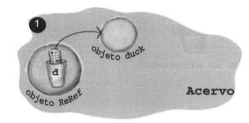

O novo objeto Duck entra no Acervo, referenciado por d. Já que d é uma variável de instância, o objeto Duck estará ativo enquanto o objeto ReRef que o instanciou também estiver. A menos que...

### O significado de null

Quando você configurar um referência com **null**, estará desprogramando o controle remoto. Em outras palavras, terá um controle remoto, mas nenhuma TV na outra extremidade. Uma referência nula contém bits que representam 'nulo' (não sabemos ou não estamos interessados em quais são esses bits, contanto que a JVM saiba).

Se você tiver um controle remoto desprogramado, no dia-a-dia, os botões não farão nada quando você os pressionar. Mas, em Java, você não poderá pressionar os botões (isto é, usar o operador ponto) de uma referência nula, porque a JVM saberá (esse é um problema do tempo de execução e não um erro do compilador) que estamos esperando um latido, mas não há um objeto Dog para executá-lo!

**Se você usar o operador ponto em uma referência nula, verá uma exceção NullPointerException no tempo de execução.** Aprenderemos tudo sobre Exceções no capítulo sobre Comportamento Arriscado.

Esse objeto Duck será abandonado. Sua única referência foi configurada com nula.

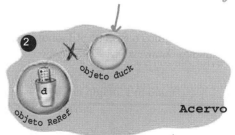

d foi configurada com nula, o que é o mesmo que termos um controle remoto que não esteja programado para fazer nada. Você não poderá nem mesmo usar o operador ponto em d até que essa variável seja reprogramada (que tenha um objeto atribuído).

*ciclo de vida dos objetos*

## Conversa Informal

Debate de hoje: **uma variável de instância e uma variável local discutem vida e morte (com uma educação notável)**

### Variável de instância

Gostaria de começar, porque devo ser mais importante para um programa do que uma variável local. Eu me faço presente para dar suporte a um objeto, geralmente durante toda a sua vida. Afinal, o que é um objeto sem *estado*? Os valores mantidos nas *variáveis de instância*.

Não me entenda mal. Compreendo realmente seu papel em um método, só que a sua vida é tão curta. Tão temporária. É por isso que vocês são chamadas de "variáveis temporárias".

Desculpe, compreendo perfeitamente.

Nunca pensei nisso de tal forma. O que você faz enquanto os outros métodos estão sendo executados e é preciso aguardar seu ponteiro estar no topo da Pilha novamente?

Vimos um vídeo educativo sobre isso uma vez. Parece um fim muito brutal. Quero dizer, quando esse método atingir sua chave final, o ponteiro será literalmente *removido* da Pilha! *Isso* deve doer.

### Variável local

Respeito o seu ponto de vista e certamente aprecio o valor do estado de um objeto, mas não quero que as pessoas se enganem. As variáveis locais são *realmente* importantes. Usando sua frase, "Afinal, o que é um objeto sem *comportamento*?" E o que é comportamento? Algoritmos de métodos. Pode apostar seus bits que haverá algumas *variáveis locais* presentes para fazer esses algoritmos funcionarem.

Dentro da comunidade de variáveis locais, o termo "variáveis temporárias" é considerado depreciador. Preferimos "locais", de pilha", "automáticas" ou "dependentes do escopo".

De qualquer forma, é verdade que não temos uma vida longa e ela também não é particularmente *boa*. Primeiro, somos empurradas para um ponteiro da Pilha com todas as outras variáveis locais. Em seguida, se o método do qual fizermos parte chamar outro método, outro ponteiro será empurrado para a posição acima da que nos encontramos. E se *esse* método chamar *outro* método... E assim por diante. Às vezes temos que esperar uma eternidade até que todos os outros métodos do topo da Pilha terminem sua execução para que o nosso possa ser processado novamente.

Nada. Absolutamente nada. É como ficar em estado de suspensão — essas coisas pelas quais as pessoas passam nos filmes de ficção científica quando têm que viajar longas distâncias. Animação suspensa, na verdade. Apenas ficamos sentadas esperando. Enquanto nosso ponteiro existe, estamos seguras e o nosso valor também, mas é uma faca de dois gumes quando ele volta a ser executado. Por um lado, ficamos ativas de novo. Mas por outro, as horas começam a passar mais uma vez em nossas curtas vidas. Quanto mais tempo nosso método permanecer sendo executado, mais perto chegaremos do fim de sua execução. *Todos* nós sabemos o que acontecerá depois.

*construtores e coleta de lixo*

## Variável de instância

Vivo no Acervo, com os objetos. Bem, não *com* os objetos, na verdade *em* um objeto. O objeto cujo estado eu armazeno. Tenho que admitir que a vida pode ser bem luxuosa no Acervo. Muitos de nós se sentem culpados, principalmente nos feriados.

Certo, hipoteticamente, sim, se eu for uma variável de instância do objeto Collar e ele for qualificável para a GC, suas variáveis de instância serão realmente descartadas como o são tantas embalagens de pizza. Mas fui informado de que isso quase nunca acontece.

Eles nos deixam *beber*?

## Variável local

Nem me diga. Na ciência da computação usa-se o termo *eliminado* como em "o ponteiro foi eliminado da pilha". Isso faz tudo soar divertido ou talvez como um esporte radical. Mas, bem, você viu o filme. Portanto, por que não falamos sobre você? Sei qual é a aparência de meu pequeno ponteiro na Pilha, mas onde *você* reside?

Mas nem *sempre* você vive tanto quanto o objeto que o declarou, certo? Suponhamos que existisse um objeto Dog com uma variável de instância Collar. Imaginemos que *você fosse* uma variável de instância do objeto *Collar*, talvez uma referência a um objeto Buckle ou algo desse tipo, toda feliz sentada dentro do objeto *Collar* que por sua vez estaria todo satisfeito dentro do objeto *Dog*. Mas... O que aconteceria se o objeto Dog quisesse um novo objeto Collar ou *anulasse* sua variável de instância Collar? Isso tornaria o objeto Collar qualificável para a GC. Portanto... Se *você fosse* uma variável de instância de Collar e o objeto inteiro fosse abandonado, qual seria o *seu* destino?

E você acreditou? Isso é o que dizem para nos manter motivados e produtivos. Mas você não está esquecendo algo? E se você fosse a variável de instância de um objeto e ele fosse referenciado *somente* por uma variável *local*? Se eu for a única referência do objeto em que você estiver, quando me eliminarem, você virá comigo. Goste ou não, nossos destinos podem estar conectados. Portanto, proponho que esqueçamos isso tudo e tomemos um porre enquanto podemos. Carpe RAM e etc.

*você está aqui* ▶ **195**

*exercício:* Seja o Coletor de Lixo

### Seja o Coletor de Lixo

Quais das linhas de código à direita, se inseridas na classe à esquerda no ponto A, fariam com que exatamente um objeto adicional se tornasse qualificável para o Coletor de Lixo? [Suponhamos que o ponto A (//chama mais métodos) seja executado por um período longo, dando tempo para que o Coletor de Lixo realize sua tarefa.]

```
public class GC {
   public static GC doStuff() {
      GC newGC = new GC();
      doStuff2(newGC);
      return newGC;
   }

   public static void main(String [] args) {
      GC gc1;
      GC gc2 = new GC();
      GC gc3 = new GC();
      GC gc4 = gc3;
      gc1 = doStuff();

   A
      // chama mais métodos
   }

   public static void doStuff2(GC copyGC) {
      GC localGC = copyGC;
   }
}
```

1.  copyGC = null;
2.  gc2 = null;
3.  newGC = gc3;
4.  gc1 = null;
5.  newGC = null;
6.  gc4 = null;
7.  gc3 = gc2;
8.  gc1 = gc4;
9.  gc3 = null;

---

### Objetos populares

Nesse exemplo de código, vários objetos novos são criados. Seu desafio é encontrar o objeto 'mais popular', isto é, o que tem mais variáveis de referência apontando para ele. Em seguida, liste *qual* é o total de referências que existem para esse objeto e quais são elas! Daremos o pontapé inicial apontando um dos novos objetos e sua variável de referência.

Boa sorte!

```
class Bees {
   Honey [] beeHA;
}

class Raccoon {
   Kit k;
   Honey rh;
}

class Kit {
   Honey kh;
}

class Bear {
   Honey hunny;
}

public class Honey {
   public static void main(String [] args) {
      Honey honeyPot = new Honey();
      Honey [] ha = {honeyPot, honeyPot, honeyPot, 'honeyPot};
      Bees b1 = new Bees();
      b1.beeHA = ha;
      Bear [] ba = new Bear[5];
      for (int x=0; x < 5; x++) {
         ba[x] = new Bear();
         ba[x].hunny = honeyPot;
      }
      Kit k = new Kit();
      k.kh = honeyPot;
      Raccoon r = new Raccoon();    ← Aqui está um novo objeto Raccoon!

      r.rh = honeyPot;
      r.k = k;                      ← Aqui está sua variável de referência r.
      k = null;
   }   // fim de main
}
```

*construtores* e coleta de lixo

## Mistério dos Cinco Minutos

"Executamos a simulação quatro vezes e a temperatura do módulo principal sempre se desvia do padrão em direção ao frio", disse Sarah, exasperada. "Instalamos os novos robôs de temperatura na semana passada. As leituras nos robôs do radiador, projetados para resfriar os aposentos, parecem estar dentro das especificações, portanto, enfocamos nossa análise nos robôs de retenção de calor, aqueles que ajudam a aquecer o local." Tom suspirou, no início parecia que a nanotecnologia os colocaria realmente à frente do prazo. Agora, com apenas cinco semanas para o lançamento, alguns dos sistemas-chave de manutenção de vida da nave ainda não tinham passado no teste da simulação.

"Que proporções você está usando na simulação?", Tom perguntou.

"Bem se entendi onde você quer chegar, já pensamos nisso", Sarah respondeu. "O controle da missão não aprovará os sistemas críticos se eles estiverem fora das especificações. Fomos solicitados a executar as Unidades Sim do robô do radiador v3 em uma proporção 2:1 com relação às Unidades Sim do radiador v2", Sarah continuou. "No sistema como um todo, a proporção entre os robôs de retenção e os do radiador deve ser de 4:3."

"Como está o consumo de energia Sarah?", Tom perguntou. Sarah hesitou, "Bem isso é outra coisa, o consumo de energia está mais alto do que o planejado. Temos uma equipe analisando essa questão também, mas já que os componentes da nanotecnologia não têm fio tem sido difícil isolar o consumo de energia dos radiadores dos robôs de retenção". "A proporção geral do consumo de energia", Sarah continuou, "foi projetada para ser de 3:2 com os radiadores extraindo mais energia do acumulador sem fio".

"Certo, Sarah", disse Tom. "Examinemos o código de iniciação da simulação. Temos que identificar esse problema, e rápido!"

```
import java.util.*;
class V2Radiator {
   V2Radiator(ArrayList list) {
      for(int x=0; x<5; x++) {
         list.add(new SimUnit("V2Radiator"));
      }
   }
}

class V3Radiator extends V2Radiator {
   V3Radiator(ArrayList lglist) {
      super(lglist);
      for(int g=0; g<10; g++) {
         lglist.add(new SimUnit("V3Radiator"));
      }
   }
}

class RetentionBot {
   RetentionBot(ArrayList rlist) {
      rlist.add(new SimUnit("Retention"));
   }
}

public class TestLifeSupportSim {
   public static void main(String [] args) {
      ArrayList aList = new ArrayList();
      V2Radiator v2 = new V2Radiator(aList);
      V3Radiator v3 = new V3Radiator(aList);
      for(int z=0; z<20; z++) {
         RetentionBot ret = new RetentionBot(aList);
      }
   }
}

class SimUnit {
   String botType;
   SimUnit(String type) {
      botType = type;
   }
   int powerUse() {
      if ("Retention".equals(botType)) {
         return 2;
      } else {
         return 4;
      }
   }
}
```

**Tom examinou o código rapidamente e um pequeno sorriso desenhou-se em seus lábios. "Acho que encontrei o problema, Sarah, e aposto que também sei qual o percentual de desvio em suas leituras da utilização de energia!"**

**De que Tom suspeita? Como ele conseguiu identificar os erros na leitura do consumo de energia e que linhas de código você poderia adicionar para ajudar a depurar esse programa?**

você está aqui ▶   **197**

## Soluções dos Exercícios

**G.C.**

| | | |
|---|---|---|
| 1 | copyGC = null; | **Não** — essa linha tenta acessar uma variável que está fora do escopo. |
| 2 | gc2 = null; | **OK** — gc2 é a única variável de referência que aponta para esse objeto. |
| 3 | newGC – gc3; | **Não** — outra variável fora do escopo. |
| 4 | gc1 = null; | **OK** — gc1 tem a única referência porque newGC está fora do escopo. |
| 5 | newGC = null; | **Não** — newGC está fora do escopo. |
| 6 | gc4 = null; | **Não** — gc3 ainda está referenciando esse objeto. |
| 7. | gc3 = gc2; | **Não** — gc4 ainda está referenciando esse objeto. |
| 8. | gc1 = gc4; | **OK** — nova atribuição à única referência desse objeto. |
| 9 | gc3 = null; | **Não** — gc4 ainda está referenciando esse objeto. |

## Objetos populares

Não deve ter sido tão difícil descobrir que o objeto Honey inicialmente referenciado pela variável honeyPot é sem dúvida o objeto mais 'popular' dessa classe. Mas pode ter sido um pouco mais complicado perceber que todas as variáveis que apontam no código para o objeto Honey referenciam o ***mesmo objeto***! Há um total de 12 referências ativas apontando para esse objeto imediatamente antes de main( ) ser concluído. A variável *k.kh* é válida durante algum tempo, mas k é anulada no final. Já que *r.k* continua a referenciar o objeto Kit, *r.k.kh* (embora nunca declarado explicitamente) também referencia o objeto!

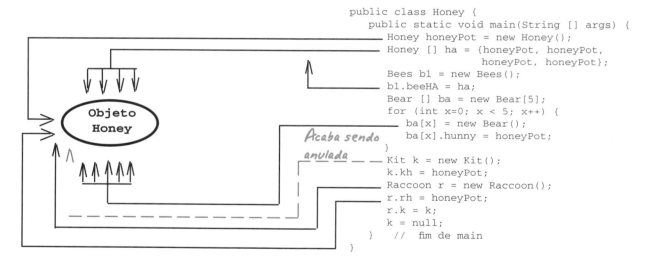

### Mistério dos Cinco Minutos Resolvido

Tom notou que o construtor da classe V2Radiator usava uma ArrayList. Isso significa que sempre que o construtor de *V3*Radiator era chamado, ele passava uma ArrayList ao construtor de *V2*Radiator em sua chamada a super(). Portanto, cinco objetos SimUnit adicionais de V2Radiator eram criados. Se Tom estivesse certo, o uso total de energia teria sido igual a 120 e não aos 100 que as taxas projetadas por Sarah previam.

Já que todas as classes Bot geram objetos SimUnit, criar um construtor para a classe SimUnit, que exibisse uma linha sempre que um objeto SimUnit fosse gerado, teria realçado rapidamente o problema!

# 10 números e elementos estáticos

# Os Números são Importantes

**Faça as contas.** Porém há mais coisas a se fazer com os números do que apenas primitivos cálculos aritméticos. Você pode querer obter o valor absoluto de um número, arredondar um número ou saber qual é o maior entre dois números. Pode querer que seus números sejam exibidos com exatamente duas casas decimais ou inserir pontos em seus números altos para torná-los mais fáceis de ler. E quanto ao uso de datas? Você pode querer exibir as datas de várias maneiras ou até manipulá-las para dizer algo como "some três semanas à data de hoje". E quanto à conversão de uma String em um número? Ou à conversão de um número em uma String? Você está com sorte. A API Java está cheia de métodos úteis de manipulação de números prontos e fáceis de usar. Mas a maioria deles é **estática**, portanto começaremos aprendendo o que significa para uma variável ou método ser estático, inclusive as constantes em Java — variáveis finais estáticas.

## Os métodos de Math: o mais próximo que você chegará de um método global

Já que *nada* é global em Java. Mas pense nisto: e se você tiver um método cujo comportamento não depender do valor de uma variável de instância. Veja o método round() da classe Math, por exemplo. Ele faz sempre a mesma coisa — arredonda um número de ponto flutuante (o argumento do método) para o inteiro mais próximo. Sempre. Se você tivesse 10.000 instâncias da classe Math e executasse o método round(42,2), obteria um valor inteiro igual a 42. Sempre. Em outras palavras, o método atua sobre o argumento, mas nunca é afetado pelo estado de uma variável de instância. O único valor que altera a maneira como o método round() é executado é o argumento passado para ele!

Não parece um desperdício de espaço útil do acervo criar uma instância da classe Math simplesmente para executar o método round()? E quanto aos *outros* métodos de Math como min(), que usa dois tipos primitivos numéricos e retorna o menor entre eles. Ou Max(). Ou abs(), que retorna o valor absoluto de um número.

*Esses métodos nunca usam os valores da variável de instância.* Na verdade a classe Math não *tem* nenhuma variável de instância. Portanto, não ganharíamos nada com a criação de uma instância da classe Math. Logo, adivinhe. Você não precisa fazer isso. Ou melhor, não poderá fazê-lo.

**Os métodos da classe Math não usam valores de nenhuma variável de instância. E já que são 'estáticos', você não precisará de uma instância de Math. Só precisará da classe Math.**

```
int x = Math.round(42.2);
int y = Math.min(56,12);
int z = Math.abs(-343);
```

*Esses métodos nunca usam variáveis de instância, portanto seu comportamento não depende da existência de um objeto específico.*

### Se você tentar criar uma instância da classe Math:

```
Math mathObject = new Math();
```

### Verá essa mensagem de erro:

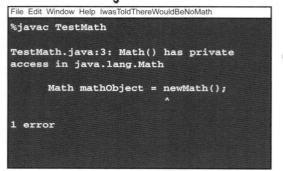

*Essa mensagem de erro mostra que o construtor de Math está marcado como privado! Isso significa que você NUNCA poderá escrever new na classe Math para criar um novo objeto Math.*

## A diferença entre métodos comuns (não-estáticos) e estáticos

O Java é orientada a objetos, mas em algumas situações você pode ver um caso especial, normalmente um método utilitário (como os métodos de Math), onde não é necessária a existência de uma instância da classe. A palavra-chave **static** permite que um método seja executado *sem qualquer instância da classe*. Um método ser estático significa "que o comportamento não depende de uma variável de instância, portanto não são necessárias instâncias/objetos. Apenas a classe".

### método <u>comum</u> (não-estático)

```
public class Song {
   String title;
   public Song(String t) {
      title = t;
   }
   public void play() {
      SoundPlayer player = new SoundPlayer();
      player.playSound(title);
   }
}
```

*O valor da variável de instância afeta o comportamento do método play()*

*O valor atual da variável de instância title é a canção que será reproduzida quando você chamar play().*

*números* e *elementos estáticos*

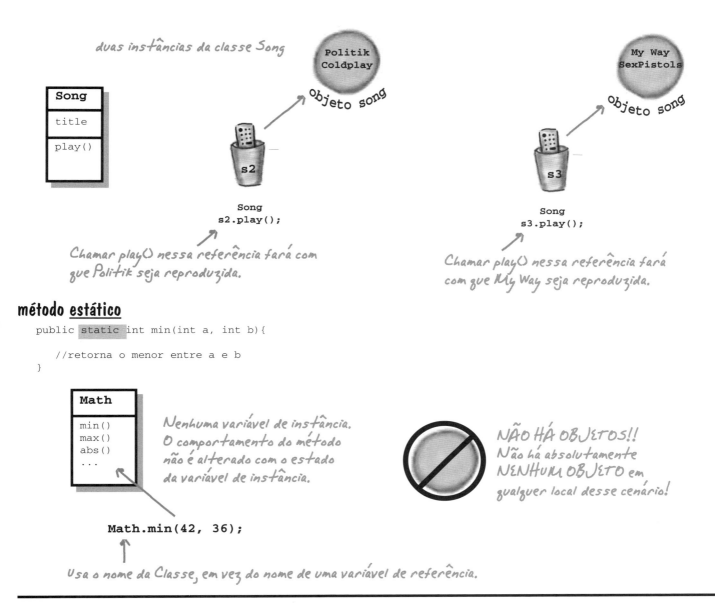

## método estático

```
public static int min(int a, int b){
    //retorna o menor entre a e b
}
```

### Chame um método estático usando o nome de uma CLASSE

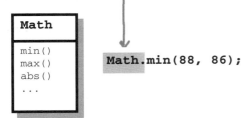

### Chame um método não estático usando o nome de uma VARIÁVEL de REFERÊNCIA

## O que significa termos uma classe com métodos estáticos

Geralmente (mas nem sempre), uma classe com métodos estáticos não deve ser instanciada. No Capítulo 8 falamos sobre classes abstratas e sobre como criar uma classe com o modificador **abstract** torna impossível alguém inserir 'new' nesse tipo de classe. Em outras palavras, *é impossível instanciar uma classe abstrata.*

Mas você pode impedir que outros códigos instanciem uma classe *não*-abstrata, marcando o construtor com **private**. Lembre-se de que um *método* marcado como privado significa que só os códigos de dentro da classe podem chamá-lo. Um *construtor* marcado como privado significa essencialmente a mesma coisa — só códigos de dentro da classe podem chamá-lo. Ninguém pode executar 'new' de *fora* da classe. É isso que ocorre com a classe Math, por exemplo. O construtor é privado, você não pode criar uma nova instância de Math. O compilador saberá que seu código não tem acesso a esse construtor privado.

você está aqui ▶   **201**

*métodos estáticos*

Isso *não* significa que uma classe com um ou mais métodos estáticos nunca deva ser instanciada. Na verdade, toda classe em que você inserir um método main() será uma classe com um método estático!

Normalmente, criamos um método main() para podermos iniciar ou testar outra classe, quase sempre instanciando uma classe em main e, em seguida, chamando um método nessa nova instância.

Portanto, fique à vontade para combinar métodos estáticos e não-estáticos em uma classe, embora, mesmo com apenas um método não-estático, isso signifique que deve haver *alguma* maneira de criar uma instância da classe. As únicas maneiras de se criar um novo objeto são através de 'new' ou da desserialização (ou algo chamado de Java Reflection API que não examinaremos). Não há outra maneira. Mas *quem* exatamente pode usar 'new' é uma pergunta interessante que discutiremos um pouco adiante neste capítulo.

## Métodos estáticos não podem usar variáveis não estáticas (de instância)!

Os métodos estáticos são executados sem usar qualquer instância específica de sua classe. E como você viu nas páginas anteriores, pode nem mesmo *haver* qualquer instância dessa classe. Já que um método estático é chamado com o uso da *classe* (*Math*.random()) e não de uma *referência de instância* (*t2*.play()), ele não pode referenciar nenhuma variável de instância da classe. O método estático não sabe *que* valor de variável da instância usar.

**Se você tentar usar uma variável de instância de dentro de um método estático, o compilador pensará: "Não sei de que variável de instância do objeto você está falando!"**

**Se você tiver dez objetos Duck no acervo, um método estático não saberá da existência de nenhum deles.**

### Se você tentar compilar esse código:

```
public class Duck {

    private int size;

    public static void main (String[] args) {
        System.out.println("Size of duck is " + size);
    }

    public void setSize(int s) {
        size = s;
    }
    public int getSize() {
        return size;
    }
}
```

*Que objeto Duck?*
*O tamanho de quem?*

*Não sabemos se há um objeto Duck em algum local do acervo.*

### Verá essa mensagem de erro:

```
%javac Duck.java

Duck.java:6: non-static variable size 
cannot be referenced from a static   context

    System.out.println("Size of duck   is
" + size);

    ^
```

## Métodos estáticos também não podem usar <u>métodos</u> não-estáticos!

O que os métodos não-estáticos fazem? *Geralmente usam o estado da variável de instância para afetar o comportamento do método.* Um método getName() retornará o valor da variável de nome. O nome de quem? Do objeto usado para chamar o método getName().

*números e elementos estáticos*

## Isso não será compilado:

```java
public class Duck {

    private int size;

    public static void main (String[] args) {
        System.out.println("Size is " + getSize());
    }

    public void setSize(int s) {
        size = s;
    }
    public int getSize() {
        return size;
    }
}
```

*Chamar getSize() apenas adiará o inevitável — getSize() usa a variável de instância size.*

*De volta ao mesmo problema — o tamanho de quem?*

```
File Edit Window Help Jack-In
% javac Duck.java

Duck.java:6: non-static method     getSize()
cannot be referenced from a static context

    System.out.println("Size of duck   is
" + getSize());

      ^
```

### Torne fácil lembrar

O Java passa por valor

Wash Cat

segmentos wait() notify()

As rosas são vermelhas
E sabe-se que florescem tardiamente

O estado da variável de instância para os métodos estáticos não é transparente

não existem
## Perguntas Idiotas

**P:** **E se você tentar chamar um método não-estático em um método estático, mas o método não-estático não usar variáveis de instância? O compilador permitirá isso?**

**R:** Não. O compilador saberá que, independentemente de você usar ou não variáveis de instância em um método não-estático, é possível fazê-lo. E pense nas implicações... Se você pudesse compilar um cenário como esse, o que aconteceria se no futuro quisesse alterar a implementação desse método não-estático para que um dia ele realmente usasse uma variável de instância? Ou pior, o que aconteceria se uma subclasse sobrepusesse o método e usasse uma variável de instância na versão de sobreposição?

**P:** **Eu poderia jurar que vi um código que chama um método estático usando uma variável de referência em vez do nome da classe.**

**R:** Você pode fazer isso, mas como sua mãe sempre lhe disse: "Só porque pode ser feito não significa que é bom." Embora funcione chamar um método estático usando qualquer instância da classe, isso leva a um código confuso (menos legível). Você pode escrever,

```java
Duck d = new Duck();
String[] s = {};
d.main(s);
```

Esse código é válido, mas o compilador apenas o converterá novamente na classe real ["Certo, d é de tipo Duck e main() é estático, portanto chamarei o método estático main() na classe Duck"]. Em outras palavras, usar d para chamar main() não implica que main() terá algum conhecimento especial do objeto que d está referenciando. Trata-se apenas de uma maneira alternativa de chamar um método estático, mas o método continuará a ser estático!

*você está aqui ▶* **203**

## Variável estática:
## o valor é o mesmo para TODAS as instâncias da classe

Suponhamos que você quisesse contar quantas instâncias de Duck estão sendo criadas enquanto seu programa está sendo executado. Como faria isso? Talvez com uma variável de instância que você incrementasse no construtor?

```
class Duck {
   int duckCount = 0;
   public Duck() {
      duckCount++;
   }
}
```

*isso sempre configuraria duckCount com 1 a cada vez que um objeto Duck fosse criado*

Não, isso não funcionaria porque duckCount é uma variável de instância e começará em 0 para cada objeto Duck. Poderíamos tentar chamar um método de alguma outra classe, mas seria confuso. Você precisa de uma classe que tenha apenas uma cópia da variável para que todas as instâncias compartilhem essa cópia única.

É isso que uma variável estática lhe dará: um valor compartilhado por todas as instâncias de uma classe. Em outras palavras, um valor por *classe*, em vez de um valor por *instância*.

```
public class Duck {
   private int size;
   private static int duckCount = 0;

   public Duck() {
      duckCount++;
   }

   public void setSize(int s) {
      size = s;
   }
   public int getSize() {
      return size;
   }
}
```

*A variável estática duckCount SÓ é inicializada na primeira vez que a classe é carregada e NÃO sempre que uma nova instância é criada.*

*Agora ela continuará a ser incrementada sempre que o construtor de Duck for executado, porque duckCount é estática e não será reconfigurada com 0.*

*Um objeto Duck não tem sua própria cópia de duckCount. Já que duckCount é estática, todos os objetos Duck compartilham a mesma cópia da variável. Você pode considerar uma variável estática como uma variável que reside em uma CLASSE em vez de em um objeto.*

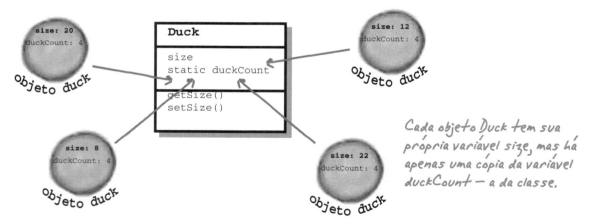

*Cada objeto Duck tem sua própria variável size, mas há apenas uma cópia da variável duckCount — a da classe.*

*números e elementos estáticos*

*primeira instância de kid (criança)*
*variável estática: iceCream (sorvete)*
*segunda instância de kid*

## As variáveis estáticas são compartilhadas.

## Todas as instâncias da mesma classe compartilham a mesma cópia das variáveis estáticas.

variáveis de instância: 1 por **instância**

variáveis estáticas: 1 por **classe**

 Exercitando o cérebro

Anteriormente neste capítulo, vimos que um construtor ser privado significa que a classe não pode ser instanciada a partir de um código que esteja sendo executado fora dela. Em outras palavras, só códigos de dentro da classe podem criar uma nova instância de uma classe com um construtor privado. (Há um problema do tipo 'a galinha ou ovo' aqui.)

E se você quiser criar uma classe de maneira que somente UMA instância dela possa ser gerada e qualquer pessoa que queira usar uma instância da classe tenha que usar sempre essa?

## Inicializando uma variável estática

As variáveis estáticas são inicializadas quando uma *classe é carregada*. Uma classe será carregada quando a JVM decidir que é hora de carregá-la. Normalmente, a JVM carrega uma classe porque alguém está tentando criar uma nova instância dela, pela primeira vez, ou usar uma variável ou método estático da classe. Como programador, você também poderá solicitar à JVM que carregue uma classe, mas é provável que não precise fazer isso. Em quase todos os casos, é melhor deixar a JVM decidir quando *carregar* a classe.

E há duas coisas garantidas na inicialização estática:

As variáveis estáticas de uma classe são inicializadas antes de qualquer *objeto* dessa classe poder ser criado.

As variáveis estáticas de uma classe são inicializadas antes de qualquer *método estático* da classe ser executado.

> **Todas as variáveis estáticas de uma classe são inicializadas antes de qualquer objeto dessa classe poder ser criado.**

```java
class Player {
   static int playerCount = 0;
   private String name;
   public Player(String n) {
      name = n;
      playerCount++;
   }
}


public class PlayerTestDrive {
   public static void main(String[] args) {
      System.out.println(Player.playerCount);
      Player one = new Player("Tiger Woods");
      System.out.println(Player.playerCount);
   }
}
```

*playerCount é inicializada quando a classe é carregada. Inicializamos explicitamente essa variável com 0, mas não precisaríamos fazer isso, já que 0 é o valor padrão para tipos int. As variáveis estáticas recebem valores padrão da mesma forma que as variáveis de instância.*

*Os valores padrão para variáveis estáticas e de instância declaradas mas não inicializadas são os mesmos:*
*tipos primitivos inteiros: (longo, curto, etc.): 0*
*tipos primitivos de ponto flutuante (float, double): 0,0*
*booleanos: falso*
*referências de objeto: nulo*

*Acessa uma variável estática da mesma forma que um método estático — com o nome da classe.*

*constantes estáticas finais*

As variáveis estáticas são inicializadas quando a classe é carregada. Se você não inicializar explicitamente uma variável estática (atribuindo um valor quando a declarar), ela receberá um valor padrão, portanto variáveis int são inicializadas com 0, o que significa que não precisamos dizer explicitamente "playerCount = 0". Declarar, mas não inicializar, uma variável estática significa que ela receberá o valor padrão desse tipo de variável, da mesma forma que as variáveis de instância recebem valores padrão quando declaradas.

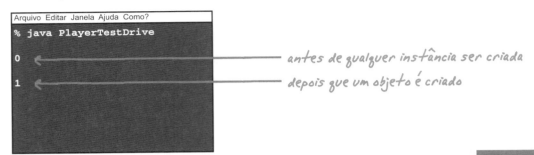

```
Arquivo Editar Janela Ajuda Como?
% java PlayerTestDrive

0    ← antes de qualquer instância ser criada
1    ← depois que um objeto é criado
```

## As variáveis estáticas finais são constantes

Uma variável ser marcada com **final** significa que — quando inicializada — ela nunca poderá ser alterada. Em outras palavras, o valor da variável estática final permanecerá o mesmo enquanto a classe estiver carregada. Procure Math.PI no API e você verá:

```
public static final double PI = 3.141592653589793;
```

A variável está marcada com **public** para que qualquer código possa acessá-la.

A variável está marcada com **static** para que você não precise de uma instância da classe Math (que, lembre-se, não pode ser criada).

A variável está marcada com **final** porque PI não se altera (no contexto Java).

Não há outra maneira de designar uma variável como uma constante, mas há uma convenção de nomeação que o ajudará a reconhecê-la:

***Os nomes das variáveis constantes devem ter somente letras maiúsculas!***

> **Um inicializador estático** é um bloco de código que é executado quando uma classe é carregada, antes de qualquer outro código poder usar a classe, portanto é um ótimo local para inicializar uma variável **estática** final.
>
> ```
> class Foo {
>    final static int x;
>    static {
>       x = 42;
>    }
> }
> ```

## Inicialize uma variável estática final:

**① Na hora em que a declarar:**

```
public class Foo {
   public static final int FOO_X = 25;
}
```

*observe a convenção de nomeação — as variáveis estáticas finais são constantes, portanto o nome deve estar todo em maiúsculas, com um sublinhado separando as palavras.*

**OU**

**② Em um inicializador estático:**

```
public class Bar {
   public static final double BAR_SIGN;

   static {
      BAR_SIGN = (double) Math.random();
   }
}
```

*esse código será executado assim que a classe for carregada, antes de qualquer método estático ser chamado e antes mesmo de qualquer variável estática poder ser usada.*

Se você não fornecer um valor para uma variável final em um desses dois locais:

```
public class Bar {
   public static final double BAR_SIGN;

}
```
*não há inicialização!*

O compilador perceberá:

```
File Edit Window Help Jack-In
% javac Bar.java

Bar.java:1: variable BAR_SIGN might not
have been initialized

1 error
```

*números e elementos estáticos*

# A palavra-chave final não é usada apenas para variáveis estáticas...

Você também pode usar a palavra-chave **final** para modificar variáveis não-estáticas, inclusive variáveis de instância, variáveis locais e até mesmo parâmetros de métodos. Em todos esses casos, ela teria o mesmo significado: o valor não pode ser alterado. Mas você também pode usar final para impedir que alguém sobreponha um método ou crie uma subclasse.

## Variáveis não-estáticas finais

```
class Foof {
    final int size = 3;
    final int whuffie;

    Foof() {
        whuffie = 42;
    }

    void doStuff(final int x) {
        // você não pode alterar x
    }

    void doMore() {
        final int z = 7;
    // você não pode alterar z
    }
}
```

*agora você não pode alterar size*

*agora você não pode alterar whuffie*

## Método final

```
class Poof {
    final void calcWhuffie() {
        // coisas importantes
        // que nunca devem ser sobrepostas
    }
}
```

## Classe final

```
final class MyMostPerfectClass {
    // não pode ser estendida
}
```

Uma **variável** ser final significa que você não poderá **alterar** seu valor.

Um **método** ser final significa que você não poderá **sobrepô-lo**.

Uma **classe** ser final significa que você não poderá **estendê-la** (isto é, não poderá criar uma subclasse).

> Tudo é tão... Tão final. Quero dizer, se eu soubesse que não poderia alterar as coisas...

## Perguntas Idiotas

*não existem*

**P:** Um método estático não pode acessar uma variável não-estática. Mas um método não–estático pode acessar uma variável estática?

**R:** É claro. O método não-estático de uma classe sempre poderá chamar um método estático dela ou acessar uma variável estática da classe.

**P:** Por que eu poderia querer criar uma casse final? Isso não invalida a finalidade da OO?

**R:** Sim e não. Uma razão típica para a criação de uma classe final é por segurança. Você não pode, por exemplo, criar uma subclasse da classe String. Imagine o problema se alguém estendesse a classe String e substituísse pelos objetos de sua própria subclasse String, polimorficamente, onde objetos de String

fossem esperados. Se você precisar contar com uma implementação específica dos métodos de uma classe, marque-a como final.

**P:** Não é redundante ter que marcar os métodos como finais se a classe for final?

**R:** Se a classe for final, você não precisará marcar os métodos como finais. Pense bem — se uma classe for final ela nunca poderá ter subclasses, portanto nenhum dos métodos poderá ser sobreposto.

Por outro lado, se você quiser realmente permitir que outras pessoas estendam sua classe e que possam sobrepor alguns, porém não todos os métodos, então, não marque a classe como final, mas marque seletivamente métodos específicos como finais. Um método ser final significa que uma subclasse não poderá sobrepor esse método específico.

*você está aqui* ▶ **207**

*estático* e *final*

# PONTOS DE BALA

- Um ***método estático*** deve ser chamado com o uso do nome da classe em vez de uma variável de referência de objeto:
  ```
  Math.random() vs. myFoo.go()
  ```

- Um método estático pode ser chamado sem que haja qualquer instância de sua classe no acervo.

- Um método ser estático pode ser adequado para um método utilitário que não dependa (e que nunca dependerá) do valor de uma variável de instância específica.

- Um método estático não estará associado a um instância específica — somente à classe — portanto não poderá acessar valores de nenhuma variável de instância de sua classe. Ele não saberia os valores de *que* instância usar.

- Um método estático não pode acessar um método não-estático, já que geralmente os métodos não-estáticos estão associados ao estado da variável de instância.

- Se você tiver uma classe que só tenha métodos estáticos e não quiser que ela seja instanciada, poderá marcar o construtor como privado.

- Uma ***variável estática*** é aquela compartilhada por todos os membros de uma determinada classe. Há somente uma cópia da variável estática em uma classe, em vez de uma cópia por cada instância individual para as variáveis de instância.

- Um método estático pode acessar uma variável estática.

- Para criar uma constante em Java, marque uma variável como estática e final.

- Uma variável estática final deve receber um valor na hora em que for declarada ou em um inicializador estático.
  ```
  static {
     DOG_CODE = 420;
  }
  ```

- A convenção de nomeação das constantes (variáveis estáticas finais) define que o nome use somente maiúsculas.

- O valor de uma variável final não poderá ser alterado depois que for atribuído.

- A atribuição de um valor a uma variável *de instância* final deve ocorrer na hora em que ela for declarada ou no construtor.

- Um método final não pode ser sobreposto.

- Uma classe final não pode ser estendida (ter subclasses).

## Aponte seu lápis

### O que é válido?

Dado tudo que você acabou de aprender sobre elementos estáticos e finais, quais desses códigos seriam compilados?

Mantenha-se

à direita

①
```java
public class Foo {
    static int x;

    public void go() {
       System.out.println(x);
    }
}
```

③
```java
public class Foo3 {
    final int x;

    public void go() {
       System.out.println(x);
    }
}
```

⑤
```java
public class Foo5 {
    static final int x = 12;

    public void go(final int x) {
       System.out.println(x);
    }
}
```

②
```java
public class Foo2 {
    int x;

    public static void go() {
       System.out.println(x);
    }
}
```

④
```java
public class Foo4 {
    static final int x = 12;

    public void go() {
       System.out.println(x);
    }
}
```

⑥
```java
public class Foo6 {
    int x = 12;

    public static void go(final int x) {
       System.out.println(x);
    }
}
```

*números e elementos estáticos*

## Métodos de Math

Agora que sabemos como os métodos estáticos funcionam, examinemos alguns métodos estáticos da classe Math. Não veremos todos, apenas os mais importantes. Verifique sua API para ver o restante inclusive sqrt(), tan(), ceil(), floor() e asin().

## Math.random( )

Retorna um double entre 0,0 e (mas não inclusive) 1,0.

```
double r1 = Math.random();
int r2 = (int) (Math.random() * 5);
```

## Math.abs( )

Retorna o double que for o valor absoluto do argumento. O método é sobrecarregado, portanto, se você passar um int ele retornará um int. Passe um double e ele retornará um double.

```
int x = Math.abs(-240);  // retornará 240
double d = Math.abs(240.45);  // retornará  240.45
```

## Math.round( )

Retorna um inteiro ou um longo (dependendo se o argumento for um float ou um double) arredondado para o valor inteiro mais próximo.

```
int x = Math.round(-24.8f);  // retornará -25
int y = Math.round(24.45f);  // retornará 24
```

↑

*Lembre-se de que números literais de ponto flutuante serão interpretados como tipos double a menos que você adicione o f.*

## Math.min( )

Retorna o valor que for menor entre dois argumentos. O método é sobrecarregado para usar tipos int, longo, float ou double.

```
int x = Math.min(24,240);  // retornará 24
double y = Math.min(90876.5, 90876.49);  // retornará 90876.49
```

## Math.max( )

Retorna o valor que for maior entre dois argumentos. O método é sobrecarregado para usar tipos int, longo, float ou double.

```
int x = Math.max(24,240);  // retornará 240
double y = Math.max(90876.5, 90876.49);  // retornará 90876.5
```

## Empacotando um tipo primitivo

Em algumas situações você pode querer tratar um tipo primitivo como um objeto. Por exemplo, em todas as versões do Java anteriores à 5.0, não é possível inserir um tipo primitivo diretamente em um conjunto como ArrayList ou HashMap:

```
int x = 32;
ArrayList list = new ArrayList();
list.add(x);
```

*Isso não funcionará a menos que você esteja usando a Java 5.0 ou superior!! Não há um método add(int) em ArrayList que use um inteiro! [ArrayList só tem métodos add() que usam referências de objeto e não tipos primitivos.]*

Há uma classe empacotadora para cada tipo primitivo e já que as classes empacotadoras se encontram no pacote java.lang, você não precisará importá-las. Você conseguirá reconhecer as classes empacotadoras porque elas foram nomeadas de acordo com o tipo primitivo que empacotam, mas com a primeira letra em maiúsculo para obedecer a convenção de nomeação de classes.

*você está aqui ▶* **209**

*métodos estáticos*

Ah sim, por razões que absolutamente ninguém no planeta sabe ao certo, os projetistas da API decidiram não mapear os nomes *exatamente* do tipo primitivo para o tipo da classe. Você entenderá o que queremos dizer:

**Boolean**
**Character**
**Byte**
**Short**
**Integer**
**Long**
**Float**
**Double**

*Cuidado! Os nomes não foram mapeados exatamente conforme os tipos primitivos. Os nomes das classes foram escritos por extenso.*

## Empacotando um valor

```
int i = 288;
Integer iWrap = new Integer(i);
```

*Fornece o tipo primitivo para o construtor do empacotador. Apenas isso*

## Desempacotando um valor

```
int unWrapped = iWrap.intValue();
```

*Todos os empacotadores funcionam assim. Boolean tem um construtor booleanValue(), Character tem charValue(), etc.*

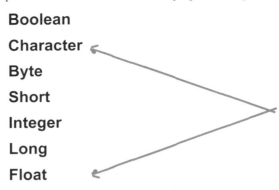

objeto

**tipo primitivo**

**Quando você precisar tratar um tipo primitivo como um objeto, empacote-o. Se estiver usando qualquer versão do Java anterior à 5.0, você fará isso quando precisar armazenar um valor primitivo em um conjunto como ArrayList ou HashMap.**

*tipo primitivo*
*objeto Integer*
*objeto interger*

**Nota: a figura anterior é um chocolate em um pacote de papel laminado. Captou? Um pacote? Algumas pessoas acham que parece uma batata assada, mas isso também funcionaria.**

*Isso é estúpido. Você quer dizer que não posso criar uma ArrayList de inteiros? Tenho que empacotar cada inteiro em um novo objeto Integer e, em seguida, desempacotá-lo quando tentar acessar esse valor na ArrayList? Isso é uma perda de tempo e aumenta a probabilidade de erros...*

## Antes do Java 5.0, vocês é que tínhamos que fazer tudo..

Ela está certa. Em todas as versões do Java anteriores à 5.0, os tipos primitivos eram tipos primitivos e as referências de objeto eram referências de objeto, sem NUNCA serem tratados de maneira intercambiável. Sempre cabia a nós, os programadores, criar o empacotamento e o desempacotamento. Não havia como passar um tipo primitivo para um método que usasse uma referência de objeto e como atribuir o resultado de um método que retornasse uma referência de objeto diretamente a uma variável primitiva — mesmo quando a referência retornada era atribuída a um objeto Integer e a variável primitiva era um inteiro. Simplesmente não havia relacionamento entre um objeto Integer e um tipo int, exceto pelo fato de Integer ter uma variável de instância de tipo int (para armazenar o tipo primitivo que esse objeto empacotava). Tudo tinha que ser feito por nossa própria conta.

*números e elementos estáticos*

## Um ArrayList de tipos primitivos inteiros

### Sem o auto-empacotamento (versões da Java anteriores à 5.0)

```
public void doNumsOldWay() {

    ArrayList listOfNumbers = new ArrayList();

    listOfNumbers.add(new Integer(3));

    Integer one = (Integer) listOfNumbers.get(0);

    int intOne = one.intValue();
}
```

*Cria uma ArrayList. (Lembre-se de que antes da versão 5.0 não podíamos especificar o TIPO, portanto todas as ArrayLists eram listas de tipos Object.)*

*Você não pode adicionar o tipo primitivo 3 à lista, portanto terá que empacotá-lo em um objeto Integer antes.*

*Será capturado com o tipo Object, mas você pode convertê-lo para Integer.*

*Finalmente você pode extrair o tipo primitivo de Integer.*

## Auto-empacotamento: tornando obscura a linha divisória entre tipos primitivos e objetos

O recurso de auto-empacotamento adicionado ao Java 5.0 faz a conversão de tipo primitivo para objeto empacotador *automaticamente!*

Vejamos o que acontecerá quando quisermos criar uma ArrayList que armazene inteiros.

## Uma ArrayList de tipos primitivos inteiros

### Com o auto-empacotamento (versão 5.0 da Java ou posteriores)

*Cria uma ArrayList de tipo Integer.*

```
public void doNumsNewWay() {

    ArrayList<Integer> listOfNumbers = new ArrayList<Integer>();

    listOfNumbers.add(3);

    int num = listOfNumbers.get(0);
}
```

*Basta adicionar!*

*E o compilador desempacotará (converterá) automaticamente o objeto Integer para que você possa atribuir o valor int diretamente a um tipo primitivo sem ter que chamar o método intValue() no objeto Integer.*

**Embora NÃO haja um método add(int) na classe ArrayList, o compilador fará todo o trabalho de empacotamento (encapsulamento) para você. Em outras palavras, na verdade o que está armazenado na ArrayList É um objeto Integer, mas você terá que "fazer de conta" que ela usa inteiros. (Você pode adicionar tanto inteiros quanto objetos Integer a ArrayList<Integer>.)**

P: **Por que não declarar uma ArrayList<int> se quisermos armazenar inteiros?**

R: Porque... Não é possível. Lembre-se de que a regra dos tipos genéricos diz que você pode especificar somente tipos de classe ou interface e não tipos primitivos. Portanto, ArrayList<int> não seria compilada. Mas, como você pode ver no código anterior, isso não importa, já que o compilador permite que você insira inteiros em ArrayList<Integer>. Na verdade, não há uma maneira de impedir que você insira tipos primitivos em uma ArrayList onde o tipo da lista for o mesmo que o do empacotador do tipo primitivo, se estiver sendo usado um compilador compatível com o Java 5.0, já que o auto-empacotamento ocorrerá automaticamente. Portanto, você pode inserir tipos primitivos booleanos em ArrayList<Boolean> e chars em ArrayList<Character>.

## O auto-empacotamento funciona em quase todos os locais

O auto-empacotamento permitirá que você faça mais do que apenas o empacotamento e desempacotamento comuns para usar tipos primitivos em um conjunto... Ele também deixará que use um tipo primitivo ou seu tipo empacotador em qualquer local onde um ou outro for esperado. Pense nisso!

*você está aqui* ▶ **211**

*métodos estáticos*

## Diversão com o auto-empacotamento

### Argumentos do método

Se um método usar um tipo empacotador, você poderá passar a referência de um empacotador ou um valor primitivo do tipo correspondente. E é claro que o inverso também é verdadeiro — se um método usar um tipo primitivo, você poderá passar um tipo primitivo compatível ou a referência de um empacotador desse tipo primitivo.

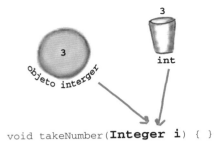

### Valores de retorno

Se um método usar um tipo de retorno primitivo, você poderá retornar um tipo primitivo compatível ou a referência de um empacotador desse tipo primitivo. E se um método declarar um tipo de retorno empacotador, você poderá retornar uma referência do tipo empacotador ou um valor primitivo do tipo correspondente.

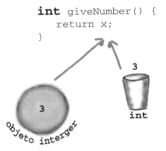

### Expressões booleanas

Em qualquer local onde um valor booleano for esperado, você poderá usar uma expressão que resulte em um booleano (4>2), um booleano primitivo ou a referência de um empacotador booleano.

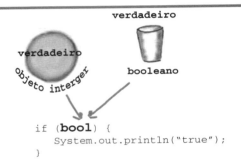

### Operações e números

Talvez esse seja o local mais estranho — sim, agora você pode usar um tipo empacotador como operando em operações onde o tipo primitivo for esperado. Isso significa que se pode aplicar, digamos, o operador de incremento à referência de um objeto Integer!
Mas não se preocupe — isso é apenas um truque do compilador. A linguagem não foi modificada para fazer os operadores funcionarem em objetos; o compilador simplesmente converterá o objeto em seu tipo primitivo antes da operação. No entanto, parece mesmo estranho.

Integer i = new Integer(42);

i++;

E isso significa que você também poderá fazer coisas como:

Integer j = new Integer(5);
Integer k = j + 3;

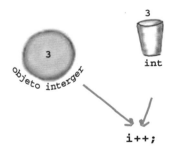

### Atribuições

Você pode atribuir um empacotador ou um tipo primitivo a uma variável declarada com o tipo empacotador ou primitivo correspondente. Por exemplo, uma variável primitiva int pode ser atribuída a uma variável de referência Integer e vice-versa — a referência de um objeto Integer pode ser atribuída a uma variável declarada com um tipo primitivo int.

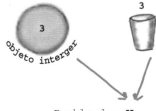

### Aponte seu lápis

Esse código será compilado? E executado? Se for, o que fará?

Faça uma pausa e analise esse código; ele demonstra uma implicação do auto-empacotamento sobre a qual não falamos.

Você terá que acessar seu compilador para encontrar as respostas. (Sim, estamos forçando você a fazer testes, para seu próprio bem.)

```java
public class TestBox {

    Integer i;
    int j;

    public static void main (String[] args) {
        TestBox t = new TestBox();
        t.go();
    }

    public void go() {
        j=i;
        System.out.println(j);
        System.out.println(i);
    }
}
```

---

## Mas espere! Há mais! Os empacotadores também têm métodos utilitários estáticos!

Além de agir como uma classe comum, os empacotadores têm vários métodos estáticos realmente úteis. Já usamos um neste livro — Integer.parseInt().

Os métodos de conversão usam um objeto String e retornam um valor primitivo.

### Converter um objeto String em um valor primitivo é fácil:

```java
String s = "2";
int x = Integer.parseInt(s);
double d = Double.parseDouble("420.24");
boolean b = new Boolean("true").booleanValue();
```

← Não há problemas em converter 2 em 2.

← Você está pensando que deveria haver um método BooleanparseBoolean(), não está? Mas não há. Felizmente há um construtor de Boolean que usa (e converte) um objeto String e você só terá que desempacotar o valor primitivo para capturá-lo.

### Mas se você tentar fazer isto:

```java
String t = "two";
int y = Integer.parseInt(t);
```

← Opa. Isso será compilado corretamente, mas no tempo de execução travará. Qualquer coisa que não possa ser convertida em um número causará uma exceção NumberFormatException

### Verá uma exceção de tempo de execução:

```
File Edit Window Help Clue
% javac Wrappers
Exception in thread "main"
java.lang.NumberFormatException: two
  at java.lang.Integer.parseInt(Integer.java:409)
  at java.lang.Integer.parseInt(Integer.java:458)
  at Wrappers.main(Wrappers.java:9)
```

**Todo método ou construtor que converta um objeto String pode lançar uma exceção NumberFormatException. Trata-se de uma exceção de tempo de execução, portanto você não terá que manipular ou declará-la. Mas talvez queira. (Falaremos sobre exceções no próximo capítulo.)**

### E agora o inverso... Convertendo um número primitivo em um objeto String

Há várias maneiras de converter um número em um objeto String. A mais fácil é simplesmente concatenar o número a um objeto String existente.

```java
double d = 42.5;
String doubleString = "" + d;
```

← Lembre-se de que o operador + é sobrecarregado em Java (o único operador sobrecarregado) para a concatenação de Strings. Qualquer coisa que for adicionada a um objeto String passará a fazer parte dele.

```java
double d = 42.5;
String doubleString = Double.toString(d);
```

← Outra maneira de fazer isso é usar um método estático da classe Double.

*formatação de números*

## Formatação de números

Em Java, formatar números e datas não tem que estar associado à E/S. Pense nisso. Uma das maneiras mais comuns de exibir números para um usuário é através de uma GUI. Você inserirá as Strings em uma área de texto de rolagem ou talvez em uma tabela. Se a formatação fosse construída somente em instruções de impressão, você nunca poderia formatar um número em uma String adequada à exibição em uma GUI. Antes do Java 5.0, grande parte da formatação era manipulada através de classes do pacote java.text que não examinaremos nesta versão do livro, já que houve alterações.

Em Java 5.0, a equipe Java adicionou uma formatação mais poderosa e flexível através da classe Formatter de java.util. Mas você não terá que criar e chamar métodos da classe Formatter, porque o Java 5.0 adicionou métodos convenientes a algumas das classes de E/S (inclusive printf()) e à classe String. Portanto, é uma simples questão de chamar um método String.format() e passar para ele o que você quiser que seja formatado junto com as instruções de formatação.

É claro que você terá que saber como fornecer as instruções de formatação, e isso demandará algum esforço, a menos que esteja familiarizado com a função ***printf( )*** da C/C++. Felizmente, mesmo se você *não* conhecer prinf(), poderá simplesmente seguir as etapas da maioria das operações básicas (que mostraremos neste capítulo). Mas talvez queira aprender como formatar para usar todos os recursos e fazer o que quiser.

## Formatando um número para que use pontos

```
public class TestFormats {

    public static void main (String[] 'args) '{

        String s = String.format("%. d", 1000000000);
        System.out.println(s);
    }
}
```

*O número a formatar (queremos que ele tenha pontos).*

*As instruções de formatação que indicam como formatar o segundo argumento (que nesse caso é um valor int). Lembre-se de que aqui há somente dois argumentos no método — a primeira vírgula faz parte da String literal, portanto não está separando argumentos do método format.*

**1.000.000.000** ← *Agora temos pontos inseridos no número.*

*números* e *elementos estáticos*

## Detalhando a formatação...

No nível mais básico, a formatação é composta de duas partes principais (há mais, porém começaremos dessa forma para manter o assunto mais simples):

① **Instruções de formatação**
Você usará especificadores especiais de formato que descreverão como o argumento deve ser formatado.

② **O argumento a ser formatado**
Embora possa haver mais de um argumento, começaremos com apenas um. O tipo do argumento não pode ser simplesmente *qualquer coisa*... Tem que ser algo que possa ser formatado com o uso dos especificadores de formato nas instruções de formatação. Por exemplo, se suas instruções de formatação especificarem um *número de ponto flutuante*, você não poderá passar um objeto Dog ou mesmo uma String que se pareça com um número de ponto flutuante.

**Nota: se você já conhece o método printf() da C/C++, talvez só precise examinar superficialmente as próximas páginas. Caso contrário, leia cuidadosamente!**

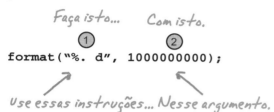

```
format("%. d", 1000000000);
```
*Use essas instruções... Nesse argumento.*

## Qual o significado real dessas instruções?

"Pegue o segundo argumento desse método, formate-o como um inteiro **d**ecimal e insira **pontos**."

## Como isso é informado?

Na próxima página examinaremos com mais detalhes o que a sintaxe "%. d" realmente significa, mas, para começar, sempre que você se deparar com o sinal de percentual (%) em uma String de formato [que é sempre o primeiro argumento de um método format()], considere-o como a representação de uma variável, que será o outro argumento do método. O restante dos caracteres após o sinal de percentual descrevem as instruções de formatação do argumento.

## O percentual (%) representa "insira o argumento aqui" (e formate-o usando essas instruções)

O primeiro argumento de um método format() é chamado de String de formato e pode incluir caracteres que você queira simplesmente que sejam impressos no formato original, sem formatação adicional. No entanto, quando você se deparar com o sinal %, considere-o como uma variável que representa o outro argumento do método.

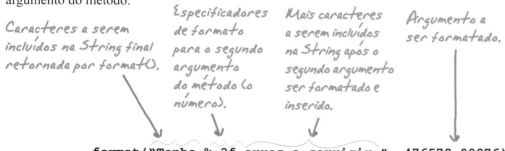

O sinal "%" informará ao recurso de formatação para inserir o outro argumento do método [o segundo argumento de format(), o número] aqui E formatá-lo usando os caracteres ",2f" existentes após o sinal. Em seguida, o resto da String de formato, "erros a corrigir", será adicionado à saída final.

você está aqui ▶ **215**

o método format()

## Adicionando um ponto

```
format("Tenho %.,2f erros a corrigir.", 476578,09876);
```

**Tenho 476.578,10 erros a corrigir.**

*Ao alterar as instruções de formato de %,2f para %.,2f, teremos um ponto no número formatado.*

*Mas como o método SABE onde as instruções terminam e o resto dos caracteres começa? Por que ele não exibe o "f" de "%,2f"? Ou o "2"? Como ele sabe que o ,2f faz parte das instruções e NÃO da String?*

### A String de formato usa a sintaxe de sua própria linguagem

É claro que você não pode inserir *qualquer coisa* depois do sinal "%". A sintaxe para o que pode entrar após o sinal de percentual segue regras muito específicas e descreve como formatar o argumento que será inserido naquele ponto da String (formatada) do resultado.

Você já viu dois exemplos:

**%.d** significa "insira pontos e formate o número como um inteiro decimal.",

**%,2f** significa "formate como um número de ponto flutuante com precisão de duas casas decimais."

e

**%.,2f** significa "insira pontos e formate como um número de ponto flutuante com precisão de duas casas decimais.".

A pergunta certa seria: "Como saberei o que inserir após o sinal de percentual para que ele faça o que desejo?" E isso inclui conhecer os símbolos (como "d" para decimal e "f" para número de ponto flutuante) assim como a ordem em que as instruções devem ser inseridas após o sinal de percentual. Por exemplo, se você inserir o ponto depois do "d" desta forma: "%d." em vez de "%.d" não funcionará!

Ou funcionará? O que você acha que conseguirá com isso:

```
String.format("Tenho %,2f. erros a corrigir.", 476578,09876);
```

(Responderemos a seguir.)

### O especificador de formato

Tudo o que vier após o sinal de percentual até e incluindo o indicador do tipo (como "d" ou "f") fará parte das instruções de formatação. Depois do indicador do tipo, o método de formatação presumirá que o próximo conjunto de caracteres deve fazer parte da String de saída, até ele atingir outro sinal de percentual (%). Hmmmm... Isso é possível? Você pode ter mais de uma variável como argumento a ser formatado? Deixe essa questão em suspenso por enquanto; retornaremos a ela em breve. Até lá, examinaremos a sintaxe dos especificadores de formato — os elementos que entram após o sinal de percentual (%) e descrevem como o argumento deve ser formatado.

**Um especificador de formato pode ter até cinco partes diferentes (sem contar o "%"). Tudo que estiver entre [ ] a seguir é opcional, portanto só o percentual (%) e o tipo são obrigatórios. Mas a ordem também é obrigatória, logo, qualquer parte que você usar deve seguir essa ordem.**

*números e elementos estáticos*

```
%[número do argumento][flags][tamanho][,precisão]tipo
```

*Falaremos sobre isso depois... Essa parte permitirá que você informe QUAL é o argumento se houver mais de um. (Não se preocupe com essa questão por enquanto.)*

*Esses elementos são as opções especiais de formatação como a inserção de pontos, colocar os números negativos em parênteses ou fazer com que os números sejam alinhados à esquerda.*

*Define a quantidade MÍNIMA dos caracteres que serão usados. Informa o mínimo e não o TOTAL. Se o número for maior do que o tamanho especificado, ele ainda será usado por completo, mas, se for menor, será completado com zeros.*

*Você já conhece essa parte... Ela define a precisão. Em outras palavras, configura a quantidade de casas decimais. Não se esqueça de incluir a , aí.*

*O tipo é obrigatório (consulte o próximo item) e geralmente é d para um inteiro decimal ou f para um número de ponto flutuante.*

```
%[número do argumento][flags][tamanho][,precisão]tipo
```

```
format("%.6,1f", 42.000);
```

*O número do argumento não foi especificado nessa String de formato, mas todas as outras partes estão aí.*

## O único especificador obrigatório é o do TIPO

Embora o tipo seja o único especificador obrigatório, lembre-se de que se você inserir algo mais, o tipo deve vir sempre por último! Há mais de uma dezena de modificadores de tipo diferentes (sem contar as datas e horas; elas têm seu próprio conjunto), mas provavelmente você usará mais %d (decimal) ou %f (ponto flutuante). E normalmente combinamos %f com um indicador de precisão para configurar a quantidade de casas decimais que desejamos em nossa saída.

## O TIPO é obrigatório, o restante é opcional.

**%d    decimal**

```
format("%d", 42);
```

`42`

*42,25 não funcionaria! Seria o mesmo que tentar atribuir diretamente um double a uma variável int.*

O argumento deve ser compatível com um inteiro, portanto isso significa apenas tipos byte, curto, int e char (ou seus tipos empacotadores).

**%f    ponto flutuante**

```
format("%,3f", 42,000000);
```

`42,000`

*Aqui combinamos o f com um indicador de precisão ,3, portanto acabaremos usando três zeros.*

O argumento deve ser um tipo de ponto flutuante, portanto isso significa apenas um float ou um double (primitivo ou empacotador) assim como algo conhecido como BigDecimal (que não examinaremos neste livro).

**%x    hexadecimal**

```
format("%x", 42);
```

`2a`

O argumento deve ser um tipo byte, curto, int, longo (incluindo tanto os tipos primitivos quanto os empacotadores) ou BigInteger.

**%c    caractere**

```
format("%c", 42);
```

`*`

*O número 42 representa o caractere *.*

O argumento deve ser um tipo byte, curto, char ou int (incluindo tanto os tipos primitivos quanto os empacotadores).

**Você dever incluir um tipo em suas instruções de formato e, se especificar outras coisas além do tipo, ele terá que vir sempre por <u>último</u>. Na maioria das situações, o mais provável é que você formate números usando "d" para decimais e "f" para número de ponto flutuante.**

*você está aqui ▶* 217

*argumentos* de formato

# O que aconteceria se eu tivesse mais de um argumento?

Suponhamos que você tivesse uma String com esta aparência:

"A posição é a de número *20.456.654* entre as *100.567.890,24* existentes."

Mas os números fossem extraídos de variáveis. O que você faria? Simplesmente adicione *dois* argumentos depois da String de formato (primeiro argumento), para indicar que sua chamada a format() terá três argumentos em vez de dois. E, dentro desse primeiro argumento (a String de formato), você terá dois especificadores de formato diferentes (dois elementos que começam com "%"). O primeiro especificador de formato inserirá o segundo argumento do método e o segundo especificador inserirá o terceiro argumento. Em outras palavras, as inserções de variáveis na String de formato usarão a ordem com que os outros argumentos forem passados para o método format().

```
int one = 20456654;
double two = 100567890.248907;
String s = String.format(A posição é a de número %.d entre as %.,2f existentes", one, two);
```

> *Quando você tiver mais de um argumento, eles serão inseridos na ordem em que forem passados para o método format().*

**A posição é a de número 20.456.654 entre as 100.567.890,25 existentes**

*Adicionamos pontos às duas variáveis e limitamos o número de ponto flutuante (a segunda variável) a duas casas decimais.*

Como você verá quando chegarmos à formatação de datas, podemos querer aplicar especificadores de formato diferentes ao mesmo argumento. Isso pode ser difícil de imaginar até que você veja como a formatação de *datas* (e não a formatação de *números* com a qual estivemos trabalhando) funciona. Por enquanto você só precisa saber que em breve, verá como ser mais objetivo quanto a que especificadores de formato serão aplicados a que argumentos.

P: **Hum, há algo REALMENTE estranho acontecendo aqui. Quantos argumentos posso passar? Quero dizer, quantos métodos format() sobrecarregados existem NA classe String? E o que acontecerá se eu quiser passar, digamos, dez argumentos diferentes a serem formatados para uma única String de saída?**

R: Boa pergunta. Sim, há algo estranho (ou pelo menos novo e diferente) acontecendo e não há vários métodos format() sobrecarregados que usem uma quantidade diferente de argumentos possíveis. Para dar suporte a essa nova API de formatação (semelhante a printf) em Java, a linguagem precisou de outro recurso novo — listas de argumentos de variáveis (chamados de varargs na abreviação). Falaremos sobre os varargs somente no apêndice porque, exceto na formatação, provavelmente você não os usará muito em um sistema bem-projetado.

## Tantos detalhes quanto aos números, mas e as datas?

Suponhamos que você quisesse uma String com essa aparência: "Sunday, Nov 28 2004".

Você diria que não há nada de especial aqui? Bem, suponhamos que inicialmente você só precisasse de uma variável de tipo Date — uma classe Java que pudesse representar um carimbo de hora — e agora quisesse pegar esse objeto (e não um número) e enviá-lo para o método de formatação.

A principal diferença entre a formatação de números e a de datas é que os formatos de data usam um tipo de dois caracteres que começa com "t" (e não o caractere exclusivo "f" ou "d", por exemplo). Os exemplos a seguir devem lhe dar uma boa idéia de como funciona:

**218** *capítulo 10*

## A data e a hora completas        %tc

```
String.format("%tc", new Date());
```

`Sun Nov 28 14:52:41 MST 2004`

## Apenas a hora        %tr

```
String.format("%tr", new Date());
```

`03:01:47 PM`

## Dia da semana, mês e dia do mês     %tA %tB %td

Não há um especificador de formato exclusivo que faça exatamente o que queremos, portanto temos que combinar três deles para obter o dia da semana (%tA), o mês (%tB) e o dia do mês (%td).

```
Date today = new Date();
String.format("%tA, %tB %td",today,today,today);
```

*A vírgula não faz parte da formatação... É apenas o caractere que queremos exibir depois do primeiro argumento formatado que for inserido.*

`Sunday, November 28`

**Mas isso significa que teremos que passar o objeto Date três vezes, uma para cada parte do formato que selecionamos. Em outras palavras, o especificador %tA nos fornecerá apenas o dia da semana, depois teremos que passar o argumento novamente para obter apenas o mês e mais uma vez para o dia do mês.**

## A mesma situação anterior, porém sem duplicação dos argumentos     %tA %tB %td

```
Date today = new Date();
String.format("%tA, %<tB %<td",today);
```

*O sinal menor que < é apenas outro flag do especificador que informa ao método de formatação para usar o argumento anterior novamente. Portanto, ele evitará a repetição dos argumentos e em vez disso você formatará o mesmo argumento de três maneiras diferentes.*

**Você pode considerar isso como se estivéssemos chamando três métodos de captura diferentes no objeto Date, para obter suas três partes distintas referentes à data.**

## Trabalhando com datas

Você vai ter que fazer mais coisas com as datas do que apenas capturar a data de *hoje*. Vai precisar que seus programas ajustem datas, calculem intervalos de tempo, priorizem prazos, criem agendamentos. Você precisará de recursos de manipulação de datas de nível industrial.

É claro que você poderia criar suas próprias rotinas de data... (E não esqueça dos anos bissextos!) E, bem, aqueles irritantes e acidentais *segundos* a mais. Nossa, isso pode ficar complicado. A boa notícia é que a API Java está cheio de classes que poderão lhe ajudar a manipular datas. Às vezes acho até que há classes *demais*...

## Avançando e voltando no tempo

Digamos que a semana de trabalho de sua empresa vá de segunda à sexta. Você recebeu a tarefa de calcular o último dia de trabalho de cada mês desse ano no calendário...

## Parece que o pacote java.util.Date está realmente... Desatualizado

Anteriormente usamos java.util.Date para saber a data de hoje, portanto o lógico seria que essa classe fosse um bom local para começarmos a procurar alguns recursos práticos de manipulação de datas, mas quando você verificar a API descobrirá que a maioria dos métodos de Date foi substituída!

A classe Date ainda é ótima para a captura de um "carimbo (marca, indicador) de hora" — um objeto que representa a data e hora atuais, portanto use-a quando quiser dizer "forneça os dados ATUAIS".

A boa notícia é que o API recomenda a classe **java.util.Calendar** como substituta, portanto iremos examiná-la:

## Use java.util.Calendar em sua manipulação de datas

Os projetistas da API Calendar queriam pensar literalmente de maneira global. A idéia básica é que você solicite um objeto Calendar (através de um método estático da classe Calendar que veremos na próxima página) quando quiser trabalhar com datas e que a JVM retorne a instância de uma subclasse concreta de Calendar. (Na verdade Calendar é uma classe abstrata, portanto você estará sempre trabalhando com uma subclasse concreta.)

**Para obter um carimbo de hora do momento "atual", use Date. Para qualquer outra coisa, use Calendar.**

No entanto, o mais interessante é que o *tipo* de calendário que você obterá será *adequado ao local onde estiver*. Grande parte do planeta usa o calendário gregoriano, mas, se você estiver em uma área que ele não seja utilizado, poderá fazer com que as bibliotecas Java manipulem outros calendários como o budista, o islâmico ou o japonês.

O API Java padrão vem com **java.util.GregorianCalendar**, portanto será essa classe que usaremos aqui. Geralmente, entretanto, você não terá nem mesmo que pensar no tipo de subclasse Calendar que estará usando e em vez disso só terá que se preocupar com os métodos da classe Calendar.

## Capturando um objeto que estenda Calendar

Como seria possível capturar uma "instância" de uma classe abstrata? Bem, é claro que não é possível, isto não funcionará:

### Isto NÃO funcionará:
```
Calendar cal = new Calendar();
```
← *O compilador não permitirá isso!*

### Portanto, use o método estático "getinstance( )":
```
Calendar cal = Calendar.getInstance();
```
← *Essa sintaxe já deve ser familiar — estamos chamando um método estático.*

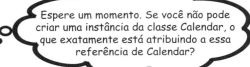

*Espere um momento. Se você não pode criar uma instância da classe Calendar, o que exatamente está atribuindo a essa referência de Calendar?*

### Você não pode capturar uma instância de Calendar, mas pode capturar uma instância de uma subclasse concreta de Calendar.

É claro que você não pode capturar uma instância de Calendar, porque Calendar é abstrata. Mas pode chamar métodos estáticos em Calendar, já que os métodos *estáticos* são chamados na *classe*, em vez de em uma instância específica. Portanto, você chamará o método estático getinstance() em Calendar e ele retornará... Uma instância de uma subclasse concreta. Algo que estenda Calendar (ou seja, que possa ser atribuído polimorficamente a Calendar) e que — por conseguinte — possa responder aos métodos dessa classe.

Em grande parte do planeta, e por padrão na maioria das versões da Java, é retornada uma instância de **java.util.GregorianCalendar**.

## Trabalhando com objetos Calendar

Há vários conceitos-chave que você terá que compreender para trabalhar com objetos Calendar:

- **Os campos armazenam o *estado*** — Um objeto Calendar tem muitos campos que são usados para representar aspectos de seu último estado, sua data e hora. Por exemplo, você pode capturar e configurar o *ano* ou o *mês* de um objeto Calendar.

- **As datas e horas podem ser *incrementadas*** — A classe Calendar tem métodos que permitirão que você adicione e subtraia valores de vários campos, por exemplo, "some uma unidade ao mês" ou "subtraia três anos".

*números* e *elementos estáticos*

**- As datas e horas podem ser representadas em *milissegundos*** — A classe Calendar permitirá que você converta e desfaça a conversão de suas datas para uma representação em milissegundos. (Especificamente, quantos milissegundos ocorreram desde 1° de janeiro de 1970.) Isso lhe permitirá efetuar cálculos precisos como "o tempo transcorrido entre duas datas" ou "somar 63 horas, 23 minutos e 12 segundos a essa data".

## Um exemplo de como trabalhar com um objeto Calendar:

```
Calendar c = Calendar.getInstance();
c.set(2004,0,7,15,40);            ← Configura a hora para 7 de janeiro de 2004 às 15:40.
                                    (Observe que o mês começa em zero.)
long day1 = c.getTimeInMillis();  ← Converte para o valor em milissegundos

day1 += 1000 * 60 * 60;
                                    Adiciona o valor de uma hora em milissegundos e, em
c.setTimeInMillis(day1);          ← seguida, atualiza a hora.
                                    (Observe o sinal +=, ele é o mesmo que day1 = day1 +...)
System.out.println("new hour " + c.get(c.HOUR_OF_DAY));

c.add(c.DATE, 35);                ← Adiciona 35 dias à data, o que deve
                                    nos levar para fevereiro.
System.out.println("add 35 days " + c.getTime());

c.roll(c.DATE, 35);               ← Avança 35 dias a partir dessa data. Avança
                                    a data 35 dias, mas NÃO altera o mês!
System.out.println("roll 35 days " + c.getTime());

c.set(c.DATE, 1);                 ← Não estamos incrementando aqui,
                                    apenas configurando a data.
System.out.println("set to 1 " + c.getTime());
```

```
File Edit Window Help Time-Flies
new hour 16
add 35 days Wed Feb 11 16:40:41 MST 2004
roll 35 days Tue Feb 17 16:40:41 MST 2004
set to 1 Sun Feb 01 16:40:41 MST 2004
```

Essa saída confirma como millis, add, roll e set funcionam.

## Destaques do API Calendar

Acabamos de examinar o uso de alguns dos campos e métodos da classe Calendar. Trata-se de uma API extensa, portanto só estamos mostrando alguns dos campos e métodos mais comuns que você usará. Após dominar alguns deles, será bem fácil submeter o resto dessa API à sua vontade.

você está aqui ▶ 221

*importações estáticas*

## Outros recursos estáticos! Importações estáticas

Trata-se de uma novidade no Java 5.0 que é uma verdadeira faca de dois gumes. Algumas pessoas amam essa idéia, outras odeiam. As importações estáticas existem somente para que você não precise digitar tanto. Se você odeia digitar, talvez goste desse recurso. A desvantagem das importações estáticas é que — se você não for cuidadoso — usá-las pode tornar seu código muito mais difícil de ler.

A idéia básica consiste em sempre que você estiver usando uma classe estática, uma variável estática ou uma enumeração (falaremos mais sobre isso posteriormente), possa importá-las e evitar a digitação.

### Um código escrito da maneira tradicional:

```java
import java.lang.Math;
class NoStatic {

   public static void main(String [] args) {

      System.out.println("sqrt " + Math.sqrt(2.0));

      System.out.println("tan " + Math.tan(60));

   }
}
```

### O mesmo código, com importações estáticas:

```java
import static java.lang.System.out;
import static java.lang.Math.*;

class WithStatic {
   public static void main(String [] args) {

      out.println("sqrt " + sqrt(2.0));

      out.println("tan " + tan(60));

   }
}
```

*A sintaxe a ser usada na declaração de importações estáticas.*

**Use cuidadosamente: As importações estáticas podem tornar seu código difícil de ler**

*As importações estáticas em ação.*

### Advertências e cuidados

- Se você for usar um membro estático apenas algumas vezes, recomendamos que evite empregar as importações estáticas, para tentar manter o código mais legível.

- Se você for usar muito um membro estático (como na execução de vários cálculos com Math), então provavelmente será adequado usar a importação estática.

- É bom ressaltar que você pode usar curingas (.*), em sua declaração de importação estática.

- Um grande problema das importações estáticas é que não é muito difícil o surgimento de conflitos de nomes. Por exemplo, se houver duas classes diferentes com um método "add()", como você e o compilador saberão qual usar?

## Conversa Informal

**Debate de hoje: Uma variável de instância usa de ironia com uma variável estática**

**Variável de instância**

Não sei por que estamos fazendo isso. Todo mundo sabe que as variáveis estáticas são usadas apenas na criação de constantes. E quantas delas existem por aí? Acho que a API inteira deve ter, digamos, quatro? E nem sempre elas são usadas.

Cheia delas. Sim, repita isso, por favor. Certo, há algumas na biblioteca do Swing, mas todo mundo sabe que o Swing é apenas um caso especial.

Certo, mas, além de alguns recursos de GUI, cite um exemplo de apenas uma variável estática que todo mundo use. No dia-a-dia.

Bem, esse é outro caso especial. E mesmo assim ninguém a usa, exceto em depuração.

Hum, você não está esquecendo de algo?

As variáveis estáticas fazem o que podem para não se adequar à OO! Certo, então por que não voltar no tempo e usar a programação procedimental, já que falamos nisso?

Você é como uma variável global, e qualquer programador que faça jus a seu PDA sabe que geralmente isso não é bom.

Sim, você reside em uma classe, mas o nome certo não é programação Orientada a *Classes*. Isso é estúpido. Você é uma relíquia. Algo que ajuda os antiquados a migrarem para a Java.

**Variável estática**

Você precisa confirmar seus dados. Quando foi a última vez que examinou a API? Ele está cheio de variáveis estáticas! Tem até mesmo classes inteiras dedicadas ao armazenamento de valores constantes. Há uma classe chamada SwingConstants, por exemplo, que está cheia delas.

Pode ser um caso especial, mas é importante! E quanto à classe Color? Não seria incômodo se você tivesse que lembrar os valores RGB para gerar as cores padrão? Mas a classe Color já tem as constantes definidas para o azul, roxo, branco, vermelho, etc. Muito prático.

Que tal System.out para começar? O termo out de System.out representa uma variável estática da classe System. Você não terá que criar pessoalmente uma nova instância da classe System, apenas solicitar a ela sua variável out.

Ah, e a depuração não é importante?

E veja algo que provavelmente nunca passou por sua mente — encaremos os fatos, as variáveis estáticas são mais eficientes. Uma por classe em vez de uma por instância. A economia de memória pode ser enorme!

O quê?

O que você quer dizer com não se adequar à OO?

NÃO sou uma variável global. Não é assim. Vivo em uma classe! Isso tem muito a ver com a OO, sabe como é, uma CLASSE. Não fico situada em qualquer local no espaço; sou uma parte natural do estado de um objeto; a única diferença é que sou compartilhada por todas as instâncias de uma classe. Muito eficiente.

## Variável de instância

Bem, certo, de vez em quando faz sentido usar uma variável estática, mas lembre-se: o abuso de variáveis (e métodos) estáticas é a marca de um programador de OO imaturo. Um projetista deve pensar no estado do *objeto* e não no estado da *classe*.

Não há nada pior que os métodos estáticos, porque geralmente seu uso significa que o programador está pensando de maneira procedimental em vez de em objetos fazendo as coisas com base em seu estado exclusivo de objeto.

Ceeerto. Engane-se o quanto quiser...

## Variável estática

Certo, vamos parar por aí. ISSO definitivamente não é verdade. Algumas variáveis estáticas são absolutamente cruciais para um sistema. E mesmo as que não são cruciais com certeza são úteis.

Por que você acha isso? E o que há de errado com os métodos estáticos?

Certo, sei que os objetos devem ser o foco de um projeto de OO, mas só porque há alguns programadores incompetentes por aí... Não confunda as coisas. Há uma hora e um lugar para o uso de variáveis estáticas e, quando você precisar de uma, verá que não há nada melhor.

---

Exercício

## Seja o compilador

O arquivo Java dessa página representa um programa completo. Sua tarefa é personificar o compilador e determinar se esse arquivo será compilado. Se não for, como você o corrigiria, e se ele for compilado, qual será sua saída?

```
class StaticSuper{

    static {
        System.out.println("super static block");
    }

    StaticSuper{
        System.out.println(
        "super constructor");
    }
}

public class StaticTests extends StaticSuper {
    static int rand;

    static {
        rand = (int) (Math.random() * 6);
        System.out.println("static block " + rand);
    }

    StaticTests() {
        System.out.println("constructor");
    }

    public static void main(String [] args) {
        System.out.println("in main");
        StaticTests st = new StaticTests();
    }
}
```

Se ele for compilado, qual dessas será a saída?

### Saída possível

```
File Edit Window Help Cling
%java StaticTests
static block 4
in main
super static block
super constructor
constructor
```

### Saída possível

```
File Edit Window Help Eletricity
%java StaticTests
super static block
static block 3
in main
super constructor
constructor
```

*números e elementos estáticos*

Este capítulo explorou o maravilhoso mundo estático do Java. Sua tarefa é definir se cada uma das instruções a seguir é verdadeira ou falsa.

### Verdadeiro ou falso

1. Para usar a classe Math, a primeira etapa é criar uma instância dela.
2. Você pode marcar um construtor com a palavra-chave **static**.
3. Os métodos estáticos não têm acesso ao estado da variável de instância do objeto 'this'.
4. É boa prática chamar um método estático usando uma variável de referência.
5. As variáveis estáticas poderiam ser usadas na contagem das instâncias de uma classe.
6. Os construtores são chamados antes de as variáveis estáticas serem inicializadas.
7. MAX_SIZE seria um bom nome para uma variável estática final.
8. Um bloco inicializador estático é executado antes de o construtor de uma classe.
9. Se uma classe for marcada como final, todos os seus métodos devem ser marcados como finais.
10. Um método final só pode ser sobreposto se sua classe for estendida.
11. Não há classe empacotadora para tipos primitivos booleanos.
12. Um empacotador será usado quando você quiser tratar um tipo primitivo como um objeto.
13. Os métodos parseXxx sempre retornam uma String.
14. As classes de formatação (que não estão associadas à E/S) se encontram no pacote java.format.

## Ímãs de Geladeira Lunar

Esse pode ser realmente útil! Além do que aprendeu nas últimas páginas sobre manipulação de datas, você precisará de um pouco mais de informação... Primeiro, as luas cheias ocorrem aproximadamente a cada 29,52 dias. Em segundo lugar, a lua estava cheia em 7 de janeiro de 2004. Sua tarefa é reconstruir os trechos de código para criar um programa Java funcional que produza a saída listada mais à frente (mais algumas datas de lua cheia). (Você pode não precisar de todos os imãs, portanto adicione todas as chaves que forem necessárias.) Ah, e a propósito, sua saída será diferente se você não vive no fuso horário da montanhas.

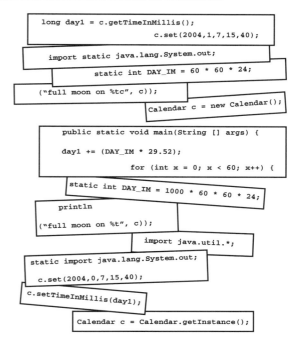

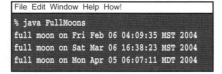

você está aqui ▶ 225

*soluções dos exercícios*

## Soluções dos exercícios

### Seja o compilador

```
StaticSuper ( ) {
    System.out.println(
    "super constructor");
}
```

StaticSuper é um construtor e deve ter () em sua assinatura. Observe que, como a saída abaixo demonstra, os blocos estáticos das duas classes são executados antes de qualquer um dos construtores.

#### Saída possível

```
File Edit Window Help Eletricity
%java StaticTests
super static block
static block 3
in main
super constructor
constructor
```

### Verdadeiro ou falso

1. Para usar a classe Math, a primeira etapa é criar uma instância dela. **Falso**

2. Você pode marcar um construtor com a palavra-chave **static**. **Falso**

3. Os métodos estáticos não têm acesso ao estado da variável de instância do objeto 'this'. **Verdadeiro**

4. É boa prática chamar um método estático usando uma variável de referência. **Falso**

5. As variáveis estáticas poderiam ser usadas na contagem das instâncias de uma classe. **Verdadeiro**

6. Os construtores são chamados antes de as variáveis estáticas serem inicializadas. **Falso**

7. MAX_SIZE seria um bom nome para uma variável estática final. **Verdadeiro**

8. Um bloco inicializador estático é executado antes de o construtor de uma classe. **Verdadeiro**

9. Se uma classe for marcada como final, todos os seus métodos devem ser marcados como finais. **Falso**

10. Um método final só pode ser sobreposto se sua classe for estendida. **Falso**

11. Não há classe empacotadora para tipos primitivos booleanos. **Falso**

12. Um empacotador será usado quando você quiser tratar um tipo primitivo como um objeto. **Verdadeiro**

13. Os métodos parseXxx sempre retornam uma String. **Falso**

14. As classes de formatação (que não estão associadas à E/S) se encontram no pacote java.format. **Falso**

```java
import java.util.*;

import static java.lang.System.out;

class FullMoons {

    static int DAY_IM = 1000 * 60 * 60 * 24;

    public static void main(String [] args) {

        Calendar c = Calendar.getInstance();

        c.set(2004,0,7,15,40);

        long day1 = c.getTimeInMillis();

        for (int x = 0; x < 60; x++) {

            day1 += (DAY_IM * 29.52)

            c.setTimeInMillis(day1);

            out.println(String.format("full moon on %tc", c));

        }

    }

}
```

**Notas sobre o Imã com Código Lunar:**

**Talvez você perceba que algumas das datas produzidas por esse programa estão atrasadas em um dia. Essa questão astronômica é um pouco complicada, e se usássemos de perfeição, seria muito complexo criar um exercício aqui.**

**Dica: um problema que você pode tentar resolver está relacionado às diferenças de fuso horário. Consegue identificar o problema?**

# 11 manipulação de exceções

# Comportamento Arriscado

**Problemas acontecem.** O arquivo não está no local. O servidor está travado. Independentemente de quanto você é bom em programação, não é possível controlar tudo. As coisas podem sair errado. Muito errado. Quando criar um método perigoso, você precisará de um código para manipular o que possa ocorrer de errado. Mas como saber quando um método é perigoso? Onde inserir o código que manipulará a situação **excepcional**? Até agora neste livro, não nos arriscamos realmente. Sem dúvida tivemos coisas que deram errado no tempo de execução, mas os problemas eram em sua maioria falhas em nosso próprio código. Erros. E devemos corrigir isso na hora do desenvolvimento. Não, o código de manipulação de problemas sobre o qual estamos falando aqui será direcionado a códigos que você não possa garantir que funcionarão no tempo de execução. Códigos que precisem que o arquivo esteja no diretório correto, que o servidor esteja sendo executado ou que o thread permaneça em suspensão. E temos que fazer isso agora. Porque, neste capítulo, construiremos algo que usará a perigosa API JavaSound. Construiremos um MIDI Music Player.

construindo o MIDI Music Player

## Criemos uma máquina de música

Nos três capítulos a seguir, construiremos alguns aplicativos de som diferentes, inclusive uma BeatBox Drum Machine. Na verdade, antes de terminar o livro, teremos uma versão com vários participantes para que você possa enviar seus loops de bateria para outro músico, semelhante ao que ocorre em uma sala de bate-papo. Você vai escrever o código inteiro, embora possa optar por usar o código predefinido nas partes de GUI. Certo, nem todo departamento de informática vai se interessar por um novo servidor de BeatBox, mas estamos fazendo isso para *aprender* mais sobre *Java*. Construir uma BeatBox é apenas uma maneira de nos divertir *enquanto* aprendemos Java.

## A BeatBox concluída ficará semelhante a esta:

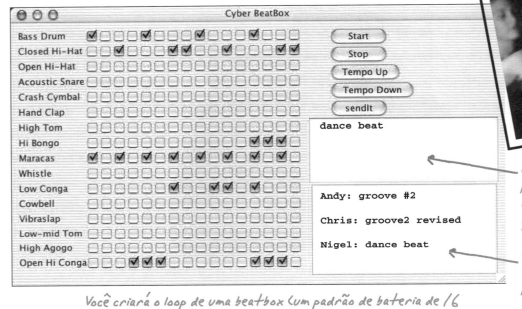

*A mensagem que será enviada para os outros músicos, junto com o padrão de sua batida atual, quando você pressionar SendIt.*

*As mensagens recebidas de outros músicos. Clique em uma para carregar o padrão que veio com ela e, em seguida, clique em Start para reproduzi-lo.*

*Você criará o loop de uma beatbox (um padrão de bateria de 16 batidas) inserindo marcas de seleção nas caixas.*

Insira marcas de seleção nas caixas para cada uma das 16 'batidas'. Por exemplo, na primeira batida (das 16) o bumbo e as maracas serão tocados, na batida 2 não haverá nada e na batida 3 haverá as maracas e o sombrero fechado... Você deve ter entendido. Quando pressionar 'Start', seu padrão será reproduzido em um loop até que 'Stop' seja pressionado. A qualquer momento, você poderá "capturar" um de seus próprios padrões, enviando-o para o servidor de BeatBox (o que significa que qualquer outro músico poderá escutá-lo). Você também poderá carregar qualquer um dos padrões recebidos clicando na mensagem que veio com ele.

## Começaremos com o básico

É claro que temos algumas coisas a aprender antes de o programa completo ser terminado, o que inclui como construir uma GUI do Swing, como se *conectar* com outra máquina através da rede e um pouco de E/S para que possamos *enviar* algo para a outra máquina.

Ah sim, há a API JavaSound. *É por onde* começaremos neste capítulo. Por enquanto, você pode esquecer a GUI, a rede e a E/S e se dedicar somente a fazer com que algum som gerado em formato MIDI seja emitido por seu computador. E não se preocupe se não souber nada sobre MIDI ou sobre ler ou fazer música. Tudo que você precisar aprender será abordado aqui. Já estou quase sentindo o cheiro do contrato fonográfico.

## A API JavaSound

A API JavaSound é um conjunto de classes e interfaces adicionado ao Java a partir da versão 1.3. Elas não são complementos especiais; fazem parte da biblioteca padrão de classes da J2SE. Esse API foi dividido em duas partes: MIDI e Sampled. Usaremos apenas a parte MIDI neste livro. MIDI significa Musical Instrument Digital

*manipulação* de exceções

Interface e é um protocolo padrão para que diferentes tipos de equipamentos eletrônicos possam se comunicar. Mas, para nosso aplicativo de BeatBox, você pode considerar o MIDI como um *tipo de música impressa* com a qual alimentaremos algum dispositivo que poderia ser um 'piano mecânico' com tecnologia de ponta. Em outras palavras, na verdade, os dados MIDI não incluem nenhum *som* e sim as *instruções* que um instrumento leitor de MIDI poderá reproduzir. Ou, usando outra analogia, você pode considerar um arquivo MIDI como um documento HTML e o instrumento que o gerar (isto é, *reproduzir*) como o navegador Web.

Os dados MIDI informam *o que* fazer (reproduza C médio com essa intensidade e durante esse período, etc.), mas não informam absolutamente nada sobre o *som* real que você ouvirá. O formato MIDI não sabe como fazer o som de uma flauta, piano ou da guitarra de Jimmi Hendrix. Para o som real, precisaremos de um instrumento (um dispositivo MIDI) que possa ler e reproduzir um arquivo MIDI. Mas geralmente o dispositivo se parece mais com uma *banda ou orquestra com todos* os instrumentos. E esse instrumento pode ser um dispositivo físico, como os sintetizadores de teclado eletrônico que os músicos de rock usam, ou até mesmo um instrumento construído inteiramente em software, residindo em seu computador.

Em nossa BeatBox, usaremos somente o instrumento interno que vem com Java. Ele se chama sintetizador (algumas pessoas o chamam de *sintetizador de software*) porque *gera* som. Som que pode ser *ouvido*.

*O arquivo MIDI tem informações sobre como uma canção deve ser reproduzida, mas não possui nenhum dado de som real. É como instruções de música impressa para um piano mecânico.*

*O dispositivo MIDI sabe como ler um arquivo MIDI e reproduzir o som. Pode ser um teclado de sintetizador ou algum outro tipo de instrumento. Geralmente, um instrumento MIDI consegue reproduzir muitos sons diferentes (piano, bateria, violino, etc.), todos ao mesmo tempo. Portanto, um arquivo MIDI não é como música impressa para apenas um músico da banda — ele pode conter as partes de TODOS os músicos que tocam uma canção específica.*

## Primeiro precisamos de um seqüenciador

Antes de podermos gerar qualquer som, precisamos de um objeto Sequencer. O seqüenciador é o objeto que pega todos os dados MIDI e os envia para os instrumentos certos. É o objeto que reproduz a música. Um seqüenciador pode fazer muitas coisas diferentes, mas, neste livro, o usaremos estritamente como um dispositivo de reprodução. Como o CD-player de seu equipamento de som, mas com alguns recursos adicionais. A classe Sequencer se encontra no pacote javax.sound.midi (parte da biblioteca Java padrão a partir da versão 1.3). Portanto, comecemos nos certificando se podemos criar (ou capturar) um objeto Sequencer.

```java
import javax.sound.midi.*;

public class MusicTest1 {

    public void play() {
        Sequencer sequencer = MidiSystem.getSequencer();
        System.out.println("We got a sequencer");
    } // fecha play

    public static void main(String[] args) {
        MusicTest1 mt = new MusicTest1();
        mt.play();
    } // fecha main
} // encerra a classe
```

*importa o pacote javax.sound.midi*

*Precisamos de um objeto Sequencer. Ele é a parte principal do dispositivo/instrumento MIDI que estamos usando. É o objeto que, bem, seqüencia todas as informações MIDI, convertendo-as em uma canção. Mas não criaremos uma marca nova — teremos que solicitar a MidiSystem que nos forneça um.*

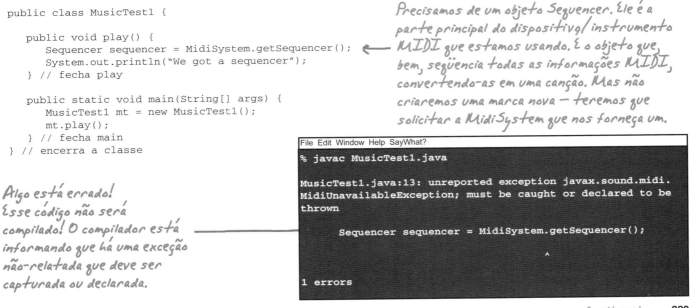

*Algo está errado! Esse código não será compilado! O compilador está informando que há uma exceção não-relatada que deve ser capturada ou declarada.*

você está aqui ▶ **229**

*mas parecia tão simples*

# O que acontecerá quando um método que você quiser chamar (provavelmente de uma classe que não criou) for perigoso?

① Suponhamos que você quisesse chamar um método de uma classe que não criou.

② Esse método faz algo arriscado, algo que pode não funcionar no tempo de execução.

③ Você precisa *saber* se o método que está chamando é perigoso.

④ Em seguida, você escreverá um código que consiga manipular a falha, se ela *realmente* ocorrer. É preciso estar preparado, para o caso de acontecer.

## Em Java os métodos usam exceções para informar "Aconteceu algo errado. Falhei" ao código que os chamou.

O mecanismo de manipulação de exceções do Java é uma maneira simples e clara de lidar com as "situações excepcionais" que podem surgir no tempo de execução e permitirá que você insira todo o seu código de manipulação de erros em um local de leitura fácil. Ele se baseia no fato de você *saber* que o método que está sendo chamado é perigoso (isto é, que o método *pode* gerar uma exceção), o que lhe permitirá escrever um código que lide com essa possibilidade. Se você *souber* que pode ocorrer uma exceção quando chamar um método específico, terá como se *preparar* para — e possivelmente até mesmo *resolver* — o problema que a causou.

Mas como saber se um método lança uma exceção? Você encontrará uma cláusula **throws** na declaração do método perigoso.

### O método getSequencer() é perigoso. Ele pode falhar no tempo de execução. Portanto, deve 'declarar' o risco que você estará correndo quando o chamar.

*manipulação* de exceções

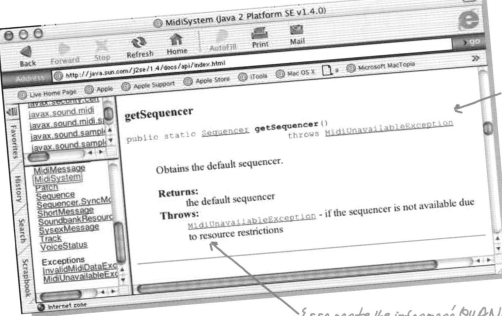

O API lhe informará que getSequencer() pode lançar uma exceção: MidiUnavailableException. Um método tem que declarar as exceções que pode lançar.

Essa parte lhe informará QUANDO pode ocorrer essa exceção — nesse caso, por causa de restrições de recursos (o que poderia significar que o seqüenciador já está sendo usado).

## O compilador precisa saber que VOCÊ tem consciência de que está chamando um método perigoso.

Se você inserir o código perigoso em algo chamado bloco **try/catch**, o compilador ficará tranqüilo.

Um bloco try/catch informará ao compilador que você *sabe* que algo excepcional pode ocorrer no método que está sendo chamado e que você está preparado para manipular isso. O compilador não se importará com a *maneira* como você manipulará; o importante é que você informe que está cuidando do problema.

Caro compilador,

Sei que estou correndo riscos aqui, mas você acha que vale a pena? O que devo fazer?

assinado, nerd em Waikiki

Caro nerd,

A vida é curta (principalmente no acervo). Corra o risco. **Tente**. Mas para o caso de não dar certo, não esqueça de **prever** qualquer problema antes de algo ruim ocorrer.

```
import javax.sound.midi.*;

public class MusicTest1 {
  public void play() {

    try {
       Sequencer sequencer = MidiSystem.getSequencer();
       System.out.println("Successfully got a sequencer");
    } catch(MidiUnavailableException ex) {
       System.out.println("Bummer");
    }
  } // fecha play

  public static void main(String[] args) {
    MusicTest1 mt = new MusicTest1();
    mt.play();
  } // fecha main
} // fecha a classe
```

insere o método perigoso em um bloco try

cria um bloco catch com o que será feito se a situação excepcional ocorrer — em outras palavras, uma exceção MidiUnavailableException será lançada pela chamada de getSequencer().

exceções são objetos

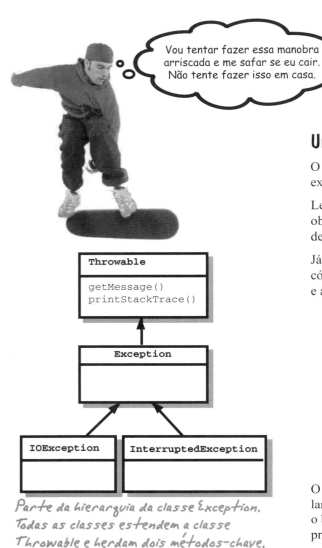

Parte da hierarquia da classe Exception. Todas as classes estendem a classe Throwable e herdam dois métodos-chave.

## Uma exceção é um objeto... De tipo Exception.

O que é bom, porque seria muito mais complicado de lembrar se as exceções tivessem o tipo Brócolis.

Lembre-se de que, segundo os capítulos sobre polimorfismo, um objeto de tipo Exception *pode* ser uma instância de qualquer *subclasse* de Exception.

Já que *Exception* é um objeto, é isso que você estará *capturando*. No código a seguir, o argumento de **catch** é declarado com o tipo Exception e a variável de referência do parâmetro é *ex*.

```
try {
   // executa algo arriscado

} catch(Exception ex) {
   // tenta resolver
}
```

é igual a declarar o argumento de um método

Esse código só será executado se uma exceção for lançada.

O que inserir em um bloco catch vai depender da exceção que for lançada. Por exemplo, se um servidor estiver desativado, você pode usar o bloco catch para tentar acessar outro servidor. Se o arquivo não estiver presente, você pode pedir ajuda ao usuário para encontrá-lo.

## Se seu código é que captura a exceção, de quem é o código que a lança?

Você passará muito mais tempo no código Java *manipulando* exceções do que *criando* e *lançando-as*. Por enquanto, é preciso saber apenas que quando seu código *chamar* um método perigoso — um método que declare uma exceção — será esse método que *lançará* a exceção para *você*, que o chamou.

Na verdade, você pode ter criado as duas classes. Não importa realmente quem escreveu o código... O que importa é saber qual método *lança* a exceção e que método a *captura*.

Quando alguém criar um código que possa lançar uma exceção, deve *declará-la*.

### ① Código perigoso que lança uma exceção:

esse método DEVE informar para todo mundo (por declaração) que ele lança uma exceção BadException

```
public void takeRisk() throws BadException {
   if (abandonAllHope) {
      throw new BadException();
   }
}
```

cria um novo objeto Exception e o lança.

232 capítulo 11

*manipulação* de exceções

## ② Seu código que chama o método perigoso:

```
public void crossFingers() {
    try {
        anObject.takeRisk();
    } catch (BadException ex) {
        System.out.println("Aaargh!");
        ex.printStackTrace();
    }
}
```

*Se você não conseguir se recuperar da exceção, pelo menos execute um rastreamento de pilha, usando o método printStackTrace() que todas as exceções herdam.*

> **Um método captura (try) o que o outro método lança (throws). Uma exceção é sempre lançada para o chamador.**
> **O método que lança tem que declarar que ele pode lançar a exceção.**

## O compilador verifica tudo exceto RuntimeExceptions.
### Ele verificará:

① Se você *lançar* uma exceção em seu código, *deve* declará-la usando a palavra-chave *throws* em sua declaração de método.

② Se você *chamar* um método que lance uma exceção (em outras palavras, um método que *declare* que lança uma exceção), deve *demonstrar* que está consciente da possibilidade de sua ocorrência. Uma maneira de satisfazer o compilador é inserir a chamada em um bloco try/catch. (Há uma segunda maneira que examinaremos um pouco mais adiante neste capítulo.)

*As exceções que NÃO forem subclasses de RuntimeException serão verificadas pelo compilador. Elas são chamadas de exceções verificadas*

*RuntimeExceptions NÃO são verificadas pelo compilador. Elas são conhecidas como (surpresa) exceções não-verificadas. Você pode lançar, capturar e declarar RuntimeExceptions, mas isso não é preciso, e o compilador não verificará.*

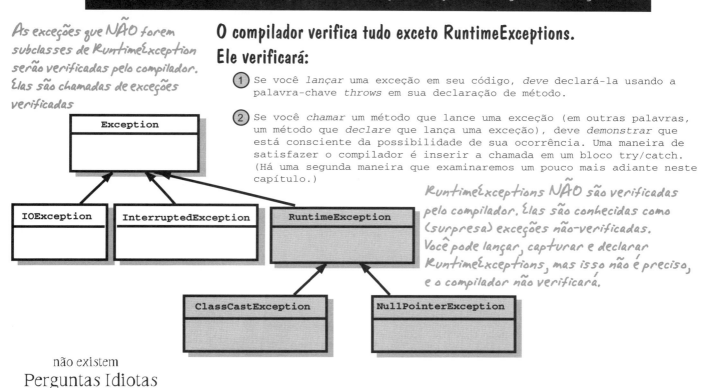

não existem
## Perguntas Idiotas

P: **Espere um momento! Por que essa é a PRIMEIRA vez que temos que capturar uma exceção? E quanto às exceções que já ocorreram como NullPointerException e a de divisão por zero? Já vi até uma exceção NumberFormatException causada pelo método Integer.parseInt(). Por que não tivemos que capturá-las?**

R: O compilador verifica todas as subclasses de Exception, exceto quando elas são de um tipo especial, RuntimeException. Qualquer classe de exceção que estenda RuntimeException passará despercebida. RuntimeExceptions podem ser lançadas em qualquer local, com ou sem declarações throws ou blocos try/catch. O compilador não se preocupa em verificar se um método declara que lança uma RuntimeException ou se o chamador sabe que essa exceção pode ocorrer no tempo de execução.

P: **Isso está me irritando. POR QUE o compilador não se preocupa com essas exceções de tempo de execução? Elas também não podem fazer tudo parar?**

R: A maioria das RuntimeExceptions será originária de um problema na lógica de seu código, em vez de ser proveniente de uma condição de falha no tempo de execução impossível de prever ou evitar. Você não pode garantir *discriminação dos pontos*

que o arquivo estará presente. Não pode garantir que o servidor estará ativo. Mas pode se certificar de que seu código não use índices que ultrapassem o tamanho de uma matriz (é para isso que existe o atributo .length).

QUEREMOS que as Runtime Exceptions ocorram na hora do desenvolvimento e teste. Não queremos codificar um bloco try/catch, por exemplo, e ter a sobrecarga que ele gera, para capturar algo que não deveria ocorrer.

Um bloco try/catch é para a manipulação de situações excepcionais e não falhas em seu código. Use seus blocos catch para tentar se recuperar de situações que você não possa garantir se serão bem-sucedidas. Ou, pelo menos, exiba uma mensagem para o usuário e um rastreamento de pilha, a fim de que ele possa descobrir o que ocorreu.

---

# PONTOS DE BALA

- Um método pode lançar uma exceção quando algo falhar no tempo de execução.

- Uma exceção é sempre um objeto de tipo Exception. (O que significa, como você deve se lembrar dos capítulos sobre polimorfismo, que o objeto é proveniente de uma classe que tem Exception em algum local mais acima em sua árvore de herança.)

- O compilador NÃO se importa com exceções do tipo **RuntimeException**. Uma RuntimeException não precisa ser declarada ou inserida em um bloco try/catch (embora você possa fazer uma ou as duas coisas).

- Todas as exceções com as quais o compilador se preocupa são chamadas de 'exceções verificadas', o que na verdade significa exceções verificadas *pelo compilador*. Só RuntimeExceptions são excluídas da verificação do compilador. Todas as outras exceções devem ser declaradas em seu código, de acordo com as regras.

- Um método lança uma exceção com a palavra-chave **throw**, seguida de um novo objeto de exceção:

```
throw new NoCaffeineException();
```

- Métodos que *possam* lançar uma exceção verificada *devem* anunciá-la com uma declaração **throws Exception**.

- Se o seu código chamar um método que lança uma exceção verificada, ele terá que garantir ao compilador que foram tomadas precauções.

- Se você estiver preparado para manipular a exceção, encapsule a chamada em um bloco try/catch e insira seu código de manipulação/ recuperação de exceção no bloco catch.

- Se você não estiver preparado para manipular a exceção, ainda poderá satisfazer o compilador, 'desviando-se' oficialmente dela. Falaremos sobre como se desviar um pouco mais adiante neste capítulo.

## dica metacognitiva

Se você estiver tentando aprender algo novo, faça com que essa seja a *última* coisa a aprender antes de ir dormir. Portanto, quando você colocar este livro de lado (supondo que consiga se separar dele) não leia nada mais desafiador do que a parte traseira de uma caixa de Cheerios™. Seu cérebro precisa de tempo para processar o que você leu e aprendeu. Isso pode levar algumas *horas*. Se você tentar guardar algo novo imediatamente após o que aprendeu sobre o Java, parte desse conhecimento pode se perder.

É claro que isso não se aplica ao aprendizado de uma habilidade física. Trabalhar em sua última série de luta esportiva provavelmente não afetará seu aprendizado de Java.

Para obter os melhores resultados, leia este livro (ou pelo menos olhe as figuras) imediatamente antes de dormir.

---

## Aponte seu lápis

**Quais desses itens você acha que podem lançar uma exceção que o compilador verificaria? Só estamos procurando as coisas que você não pode controlar em seu código. Fizemos o primeiro.**

(Porque era o mais fácil.)

### Coisas que você quer fazer

✓ conectar-se com um servidor remoto

___ acessar uma matriz fora de sua extensão

___ exibir uma janela na tela

___ recuperar dados em um banco de dados

___ ver se um arquivo de texto está onde você *acha* que ele deveria estar

___ criar um novo arquivo

___ ler um caractere na linha de comando

### O que pode dar errado

*o servidor está desativado*

_____

_____

_____

_____

_____

_____

## O controle do fluxo em blocos try/catch

Quando você chamar um método perigoso, uma das duas coisas pode acontecer. O método perigoso ser bem-sucedido e o bloco try ser concluído ou o método perigoso lançar uma exceção para o método que o chamou.

## Se o bloco try for bem-sucedido
## (doRiskyThing( ) não lançou uma exceção)

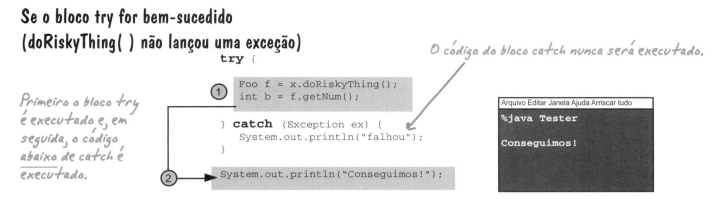

*Primeiro o bloco try é executado e, em seguida, o código abaixo de catch é executado.*

*O código do bloco catch nunca será executado.*

## Se o bloco try falhar
## (porque doRiskyThings( ) lançou uma exceção)

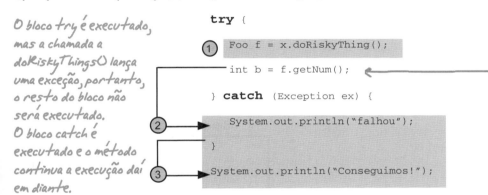

*O bloco try é executado, mas a chamada a doRiskyThings() lança uma exceção, portanto, o resto do bloco não será executado. O bloco catch é executado e o método continua a execução daí em diante.*

*O resto do bloco try nunca será executado, o que é bom porque o restante desse bloco depende do sucesso da chamada a doRiskyThings().*

## Finally: para as coisas que você quiser fazer independentemente do que ocorra.

Se você quiser cozinhar algo, começará acendendo o forno.

Se sua tentativa **falhar** totalmente, *você terá que desligar o forno.*

Se sua tentativa for **bem-sucedida,** *você terá que desligar o forno.*

Você terá que desligar o forno de qualquer maneira!

### Um bloco finally é onde você inserirá um código que deva ser executado independente de uma exceção.

```
try {
   turnOvenOn();
   x.bake();
} catch (BakingException ex) {
   ex.printStackTrace();
} finally {
   turnOvenOff();
}
```

# exercício sobre o controle de fluxo

Sem finally, você terá que inserir o método turnOvenOff() *tanto* em try *quanto em* catch porque ***terá que desligar o forno independentemente do que ocorra***. Um bloco finally permitirá que você insira todo o seu importante código de encerramento em *um* local em vez duplicá-lo dessa forma:

```
try {
   turnOvenOn();
   x.bake();
   turnOvenOff();
} catch (BakingException ex) {
   ex.printStackTrace();
   turnOvenOff();
}
```

**Se o bloco try falhar (uma exceção),** o controle do fluxo passará imediatamente para o bloco catch. Quando o bloco catch for concluído, o bloco finally será executado. Quando o bloco finally for concluído, o resto do método será executado.

**Se o bloco try for bem-sucedido (sem a ocorrência de exceções),** o controle do fluxo saltará o bloco catch e passará para o bloco finally. Quando o bloco finally for concluído, o resto do método será executado.

**Mesmo se o bloco try ou catch tiver uma instrução de retorno, finally será executado!** O fluxo saltará para o bloco finally e, em seguida, voltará à instrução de retorno.

## Aponte seu lápis

### Controle do fluxo

Examine o código à esquerda. Qual você acha que seria a saída desse programa? Qual seria a saída se a terceira linha do programa fosse alterada para: String test = "yes";? Considere ScaryException como uma classe que estende Exception.

```
public class TestExceptions {

   public static void main(String [] args) {

      String test = "no";
      try {
         System.out.println("start try");
         doRisky(test);
         System.out.println("end try");
      } catch ( ScaryException se) {
         System.out.println("scary exception");
      } finally {
         System.out.println("finally");
      }
      System.out.println("end of main");
   }

   static void doRisky(String test) throws ScaryException {
      System.out.println("start risky");
      if ("yes".equals(test)) {
         throw new ScaryException();
      }
      System.out.println("end risky");
      return;
   }
}
```

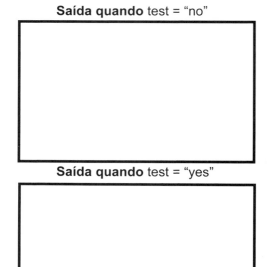

**Saída quando** test = "no"

**Saída quando** test = "yes"

Quando test="no": start try - start risky - end risky - end try - finally - end of main
Quando test="yes": start try - start risky - scary exception - finally - end of main

## Mencionamos que um método pode lançar mais de uma exceção?

Um método pode lançar várias exceções se precisar. Mas a declaração de um método deve incluir *todas* as exceções verificadas que ele pode lançar (porém, se duas ou mais exceções tiverem a mesma superclasse, o método poderá declarar apenas a superclasse).

## Capturando várias exceções

O compilador se certificará de que você manipulou *todas* as exceções verificadas lançadas pelo método que está sendo chamado. Empilhe os blocos *catch* abaixo de *try*, um após o outro. Em algumas situações a ordem em que você empilhar os blocos catch será importante, mas falaremos sobre isso um pouco mais adiante.

*Esse método declara duas, pode contar, DUAS exceções.*

```
public class Laundry {
    public void doLaundry() throws PantsException, LingerieException {
        // código que poderia lançar uma das duas exceções
    }
}


public class Foo {
    public void go() {
        Laundry laundry = new Laundry();
        try {
            laundry.doLaundry();
        } catch(PantsException pex) {
            // código de recuperação
        } catch(LingerieException lex) {
            // código de recuperação
        }
    }
}
```

se doLaundry() lançar uma PantsException, irá para o bloco catch dessa exceção.

se doLaundry() lançar uma LingerieException, irá para o bloco catch dessa exceção.

## As exceções são polimórficas

As exceções são objetos, lembre-se. Não há nada de tão especial sobre elas, exceto por serem *algo que pode ser lançado*. Portanto, como todo bom objeto, as exceções podem ser referenciadas polimorficamente. Um *objeto* LingerieException, por exemplo, poderia ser atribuído a uma *referência* ClothingException. Uma PantsException poderia ser atribuída a uma referência Exception. Você entendeu. A vantagem das exceções é que um método não precisa declarar explicitamente qualquer exceção que possa vir a lançar; ele pode declarar uma superclasse das exceções. Algo com blocos catch — você não precisa criar um bloco catch para cada exceção possível contanto que o bloco (ou blocos) catch que tiver consigam manipular qualquer exceção lançada.

Todas as exceções têm Exception como superclasse.

① **Você pode DECLARAR exceções usando um supertipo das exceções que lançar.**

```
public void doLaundry() throws ClothingException {
```

Declarar uma ClothingException permitirá que você lance qualquer subclasse dessa classe. Isso significa que doLaundry() poderá lançar PantsException, LingerieException, TeeShirtException e DressShirtException sem declarar explicitamente cada uma.

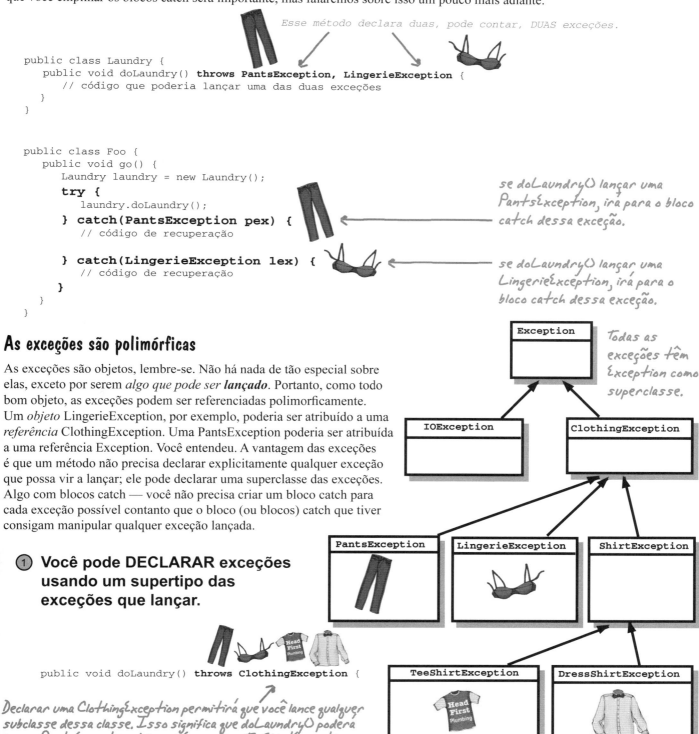

*exceções polimórficas*

② **Você pode CAPTURAR exceções usando um supertipo da exceção lançada.**

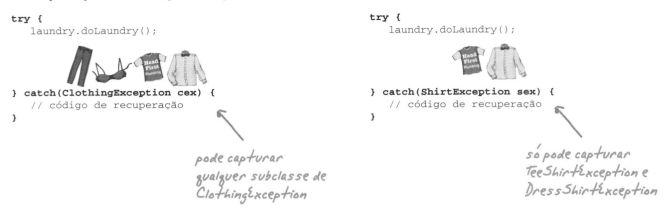

```
try {
    laundry.doLaundry();


} catch(ClothingException cex) {
    // código de recuperação
}
```

*pode capturar qualquer subclasse de ClothingException*

```
try {
    laundry.doLaundry();


} catch(ShirtException sex) {
    // código de recuperação
}
```

*só pode capturar TeeShirtException e DressShirtException*

## Só porque você PODE capturar tudo com um superbloco catch polimórfico, não quer dizer que sempre DEVA fazê-lo.

Você *poderia* escrever seu código de manipulação de exceções e especificar somente *um* bloco catch, usando o supertipo Exception na cláusula catch, para poder capturar *qualquer* exceção que possa ser lançada.

```
try {
    laundry.doLaundry();
} catch(Exception ex) {
    // código de recuperação...
}
```

*Recuperação do QUÊ? Esse bloco catch capturará QUALQUER exceção, portanto, você não saberá automaticamente o que deu errado.*

## Crie um bloco catch diferente para cada exceção que você tiver que manipular exclusivamente.

Por exemplo, se seu código lida com (ou se recupera de) uma TeeShirtException diferentemente de como manipula uma LingerieException, crie um bloco catch para cada uma. Mas se você trata todos os outros tipos de ClothingException da mesma maneira, adicione um bloco catch dessa classe para manipular o resto.

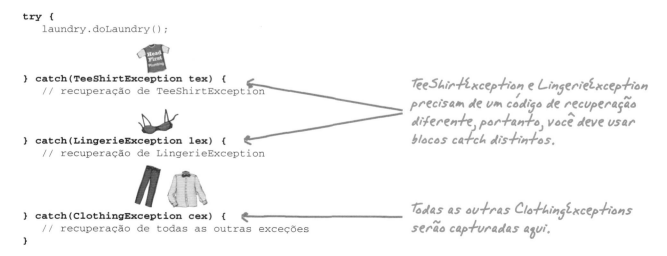

```
try {
    laundry.doLaundry();


} catch(TeeShirtException tex) {
    // recuperação de TeeShirtException


} catch(LingerieException lex) {
    // recuperação de LingerieException


} catch(ClothingException cex) {
    // recuperação de todas as outras exceções
}
```

*TeeShirtException e LingerieException precisam de um código de recuperação diferente, portanto, você deve usar blocos catch distintos.*

*Todas as outras ClothingExceptions serão capturadas aqui.*

*manipulação* de exceções

## Vários blocos catch devem ser ordenados do menor para o maior

catch(TeeShirtException tex)

*TeeShirtExceptions são capturadas aqui, nenhuma outra exceção seria adequada.*

catch(ShirtException sex)

*TeeShirtExceptions nunca chegarão aqui, mas todas as outras subclasses de ShirtException são capturadas nesse ponto.*

catch(ClothingException cex)

*Todas as ClothingExceptions são capturadas aqui, embora TeeShirtException e ShirtException nunca cheguem a esse ponto.*

Quanto mais alto na árvore de herança, maior a 'cesta' de captura. Conforme você descer na árvore de herança, em direção a classes Exception cada vez mais especializadas, a 'cesta' de captura ficará menor. Trata-se apenas do velho polimorfismo.

O bloco catch de uma ShirtException é suficientemente amplo para capturar uma TeeShirtException ou uma DressShirtException (e qualquer subclasse futura de algo que estenda ShirtException). Uma ClothingException é ainda mais ampla (isto é, há mais coisas que podem ser referenciadas com o uso de um tipo ClothingException). Ela pode usar uma exceção de tipo ClothingException (duh) e qualquer subclasse desta classe: PantsException, UniformException, LingerieException e ShirtException. O pai de todos os argumentos de captura é o tipo **Exception**: ele capturará *qualquer* exceção, inclusive exceções de tempo de execução (não verificadas), portanto, provavelmente você não o usará exceto em testes.

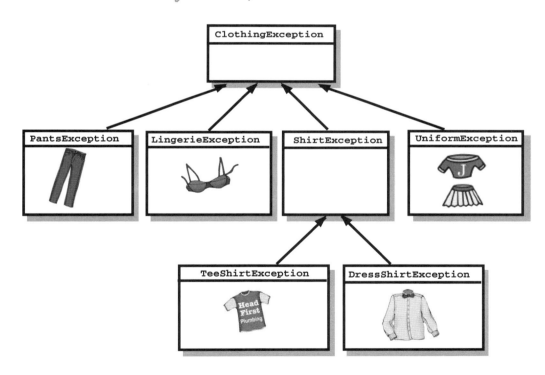

## Você não pode colocar cestas maiores embaixo de cestas menores

Bem, você *pode*, mas esse código não será compilado. Os blocos catch não são como os métodos sobrecarregados em que o mais adequado é selecionado. Com os blocos catch, a JVM simplesmente inicia no primeiro e prossegue para baixo até encontrar um que seja suficientemente amplo (em outras palavras, esteja em um nível suficientemente alto na árvore de hierarquia) para manipular a exceção. Se o seu primeiro bloco catch for **catch(Exception ex)**, o compilador saberá que não adianta adicionar nenhum outro — eles nunca serão alcançados.

# ordem de vários blocos catch

*Não faça isso!*

```
try {
   laundry.doLaundry();
```

```
} catch(ClothingException cex) {
   // recuperação de ClothingException
```

```
} catch(LingerieException lex) {
   // recuperação de LingerieException
```

```
} catch(ShirtException sex) {
   // recuperação de ShirtException
}
```

> O tamanho é importante quando temos vários blocos catch. O de cesta maior tem que ficar no final. Caso contrário, os de cestas menores serão inúteis.

**Blocos de mesmo nível podem ficar em qualquer ordem, porque um não pode capturar a exceção do outro.**

Você poderia inserir ShirtException acima de LingerieException e ninguém notaria. Porque mesmo que ShirtException seja um tipo maior (mais amplo) já que pode capturar outras classes (suas próprias subclasses), ele não pode capturar uma LingerieException, logo, não há problema.

## Aponte seu lápis

Suponhamos que esse bloco try/catch tenha sido codificado de maneira válida. Sua tarefa é desenhar dois diagramas de classes diferentes que possam refletir as classes Exception. Em outras palavras, que estruturas de herança de classe tornariam os blocos try/catch do código do exemplo válidos?

```
try {
   x.doRisky();
} catch(AlphaEx a) {
   // recuperação de AlphaEx
} catch(BetaEx b) {
   // recuperação de BetaEx
} catch(GammaEx c) {
   // recuperação de GammaEx
} catch(DeltaEx d) {
   // recuperação de DeltaEx
}
```

----

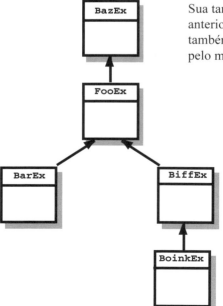

Sua tarefa é criar duas estruturas try/catch *válidas* diferentes (semelhante à encontrada anteriormente à esquerda), para representar de maneira precisa o diagrama de classes também mostrado à esquerda. Suponhamos que TODAS essas exceções possam ser lançadas pelo método que tem o bloco try.

240  capítulo 11

*manipulação* de exceções

## Quando não quiser manipular uma exceção...

apenas desvie-se dela

### Se não quiser manipular uma exceção, você pode desviar-se dela declarando-a.

Quando você chamar um método perigoso, o compilador precisará que o informe. Quase sempre, isso significa inserir a chamada perigosa em um bloco try/catch. Mas há outra alternativa, simplesmente *desvie-se* dela e deixe que o método que chamou *você* capture a exceção.

É fácil — só é preciso *declarar* que é *você* que está lançando as exceções. Ainda que, tecnicamente, não seja *você* que irá lançá-las, isso não importa. Você continuará deixando a exceção passar direto.

Mas se você se desviar de uma exceção é porque não tem um bloco try/catch, portanto, o que acontecerá quando o método perigoso [doLaundry()] *realmente* lançar a exceção?

Quando um método lança uma exceção, ele é removido da pilha imediatamente, e a exceção é lançada para o próximo método — o *chamador*. Mas se o *chamador* se desviar, não haverá um bloco catch para ela, portanto, o *chamador* será removido da pilha imediatamente, e a exceção será lançada para o próximo método e assim por diante... Onde isso vai acabar? Você verá um pouco mais adiante.

> O que é isso? NÃO há como pegar essa coisa. Vou sair do caminho — alguém atrás de mim conseguirá lidar com isso.

```
public void foo() throws ReallyBadException {
   // chama o método perigoso sem um bloco try/catch
   laundry.doLaundry();
}
```

*Você não a lançará REALMENTE, mas, já que não tem um bloco try/catch para o método perigoso que chamou, passou a ser o método perigoso. Porque, agora, quem o chamar terá que lidar com a exceção.*

### Desviar-se (declarando) só retarda o inevitável
Cedo ou tarde, alguém terá que lidar com o problema. Mas e se main( ) se desviar da exceção?

```
public class Washer {
   Laundry laundry = new Laundry();

   public void foo() throws ClothingException {
      laundry.doLaundry();
   }
   public static void main (String[] args) throws ClothingException {
      Washer a = new Washer();
      a.foo();
   }
}
```

*Os dois métodos se desviam da exceção (declarando-a), portanto, não há ninguém para manipulá-la! Esse código será compilado sem problemas.*

você está aqui ▶ **241**

*manipule* ou declare

Estamos usando a camiseta para representar uma ClothingException. Eu sei, eu sei... Você prefere a calça jeans.

## Manipule ou declare. É a lei.

Bem, já vimos as duas maneiras de satisfazer o compilador quando você chamar um método perigoso (que lance uma exceção).

### ① Manipule

Insira a chamada arriscada em um bloco try/catch

```
try {
   laundry.doLaundry();
} catch(ClothingException cex) {
   // código de recuperação
}
```

Esse bloco catch deve ser suficientemente amplo para manipular todas as exceções que doLaundry() pode lançar. Caso contrário o compilador ainda reclamará que você não está capturando todas as exceções.

### ② Declare (desvie-se)

Declare que SEU método lança as mesmas exceções do método perigoso que você está chamando.

```
void foo() throws ClothingException {
   laundry.doLaundry();
}
```

O método doLaundry() lança uma ClothingException, mas, ao declarar a exceção, o método foo() se desviará dela. Não há um bloco try/catch.

Mas isso significa que agora quem chamar o método foo() terá que obedecer a regra Manipule ou Declare. Se foo() se desviar da exceção (declarando-a) e main() chamar foo(), main() terá que lidar com a exceção.

```
public class Washer {
   Laundry laundry = new Laundry();

   public void foo() throws ClothingException {
      laundry.doLaundry();
   }

   public static void main (String[] args) {
      Washer a = new Washer();
      a.foo();
   }
}
```

PROBLEMA!!
Agora main() não será compilado e veremos o erro exceção não-relatada. Para o compilador, o método foo() lança uma exceção.

Já que o método foo() está se desviando da ClothingException lançada por doLaundry(), main() terá que inserir a.foo() em um bloco try/catch ou declarar que também lança ClothingException!

## Voltando ao nosso código musical...

Como você já deve ter esquecido, começamos este capítulo com a análise inicial de um código JavaSound. Criamos um objeto Sequencer, mas ele não seria compilado, porque o método Midi.getSequencer() declara uma exceção verificada (MidiUnavailableException). No entanto, podemos corrigir isso agora inserindo a chamada em um bloco try/catch.

*manipulação* de exceções

```
public void play() {
    try {

        Sequencer sequencer = MidiSystem.getSequencer();
        System.out.println("Successfully got a sequencer");

    } catch(MidiUnavailableException ex) {
        System.out.println("Bummer");
    }
} // fecha play
```

Não haverá problemas em chamar getSequencer(), agora que o inserimos em um bloco try/catch.

O parâmetro de catch tem que ser a exceção certa. Se escrevêssemos catch(FileNotFoundException f), o código não seria compilado, porque polimorficamente uma MidiUnavailableException não caberá em uma FileNotFoundException.
Lembre-se de que não é suficiente ter um bloco catch... Você tem que capturar o que está sendo lançado!

## Regras das exceções

① **Você não pode ter um bloco catch ou finally sem um bloco try**

```
void go() {
    Foo f = new Foo();
    f.foof();
    catch(FooException ex) { }
}
```

Não é válido! Onde está o bloco try?

② **Você não pode inserir código entre os blocos try e catch**

```
try {
    x.doStuff();
}
    int y = 43;
} catch(Exception ex) { }
```

Não é válido! Você não pode inserir código entre os blocos try e catch.

③ **Um bloco try DEVE ser seguido de um bloco catch ou finally**

```
try {
    x.doStuff();
} finally {
    // encerramento
}
```

VÁLIDO, porque você tem um bloco finally, ainda que não haja um bloco catch. Mas você não pode ter apenas um bloco try.

④ **Mesmo se o bloco try tiver apenas o bloco finally (sem catch), ele deve declarar a exceção.**

```
void go() throws FooException {
    try {
        x.doStuff();
    } finally { }
}
```

Um bloco try sem um bloco catch não satisfaz a regra manipule ou declare.

Mas por que você não usa um código predefinido?

NÃO vou deixar Betty vencer o concurso de códigos este ano, portanto eu mesma o criarei a partir do zero.

## Receita de Código

**Você não precisa fazer isso por sua própria conta, mas será muito mais divertido se o fizer.**

**O resto deste capítulo é opcional; você pode usar o código predefinido em todo os aplicativos musicais.**

**Mas se quiser aprender mais sobre JavaSound, vire a página.**

## Criando som real

Lembre-se de que, quase no início do capítulo, examinamos como os dados MIDI armazenam as instruções do *que* deve ser reproduzido (e *como* deve ser reproduzido) e também dissemos que na verdade eles não *geram nenhum som que possamos ouvir*. Para que o som saia dos alto-falantes, os dados MIDI têm que ser enviados através de algum tipo de dispositivo MIDI que use as instruções e as converta em som, acionando um instrumento de hardware ou um instrumento 'virtual' (sintetizador de software). Neste livro, estamos usando somente dispositivos de software, portanto, aqui está como isso funciona com JavaSound:

### Você precisa de QUATRO coisas:

 ① O dispositivo que reproduzirá a música.

 ② A música a ser reproduzida... Uma canção.

 ③ A parte da seqüência que contém as informações reais.

 ④ As informações reais sobre a música: notas a serem reproduzidas, duração, etc.

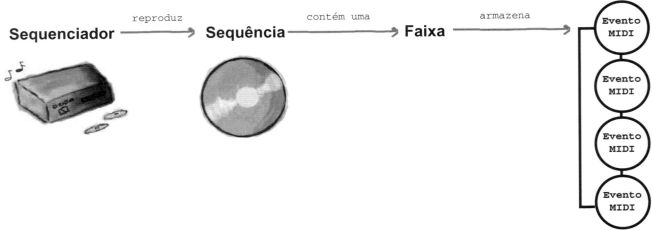

O seqüenciador é o dispositivo que fará com que uma canção seja realmente reproduzida. Considere-o como um **player de CDs musicais**.

A seqüência é a canção, a peça musical que o seqüenciador reproduzirá. Neste livro, considere a seqüência como um CD de música, porém **reproduzindo apenas uma canção.**

Neste livro, só precisamos de uma faixa, portanto, imagine um CD de música com apenas uma canção. Uma única faixa. É nessa faixa que residirão todos os dados (informações MIDI) da canção.

Um evento MIDI é uma mensagem que o seqüenciador consiga entender. Ele poderia dizer (se falasse português): "Nesse exato momento, reproduza C médio, com essa velocidade e intensidade, e mantenha-o durante esse período de tempo."
O evento MIDI também pode solicitar algo como "Altere o instrumento atual para a flauta".

*Neste livro, considere a seqüência como um CD com uma única canção (com apenas uma faixa). As informações sobre como reproduzir a canção residem na faixa que faz parte da seqüência.*

### E você também precisa de CINCO etapas:

① Capture um **Seqüenciador** (Sequencer) e abra-o
```
Sequencer player = MidiSystem.getSequencer();
player.open();
```

② Crie uma nova **Seqüência** (Sequence)
```
Sequence seq = new Sequence(timing,4);
```

③ Capture uma nova **Faixa** (Track) na seqüência
```
Track t = seq.createTrack();
```

④ Preencha a faixa com **eventos MIDI** (MidiEvents) e forneça a seqüência ao seqüenciador
```
t.add(myMidiEvent1);
player.setSequence(seq);
```

*manipulação* de exceções

## Seu primeiro aplicativo reprodutor de sons

Digite e execute-o. Você ouvirá o som de alguém tocando apenas uma nota em um piano!
(Certo, talvez não seja alg*uém*, mas algo.)

```java
import javax.sound.midi.*;          // Não esqueça de importar o pacote midi

public class MiniMiniMusicApp {

   public static void main(String[] args) {
      MiniMiniMusicApp mini = new MiniMiniMusicApp();
      mini.play();
   } // fecha main

   public void play() {

      try {

   ①    Sequencer player = MidiSystem.getSequencer();
         player.open();
         // captura um objeto Sequencer e o
         // abre (para que possamos usá-lo... um
         // seqüenciador não vem aberto).

   ②    Sequence seq = new Sequence(Sequence.PPQ, 4);
         // Não se preocupe com os argumentos do
         // construtor de Sequencer. Basta copiá-los
         // (considere-os como argumentos predefinidos).

   ③    Track track = seq.createTrack();
         // Solicita à Sequence um objeto Track. Lembre-
         // se que o objeto Track reside em Sequence e os
         // dados MIDI residem em Track.

   ④    ShortMessage a = new ShortMessage();
         a.setMessage(144, 1, 44, 100);
         MidiEvent noteOn = new MidiEvent(a, 1);
         track.add(noteOn);

         ShortMessage b = new ShortMessage();
         b.setMessage(128, 1, 44, 100);
         MidiEvent noteOff = new MidiEvent(b, 16);
         track.add(noteOff);
         // Insere alguns MidiEvents em Track. Essa parte é quase toda
         // de código predefinido. A única coisa com a qual você terá que
         // se preocupar são os argumentos do método setMessage() e
         // os argumentos do construtor de MidiEvent. Examinaremos
         // esses argumentos na próxima página.

         player.setSequence(seq);
         // Fornece a seqüência ao seqüenciador (como
         // inserir o CD no CD player)

      player.start();
         // Inicia o seqüenciador (como se
         // pressionássemos PLAY)
      Thread.sleep(1000 * 2); // inserir uma
  pausa para dar ao som de reproduzir
player.close(); // fechar a seqüência
System.exit(0); // sair da Aplicação Java
```

*um aplicativo para sons*

```
      } catch (Exception ex) {
         // e tudo mais...
            ex.printStackTrace();
      }
   } // fecha play
} // fecha class
```

## Criando um MidiEvent (dados da canção)

Um MidiEvent é uma instrução para parte de uma canção. Uma série de MidiEvents é como música impressa ou o rolo de um piano mecânico. A maioria dos MidiEvents com a qual nos preocuparemos descreverá *algo que deve ser feito* e a *hora de fazê-lo*. A parte referente à hora é importante, já que o momento exato é tudo na música. Essa nota vem depois daquela e assim por diante. E já que os MidiEvents são tão detalhados, você terá que informar em que momento a nota deve *começar* a ser reproduzida (um evento NOTE ON) e quando *interromper* sua reprodução (evento NOTE OFF). Portanto, é lógico que acionar a mensagem "pare de reproduzir a nota G" (mensagem NOTE OFF) *antes* de "comece a reproduzir a nota G" (NOTE ON) não funcionaria.

Na verdade a instrução MIDI é inserida em um objeto Message; o MidiEvent é uma combinação de Message mais o momento em que essa mensagem deve 'ser acionada'. Em outras palavras, o objeto Message pode solicitar "Comece a reproduzir C Médio" enquanto o MidiEvent solicitaria "Acione essa mensagem na batida 4".

Portanto, sempre precisaremos de um objeto Message e de um MidiEvent.

O objeto Message informa *o que* fazer e MidiEvent *quando* fazê-lo.

> **Um MidiEvent informa o que fazer e quando fazê-lo.**
>
> **Toda instrução deve incluir o momento exato de sua execução.**
>
> **Em outras palavras, em que batida ela deve ocorrer.**

(1) Crie um objeto **Message**
```
ShortMessage a = new ShortMessage();
```

(2) Insira a **Instrução** no objeto Message
```
a.setMessage(144, 1, 44, 100);
```
*Essa mensagem diz comece a reproduzir a nota 44 (examinaremos os outros números na próxima página)*

(3) Crie um novo **MidiEvent** usando o objeto Message
```
MidiEvent noteOn = new MidiEvent(a, 1);
```
*As instruções estão na mensagem, mas o MidiEvent adicionará o momento em que elas devem ser acionadas. Esse MidiEvent solicita que a mensagem a seja acionada na primeira batida (batida 1).*

(4) Adicione o MidiEvent ao objeto **Track**
```
track.add(noteOn);
```
*Um objeto Track armazenará todos os objetos MidiEvent. O objeto Sequence os organizará de acordo com o momento em que cada um tiver que ocorrer e, em seguida, o objeto Sequencer os reproduzirá nessa ordem. Você pode ter vários eventos ocorrendo exatamente no mesmo momento. Por exemplo, pode querer que duas notas sejam reproduzidas simultaneamente ou até mesmo que instrumentos diferentes reproduzam sons distintos ao mesmo tempo.*

## Mensagem MIDI: a parte principal de um MidiEvent

Uma mensagem MIDI contém a parte do evento que informa *o que* fazer. A instrução que você realmente deseja que o seqüenciador execute. O primeiro argumento de uma instrução é o tipo da mensagem. Por exemplo, uma mensagem de tipo 144 significa "NOTE ON". Mas, para executar um evento NOTE ON, o seqüenciador precisa saber algumas coisas. Imagine o seqüenciador dizendo "Certo, reproduzirei uma nota, mas em *que canal?* Em outras palavras, você quer que eu reproduza uma nota de bateria ou de piano? E *que nota?* Dó maior? Ré sustenido? E já que falamos nisso, com *que velocidade* devo reproduzir a nota?"

Para gerar uma mensagem MIDI, crie uma instância de ShortMessage e chame setMessage(), passando os quatro argumentos da mensagem. Mas lembre-se de que a mensagem só informa *o que* fazer, portanto, você ainda terá que inseri-la em um evento que adicione *quando* essa mensagem deve ser 'acionada'.

**246** *capítulo 11*

*manipulação de exceções*

## Anatomia de uma mensagem

O *primeiro* argumento de setMessage() sempre representa o 'tipo' da mensagem, enquanto os outros três representam coisas diferentes dependendo do tipo da mensagem.

> **O objeto *Message* diz o que fazer, o *MidiEvent* informa quando fazê-lo.**

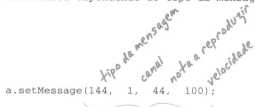

```
a.setMessage(144, 1, 44, 100);
```

*Os 3 últimos argumentos variam dependendo do tipo da mensagem. Essa é uma mensagem NOTE ON, portanto os outros argumentos são para as coisas que o seqüenciador precisa saber para reproduzir uma nota.*

① **Tipo da mensagem**

144 significa NOTE ON

128 significa NOTE OFF

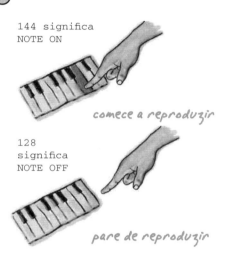

② **Canal**
Considere o canal como o músico de uma banda. O canal 1 é o músico 1 (o tecladista), o canal 9 é o baterista, etc.

③ **Nota a reproduzir**
Um número de 0 a 127, indo das notas baixas às altas.

④ **Velocidade**
Com que rapidez e intensidade você pressionou a tecla? 0 é tão suave que provavelmente você não ouvirá nada, mas 100 é um bom padrão.

## Altere uma mensagem

Agora que você sabe o que existe em uma mensagem Midi, pode começar a testar. Pode alterar a nota que é reproduzida, sua duração, adicionar mais notas e até mesmo mudar de instrumento.

**Altere a nota**
Tente um número entre 0 e 127 nas mensagens note on e note off.

```
a.setMessage(144, 1, 20, 100);
```

**Altere a duração da nota**
Altere o evento note off (e não a mensagem) para que ele ocorra em uma batida anterior ou posterior.

```
b.setMessage(128, 1, 44, 100);
MidiEvent noteOff = new MidiEvent(b, 3);
```

**Altere o instrumento**
Adicione uma nova mensagem, ANTES da mensagem de reprodução da nota, que configure o instrumento do canal 1 com algo diferente do piano padrão. A mensagem de mudança de instrumento é a '192' e o terceiro argumento representa o instrumento propriamente dito (tente um número entre 0 e 127)

```
first.setMessage(192, 1, 102, 0);
```

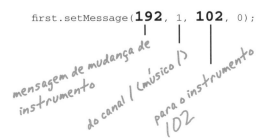

*você está aqui* ▶ **247**

*altere* o *instrumento* e *a nota*

## Versão 2: usando argumentos de linha de comando para testar sons

Essa versão continuará reproduzindo apenas uma nota, mas você poderá usar argumentos de linha de comando para alterar o instrumento e a nota. Experimente passar dois valores int de 0 a 127. O primeiro inteiro configurará o instrumento e o segundo, a nota a ser reproduzida.

```java
import javax.sound.midi.*;

public class MiniMusicCmdLine {    // esse é o primeiro

    public static void main(String[] args) {
       MiniMusicCmdLine mini = new MiniMusicCmdLine();
       if (args.length < 2) {
          System.out.println("Não se esqueça dos argumentos do instrumento e da nota");
          } else {
             int instrument = Integer.parseInt(args[0]);
             int note = Integer.parseInt(args[1]);
             mini.play(instrument, note);
        }
    } // fecha main

    public void play(int instrument, int note) {

       try {

          Sequencer player = MidiSystem.getSequencer();
          player.open();
          Sequence seq = new Sequence(Sequence.PPQ, 4);
          Track track = seq.createTrack();

          MidiEvent event = null;

          ShortMessage first = new ShortMessage();
          first.setMessage(192, 1, instrument, 0);
          MidiEvent changeInstrument = new MidiEvent(first, 1);
          track.add(changeInstrument);

          ShortMessage a = new ShortMessage();
          a.setMessage(144, 1, note, 100);
          MidiEvent noteOn = new MidiEvent(a, 1);
          track.add(noteOn);

          ShortMessage b = new ShortMessage();
          b.setMessage(128, 1, note, 100);
          MidiEvent noteOff = new MidiEvent(b, 16);
          track.add(noteOff);
          player.setSequence(seq);
          player.start();

         } catch (Exception ex) {ex.printStackTrace();}
     } // fecha play
} // fecha class
```

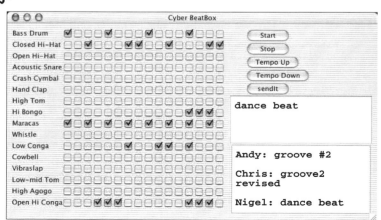

## Onde chegaremos com as outras receitas de código

## Capítulo 15: o objetivo

Ao terminarmos, teremos uma BeatBox funcional, que também será um cliente de bate-papos de bateria. Teremos que aprender sobre as GUIs (inclusive a manipulação de eventos), a E/S, rede e threads. Os três próximos capítulos (12, 13 e 14) nos apresentarão esses assuntos.

## Capítulo 12: eventos MIDI

Essa receita de código nos permitirá construir um pequeno "vídeo musical" (é um exagero chamá-lo assim) que desenhará retângulos aleatórios de acordo com a batida da música MIDI. Aprenderemos como construir e reproduzir vários eventos MIDI (em vez de apenas alguns, como fizemos no capítulo atual).

batida um

batida dois

batida três
batida quatro...

## Capítulo 13: BeatBox independente

Agora construiremos realmente a BeatBox, a GUI e todo o resto. Mas teremos limitações — assim que você alterar um padrão, o anterior será perdido. Não haverá um recurso de salvar e recuperar, e ela não se comunicará com a rede. (Mas você ainda poderá usá-la para trabalhar nas suas habilidades em padrões de bateria.)

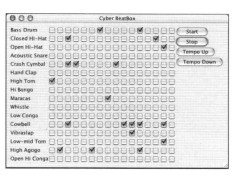

## Capítulo 14: Salvar e recuperar

Você criou o padrão perfeito e agora poderá salvá-lo em um arquivo e recarregar quando quiser reproduzi-lo novamente. Isso nos preparará para a versão final (Capítulo 15), onde em vez de gravar o padrão em um arquivo, o enviaremos através de uma rede para o servidor de bate-papo.

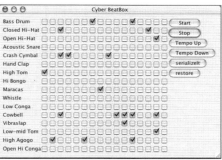

Exercício

Este capítulo explorou o maravilhoso mundo das exceções. Sua tarefa é definir se cada uma das declarações a seguir sobre exceções é verdadeira ou falsa.

### Verdadeiro ou falso

1. Um bloco try deve ser seguido por um bloco catch *e* um bloco finally.
2. Se você criar um método que possa causar uma exceção verificada pelo compilador, *deve* inserir esse código perigoso em um bloco try/catch.
3. Os blocos catch podem ser polimórficos.
4. Só exceções 'verificadas pelo compilador' podem ser capturadas.
5. Se você definir um bloco try/catch, um bloco finally correspondente será opcional.
6. Se você definir um bloco try, poderá complementá-lo com um bloco catch ou finally correspondente, ou com ambos.
7. Se você criar um método que declare que pode lançar uma exceção verificada pelo compilador, também deve inserir o código que lança a exceção em um bloco try/catch.
8. O método main() de seu programa deve manipular todas as exceções não-tratadas lançadas para ele.
9. O mesmo bloco try pode ter muitos blocos catch diferentes.
10. Um método só pode lançar um tipo de exceção.
11. Um bloco finally será executado independentemente de uma exceção ter sido lançada.
12. Um bloco finally pode existir sem um bloco try.
13. Um bloco try pode existir sozinho, sem um bloco catch ou finally.
14. Manipular uma exceção às vezes é chamado de 'desviar-se'.
15. A ordem dos blocos catch nunca é importante.
16. Um método com um bloco try e um bloco finally pode opcionalmente declarar a exceção.
17. Exceções de tempo de execução devem ser *manipuladas* ou *declaradas*.

*exercício:* Ímãs de Geladeira

# Ímãs de Geladeira

Um programa Java funcional está todo misturado sobre a geladeira. Você conseguiria reorganizar os trechos de código para criar um programa Java funcional que produzisse a saída listada a seguir? Algumas das chaves caíram no chão e são muito pequenas para que as recuperemos, portanto fique à vontade para adicionar quantas precisar!

```
System.out.print("r");          try {

                    System.out.print("t");
doRisky(test);

System.out.println("s");        } finally {

                    System.out.print("o");


class MyEx extends Exception { }
public class ExTestDrive {

System.out.print("w");

            if ("yes".equals(t)) {

System.out.print("a");

throw new MyEx();          } catch (MyEx e) {

static void doRisky(String t) throws MyEx {
    System.out.print("h");

public static void main(String [] args) {
    String test = args[0];
```

```
File Edit Window Help ThrowUp
% java ExTextDrive yes
thaws

% java ExTestDrive no
throws
```

*manipulação de exceções*

## Cruzadas Java 7.0

**Você sabe o que fazer!**

## Horizontais

1. Dar valor
4. Retirado do topo
6. Tudo isso e mais!
8. Iniciar
10. A árvore genealógica
13. Não se desviar
15. Objetos que representam problemas
18. Uma entre as '49' da Java
20. Hierarquia de classe
21. Não dá para manipular
24. Tipo primitivo comum
25. Receita de código
27. Ação de método imprevisível
28. O oposto de Picasso

## Verticais

2. Sendo utilizado atualmente
3. Criação de modelo
5. Classe do API quase sempre estática
7. Não está relacionado com o comportamento
9. Não mostre às crianças
11. Crie mais um independente
12. Javac notou sua presença
14. Tentativa arriscada
16. Aquisição automática
17. Método de alteração
21. Anuncie que se desviará
22. Lide com isso
23. Dê más notícias
26. Uma de minhas funções
28. O modelo
29. Inicia uma cadeia de eventos

**Mais dicas:**

Horizontais
6. Um filho Java
8. Inicie um método
13. Em vez de declarar
20. Também é um tipo de conjunto
21. Quack
16. A fortuna da família
17. Não é um método 'de captura'

Verticais
2. Ou um líquido de limpeza bucal
3. Para _____ (quando não é usado exemplo)
5. Números....
9. Só pública ou padrão

27. Inicia um problema
28. Não abstrato

*você está aqui* ▶ 251

# Solução dos Exercícios

## Verdadeiro ou falso

1. Falso, um dos blocos ou os dois.
2. Falso, você pode declarar a exceção.
3. Verdadeiro.
4. Falso, a exceção de tempo de execução pode ser capturada.
5. Verdadeiro.
6. Verdadeiro, os dois são aceitáveis.
7. Falso, a declaração é suficiente.
8. Falso, mas se ele não fizer isso a JVM pode ser encerrada.
9. Verdadeiro.
10. Falso.
11. Verdadeiro. Geralmente ele é usado para encerrar tarefas parcialmente concluídas.
12. Falso.
13. Falso.
14. Falso, desviar-se é sinônimo de declarar.
15. Falso, exceções mais amplas devem ser capturadas pelos últimos blocos catch.
16. Falso, se você não tiver um bloco catch, *deve* declarar a exceção.
17. Falso.

## Ímãs de Geladeira

```java
class MyEx extends Exception { }
public class ExTestDrive {
    public static void main(String [] args) {
        String test = args[0];
        try {

            System.out.print("t");

            doRisky(test);

            System.out.print("o");

        } catch ( MyEx e) {

            System.out.print("a");

        } finally {

            System.out.print("w");
        }
        System.out.println("s");
    }
    static void doRisky(String t) throws MyEx {
        System.out.print("h");

        if ("yes".equals(t)) {

            throw new MyEx();
        }

        System.out.print("r");

    }
}
```

```
File Edit Window Help Attenuate
%java ExTestDrive yes
thaws

%java ExTestDrive no
throws
```

## Respostas das Cruzadas Java

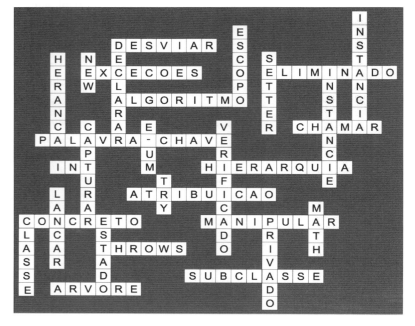

# 12 usando a gui

# Uma história muito gráfica

**Encare a verdade, você precisa criar GUIs.** Se estiver construindo aplicativos que outras pessoas irão usar, você precisará de uma interface gráfica. Se estiver desenvolvendo programas para você mesmo, vai querer uma interface gráfica. Mesmo se você acredita que durante o resto de sua vida escreverá somente código no lado do servidor, onde a interface de usuário cliente é uma página Web, cedo ou tarde terá que criar ferramentas e vai querer uma interface gráfica. Está certo, os aplicativos de linha de comando são nostálgicos, mas não de uma maneira positiva. Eles são fracos, inflexíveis e pouco amigáveis. Dedicaremos dois capítulos ao trabalho em GUIs e aprenderemos mais recursos-chave da linguagem Java, inclusive a **Manipulação de Eventos** e as **Classes Internas**. Neste capítulo, inseriremos um botão na tela e faremos com que ele execute algo quando for clicado. Desenharemos na tela, exibiremos uma figura jpeg e trabalharemos até mesmo com um pouco de animação.

## Tudo começa com uma janela

Um JFrame é o objeto que representa uma janela na tela. É onde você inserirá todos os elementos da interface como os botões, caixas de seleção, campos de texto e assim por diante. Ele pode ter uma barra de menu amigável com itens de menu. E terá todos os pequenos ícones de janela para qualquer plataforma em que você estiver trabalhando, para a minimização, maximização e fechamento da janela.

O JFrame terá uma aparência diferente, dependendo da plataforma em que você trabalhar. Esse é um objeto JFrame no Mac OS X:

"Se eu deparar com mais um aplicativo de linha de comando, você está despedido."

*um JFrame com uma barra de menu e dois elementos gráficos (um botão comum e um botão de rádio)*

## Insira elementos gráficos na janela

Quando você tiver um JFrame, poderá inserir coisas ('elementos gráficos') nele adicionando-as ao objeto. Há vários componentes do Swing que você poderá adicionar; procure-os no pacote javax.swing. Entre os mais comuns estão JButton, JRadioButton, JCheckBox, JLabel, JList, JScrollPane, JSlider, JTextArea, JTextField e JTable. A maioria é muito simples de usar, mas alguns (como JTable) podem ser um pouco mais complicados.

## Criar uma GUI é fácil:

1. **Crie uma moldura (um objeto JFrame)**
   `JFrame frame = new JFrame ();`

2. **Crie um elemento gráfico (botão, campo de texto, etc.)**
   `JButton button = new JButton("click me")`

3. **Adicione o elemento gráfico à moldura**
   `frame.getContentPane().add(button);`
   *Você não adicionará os elementos diretamente à moldura. Considere a moldura como o contorno da janela; você adicionará os elementos ao painel da janela.*

4. **Exiba a GUI (forneça um tamanho e torne-a visível)**
   `frame.setSize(300,300);`
   `frame.setVisible(true);`

## Sua primeira GUI: um botão em uma moldura

```java
import javax.swing.*;

public class SimpleGui1 {
   public static void main (String[] args) {

      JFrame frame = new JFrame();
      JButton button = new JButton("click me");

      frame.setDefaultCloseOperation(JFrame.EXIT_ON_CLOSE);

      frame.getContentPane().add(button);

      frame.setSize(300,300);

      frame.setVisible(true);
   }
}
```

- *não se esqueça de importar esse pacote swing*
- *cria uma moldura e um botão*
- *(você pode passar para o construtor o texto que deseja no botão)*
- *essa linha fará com que o programa seja encerrado assim que você fechar a janela (se ela não for incluída, o programa ficará eternamente na janela)*
- *adiciona o botão ao painel de conteúdo da moldura*
- *fornece um tamanho para a moldura, em pixels*
- *para concluir, torna-a visível!! (Se você se esquecer dessa etapa, não verá nada quando executar esse código)*

## Vejamos o que acontece quando executamos o código:

```
%java SimpleGui1
```

### Uau! Esse é um botão realmente grande.

O botão preencheu todo o espaço disponível na moldura. Posteriormente aprenderemos a controlar onde (e com que tamanho) o botão ficará na moldura.

### Mas nada aconteceu quando eu cliquei nele...

Isso não é totalmente verdade. Quando você pressionar o botão, ele exibirá a aparência de que foi 'pressionado' ou 'apertado' (as diferenças vão depender da aparência da plataforma, mas ele sempre fará *algo* para mostrar que foi pressionado).

A verdadeira dúvida é "Como fazer o botão executar algo específico quando o usuário clicar nele?"

### Precisamos de duas coisas:

① Um **método** a ser chamado quando o usuário clicar (o que você quiser que ocorra como resultado do clique no botão).

② Uma maneira de **saber** quando acionar esse método. Em outras palavras, uma maneira de saber que o usuário clicou no botão!

### não existem
## Perguntas Idiotas

**P:** Um botão terá a aparência do Windows quando essa plataforma estiver sendo usada?

**R:** Se você quiser. Você pode selecionar entre alguns "formatos" - classes da biblioteca principal que controlam a aparência da interface. Quase sempre é possível selecionar entre pelo menos duas aparências diferentes: a aparência Java padrão, também conhecida como Metal, e a aparência nativa de sua plataforma. As telas do Mac OS X deste livro usam a aparência Aqua do OS X ou a aparência Metal.

**P:** Posso fazer um programa ter a aparência Aqua o tempo todo? Mesmo quando ele estiver sendo executado no Windows?

**R:** Não. Nem todos os formatos estão disponíveis em todas as plataformas. Se você não quiser ter problemas, pode configurar explicitamente a aparência com Metal, para saber exatamente como ela será exibida independentemente de onde o aplicativo for executado, ou não especificar uma aparência e aceitar os padrões.

**P:** Ouvi dizer que o Swing é muito lento e que ninguém o utiliza.

**R:** Isso era verdade no passado, mas não acontece mais. Em máquinas fracas, é possível sentir os problemas do Swing. Mas nos desktops modernos, e com a Java versão 1.3 e posteriores, talvez você nem note a diferença entre uma GUI do Swing e uma GUI nativa. O Swing é muito usado atualmente, em todo tipo de aplicativo.

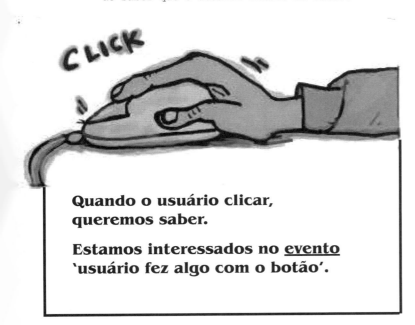

**Quando o usuário clicar, queremos saber.**

**Estamos interessados no <u>evento</u> 'usuário fez algo com o botão'.**

*ouvintes de eventos*

## Capturando um evento de usuário

Suponhamos que você quisesse que o texto do botão fosse alterado de *click me* para *I've been clicked* quando o usuário pressionar o botão. Primeiro podemos criar um método que altere o texto do botão (uma pesquisa rápida na API lhe mostrará o método):

```
public void changeIt() {
   button.setText("I've been clicked!");
}
```

*E agora?* Como *saberemos* quando esse método deve ser executado? ***Como saberemos quando o botão foi clicado?***

Em Java, o processo de capturar e manipular um evento de usuário se chama *manipulação de evento*. Há muitos tipos de eventos diferentes em Java, embora a maioria envolva ações de usuário em GUI. Se o usuário clicar em um botão, isso será um evento. Um evento que representa "o usuário quer que a ação desse botão ocorra". Se for o botão de uma ação "lenta", é porque o usuário quer que a ação lenta ocorra. Se for o botão Enviar de um cliente de bate-papo, o usuário quer que a ação 'envie minha mensagem' ocorra. Portanto, o evento mais simples é quando o usuário clica no botão, indicando que deseja que uma ação ocorra.

No que diz respeito aos botões, geralmente não temos que nos preocupar com qualquer evento intermediário como 'o botão está sendo pressionado' ou 'o botão está sendo solto'. O que queremos dizer ao botão é "não me importa como o usuário o manipulará, quanto tempo ele manterá o botão do mouse pressionado sobre você, quantas vezes ele vai mudar de idéia e desistir antes de pressionar, etc. ***Basta informar quando o usuário quiser realmente fazer algo!*** Em outras palavras, não me chame a menos que o usuário clique indicando que deseja que você faça o que se propõe a fazer!"

### Primeiro, o botão precisa saber que nos importamos.

### Em segundo lugar, o botão precisa de uma maneira de nos chamar quando ocorrer um evento de clique.

> **PODER DO CÉREBRO**
>
> 1) Como você poderia dizer a um objeto de botão que se importa com seus eventos? Dizendo que é um ouvinte atento?
>
> 2) Como o botão o chamará? Suponhamos que não houvesse uma maneira de você informar ao botão o nome de seu único método [changeIt()]. O que poderíamos usar para garantir ao botão que temos um método específico que ele poderá chamar quando o evento ocorrer? [dica: lembre-se de Pet]

---

## Se você se importa com os eventos do botão, **implemente uma interface** que diga "estou **escutando** seus eventos".

**Uma interface de escuta** é a ponte entre o **ouvinte** (você) e a **origem do evento** (o botão).

Os componentes de GUI do Swing são a origem dos eventos. Em jargão Java, a origem de um evento é um objeto que pode converter ações do usuário (um clique com o mouse, o pressionamento de uma tecla, o fechamento de uma janela) em eventos. E como praticamente todo o resto em Java, um evento é representado como um objeto. Um objeto de alguma classe de eventos. Se você pesquisar o pacote java.awt.event da API, verá várias classes de eventos (fáceis de identificar - todas têm *Event* no nome). Você encontrará MouseEvent, KeyEvent, WindowEvent, ActionEvent e muitas outras.

A *origem* de um evento (como o botão) cria um *objeto de evento* quando o usuário faz algo relevante (como *clicar* no botão). A maioria dos códigos que você escrever (e todos os códigos deste livro) *receberá* eventos em vez de *criá-los*. Em outras palavras, você passará a maior parte do tempo como um *ouvinte* de eventos em vez de ser a *origem* deles.

Cada tipo de evento tem uma interface de escuta correspondente. Se você quiser MouseEvents, implemente a interface MouseListener. Quer WindowEvents? Implemente WindowListener. Você entendeu. E lembre-se das regras de sua interface — para

*usando* a gui

implementar uma interface, você terá que *declarar* que a implementa (a classe Dog implementa Pet), o que significa que terá que criar *métodos de implementação* para cada método da interface.

Algumas interfaces têm mais de um método, porque o próprio evento tem diferentes versões. Se você implementar MouseListener, por exemplo, poderá capturar eventos de mousePressed, mouseReleased, mouseMoved, etc. Cada um desses eventos de mouse tem um método separado na interface, ainda que todos sejam um MouseEvent. Se você implementar MouseListener, o método mousePressed() será chamado quando o usuário (adivinhe) pressionar o botão do mouse. E quando o usuário o soltar, o método mouseReleased() será chamado. Portanto, para eventos do mouse, há apenas um *objeto* de evento, MouseEvent, mas vários *métodos* distintos, representando os diferentes tipos de eventos.

**Quando você implementar uma interface de escuta, estará fornecendo ao botão uma maneira de chamá-lo. A interface é onde o método de retorno de chamada é declarado.**

## Como o ouvinte e a origem se comunicam:

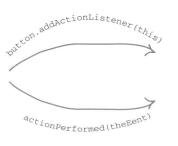

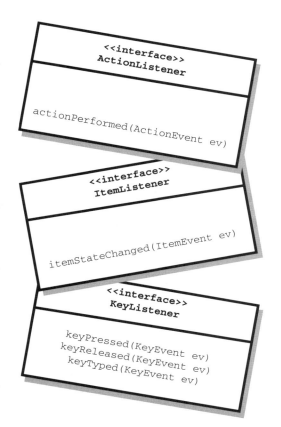

### O ouvinte

Se sua classe quiser ser informada dos ActionEvents de um botão, você terá que implementar a interface ActionListener. O botão precisa saber que há interesse, portanto, você se registrará nele chamando seu método addActionListener(this) e passando uma referência ActionListener (nesse caso, *você* é a interface ActionListener, logo, passe *this*). O botão precisa de uma maneira de chamá-lo quando o evento ocorrer, portanto ele chamará o método da interface de escuta. Como uma interface ActionListener, você *deve* implementar seu único método, actionPerformed(). O compilador verificará isso.

### A origem do evento

O botão é a origem de ActionEvents, portanto, ele tem que saber que objetos são ouvintes interessados. Ele tem um método addActionListener() para fornecer aos objetos interessados (ouvintes) uma maneira de lhe *informar* que têm interesse.

Quando o método addActionListener() do botão for executado (porque um possível ouvinte o chamou), o botão pegará o parâmetro (uma referência do objeto ouvinte) e o armazenará em uma lista. Quando o usuário clicar no botão, esse 'acionará' o evento chamando o método actionPerformed() em cada ouvinte da lista.

você está aqui ▶   257

*capturando eventos*

## Capturando o ActionEvent de um botão

① Implemente a interface ActionListener

② Registre-se no botão (informe a ele que você quer escutar os eventos)

③ Defina o método de manipulação de eventos (implemente o método actionPerformed() da interface ActionListener)

```
import javax.swing.*;
import java.awt.event.*;

public class SimpleGui1B implementa ActionListener {
   JButton button;

   public static void main (String[] args) {
      SimpleGui1B gui = new SimpleGui1B();
      gui.go();
   }

   public void go() {
      JFrame frame = new JFrame();
      button = new JButton("click me");

      button.addActionListener(this);

      frame.getContentPane().add(button);
      frame.setDefaultCloseOperation(JFrame.EXIT_ON_CLOSE);
      frame.setSize(300,300);
      frame.setVisible(true);
   }

   public void actionPerformed(ActionEvent event) {
      button.setText("I've been clicked!");
   }
}
```

*uma nova instrução de importação para o pacote no qual ActionListener e ActionEvent estão*

*implementa a interface. Isso representa uma instância de SimpleGUI/B É-UM ActionListener (o botão fornecerá eventos somente para quem implementar ActionListener)*

*registre seu interesse junto ao botão. Isso dirá ao botão Me adicione à sua lista de ouvintes. O argumento que você passar DEVE ser um objeto de uma classe que implemente ActionListener!*

*implementa o método actionPerformed() da interface ActionListener. Esse é realmente o método de manipulação de eventos! O botão chamará esse método para permitir que você saiba que um evento ocorreu. Ele lhe enviará um objeto ActionEvent como argumento, mas não precisaremos dele. Saber que o evento ocorreu é o bastante para nós.*

---

## Ouvintes, origens e eventos

Em grande parte de sua meteórica carreira em Java, *você* não usará a *origem* de eventos. (Independentemente de o quanto você achar que é o centro de seu universo social.)

Acostume-se com isso. **Sua tarefa é ser um bom ouvinte.** (O que, se você fizer sinceramente, *pode* melhorar sua vida social.)

**O ouvinte CAPTURA o evento**

**A origem ENVIA o evento**

**O objeto de evento CONTÉM DADOS sobre o evento**

258  *capítulo 12*

*usando a gui*

não existem
## Perguntas Idiotas

**P:** **Por que não posso ser uma origem de eventos?**

**R:** Você PODE. Acabamos de dizer que quase sempre você será o receptor e não a origem do evento (pelo menos no início de sua brilhante carreira em Java). A maioria dos eventos que pode lhe interessar será 'acionada' por classes da API Java e tudo que você terá que fazer é ser seu ouvinte. Você pode, no entanto, projetar um programa em que precise de um evento personalizado, digamos, StockMarketEvent, lançado quando seu aplicativo observador do mercado de ações encontrar algo que ele considere importante. Nesse caso, você criaria o objeto StockWatcher como sua origem de eventos e faria as mesmas coisas que um botão (ou qualquer outra origem de eventos) — criar uma interface de escuta para seu evento personalizado, fornecer um método de registro (addSotckListener()) e, quando alguém o chamasse, adicionar quem chamou (um ouvinte) à lista de ouvintes. Assim, quando um evento de ação ocorresse, você poderia instanciar um objeto StockEvent (outra classe que você criará) e enviá-lo para os ouvintes de sua lista, chamando seu método stockChanged(StockEvent ev). E não se esqueça de que, para cada tipo de evento, deve haver uma interface de escuta correspondente (portanto, você criará uma interface StockListener com um método stockChanged()).

**P:** **Não entendo a importância do objeto de evento que é passado para os métodos de retorno de chamada de eventos. Se alguém chamar meu método mousePressed, de que outras informações eu precisaria?**

**R:** Quase sempre, na maioria dos projetos, você não precisará do objeto de evento. Ele nada mais é do que um pequeno portador de dados, para enviar mais informações sobre o evento. Mas em algumas situações você pode ter que consultar o evento para saber detalhes sobre ele. Por exemplo, se seu método mousePressed() for chamado, você saberá que o mouse foi pressionado. Mas e se quiser saber exatamente onde ele foi pressionado? Em outras palavras, e se você quiser saber as coordenadas x e y na tela que indiquem onde o mouse foi pressionado?

Ou em alguns casos você pode querer registrar o mesmo ouvinte em vários objetos. Uma calculadora exibida na tela, por exemplo, tem 10 teclas numéricas e já que todas fazem a mesma coisa, talvez você não queira criar um ouvinte separado para cada tecla. Em vez disso, pode registrar um único ouvinte com cada uma das 10 teclas e quando capturar um evento (porque seu método de retorno de chamada de eventos foi chamado) poderá chamar um método no objeto de evento para descobrir quem foi a verdadeira origem desse evento. Em outras palavras, que tecla enviou esse evento.

---

## Aponte seu lápis

Cada um desses elementos gráficos (objetos de interface de usuário) é a origem de um ou mais eventos. Ligue os elementos aos eventos que eles podem causar. Alguns elementos podem ser a origem de mais de um evento e alguns eventos podem ser gerados por mais de um elemento.

### Elementos gráficos

caixa de seleção

campo de texto

lista de rolagem

botão

caixa de diálogo

botão de rádio

item de menu

### Métodos do evento

windowClosing()

actionPerformed()

itemStateChanged()

mousePressed()

keyTyped()

mouseExited()

focusGained()

---

Como saber se um objeto é a origem de um evento?

**Procure na API**

Certo. Procurar o quê?

**Um método que comece com 'add', termine com 'Listener' e use como argumento uma interface de escuta. Se você vir:**

`addKeyListener(KeyListener k)`

**saberá que uma classe com esse método é a origem de KeyEvents. Há um padrão de nomeação.**

criando um painel de desenho

## Voltando à parte gráfica...

Agora que sabemos um pouco mais sobre como os eventos funcionam (aprenderemos mais posteriormente), voltemos à inserção de elementos na tela. Passaremos algum tempo examinando algumas maneiras divertidas de usar um ambiente gráfico, antes de retornarmos à manipulação de eventos.

### Três maneiras de inserir elementos em sua GUI:

① **Insira elementos gráficos em uma moldura**
Adicione botões, menus, botões de rádio, etc.

`frame.getContentPane().add(myButton);`

O pacote javax.swing tem vários tipos de elementos gráficos.

② **Desenhe figuras 2D em um elemento gráfico**
Use um objeto gráfico para desenhar formas.

`graphics.fillOval(70,70,100,100);`

Você pode desenhar muitas outras caixas e círculos; o API Java2D está cheia de métodos gráficos divertidos e sofisticados.

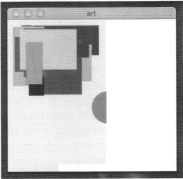

③ *Insira uma figura JPEG em um elemento gráfico*
Você pode inserir suas próprias fotos em um elemento gráfico.

`graphics.drawImage(myPic, 10,10,this);`

*arte, jogos, simulações, etc. gráficos, indicadores empresariais, etc.*

## Crie seu próprio elemento gráfico de desenho

Se você quiser inserir figuras suas na tela, a melhor opção é criar seu próprio elemento gráfico de desenho. Você inserirá esse elemento gráfico na moldura, da mesma forma que um botão ou qualquer outro elemento, mas quando ele for exibido terá suas figuras. Você pode até fazer essas figuras se moverem, em uma animação, ou as cores mudarem na tela sempre que clicar em um botão.

É muito fácil.

## Crie uma subclasse de JPanel e sobreponha um método, paintComponent( ).

Todos os seus códigos gráficos serão inseridos no método paintComponent(). Pense nele como o método chamado pelo sistema que diz "Ei, elemento gráfico, é hora de receber desenhos". Se você quiser desenhar um círculo, o método paintComponent terá um código para isso. Quando a moldura que tiver seu painel de desenho for exibida, paintComponent() será chamado e seu círculo aparecerá. Se o usuário minimizar a janela, a JVM saberá que a moldura precisará de "reparos" quando for maximizada, portanto chamará paintComponent() novamente. Sempre que a JVM achar que a exibição precisa de atualização, seu método paintComponent() será chamado.

Mais uma coisa, *você nunca chamará esse método por sua conta!* O argumento do método (um objeto Graphics) é o espaço de desenho que será inserido na tela *real*. Não é possível capturá-lo por sua própria conta; ele deve ser fornecido pelo sistema. Você verá posteriormente, no entanto, que *pode* solicitar ao sistema que atualize a tela [repaint()], o que acabará fazendo com que paintComponent() seja chamado.

```
import java.awt.*;
import javax.swing.*;

class MyDrawPanel extends JPanel {

    public void paintComponente(Graphics g) {


        g.setColor(Color.orange);
        g.fillRect(20,50,100,100);
    }
}
```

*você precisará dessas duas instruções*

*Cria uma subclasse de JPanel, um elemento gráfico que você adicionará a uma moldura como qualquer outra coisa. Exceto por ser seu próprio elemento gráfico personalizado.*

*Esse é o importantíssimo método gráfico. Você NUNCA o chamará por sua própria conta. O sistema o chamará e dirá Aqui está uma superfície de desenho nova em folha, de tipo Graphics, na qual você pode desenhar agora.*

*Suponhamos que g fosse uma máquina de desenho. Você está dizendo para ela com que cor pintar e, em seguida, que forma desenhar (com as coordenadas de onde inserir e qual o tamanho)*

## Coisas divertidas que podem ser feitas em paintComponent( )

Examinaremos mais algumas coisas que você pode fazer utilizando o paintComponent(). O mais divertido, no entanto, será quando você começar a experimentar sozinho. Tente usar vários números e procure no API a classe Graphics (posteriormente veremos que sempre é possível fazer ainda *mais* do que a classe Graphics oferece).

## Exiba uma figura JPEG

*seu arquivo entra aqui*

```
public void paintComponent(Graphics g) {

    Image image = new ImageIcon("catzilla.jpg").getImage();

    g.drawImage(image,3,4,this);

}
```

*As coordenadas x, y de onde o canto esquerdo da figura deve ficar. Essa instrução diz 3 pixels a partir da borda esquerda do painel e 4 pixels a partir da borda superior. Esses números sempre se referem ao elemento gráfico (nesse caso sua subclasse JPanel) e não à moldura inteira.*

## Desenhe um círculo colorido aleatoriamente em um plano de fundo negro

```
public void paintComponent(Grpahics g) {

    g.fillRect(0,0,this.getWidth(), this.getHeight());

    int red = (int) (Math.random() * 255);
    int green = (int) (Math.random() * 255);
    int blue = (int) (Math.random() * 255);

    Color randomColor = new Color(red, green, blue);
    g.setColor(randomColor);
    g.fillOval(70,70,100,100);
}
```

*preenche o painel inteiro com preto (a cor padrão)*

*Os dois primeiros argumentos definem o canto superior esquerdo (x, y), em relação ao painel, de onde o desenho começará, portanto, 0,0 significa comece a 0 pixels da borda esquerda e 0 pixels da borda superior. Os outros dois argumentos informam Faça com que a largura desse retângulo seja tão ampla quanto o painel [this.width()] e a altura também (this.height)*

*Você pode criar uma cor passando 3 ints para representar os valores RGB.*

*comece a 70 pixels da esquerda e 70 do topo, faça ter 100 pixels de largura e 100 de altura.*

*criano gradientes com Graphics2D*

## Por trás de toda boa referência Graphics existe um objeto Graphics2D.

O argumento de paintComponent() é declarado com o tipo Graphics (java. awt.Graphics).

```
public void paintComponent(Graphics g) { }
```

Portanto, o parâmetro 'g' É-UM objeto Graphics. O que significa que ele *poderia* ser uma *subclasse* de Graphics (por causa do polimorfismo).     E realmente é.

***O objeto referenciado pelo parâmetro 'g' na verdade é uma instância da classe Graphics2D.***

Por que se preocupar? Porque há coisas que você pode fazer com uma referência Graphics2D que não poderia fazer com uma referência Graphics. Um objeto Graphics2D pode fazer mais coisas do que um objeto Graphics e existe realmente um objeto Graphics2D por trás da referência Graphics.

Lembre-se do polimorfismo. O compilador decidirá que métodos você pode chamar com base no tipo da referência e não no tipo do objeto. Se você tiver um objeto Dog referenciado por uma variável de referência Animal:

```
Animal a = new Dog();
```

NÃO poderá dizer:

```
a.bark();
```

Mesmo sabendo que na verdade trata-se de um objeto Dog. O compilador examinará 'a', verá que tem o tipo Animal e decidirá que não há botão no controle remoto da classe Animal para bark(). Mas você ainda poderá converter o objeto de volta ao tipo Dog que ele realmente é escrevendo:

```
Dog d = (Dog) a;
   d.bark();
```

Portanto, o que importa com relação ao objeto Graphics é isto:

**Se você precisar usar um método da classe Graphics2D, não poderá *usar* o parâmetro de paintComponent ('g') diretamente a partir do método. Mas poderá *convertê-lo* com uma nova variável Graphics2D.**

```
Graphics2D g2d = (Graphics2D) g;
```

---

### Métodos que você pode chamar em uma referência Graphics:

**drawImage()**
**drawLine()**
**drawPolygon()**
**drawRect()**
**drawOval()**
**fillRect()**
**fillRoundRect()**
**setColor()**

### Para converter o objeto Graphics2D em uma referência Graphics2D:

```
Graphics2D g2d = (Graphics2D) g;
```

### Métodos que você pode chamar em uma referência Graphics2D:

**fill3DRect()**
**draw3DRect()**
**rotate()**
**scale()**
**shear()**
**transform()**
**setRenderingHints()**

**(essas não são listas de métodos completas, verifique a API para ver mais)**

---

## A vida é curta demais para pintarmos o círculo com uma cor sólida quando há uma composição em gradiente esperando por você.

```
public void paintComponent(Graphics g) {

    Graphics2D g2d = (Graphics2D) g;


    GradientPaint gradient = new GradientPaint (70,70,Color.blue,150,150,Color.orange);




    g2d.setPaint(gradient);

    g2d.fillOval(70,70,100,100);

}
```

*na verdade trata-se de um objeto Graphics 2D disfarçado de um simples objeto Graphics*

*converta-o para que possamos chamar algo que Graphics 2D tem mas que Graphics não tem*

*ponto inicial*
*ponto final*
*cor inicial*
*cor final*

*isso configurará o pincel virtual com um gradiente em vez de uma cor sólida*

*o método fillOval() na verdade significa preencha a forma oval com o que estiver carregado em seu pincel (isto é, o gradiente)*

**262** *capítulo 12*

_usando a gui_

```java
public void paintComponent(Graphics g) {
    Graphics2D g2d = (Graphics2D) g;

    int red = (int) (Math.random() * 255);
    int green = (int) (Math.random() * 255);
    int blue = (int) (Math.random() * 255);
    Color startColor = new Color(red, green, blue);

    red = (int) (Math.random() * 255);
    green = (int) (Math.random() * 255);
    blue = (int) (Math.random() * 255);
    Color endColor = new Color(red, green, blue);

    GradientPaint gradient = new GradientPaint(70,70,startColor,150,150,endColor);
    g2d.setPaint(gradient);
    g2d.fillOval(70,70,100,100);
}
```

_esse código é igual ao anterior, exceto por criar cores aleatórias para o início e o fim do gradiente. Teste-o!_

## PONTOS DE BALA

### EVENTOS

Para criar uma GUI, comece com uma janela, que geralmente é um objeto JFrame

```java
JFrame frame = new JFrame();
```

- Você pode adicionar elementos gráficos (botões, campos de texto, etc.) ao JFrame usando:

```java
frame.getContentPane().add(button);
```

- Diferente da maioria dos outros componentes, o JFrame não permitirá que você adicione elementos diretamente, portanto, será preciso adicioná-los ao seu painel de conteúdo.

- Para fazer a janela (o objeto JFrame) ser exibida, você deve fornecer um tamanho e torná-la visível:

```java
frame.setSize(300,300);
frame.setVisible(true);
```

- Para saber se o usuário clicou em um botão (ou executou alguma outra ação na interface de usuário) você precisa ouvir o evento de GUI.

- Para ouvir um evento, você deve registrar seu interesse em uma origem de evento. Uma origem de evento é o elemento (botão, caixa de seleção, etc.) que 'aciona' um evento com base na interação do usuário.

- A interface de escuta fornecerá para a origem do evento uma maneira de chamar você, já que definirá o(s) método(s) que ela chamará quando um evento ocorrer.

- Para registrar-se em uma origem e ouvir os eventos, chame o método de registro dessa origem. Os métodos de registro sempre têm a forma: **_add<EventType>Listener_**. Para se registrar e ouvir ActionEvents de um botão, por exemplo, chame:

```java
button.addActionListener(this);
```

- Implemente a interface de escuta implementando todos os métodos de manipulação de eventos que ela tiver. Insira seu código de manipulação de eventos no método de retorno de chamada do ouvinte. Para ActionEvents, o método é:

```java
public void actionPerformed(ActionEvent
                            event) {
    button.setText("you clicked!");
}
```

- O objeto de evento passado para o método manipulador de eventos terá informações sobre o evento, inclusive sua origem.

### FIGURAS

- Você pode desenhar figuras 2D em um elemento gráfico.

- Você pode desenhar uma figura .gif. ou .jpeg diretamente em um elemento gráfico.

- Para desenhar suas próprias figuras (inclusive uma figura .gif ou .jpeg), crie uma subclasse de JPanel e sobreponha o método paintComponent().

- O método paintComponent() é chamado pelo sistema da GUI. VOCÊ NUNCA O CHAMARÁ POR SUA CONTA. O argumento de paintComponent() é um objeto Graphics que lhe fornecerá uma superfície sobre a qual desenhar que acabará sendo exibida na tela. Você não pode construir esse objeto por sua própria conta.

- Os métodos comumente chamados em um objeto Graphics [o parâmetro de paintComponent()] são:

```java
graphics.setColor(Color.blue);
g.fillRect(20,50,100,120);
```

- Para desenhar uma figura .jpg, crie um objeto Image usando:

```java
Image image = new ImageIcon("catzilla .jpg").
getImage();
```

e desenhe a figura usando:

```java
g.drawImage(image,3,4,this);
```

- O objeto referenciado pelo parâmetro Graphics de paintComponent é na verdade uma instância da classe Graphics2D. A classe Graphics2D tem vários métodos inclusive:

fill3DRect(), draw3DRect(), rotate(), scale(), shear(), transform()

- Para chamar os métodos de Graphics2D, você deve converter o parâmetro de um objeto Graphics para um objeto Graphics2D:

```java
Graphics2D g2d = (Graphics2D) g;
```

_você está aqui ▶_  **263**

## Podemos capturar um evento.
## Podemos desenhar figuras.
## Mas podemos desenhar figuras enquanto capturamos um evento?

Associemos um evento a uma alteração em nosso painel de desenho. Faremos o círculo mudar de cor sempre que você clicar no botão. Veja como é o fluxo do programa:

Inicie o aplicativo

① A moldura é construída com dois elementos gráficos (seu painel de desenho e um botão). Um ouvinte é criado e registrado no botão. Em seguida, a moldura é exibida e aguarda o usuário clicar.

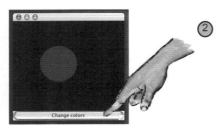

② O usuário clica no botão e esse cria um objeto de evento e chama o manipulador de eventos do ouvinte.

③ O manipulador de eventos chama repaint() na moldura. O sistema chama paintComponent() no painel de desenho.

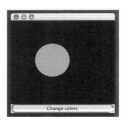

④ Voila! Uma nova cor é pintada porque paintComponent() é executado novamente, preenchendo o círculo com uma cor aleatória.

> *Essa é a melhor maneira (e geralmente a obrigatória) de adicionar elementos ao painel de conteúdo padrão de uma moldura. Especifique sempre ONDE (em que região) deseja inserir o elemento gráfico. Quando você chamar o método add de um argumento (aquele que não devemos usar) o elemento gráfico será inserido automaticamente na região central.*

> *Espere um momento... Como inserir DOIS elementos em uma moldura?*

## Layouts de GUI: inserindo mais de um elemento gráfico em uma moldura

Abordaremos os layouts de GUI no próximo capítulo, mas daremos uma olhada rápida aqui para podermos continuar. Por padrão, uma moldura tem cinco regiões onde os elementos podem ser adicionados. Você só pode adicionar *um* elemento em cada região da moldura, mas não entre em pânico! Esse elemento pode ser um painel contendo mais três elementos inclusive outro painel que contenha mais dois elementos e... Você entendeu. Na verdade, estávamos 'trapaceando' quando adicionamos um botão à moldura usando:

```
frame.getContentPane().add(button);
```

> *Essa não é a maneira correta pela qual você deve fazer isso (o método add com um argumento).*

```
frame.getContentPane().add(BorderLayout.CENTER,
                           button);
```

> *Devemos chamar o método add de dois argumentos, que usa uma região (uma constante) e o elemento gráfico a ser adicionado a ela.*

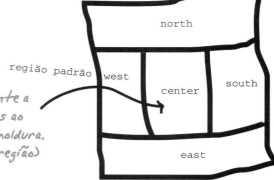

### Aponte seu lápis

Dados os cenários da página 250, escreva o código que adicionará o botão e o painel à moldura.

## O círculo mudará de cor sempre que você clicar no botão.

```
import javax.swing.*;
import java.awt.*;
import java.awt.event.*;

public class SimpleGui3C implements ActionListener {

   JFrame frame;

   public static void main (String[] args) {
      SimpleGui3C gui = new SimpleGui3C();
      gui.go();
   }

   public void go() {
      frame = new JFrame();
      frame.setDefaultCloseOperation(Jframe.EXIT_ON_CLOSE);

      JButton button = new JButton("Cnage colors");
      button.addActionListener(this);

      MyDrawPanel drawPanel = new MyDrawPanel();

      frame.getContentPane().add(BorderLayout.SOUTH, button);
      frame.getContentPane().add(BorderLayout.CENTER, drawPanel);
      frame.setSize(300,300);
      frame.setVisible(true);
   }

   public void actionPerformed(ActionEvent event) {
      frame.repaint();
   }
}

class MyDrawPanel extends JPanel {

   public void paintComponent(Graphics g) {
      // Código para preenchimento da forma oval com uma cor aleatória
      // Consulte a página 246 para ver o código
   }

}
```

*O painel de desenho personalizado (instância de MyDrawPanel) está na região CENTRAL da moldura.*

*O botão está na região SUL da moldura.*

*Adiciona o ouvinte (this) ao botão.*

*Adiciona os dois elementos gráficos (botão e painel de desenho) as duas regiões da moldura.*

*Quando o usuário clicar, solicite à moldura que se redefina. Isso significa que paintComponent() será chamado em cada elemento gráfico da moldura!*

*O método paintComponent() do painel de desenho será chamado sempre que o usuário clicar.*

## Façamos um teste com DOIS botões

O botão da região sul continuará agindo como antes, simplesmente chamando repaint na moldura. O segundo botão (que inseriremos na região leste) alterará o texto de um rótulo. (Um rótulo é apenas texto na tela.)

## Portanto, agora precisamos de QUATRO elementos gráficos

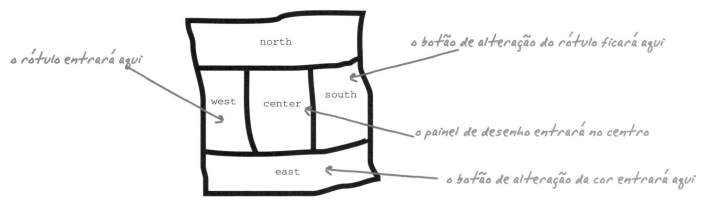

*vários* ouvintes

# E precisamos capturar DOIS eventos

Hummm.

Isso é possível? Como capturar *dois* eventos se você tem somente *um* método actionPerformed()?

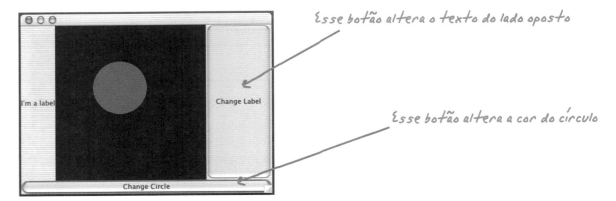

*Esse botão altera o texto do lado oposto*

*Esse botão altera a cor do círculo*

## Como capturar os eventos da ação de dois botões distintos, se cada botão tem que fazer algo diferente?

① **opção um: Implemente <u>dois</u> métodos actionPerformed( )**

```
class MyGui implements ActionListener {
   // vários trechos de códigos em alguns locais:

   public void actionPerformed(ActionEvent event) {
      frame.repaint();
   }

   public void actionPerformed(ActionEvent event) {
      label.setText("That hurt!");
   }
}
```

*Mas isso é impossível!*

**Falha:** Não é possível! Você não pode implementar o mesmo método duas vezes em uma classe Java. Ele não será compilado. E mesmo se você pudesse fazê-lo, como a origem do evento saberia qual dos dois métodos chamar?

② **opção dois: Registre o mesmo ouvinte nos <u>dois</u> botões.**

```
class MyGui implements ActionListener {
   // declara diversas variáveis de instância
aqui

   public void go() {
      // constrói a gui
      colorButton = new JButton();
      labelButton = new JButton();
      colorButton.addActionListener(this);
      labelButton.addActionListener(this);
      //mais código de gui aqui...
   }

   public void actionPerformed (ActionEvent event) {
      if (event.getSource() == colorButton) {
         frame.repaint();
      } else {
         label.setText("That's hurt!");
      }
   }
}
```

*Registra o mesmo ouvinte nos dois botões*

*Consulta o objeto de evento para descobrir que botão o acionou e usa isso para decidir o que fazer.*

**Falha:** isso funcionará, mas na maioria dos casos não é boa prática de OO. Um manipulador de eventos fazendo muitas coisas diferentes significa que você terá um único método executando essas tarefas. Se precisar alterar como uma origem é manipulada, terá que mexer com o manipulador de todos os eventos. Às vezes é uma boa solução, mas geralmente afeta a manutenção e a extensibilidade.

# Como capturar os eventos da ação de dois botões distintos, se cada botão tem que fazer algo diferente?

### ③ opção três: Crie duas classes ActionListener <u>separadas</u>.

```
class MyGui {
   JFrame frame;
   JLabel label;
   void gui() {
      //código que instancia os dois ouvintes e registra um
      //no botão da cor e o outro no botão do rótulo
   }
} //fecha class
```

---

```
class ColorButtonListener implements ActionListener {
   public void actionPerformed(ActionEvent event) {
      frame.repaint();
   }
}
```
*Não funcionará! Essa classe não tem uma referência à variável frame da classe MyGui*

---

```
class LabelButtonListener implements ActionListener {
   public void actionPerformed(ActionEvent event) {
      label.setText("That hurt!");
   }
}
```
*Problema! Essa classe não tem referência da variável label*

**Falha:** essas classes não terão acesso às variáveis sobre as quais precisam atuar, 'frame' e 'label'. Você poderia corrigir isso, mas teria que fornecer a cada uma das classes de ouvinte uma referência da classe principal de GUI, para que dentro dos métodos actionPerformed() o ouvinte pudesse usar a referência dessa classe e acessar suas variáveis. Mas isso seria abandonar o encapsulamento, portanto, provavelmente teríamos que criar métodos de captura dos elementos gráficos da GUI [getFrame(), getLabel(), etc.]. E você poderia ter que adicionar um construtor à classe do ouvinte para poder passar a referência da GUI para o ouvinte na hora em que ele fosse instanciado. E, bem, ficaria mais confuso e complicado.

### Tem que haver uma maneira melhor!

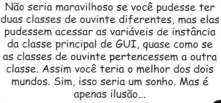

Não seria maravilhoso se você pudesse ter duas classes de ouvinte diferentes, mas elas pudessem acessar as variáveis de instância da classe principal de GUI, quase como se as classes de ouvinte pertencessem a outra classe. Assim você teria o melhor dos dois mundos. Sim, isso seria um sonho. Mas é apenas ilusão...

classes internas

## A classe interna vem nos socorrer!

Você *pode* ter uma classe aninhada dentro de outra. É fácil. Basta certificar-se de que a definição da classe interna esteja *dentro* das chaves da classe externa.

### Classe interna simples:

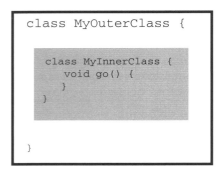

*A classe interna é totalmente inserida na classe externa*

A classe interna recebe permissão especial para usar qualquer coisa da classe externa. *Até mesmo o que for privado*. E ela pode usar essas variáveis e métodos privados da classe externa como se as variáveis e os membros tivessem sido definidos na classe interna. É isso que é tão útil nas classes internas — elas apresentam a maioria das vantagens de uma classe comum, mas com direitos de acesso especiais.

## Classe interna usando uma variável da classe externa

```
class MyOuterClass {

    private int x;

    class MyInnerClass {
        void go() {
            x=42;
        }
    } //fecha a classe interna

} //fecha a classe externa
```

*usa x como se fosse uma variável da classe interna!*

**Uma classe interna pode usar todos os métodos e variáveis da classe externa, até mesmo os privados.**

**A classe interna pode usar essas variáveis e métodos como se tivessem sido declarados dentro dela.**

## A instância de uma classe <u>interna</u> deve ser vinculada a uma instância da classe <u>externa</u>*.

Lembre-se de que quando falamos de uma classe interna acessando algo da classe externa, na verdade estamos falando de uma *instância* da classe interna acessando algo em uma *instância* da classe externa. Mas *que* instância?

*Qualquer* instância da classe interna pode acessar os métodos e variáveis de *qualquer* instância da classe externa? **Não!**

*Um objeto **interno** deve ser vinculado a um objeto **externo** específico no acervo.*

**Um objeto interno compartilhará de uma ligação especial com um objeto externo.**

① Crie uma instância da classe <u>externa</u>.

② Crie uma instância da classe <u>interna</u>, usando a instância da classe externa.

③ Agora os objetos externo e interno estão intimamente ligados.

*Esses dois objetos do acervo têm uma ligação especial. O objeto interno pode usar as variáveis do objeto externo (e vice-versa).*

*Há uma exceção aqui, para um caso muito especial — uma classe interna definida dentro de um método estático. Mas não veremos isso e você pode passar toda a sua vida usando Java sem nunca encontrar uma classe dessas.

*usando* a gui

## Como criar a instância de uma classe interna

Se você instanciar uma classe interna a partir de um código que estiver *dentro* de uma classe externa, a instância da classe externa será aquela a qual o objeto interno se 'vinculará'. Por exemplo, se o código dentro de um método instanciar a classe interna, o objeto interno se vinculará à instância cujo método estiver sendo executado.

O código de uma classe externa pode instanciar uma de suas próprias classes internas, exatamente da mesma forma que instanciaria qualquer outra classe... **new MyInner( )**.

```
class MyOuter {

    private int x;            ← A classe externa tem uma
                                variável de instância privada x

    MyInner inner = new MyInner();   ← Cria uma instância da classe interna

    public void doStuff() {
        inner.go();           ← Chama um método na classe interna
    }

    class MyInner {
        void go() {
            x = 42            ← O método da classe interna
        }                       usa a variável de instância x
    } //fecha a classe interna   da classe externa, como se x
                                 pertencesse à classe interna.
} //fecha a classe externa
```

---

**Nota lateral**

Você *pode* criar uma instância interna a partir de um código sendo executado *fora* da classe externa, mas terá que usar uma sintaxe especial. É provável que você passe sua vida inteira usando Java e nunca precise criar uma classe interna a partir do ambiente externo, mas caso esteja interessado...

```
class Foo {
    public static void main (String[] args) {
        MyOuter outerObj = new MyOuter();
        MyOuter.MyInner innerObj = outerObj.new MyInner();
    }
}
```

---

## Agora podemos fazer o código com dois botões funcionar

```
public class TwoButtons {           ← a classe principal da GUI não
                                       implementa ActionListener agora
JFrame frame;
   JLabel label;

   public static void main )String[] args) {
      TwoButtons gui = new TwoButtons();
      gui.go();
   }

   public void go() {
      frame = new JFrame ();
      frame.setDefaultCloseOperation(JFrame.EXIT_ON_CLOSE);

      JButton labelButton = new JButton("Change Label");
      labelButton.addActionListener(new LabelListener());    ←
                                                               em vez de passar (this) para o método
      JButton colorButton = new JButton("Change Circle");      de registro de ouvintes do botão,
      colorButton.addActionListener(new ColorListener());    ← passa uma nova instância da classe de
                                                               ouvinte apropriada
      label = new JLabel("I'm a label");
      MyDrawPanel drawPanel = new MyDrawPanel();
```

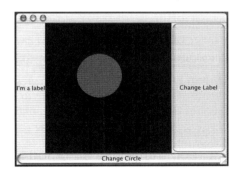

*classes internas*

```
        frame.getContentPane().add(BorderLayout.SOUTH, colorButton);
        frame.getContentPane().add(BorderLayout.CENTER, drawPanel);
        frame.getContentPane().add(BorderLayout.EAST, labelButton);
        frame.getContentPane().add(BorderLayout.WEST, label);

        frame.setSize(300,300);
        frame.setVisible(true);
    }
    class LabelListener implements ActionListener {
        public void actionPerformed(ActionEvent event) {
            label.setText("Ouch!");
        }
    } //fecha classe interna
    class ColorListener implements ActionListener {
        public void actionPerformed(ActionEvent event) {
            frame.repaint();
        }
    } //fecha classe interna
}
```

*a classe interna sabe da existência de label*

*Agora podemos ter DOIS ActionListeners na mesma classe!*

*a classe interna pode usar a variável de instância frame, sem ter uma referência explícita do objeto da classe externa*

---

## Tudo sobre o Java
### Entrevista desta semana:
### Instância de uma classe interna

**Use a Cabeça!:** O que torna as classes internas importantes?

**Objeto interno:** Por onde começo? Nós possibilitamos a implementação da mesma interface mais de uma vez em uma classe. Lembre-se de que você não pode implementar um método mais de uma vez em uma classe Java comum. Mas com o uso de classes *internas*, cada classe interna pode implementar a *mesma* interface, portanto, você poderá ter todas essas implementações *diferentes* dos mesmos métodos da interface.

**Use a Cabeça!:** Por que você poderia *querer* implementar o mesmo método duas vezes?

**Objeto interno:** Voltemos aos manipuladores de eventos de GUI. Pense nisso... Se você tiver *três* botões e quiser que cada um tenha o comportamento de um evento diferente, use *três* classes internas, todas implementando ActionListener — o que significa que cada classe pode implementar seu próprio método actionPerformed.

**Use a Cabeça!:** Então os manipuladores de evento não são a única razão para o uso de classes internas?

**Objeto interno:** Oh, lógico que não. Os manipuladores de evento são apenas um exemplo óbvio. Sempre que você precisar de uma classe separada e ainda quiser que essa classe se comporte como se fizesse parte de *outra* classe uma classe interna será a melhor - e às vezes a *única* - maneira de fazer isso.

**Use a Cabeça!:** Ainda estou confuso aqui. Se você quer que a classe interna se *comporte* como se pertencesse à classe externa, por que ter uma classe separada? Por que o código da classe interna não poderia simplesmente estar na classe externa?

**Objeto interno:** Eu só lhe *mostrei* um cenário, em que você estaria precisando de mais de uma implementação de uma interface. Mas mesmo quando você não estiver usando interfaces, pode precisar de duas *classes* diferentes, porque essas classes representariam duas *coisas* distintas. Trata-se de uma boa prática de OO.

**Use a Cabeça!:** Opa. Espere aí. Eu achava que grande parte do projeto de OO tivesse a ver com reutilização e manutenção. Você sabe como é, a idéia de que, se houver duas classes separadas, elas poderão ser alteradas e usadas independentemente, e não ter tudo inserido em uma classe etc. Mas com uma classe *interna*, no final das contas você ainda estará trabalhando com uma classe *real*, certo? A classe externa será a única que poderá ser reutilizada e separada de todo o resto. As classes internas não são exatamente reutilizáveis. Na verdade, ouvi falar que são "Re-inutilizáveis - repetidamente inúteis".

**Objeto interno:** Sim é verdade que a classe interna não é *tão* reutilizável, de fato às vezes não é nem um pouco reutilizável, porque está intimamente ligada às variáveis de instância e métodos da classe externa. Mas -

**Use a Cabeça!:** - o que só comprova meu ponto de vista! Se elas não são reutilizáveis, por que se preocupar com uma classe separada? Quero dizer, exceto no que diz respeito ao problema da interface, que para mim soa como um paliativo.

**Objeto interno:** Como eu estava dizendo, você precisa considerar o teste É-Um e o polimorfismo.

**Use a Cabeça!:** Certo. E eu os estou considerando porque...

**Objeto interno:** Porque as classes externa e interna podem ter que passar em testes É-UM *diferentes*! Comecemos com o exemplo do ouvinte de GUI polimórfico. Que tipo de argumento é declarado para o método de registro de ouvintes do botão? Em outras palavras, se você for até a API e pesquisar, que tipo de *coisa* (tipo de classe ou interface) você tem que passar para o método addActionListener()?

**Use a Cabeça!:** Você tem que passar um ouvinte. Algo que implemente uma interface de escuta específica, nesse caso ActionListener. Sim, sabemos de tudo isso. Onde quer chegar?

**Objeto interno:** Quero mostrar que, polimorficamente, você tem um método que usará apenas um *tipo* específico. Algo que passe no teste É-UM de ActionListener. Mas — e esse é o ponto principal — e se sua classe tiver que fazer parte do teste É-UM de algo que tenha como tipo uma *classe* em vez de uma interface?

**Use a Cabeça!:** Você não faria sua classe *estender* a classe da qual precisa fazer parte? Não é assim que as subclasses funcionam? Se B for uma subclasse de A, então, em qualquer local que A for esperada, B poderá ser usada. O velho 'passe um objeto Dog onde Animal for o tipo declarado'.

**Objeto interno:** Sim! Bingo! Então o que aconteceria agora se você precisasse passar no teste É-UM de duas classes diferentes? Classes que não sejam da mesma hierarquia de herança?

**Use a Cabeça!:** Oh, bem você teria apenas que... Hummm. Acho que estou entendendo. Você sempre poderá *implementar* mais de uma interface, mas só poderá *estender uma* classe. Você só poderá passar em um tipo de teste É-UM quando se tratar de *classes*.

**Objeto interno:** Exatamente! Sim, você não pode ser um objeto Dog e um objeto Button ao mesmo tempo. Mas se for um objeto Dog que às vezes precise ser um objeto Button (para poder ser passado para métodos que usem um objeto Button), a classe Dog (que estende Animal, logo, não pode estender Button) pode ter uma classe *interna* que aja em nome do objeto Dog como um objeto Button, ao estender Button e, portanto, sempre que um objeto Button for necessário o objeto Dog poderá passar seu objeto Button interno em vez dele próprio. Em outras palavras, em vez de usar x.takeButton(this), o objeto Dog chamará x.takeButton [new MyInnerButton()].

**Use a Cabeça!:** Pode citar um exemplo claro?

**Objeto interno:** Lembra-se do painel de desenho que usamos, quando criamos nossa própria subclasse de JPanel? Nesse exato momento, essa classe é uma classe não-interna separada. E isso é bom, porque a classe não precisa de acesso especial às variáveis de instancia da classe principal de GUI. Mas e se precisasse? E se estivéssemos criando uma animação nesse painel e ela capturasse suas coordenadas no aplicativo principal (digamos, com base em algo que o usuário fizesse em algum local da GUI). Nesse caso, se transformarmos o painel de desenho em uma classe interna, ela poderá ser uma subclasse de JPanel, enquanto a classe externa continuará não sendo a subclasse de nenhuma outra classe.

**Use a Cabeça!:** Sim, entendi! E de qualquer forma o painel de desenho não é suficientemente reutilizável para ser uma classe separada, já que na verdade o que ele desenhar será específico desse aplicativo de GUI.

**Objeto interno:** Sim! Você entendeu!

**Use a Cabeça!:** Bom. Então podemos passar para a natureza do *relacionamento* entre você e a instância externa.

**Objeto interno:** O que há de errado com vocês? Essa não é uma fofoca sórdida demais para um tópico sério como o polimorfismo?

**Use a Cabeça!:** Ei, você não tem idéia de quanto o público paga por um bom tablóide cheio de fofocas. Então quer dizer que alguém cria você e se torna instantaneamente ligado ao objeto externo, é verdade?

**Objeto interno:** Sim é verdade. E sim, algumas pessoas comparam isso a um casamento arranjado. Não podemos opinar sobre o objeto ao qual seremos ligados.

**Use a Cabeça!:** Certo, usarei a analogia do casamento. Você pode se *divorciar* e casar novamente com um elemento *diferente*?

**Objeto interno:** Não, é para a vida toda.

**Use a Cabeça!:** A vida de quem? Sua? Do objeto externo? As duas?

**Objeto interno:** Minha. Não posso ser ligado a qualquer outro objeto externo. Minha única saída é a coleta de lixo.

**Use a Cabeça!:** E quanto ao objeto externo? Ele pode ser associado a algum outro objeto interno?

**Objeto interno:** Agora entendi. É isso que você queria. Sim, sim. Meu suposto 'companheiro' pode ter quantos objetos internos quiser.

**Use a Cabeça!:** Seria como uma monogamia serial? Ou ele pode ter todos ao mesmo tempo?

**Objeto interno:** Todos ao mesmo tempo. Aí está. Satisfeito?

**Use a Cabeça!:** Bem, faz sentido. E não esqueçamos, foi *você* que exaltou as virtudes de se ter "várias implementações da mesma interface". Mas faz sentido uma classe externa com três botões precisar de três classes internas diferentes (e, portanto, de três objetos de classes internas diferentes) para manipular os eventos. Obrigado por tudo. Tome um lenço.

## Usando uma classe interna em animação

Vimos por que as classes internas são úteis em ouvintes de eventos, já que você poderá implementar o mesmo método de manipulação de eventos mais de uma vez. Mas agora examinaremos como uma classe interna pode ser útil quando usada como uma subclasse de algo que a classe externa não estenda. Em outras palavras, quando a classe interna e a classe externa estão em árvores de herança diferentes!

Nosso objetivo é criar uma animação simples, em que o círculo se mova através da tela do canto superior esquerdo para o canto inferior direito.

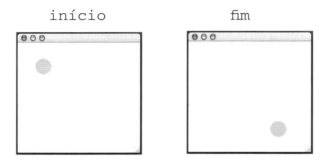

### Veja como é simples o funcionamento da animação

① **Desenhe um objeto em uma coordenada x e y específica**

```
g.fillOval(20,50,100,100);
```

*20 pixels a partir da esquerda,*
*50 pixels a partir do topo*

② **Redesenhe o objeto em uma coordenada x e y <u>diferente</u>**

```
g.fillOval(25,55,100,100);
```

*25 pixels a partir da esquerda, 55 pixels a partir do topo (o objeto se moveu um pouco para baixo e para a direita)*

③ **Repita a etapa anterior com valores alterados para x e y enquanto a animação tiver que continuar.**

---

### não existem
## Perguntas Idiotas

**P: Por que estamos aprendendo animação aqui? Duvido que eu tenha que criar jogos.**

**R:** Você pode não ter que criar jogos, mas talvez tenha que criar simulações, em que as coisas mudem com o tempo para mostrar os resultados de um processo. Ou pode ter que construir uma ferramenta de visualização que, por exemplo, atualize um gráfico para mostrar a quantidade de memória que um programa está usando ou para que você saiba o volume de tráfego que está sendo recebido através de seu servidor de balanceamento de carga. Qualquer coisa que precise usar um conjunto de números em alteração constante e os converta em algo útil para a obtenção de informações.

  Isso tudo não soa empresarial? É claro que essa é apenas a "justificativa oficial". A verdadeira razão para estarmos abordando isso aqui é somente porque é uma maneira simples de demonstrar outra utilidade das classes internas. (E simplesmente porque gostamos de animação, mas nosso próximo livro da série Head First é sobre a J2EE e sabemos que não poderemos falar sobre animação nele.)

---

### O que queremos <u>realmente</u> é algo como...

```
class MyDrawPanel estends JPanel {

    public void paintComponent(Graphics g) {

        g.setColor(Color.orange);

        g.fillOval(x,y,100,100);
    }
}
```

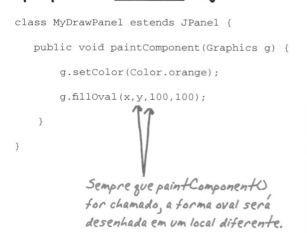

*Sempre que paintComponent() for chamado, a forma oval será desenhada em um local diferente.*

---

### ✏️ Aponte seu lápis

### Mas onde obterei as novas coordenadas x e y?
### E quem chamará repaint( )?

Veja se consegue **projetar uma solução simples** que faça a bola ficar animada do canto superior esquerdo do painel de desenho até o canto inferior direito. Nossa resposta está na próxima página, portanto, não vire essa página até ter acabado!

Dica importante: faça com que o painel de desenho seja uma classe interna.

Outra dica: não insira nenhum tipo de loop de repetição no método paintComponent().

**Escreva suas idéias (ou o código) aqui:**

*usando* a gui

# O código simples da animação concluído

```java
import javax.swing.*;
import java.awt.*;

public class SimpleAnimation {

    int x = 70;
    int y = 70;

    public static void main (String[] args) {
        SimpleAnimation gui = new SimpleAnimation();
        gui.go();
    }

    public void go() {
        JFrame frame = new JFrame();
        frame.setDefaultCloseOperation(JFrame.EXIT_ON_
CLOSE);

        MyDrawPanel drawPanel = new MyDrawPanel();

        frame.getContentPane().add(drawPanel);
        frame.setSize(300,300);
        frame.setVisible(true);

        for (int i = 0; i < 130; i++) {

            x++;
            y++;

            drawPanel.repaint();

            try {
                Thread.sleep(50);
            } catch(Exception ex) { }
        }

    } //fecha o método go()

    class MyDrawPanel extends JPanel {

        public void paintComponent(Graphics g) {
            g.setColor(Color.green);
            g.fillOval(x,y,40,40);
        }

    }
} //fecha a classe interna
} //fecha a classe externa
```

Cria duas variáveis de instância na classe principal da GUI, para as coordenadas x e y do círculo.

Nada de novo aqui. Cria os elementos gráficos e os insere na moldura.

É aqui que está a ação!

Repete isso 130 vezes.

Incrementa as coordenadas x e y.

Solicita ao painel que se redefina (para que possamos ver o círculo no novo local).

Retarda um pouco o círculo (caso contrário ele se movimentará tão rapidamente que você não o VERÁ se mover). Não se preocupe, você não era obrigado a saber disso. Abordaremos os segmentos no Capítulo 15.

Agora é uma classe interna.

Usa as coordenadas x e y continuamente atualizadas da classe externa.

*você está aqui* ▶ 273

*animação com o uso de uma classe interna*

## Humm. Ele não se moveu... Gerou um borrão.

O que deu errado?

Há uma pequena falha no método paintComponent().

Não é exatamente a aparência que queríamos.

### Esquecemos de apagar o que já existia! Portanto, exibimos trilhas.

Para corrigir isso, tudo que temos que fazer é preencher o painel inteiro com a cor do plano de fundo, antes de cada vez que desenharmos o círculo. O código a seguir adiciona duas linhas no início do método: uma para a configuração da cor com branco (a cor do plano de fundo do painel de desenho) e a outra para o preenchimento do retângulo inteiro do painel com essa cor. Em português, o código está dizendo "Preencha um retângulo começando em x e y = 0 (0 pixels a partir da esquerda e 0 pixels a partir do topo) e torne-o tão largo e alto quanto o painel é atualmente".

*Não é exatamente o aspecto que vemos*

```
public void paintComponent(Graphics g) {
   g.setColor(Color.white);
   g.fillRect(0,0,this.getWidth(), this.getHeight());

   g.setColor(Color.green);
   g.fillOval(x,y,40,40);

}
```

*getWidth() e getHeight() são métodos herdados de JPanel.*

**Aponte seu lápis** (opcional, só por diversão)

Que alterações você faria nas coordenadas x e y para produzir as animações abaixo (presuma que o primeiro exemplo se move em incrementos de 3 pixels)?

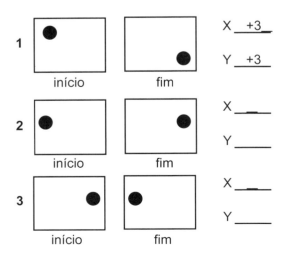

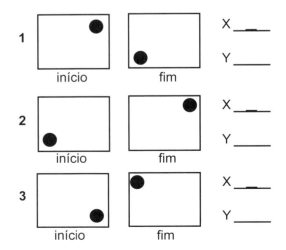

*usando* a gui

# Receita de código

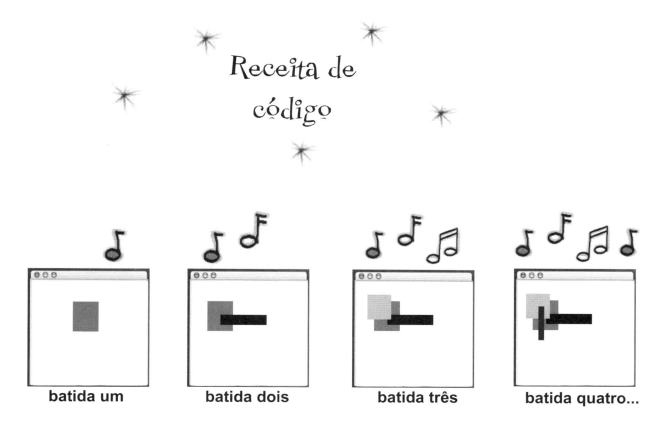

**Criaremos um vídeo musical. Usaremos figuras aleatórias geradas pela Java que estarão sincronizadas com as batidas musicais.**

**No percurso registraremos (e escutaremos) um novo tipo de evento não referente à GUI, acionado pela própria música.**

*Lembre-se de que essa parte é toda opcional. Mas achamos que ela lhe fará bem. E você gostará. E poderá usá-la para impressionar as pessoas.*
*(Certo, talvez só funcione com pessoas realmente fáceis de impressionar, mas mesmo assim...)*

## Escutando um evento não referente à GUI

Certo, talvez não seja um vídeo musical, mas *criaremos* um programa que desenhará figuras aleatórias na tela conforme a batida da música. Resumindo, o programa escutará a batida da música e desenhará um retângulo aleatório a cada batida.

Isso nos apresenta algumas questões novas. Até aqui, escutamos somente eventos de GUI, mas agora precisamos escutar um tipo específico de evento MIDI. Na verdade, escutar eventos não referentes à GUI é como escutar eventos de GUI: você implementará uma interface de escuta, registrará o ouvinte em uma origem de evento e, em seguida, sentará esperando que a origem chame seu método manipulador de evento (o método definido na interface de escuta).

A maneira mais simples de escutar a batida da música seria registrar e escutar os eventos MIDI reais, para que sempre que o seqüenciador capturar o evento, nosso código também o capture e possa desenhar a figura. Mas... Há um problema. Um erro, na verdade, que não nos permitirá escutar os eventos MIDI que gerarmos (os de NOTE ON).

Portanto, precisamos de um paliativo. Há outro tipo de evento MIDI que podemos escutar, chamado ControllerEvent. Nossa solução é nos registrarmos para escutar ControllerEvents e, em seguida, nos certificarmos de que, para cada evento NOTE ON, um ControllerEvent correspondente seja acionado na mesma 'batida'. Como podemos nos certificar de que o ControllerEvent será acionado ao mesmo tempo? Ele será adicionado à faixa da mesma forma que os outros eventos! Em outras palavras, nossa seqüência musical será a seguinte:

BATIDA 1 - NOTE ON, CONTROLLER EVENT
BATIDA 2 - NOTE OFF
BATIDA 3 - NOTE ON, CONTROLLER EVENT
BATIDA 4 - NOTE OFF

e assim por diante.

Antes de nos aprofundarmos no programa completo, no entanto, tornemos um pouco mais fácil criar e adicionar mensagens/eventos MIDI já que *nesse* programa, criaremos vários deles.

*método utilitário para eventos*

## O que o programa de arte musical precisa fazer:

(1) Criar uma série de mensagens/eventos MIDI para reproduzir notas aleatórias em um piano (ou o instrumento que você escolher).

(2) Registrar um ouvinte para os eventos.

(3) Iniciar a execução do seqüenciador.

(4) Sempre que o método manipulador de eventos do ouvinte for chamado, desenhar um retângulo aleatório no painel de desenho e chamar repaint.

## Ele será construído em três etapas:

(1) Versão Um: código que simplifica a criação e adição de eventos MIDI, já que criaremos vários deles.

(2) Versão Dois: registra e escuta os eventos, mas sem figuras.
Exibe uma mensagem na linha de comando a cada batida.

(3) Versão Três: o aplicativo final.
Adiciona as figuras à versão dois.

## Uma maneira mais fácil de criar mensagens/eventos

Nesse exato momento, criar e adicionar mensagens e eventos a uma faixa é tedioso. Para cada mensagem, temos que criar a instância da mensagem (nesse caso, ShortMessage), chamar setMessage(), criar um MidiEvent para a mensagem e adicionar o evento à faixa. No código do último capítulo, percorremos cada etapa necessária à criação de qualquer mensagem. Isso significa oito linhas de código apenas para fazer uma nota ser reproduzida e em seguida interrompermos a reprodução! Quatro linhas para adicionar um evento NOTE ON e quatro para adicionar um evento NOTE OFF.

```
ShortMessage a = new ShortMessage();
a.setMessage(144, 1, note, 100);
MidiEvent noteOn = new MidiEvent(a, 1);
track.add(noteOn);


ShortMessage b = new ShortMessage();
b.setMessage(128, 1, note, 100);
MidiEvent noteOff = new MidiEvent(b, 16)
track.add(noteOff);
```

## Coisas que têm que ocorrer para cada evento:

(1) **Crie uma instância da mensagem.**
ShortMessage first = new ShortMessage();

(2) **Chame setMessage() com as instruções.**
first.setMessage(192, 1, instrument, 0);

(3) **Crie uma instância de MidiEvent para a mensagem.**
MidiEvent noteOn = new MidiEvent(first,1);

(4) **Adicione o evento à faixa.**
track.add(noteOn);

## Construiremos um método utilitário estático que cria uma mensagem e retorna um MidiEvent

*O evento tick para QUANDO essa mensagem tiver que ocorrer*

*Os quatro argumentos da mensagem.*

```
public static MidiEvent makeEvent(int comd, int chan, int one, int two, int tick) {

    MidiEvent event = null;

    try {

        ShortMessage a = new ShortMessage();

        a.setMessage(comd, chan, one, two);

        event = new MidiEvent(a, tick);

    } catch(Exception e) { }

    return event;

}
```

*vau! Um método com cinco parâmetros.*

*Cria a mensagem e o evento, usando os parâmetros do método.*

*Retorna o evento (um MidiEvent carregado com a mensagem).*

276 *capítulo 12*

*usando a gui*

## Exemplo: como usar o novo método estático makeEvent( )

Não há manipulação de eventos ou figuras aqui, apenas uma seqüência de 15 notas ascendentes na escala. O objetivo desse código é simplesmente ensinar como usar nosso novo método makeEvent(). O código das duas próximas versões ficará muito menor e mais simples graças a esse método.

```java
import javax.sound.midi.*;          ← não esqueça a importação

public class MiniMusicPlayer1 {

    public static void main(String[] args) {

        try {

            Sequencer sequencer = MidiSystem.getSequencer();   ← cria (e abre) um seqüenciador
            sequencer.open();

            Sequence seq = new Sequence(Sequence.PPQ, 4);   ← cria uma seqüência
            Track track = seq.createTrack();                ← e uma faixa
        for (int i = 5; i < 61; i+= 4) {       ← cria vários eventos para
                                                 fazer as notas ascenderem
                                                 (notas 5 a 61 do piano)

            track.add(makeEvent(144,1,i,100,i));        ← chama nosso novo método makeEvent() para
            track.add(makeEvent(128,1,i,100,i + 2));      criar a mensagem e o evento e, em seguida,
                                                          adiciona o resultado (o MidiEvent retornado
            } //fim do loop                               por makeEvent()) à faixa. São pares NOTE ON
                                                          (144) e NOTE OFF (128)
            sequencer.setSequence(seq);
            sequencer.setTempoInBPM(220);   ← inicia a execução
            sequencer.start();
        } catch (Exception ex) {ex.printStackTrace();}
    } //fecha main


    public static MidiEvent makeEvent(int comd, int chan, int one, int two, int tick) {
        MidiEvent event = null;
        try {
            ShortMessage a = new ShortMessage();
            a.setMessage(comd, chan, one, two);
            event = new MidiEvent(a, tick);

        } catch(Exception e) { }
        return event;
    }
} //fecha class
```

## Versão Dois: registrando e capturando ControllerEvents

```java
import javax.sound.midi.*;
public class MiniMusicPlayer2 implements ControlerEventListener {   ← Precisamos escutar os
                                                                     ControllerEvents, portanto,
    public static void main(String[] args) {                         implementamos a interface de
        MiniMusicPlayer2 mini = new MiniMusicPlayer2();              escuta.
        mini.go();
    }
public void go() {                                                 Registra eventos no
                                                                     seqüenciador. O método de
    try {                                                            registro de eventos usará
        Sequencer sequencer = MidiSystem.getSequencer();            o ouvinte E uma matriz int
        sequencer.open();                                           representando a lista de
                                                                     ControllerEvents que você
        int[] eventsIWant = {127};                                  quiser. Queremos somente um
        sequencer.addControllerEventListener(this, eventsIWant);    evento, #127.

        Sequence seq = new Sequence(Sequence.PPQ, 4);
        Track track = seq.createTrack();
```

*você está aqui ▶*   **277**

*eventos de controlador*

```java
    for (int i = 5; i < 60; i+= 4) {
        track.add(makeEvent(144,1,i,100,i));

        track.add(makeEvent(176,1,127,0,i));

        track.add(makeEvent(128,1,i,100,i + 2));
    } //fim do loop

    sequencer.setSequence(seq);
    sequencer.setTempoInBPM(220);
    sequencer.satrt();
    } catch (Exception ex) {ex.printStackTrace();}
} //fecha


public void controlChange(ShortMessage event) {
    System.out.print1n("1a");
}
public MidiEvent makeEvent(int comd, int chan, int one, int two, int tick) {
    MidiEvent event = null;
    try {
        ShortMessage a = new ShortMessage();
        a.setMessage(comd, chan, one, two);
        event = new MidiEvent(a, tick);

    } catch(Exception e) { }
    return event;
    }
} //fecha class
```

*Veja como identificamos a batida — inserimos nosso PRÓPRIO ControllerEvent (176 significa que o evento é do tipo ControllerEvent) com um argumento para o número do evento que é 127. Esse evento não fará NADA! Nós o inserimos APENAS para podermos capturar um evento sempre que uma nota for reproduzida. Em outras palavras, sua única finalidade é que algo que possamos escutar seja acionado (não podemos escutar eventos NOTE ON/OFF). Observe que estamos fazendo esse evento ocorrer no MESMO momento de NOTE ON. Portanto, quando o evento NOTE ON ocorrer, saberemos disso porque NOSSO evento será acionado ao mesmo tempo.*

*O método manipulador de eventos (da interface de escuta ControllerEvent). Sempre que capturarmos o evento, exibiremos 1a na linha de comando.*

**Trechos diferentes da versão anterior foram realçados em cinza. (E não estamos executando o código todo dentro de main() dessa vez.)**

## Versão Três: desenhando figuras sincronizadas com a música

Essa versão final continua o desenvolvimento da versão dois ao adicionar as partes de GUI. Construiremos uma moldura, adicionaremos um painel de desenho a ela e, sempre que capturarmos um evento, desenharemos um novo retângulo e redefiniremos a tela. A única diferença da versão dois é que as notas serão reproduzidas aleatoriamente e não simplesmente ascendendo a escala.

A alteração mais importante no código (além da construção de uma GUI simples) é que faremos o painel de desenho implementar o ControllerEventListener em vez do próprio programa. Portanto, quando o painel de desenho (uma classe interna) capturar o evento, ele saberá o que fazer e desenhará o retângulo.

O código completo dessa versão está na próxima página.

## A classe interna do painel de desenho:

```java
class MyDrawPanel extends JPanel implements ControlerEventListener {
    boolean msg = false;
    public void controlChange (ShortMessage events) {
        msg = true;
        repaint();
    }
    public void paintComponent(Graphics g) {
        if (msg) {
            Graphics2D g2 = (Graphics2D) g;
            int r = (int) (Math.random() * 250);
            int gr = (int) (Math.random() * 250);
            int b = (int) (Math.random() * 250);
            g. setColor(new Color(r,gr,b));
            int ht = (int) ((Math.random() * 120) + 10);
            int width = (int) ((MathRandom() * 120) + 10);
            int x = (int) ((MathRandom() * 40) + 10);
            int y = (int) ((MathRandom() * 40) + 10);
            g.fillRect(x,y,ht, width);
            msg = false;
        } //fecha if
    } //fecha o método
} //fecha a classe interna
```

*O painel de desenho é um ouvinte.*

*Configuramos um flag com falso e só o configuraremos com verdadeiro quando capturarmos um evento.*

*Capturamos um evento, portanto, configuramos o flag com verdadeiro e chamamos repaint().*

*Temos que usar um flag porque OUTRA coisa pode acionar um método repaint() e SÓ queremos desenhar quando houver um ControllerEvent.*

*O resto é o código da geração de uma cor aleatória e do desenho de um retângulo semi-aleatório.*

*usando* a gui

 **Aponte seu lápis**   Essa é a listagem completa do código da Versão Três. Ele foi desenvolvido diretamente a partir da Versão Dois. Tente comentá-lo você mesmo, sem olhar as páginas anteriores.

```java
import javax.sound.midi.*;
import java.io.*;
import javax.swing.*;
import java.awt.*;

public class MiniMusicPlayer3 {

    static JFrame f = new JFrame("My First Music Video");
    static MyDrawPanel ml;

    public static void main(String[] args) {
        MiniMusicPlayer3 mini = new MiniMusicPlayer3();
        mini.go();
    } //fecha o método

    public void setUpGui() {
    ml = new MyDrawPanel();
    f.setContentPane(ml);
    f.setBounds(30,30,300,300);
    f.setVisible(true);
    } //fecha o método

    public void go() {
        setUpGui();

        try {

            Sequencer sequencer = MidiSystem.getSequencer();
            sequencer.open();
            sequencer.addControllerEventListener(ml, new int[] {127});
            Sequence seq = new Sequence(Sequence.PPQ, 4);
            Track track = seq.createTrack();

            int r = 0;
            for (int i = 0; i < 60; i+= 4) {

                r = (int) ((Math.random() * 50) = !);
                track.add(makeEvent(144,1,r,100,i));
                track.add(makeEvent(176,1,127,0,i));
                track.add(makeEvent(128,1,r,100,i + 2));
            } //fim do loop

            sequencer.setSequence(seq);
            sequencer.start();
            sequencer.setTempoInBMP(120);
        } catch (Exception ex) {ex.printStackTrace();}
        } //fecha o método

    public MidiEvent makeEvent(int comd, int chan, int one, int two, int tick) {
        MidiEvent event = null;
        try {
            ShortMessage a = new ShortMessage();
            a.setMessage(comd, chan, one, two);
            event = new MidiEvent(a, tick);

        } catch(Exception e) { }
        return event;
        } //fecha o método
```

*exercício:* Quem sou eu?

```
class MyDrawPanel extends JPanel implements ControllerEventListener {
   boolean msg = false;

   public void controlChange(ShortMessage event) {
      msg = true;
      repaint();
   }

   public void paintComponent(Graphics g) {
   if (msg) {

      Graphics2D g2 = (Graphics2D) g;

      int r = (int) (Math.random() * 250);
      int gr = (int) (Math.random() * 250);
      int b = (int) (Math.random() * 250);

      g.setColor(new Color(r,gr,b));

      int ht = (int) ((Math.random() * 120) + 10);
      int width = (int) ((Math.random() * 120) + 10);

      int x = (int) ((Math.random() * 40) + 10);
      int y = (int) ((Math.random() * 40) + 10);

      g.fillRect(x,y,ht, width);
      msg = false;

      } //fecha if
   } //fecha o método
} //fecha a classe interna

} //fecha a classe
```

## Candidatos desta noite:
### Qualquer uma das personalidades elegantes deste capítulo pode participar!

Tenho a GUI inteira em minhas mãos _____

Qualquer tipo de evento tem uma _____

O método-chave do ouvinte _____

Esse método fornece a JFrame seu tamanho _____

Você adiciona código a esse método, mas nunca o chama _____

Quando o usuário faz realmente algo, isso se chama _____

Em sua maioria são origens de eventos _____

Retorno dados para o ouvinte _____

Um método addXxxListener() informa que um objeto é uma _____

Como um ouvinte se registra _____

O método onde todos os códigos de figuras são inseridos _____

Normalmente estou ligado a uma instância _____

O 'g' de (Graphics, g) na verdade pertence a outra classe _____

O método que faz paintComponent() ser executado _____

O pacote onde a maioria dos componentes do Swing reside _____

Um grupo de figurões Java, vestidos a rigor, estão participado do jogo "Quem sou eu?". Eles lhe darão uma pista e você tentará adivinhar quem são, com base no que disserem. Suponha que eles sempre dizem a verdade quando falam de si mesmos. Se por acaso disserem algo que possa ser verdadeiro para mais de um deles, selecione todos aqueles aos quais a frase possa ser aplicada. Preencha as linhas em branco próximas à frase com os nomes de um ou mais candidatos.

## Exercício

### Seja o compilador

O arquivo Java dessa página representa um arquivo-fonte completo. Sua tarefa é personificar o compilador e determinar se esse arquivo será compilado. Se não for compilado, como você o corrigiria, e se for compilado, o que ele fará?

```java
import javax.swing.*;
import java.awt.event.*;
import java.awt.*;

class InnerButton {

   JFrame frame;
   JButton b;

   public static void main(String[] args) {
      InnerButton gui = new InnerButton();
      gui.go();
   }

   public void go() {
      frame = new JFrame();
      frame.setDefaultCloseOperation
                 (JFrame.EXIT_ON_CLOSE);

      b = new JButton("A");
      b.addActionListener();

      frame.getContentPane().add
                 (BorderLayout.SOUTH, b);
      frame.setSize(200,100);
      frame.setVisible(true);
   }

   class BListener extends ActionListener {
      public void
actionPerformed(ActionEvent e) {
         if (b.getText().equals("A")) {
            b.setText("B");
         } else {
            b.setText("A");
         }
      }
   }
}
```

## Quebra-cabeças na Piscina

```java
import javax.swing.*;
import java.awt.*;
public class Animate {
   int x = 1;
   int y = 1;
   public static void main(String[] args) {
      Animate gui = new Animate();
      gui.go();
   }
   public void go(); {
      JFrame _____ = new JFrame();
      frame.setDefaultCloseOperation(JFrame.EXIT_ON_CLOSE);
      _____;
      _____.getContentPane().add(drawP);
      _____;
      _____.setVisible(true);
      for (int i = 0; i < 124; _____) {
         _____;
         _____;
         try {
            Thread.sleep(50);
         } catch(Exception ex) { }
      }
   }
   class MyDrawP extends JPanel {
      public void paintComponent(Graphic _____) {
         _____;
         _____;
         _____;
         _____;
      }
   }
}
```

```
g.fillRect(x,y,x-500,y-250)
g.fillRect(x,y,500-x*2,250-y*2)
g.fillRect(500-x*2,250-y*2,x,y)
g.fillRect(0,0,250,500)
g.fillRect(0,0,500,250)

                              i++
            x++               i++,y++
            y++               i++,y++,x++
                    g         Animate frame = new Animate()
                    draw      MyDrawP drawP = new MyDrawP()
                    frame     ContentPane drawP = new ContentPane()
                    panel
   g.setColour(blue)          drawP.paint()
   g.setColour(white)         draw.repaint()
   g.setColour(Color.blue)                        drawP.setSize(500,270)
   g.setColour(Color.white)   drawP.repaint()     frame.setSize(500,270)
                                                  panel.setSize(500,270)
```

*solução dos exercícios*

## Solução dos Exercícios

## Quem sou eu?

| | |
|---|---|
| Tenho a GUI inteira em minhas mãos | **JFrame** |
| Qualquer tipo de evento tem uma | **interface de escuta** |
| O método-chave do ouvinte | **actionPerformed()** |
| Esse método fornece a JFrame seu tamanho | **setSize90** |
| Você adiciona código a esse método, mas nunca o chama | **painComponent()** |
| Quando o usuário faz realmente algo, isso se chama | **event** |
| Em sua maioria são origens de eventos | **componentes do swing** |
| Retorno dados para o ouvinte | **objeto de evento** |
| Um método addXxxListener() informa que um objeto é uma | **origem de evento** |
| Como um ouvinte se registra | **addActionListener()** |
| O método onde todos os códigos de figuras são inseridos | **paintComponent()** |
| Normalmente estou ligado a uma instância | **classe interna** |
| O 'g' de (Graphics, g) na verdade pertence a outra classe | **Graphics2D** |
| O método que faz paintComponent() ser executado | **repaint(0** |
| O pacote onde a maioria dos componentes do Swing reside | **javax.swing** |

## Seja o compilador

*Quando esse código for corrigido, ele criará uma GUI com um botão que se alternará entre A e B quando você clicar nele.*

```
import javax.swing.*;
import java.awt.event.*;
import java.awt.*;

class InnerButton {

    JFrame frame;
    JButton b;

    public static void main(String[] args) {
        InnerButton gui = new InnerButton();
        gui.go();
    }

    public void go() {
        frame = new JFrame();
        frame.setDefaultCloseOperation
                    (JFrame.EXIT_ON_CLOSE);
```

*ActionListener é uma interface, as interfaces são implementadas e não estendidas.*

```
        b = new JButton("A");
        b.addActionListener();

        frame.getContentPane().add
                    (BorderLayout.SOUTH, b);
        frame.setSize(200,100);
        frame.setVisible(true);
    }

    class BListener extends ActionListener {
        public void actionPerformed

(ActionEvent e) {
        if (b.getText().equals("A")) {
            b.setText("B");
        } else {
            b.setText("A");
        }
    }
}
}
```

*O método addActionListener usa uma classe que implementa a interface ActionListener.*

---

## Quebra-cabeça na piscina

```
import javax.swing.*;
import java.awt.*;
public class Animate {
    int x = 1;
    int y = 1;
    public static void main(String[] args) {
        Animate gui = new Animate ();
        gui.go();
    }
    public void go(); {
        JFrame frame = new JFrame();
        frame.setDefaultCloseOperation
                    (JFrame.EXIT_ON_CLOSE);
        MyDrawP drawP = new MyDrawP();
        frame.getContentPane().add(drawP);
        frame.getSize(500,270);
        frame.setVisible(true);
        for (int i = 0; i < 124; i++, x++, y++) {
            x++;
            drawP.repaint();
            try {
                Thread.sleep(50);
            } catch(Exception ex) { }
        }
    }
}
class MyDrawP extends JPanel {
    public void paintComponent(Graphic g) {
        g.setColor(Color.white);
        g.fillRect(0,0,500,250);
        g.setColor(Color.blue);
        g.fillRect(x,y,500-x*2,250-y*2);
    }
}
}
```

# 13 usando o swing

# Trabalhe em Seu Swing

**O Swing é fácil.** A menos que você se importe realmente com o local onde as coisas acabarão ficando na tela. O código Swing parece fácil, mas, depois de compilar, executar e examiná-lo nos damos conta "ei, isso não deveria estar aí". O que torna fácil a codificação é o que torna difícil o controle - o Gerenciador de Layout. Os objetos do **Gerenciador de Layout** controlam o tamanho e o local dos elementos gráficos em uma GUI Java. Eles executarão várias tarefas por você, que nem sempre gostará dos resultados. Você pode querer dois botões do mesmo tamanho, o que eles não terão. Pode querer que o campo de texto tenha três polegadas, mas ele terá nove. Ou uma. E abaixo do rótulo em vez de ao lado dele. Mas, com um pouco de esforço, você pode fazer os gerenciadores de layout se curvarem à sua vontade. Neste capítulo, trabalharemos em nosso Swing e, além dos gerenciadores de layout, aprenderemos mais sobre os elementos gráficos. Criaremos, exibiremos (onde quisermos) e os usaremos em um programa. Não está parecendo muito bom para Suzy.

*este é um novo capítulo*

## Componentes do Swing

*Componente* é o termo mais correto para o que temos chamado de *elemento gráfico*. As *coisas* que você vai inserir em uma GUI. *As coisas que um usuário verá e com as quais interagirá*. Campos de texto, botões, listas roláveis, botões de rádio, etc. são todos componentes. Na verdade, todos estendem `javax.swing.JComponent`.

## Os componentes podem ser aninhados

No Swing, praticamente *todos* os componentes podem conter outros componentes. Em outras palavras, *você pode inserir quase tudo em qualquer outra coisa*. Mas, na maioria das situações, você adicionará componentes *de interação com o usuário* como botões e listas em componentes *de plano de fundo* como molduras e painéis. Embora seja *possível* inserir, digamos, um painel dentro de um botão, isso seria muito estranho, e não lhe renderá nenhum prêmio de aproveitamento.

Com exceção de JFrame, no entanto, a diferença entre componentes *interativos* e componentes *de plano de fundo* é artificial. Um JPanel, por exemplo, geralmente é usado como o plano de fundo para o agrupamento de outros componentes, mas até esse componente pode ser interativo. Exatamente como ocorre com os outros componentes, você pode se registrar para ouvir eventos de JPanel, inclusive cliques no mouse e pressionamento de teclas.

## Quatro etapas para a criação de uma GUI (revisão)

① **Crie uma janela (um JFrame).**
`JFrame frame = new JFrame();`

② **Crie um componente (botão, campo de texto, etc.).**
`JButton button = new JButton("click me");`

③ **Adicione o componente à moldura.**
`frame.getContentPane().add(BorderLayout.EAST, button);`

④ **Exiba-o (forneça um tamanho e torne-o visível).**
`frame.setSize(300,300);`
`frame.setVisible(true);`

## Insira componentes interativos:

## Em componentes de plano de fundo:

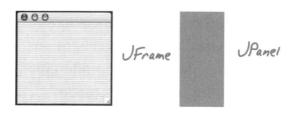

---

**Um elemento gráfico é tecnicamente um Componente do Swing.**

**Quase tudo que você inserir em uma GUI estenderá `javax.swing.JComponent`.**

## Gerenciadores de layout

Um gerenciador de layout é um objeto Java associado a um componente específico, quase sempre um componente *de plano de fundo*. O gerenciador de layout controla os componentes que se encontram *dentro* do componente ao qual ele está associado. Em outras palavras, se uma moldura tiver um painel, e o painel tiver um botão, o gerenciador de layout do painel controlará o tamanho e a inserção do botão, enquanto o gerenciador de layout da moldura controlará o tamanho e a inserção do painel. O botão, por outro lado, não precisa de um gerenciador de layout, porque não contém outros componentes.

Se um painel tiver cinco elementos, mesmo se cada um desses cinco elementos tiver seus próprios gerenciadores de layout, seu tamanho e local no painel serão controlados pelo gerenciador de layout do painel. Se, por sua vez, esses cinco elementos tiverem *outros* elementos, então, esses *outros* elementos serão inseridos de acordo com o gerenciador de layout do elemento que os contém.

Quando dizemos *conter*, queremos na verdade dizer *adicionar* como em, um painel *contém* um botão porque o botão foi *adicionado* a ele através de algo como:

`myPanel.add(button);`

Os gerenciadores de layout vêm em várias versões, e cada componente de plano de fundo pode ter seu próprio gerenciador de layout. Os gerenciadores de layout têm suas próprias políticas a seguir quando constroem um layout. Por exemplo, um gerenciador de layout pode insistir que todos os componentes de um painel tenham o mesmo tamanho, organizados em uma grade, enquanto outro gerenciador pode permitir que cada componente tenha seu próprio tamanho, contanto que fiquem empilhados verticalmente. Aqui está um exemplo de layouts aninhados:

`JPanel panelA = new JPanel();`

`JPanel panelB = new JPanel();`

`panelB.add(new JButton("button 1"));`

`panelB.add(new JButton("button 2"));`

`panelB.add(new JButton("button 3"));`

`panelA.add(panelB);`

*usando* o swing

## Como o gerenciador de layout decide?

Diferentes gerenciadores de layout têm políticas distintas para a organização de componentes (como organizar em uma grade, fazer com que todos tenham o mesmo tamanho, empilhá-los verticalmente, etc.), mas os componentes que estiverem sendo dispostos terão pelo menos *alguma* pequena influência na questão. Geralmente, o processo de dispor um componente de plano de fundo é semelhante ao descrito a seguir:

## Um cenário de layout:

① Crie um painel e adicione três botões a ele.

② O gerenciador de layout do painel perguntará a cada botão que tamanho ele prefere ter.

③ O gerenciador de layout do painel usará suas políticas de layout para decidir se deve respeitar todas, parte ou nenhuma das preferências dos botões.

④ Adicione o painel a uma moldura.

⑤ O gerenciador de layout da moldura perguntará ao painel o tamanho que ele prefere ter.

⑥ O gerenciador de layout da moldura usará suas políticas de layout para decidir se deve respeitar todas, parte ou nenhuma das preferências do painel.

## Diferentes gerenciadores de layout têm características distintas

Alguns gerenciadores de layout respeitam o tamanho que o componente quer ter. Se o botão quiser ter 30 por 50 pixels, será isso que o gerenciador de layout alocará para ele. Outros gerenciadores de layout respeitam somente parte do tamanho preferido pelo componente. Se o botão quiser ter 30 por 50 pixels, ele terá 50 pixels e a largura que seu *painel* de plano de fundo tiver. Outros respeitam somente a preferência do *maior* entre os componentes que estão sendo dispostos, e os demais componentes desse painel serão todos criados com esse mesmo tamanho. Em alguns casos, a tarefa do gerenciador de layout pode se tornar muito complexa, mas quase sempre você conseguirá descobrir o que provavelmente ele fará, quando conhecer as características desse gerenciador de layout.

você está aqui ▶ 285

*gerenciadores de layout*

## Os três grandes gerenciadores de layout: limite, fluxo e caixa

### BorderLayout

Um gerenciador BorderLayout divide um componente de plano de fundo em cinco regiões. Você só poderá adicionar um componente por região a um plano de fundo controlado por um gerenciador BorderLayout. Os componentes dispostos por esse gerenciador geralmente não conseguem ter seu tamanho preferido. **BorderLayout é o gerenciador de layout padrão para uma moldura!**

um componente por região

### FlowLayout

Um gerenciador FlowLayout age como um processador de palavras, porém com componentes em vez de palavras. Cada componente recebe o tamanho que deseja, e eles são dispostos da esquerda para a direita na ordem que são adicionados, com a "mudança automática de linha" ativada. Portanto, quando um componente não couber horizontalmente, ele passará para a "linha" seguinte do layout. **FlowLayout é o layout padrão para um painel!**

Componentes são adicionados da esquerda para a direita, passando para uma nova linha quando necessário

### BoxLayout

Um gerenciador BoxLayout é como FlowLayout pelo fato de cada componente poder ter seu próprio tamanho e pelos componentes serem inseridos na ordem em que são adicionados. Mas, diferente de FlowLayout, um gerenciador BoxLayout pode empilhar os componentes verticalmente (ou horizontalmente, mas em geral só nos preocupamos com a disposição vertical). É como FlowLayout, mas em vez de ter a 'mudança do componente para outra linha' automaticamente, você poderá inserir um tipo de 'tecla return de componentes' e forçá-los a começar em uma nova linha.

Componentes adicionados de cima para baixo, um por linha.

---

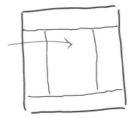

**BorderLayout leva em consideração cinco regiões:**

**leste, oeste, norte, sul e centro**

### Adicionaremos um botão à região leste:

```
import javax.swing.*;
import java.awt.*;

public class Button1 {

   public static void main (String[] args) {
      Button1 gui = new Button1();
      gui.go();
   }

   public void go() {
      JFrame frame = new JFrame();
      JButton button = new JButton("click me");
      frame.getContentPane().add(BorderLayout.EAST, button);
      frame.setSize(200,200);
      frame.setVisible(true);
   }
}
```

BorderLayout está no pacote java.awt

especifica a região

### Exercitando o cérebro

Como o gerenciador BorderLayout definiu esse tamanho para o botão?

Quais são os fatores que o gerenciador de layout tem que considerar?

Por que o botão não ficou mais largo ou mais alto?

## Veja o que acontece ao fornecermos mais caracteres para o botão...

```
public void go() {
   JFrame frame = new JFrame();
   JButton button = new JButton("click like you mean it");
   frame.getContentPane().add(''BorderLayout.EAST, button);
   frame.setSize(200,200);
   frame.setVisible(true);
}
```

*Alteramos somente o texto do botão.*

*Primeiro, perguntarei ao botão seu tamanho preferido.*

*Agora tenho várias palavras, portanto, gostaria de ter 60 pixels de largura e 25 de altura.*

*objeto button*

*Já que ele está na região leste de um gerenciador de limites, respeitarei sua largura preferida. Mas não me importa a altura que ele deseja ter; terá a mesma altura da moldura, porque essa é minha política.*

*Da próxima vez vou usar o layout de fluxo. Assim poderei fazer o que quiser.*

*objeto button*

*O botão ficou com a largura solicitada, mas não a altura.*

## Tentaremos inserir um botão na região norte

```
public void go() {
   JFrame frame = new JFrame();
   JButton button = new JButton
                    ("There is no spoon...");
   frame.getContentPane().add
           (BorderLayout.NORTH, button);
   frame.setSize(200,200);
   frame.setVisible(true);
}
```

*O botão ficou com sua altura preferida, mas com a largura da moldura.*

## Agora façamos o botão pedir para ser <u>mais alto</u>

Como fazer isso? O botão já está com o máximo da largura que pode ter — a largura da moldura. Mas podemos tentar torná-lo mais alto fornecendo uma fonte maior.

```
public void go() {
   JFrame frame = new JFrame();
   JButton button = new JButton
                        ("Click This!");
   Font bigFont = new Font("serif",
                     Font.BOLD, 28);
   button.setFont(bigFont);
   frame.getContentPane().add
           (BorderLayout.NORTH, button);
   frame.setSize(200,200);
   frame.setVisible(true);
}
```

*Uma fonte maior forçará a moldura a alocar mais espaço para a altura do botão.*

*A largura continuou a mesma, mas agora o botão está mais alto. A região norte foi esticada para acomodar a nova altura preferida do botão.*

*layout* com limites

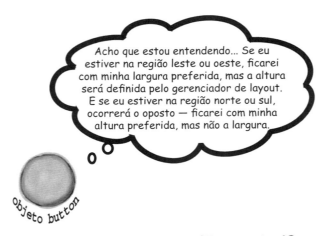

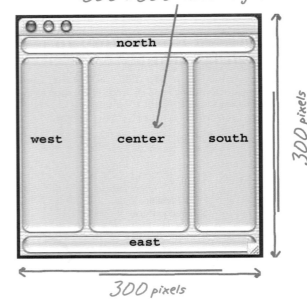

Os componentes do centro ficarão com o espaço que sobrar, de acordo com as dimensões da moldura (300 × 300 nesse código).

## Mas o que acontece na região <u>central</u>?

### A região central fica com o que sobrar!

(Exceto em um caso especial que examinaremos posteriormente.)

```
public void go() {
   JFrame frame = new JFrame();

   JButton east = new JButton("East");
   JButton west = new JButton("West");
   JButton north = new JButton'''("North");
   JButton south = new JButton("South");
   JButton center = new JButton("Center");

   frame.getContentPane().add(BorderLayout.EAST, east);
   frame.getContentPane().add(BorderLayout.WEST, west);
   frame.getContentPane().add(BorderLayout.NORTH, north);
   frame.getContentPane().add(BorderLayout.SOUTH, south);
   frame.getContentPane().add(BorderLayout.CENTER, center);

   frame.setSize(300,300);
   frame.setVisible(true);
}
```

Os componentes da região leste e oeste ficarão com sua largura preferida.

Os componentes da região norte e sul ficarão com sua altura preferida.

Quando você inserir alguma coisa na região norte ou sul, ela se estenderá de um lado a outro da moldura, portanto os elementos das regiões leste e oeste não ficarão tão altos quanto seriam se as regiões norte e sul estivessem vazias.

**FlowLayout leva em consideração o <u>fluxo</u> dos componentes: da esquerda para a direita, na ordem em que foram adicionados.**

### Adicionemos um painel à região leste:

O gerenciador de layout de um objeto JPanel é FlowLayout, por padrão. Quando adicionarmos um painel a uma moldura, seu tamanho e inserção ainda estarão sob o controle do gerenciador BorderLayout. Mas qualquer coisa que estiver *dentro* do *painel* (em outras palavras, os componentes adicionados ao painel pela chamada a **panel.add(aComponent)**) estarão sob o controle de seu gerenciador FlowLayout. Começaremos inserindo um painel vazio na região leste da moldura e na próxima página adicionaremos elementos ao painel.

```
import javax.swing.*;
import java.awt.*;

public class Panel1 {
   public static void main (String[] args) {
      Panel1 gui = new Panel1();
      gui.go();
   }
```

O painel não tem nada nele, portanto, não precisa ser muito largo na região leste.

**usando** o swing

```
    public void go() {
        JFrame frame = new JFrame();
        JPanel panel = new JPanel();
        panel.setBackground(Color.darkGray);
        frame.getContentPane().add(BorderLayout.EAST, panel);
        frame.setSize(200,200);
        frame.setVisible(true);
    }
}
```
← *Torna o painel cinza para podermos ver onde ele está na moldura.*

## Adicionemos um botão ao painel

```
    public void go() {
        JFrame frame = new JFrame();
        JPanel panel = new JPanel();
        panel.setBackground(Color.darkGray);

        JButton button = new JButton("shock me");

        panel.add(button);
        frame.getContentPane().add(BorderLayout.EAST, panel);

        frame.setSize(250,200);
        frame.setVisible(true);
    }
```

*Adiciona o botão ao painel e o painel à moldura. O gerenciador de layout do painel (de fluxo) controla o botão e o gerenciador de layout da moldura (de limite) controla o painel.*

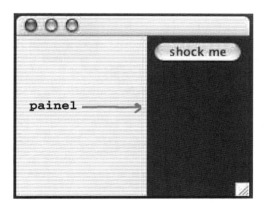

*O painel se expandiu! E o botão ficou com seu tamanho preferido nas duas dimensões, porque o painel usa o layout de fluxo e o botão faz parte do painel (e não da moldura).*

*O gerenciador BorderLayout da moldura*

*O gerenciador FlowLayout do painel*

você está aqui ▶  **289**

*layout de fluxo*

## O que acontecerá se adicionarmos DOIS botões ao painel?

```
public void go() {
    JFrame frame = new JFrame();
    JPanel panel = new JPanel();
    panel.setBackground(Color.darkGray);

    JButton button = new JButton("shock me");
    JButton buttonTwo = new JButton("bliss");

    panel.add(button);
    panel.add(buttonTwo);

    frame.getContentPane().add(BorderLayout.EAST, panel);
    frame.setSize(250,200);
    frame.setVisible(true);
}
```

*cria DOIS botões*

*adiciona os DOIS ao painel*

### — Aponte seu lápis —

Se o código anterior fosse alterado para o código a seguir, qual seria a aparência da GUI?

```
JButton button = new JButton("shock me");
JButton buttonTwo = new JButton("bliss");
JButton buttonThree = new JButton("huh?");
panel.add(button);
panel.add(buttonTwo);
panel.add(buttonThree);
```

Desenhe qual acha que seria a aparência da GUI se você executasse o código à esquerda. (Em seguida, teste-o!)

### o que queríamos

*Queremos os botões empilhados um acima do outro*

### o que obtivemos

*O painel se expandiu para inserir os dois botões lado a lado.*

*Observe que o botão bliss é menor do que o botão shock me... É assim que o layout de fluxo funciona. O botão obtém exatamente o que precisa (e nada mais).*

---

### BoxLayout vem nos salvar!

### Ele manterá os componentes empilhados, mesmo se houver espaço para inseri-los lado a lado.

**Diferente de FlowLayout, BoxLayout pode forçar a criação de uma 'nova linha' para fazer os componentes passarem para a linha seguinte, mesmo se houver espaço para eles se ajustarem horizontalmente.**

Mas agora você terá que alterar o gerenciador de layout do painel do FlowLayout padrão para BoxLayout.

```
public void go() {
    JFrame frame = new JFrame();
    JPanel panel = new JPanel();
    panel.setBackground(Color.darkGray);

    panel.setLayout(new BoxLayout(panel, BoxLayout.Y_AXIS));

    JButton button = new JButton("shock me");
    JButton buttonTwo = new JButton("bliss");
    panel.add(button);
    panel.add(buttonTwo);
    frame.getContentPane().add(BorderLayout.EAST, panel);
    frame.setSize(250,200);
    frame.setVisible(true);
}
```

*Altera o gerenciador de layout para que seja uma nova instância de BoxLayout.*

*O construtor de BoxLayout precisa conhecer o componente que está dispondo (isto é, o painel) e que eixo usar (usaremos Y_AXIS para um empilhamento vertical).*

*Observe como o painel está mais estreito novamente, porque não precisa ajustar os dois botões horizontalmente. Portanto, ele informou à moldura que precisava de espaço suficiente somente para o botão principal, shock me.*

290 capítulo 13

## não existem Perguntas Idiotas

**P:** Por que você não pode adicionar algo diretamente a uma moldura como podemos fazer em um painel?

**R:** Um JFrame é especial porque é onde a ação realmente ocorre quando queremos fazer com que algo apareça na tela. Embora todos os componentes do Swing sejam Java puro, um JFrame tem que se conectar ao sistema operacional subjacente para acessar a exibição. Considere o painel de conteúdo como uma camada com 100% de Java puro que fica acima do JFrame. Ou considere como se o JFrame fosse a moldura da janela e o painel de conteúdo fosse a... Vidraça. Você sabe, a vidraça da janela. E você pode até trocar o painel de conteúdo pelo seu próprio JPanel, para tornar seu JPanel o painel de conteúdo da moldura, usando:

```
myFrame.setContentPane(myPanel);
```

**P:** Posso alterar o gerenciador de layout da moldura? E se eu quiser que a moldura use o gerenciador de fluxo em vez do gerenciador de limite?

**R:** A maneira mais fácil de fazer isso é criar um painel, construir a GUI como você quiser no painel e, em seguida, tornar esse painel o painel de conteúdo da moldura usando o código da resposta anterior (em vez de usar o painel de conteúdo padrão).

**P:** E se eu quiser um tamanho preferido diferente? Há um método setSize() para componentes?

**R:** Sim, há um setSize(), mas os gerenciadores de layout o ignorarão. Há uma diferença entre o tamanho preferido do componente e o tamanho que você quer que ele tenha. O tamanho preferido é baseado no tamanho que o componente realmente precisa ter (o componente toma essa decisão sozinho). O gerenciador de layout chamará o método getPreferredSize() do componente e esse método não se importará se antes você chamou setSize() no componente.

**P:** Não posso simplesmente inserir os elementos onde quiser? Posso desativar os gerenciadores de layout?

**R:** Sim. Em cada componente isoladamente, você pode chamar setLayout(null), e assim ficará sob sua responsabilidade embutir em código os locais e dimensões exatos da tela. No final das contas, no entanto, quase sempre é mais fácil usar os gerenciadores de layout.

---

### PONTOS DE BALA

- Os gerenciadores de layout controlam o tamanho e o local de componentes aninhados dentro de outros componentes.

- Quando você adicionar um componente a outro componente (às vezes chamado de componente *de plano de fundo*, mas essa não é uma classificação técnica), o componente adicionado será controlado pelo gerenciador de layout do componente *de plano de fundo*.

- Um gerenciador de layout pergunta aos componentes seu tamanho preferido, antes de tomar uma decisão sobre o layout. Dependendo das políticas do gerenciador de layout, ele pode respeitar todas, algumas ou nenhuma das preferências do componente.

- O gerenciador BoderLayout permitirá que você adicione um componente a uma das cinco regiões. Você deve especificar a região quando adicionar o componente, usando a sintaxe a seguir:

```
add(BorderLayout.EAST, panel);
```

- Com BorderLayout, os componentes das regiões norte e sul ficam com sua altura preferida, mas não com a largura. Os componentes das regiões leste e oeste ficam com sua largura preferida, mas não a altura. O componente do centro ficará com o que sobrar (a menos que você use **pack()**).

- O método pack() é como se disséssemos 'embalado e lacrado' com relação aos componentes; ele usa o tamanho preferido total do componente central e, em seguida, determina o tamanho da moldura, usando o centro como ponto inicial, construindo o resto com base no que houver nas outras regiões.

- FlowLayout insere os componentes da esquerda para a direita, de cima para baixo, na ordem que foram adicionados, passando para um nova linha de componentes somente quando eles não cabem horizontalmente.

- FlowLayout dá aos componentes seu tamanho preferido nas duas dimensões.

- BoxLayout permitirá que você alinhe os componentes empilhados verticalmente, mesmo se eles couberem lado a lado. Como FlowLayout, BoxLayout usa o tamanho preferido do componente nas duas dimensões.

- BorderLayout é o gerenciador de layout padrão para uma moldura; FlowLayout é o padrão para um painel.

- Se você quiser que um painel use algo diferente do fluxo, terá que chamar **setLayout( )** no painel.

*gerenciadores*

## Testando os componentes do Swing

Você aprendeu os aspectos básicos dos gerenciadores de layout, portanto agora testaremos alguns dos componentes mais comuns: um campo de texto, a área de texto de rolagem, a caixa de seleção e a lista. Não mostraremos a API inteiro de cada um, apenas alguns destaques como introdução.

### JTextField

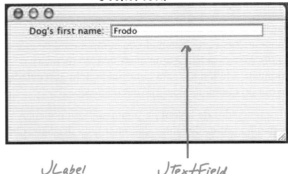

*JLabel*     *JTextField*

### Construtores:

```
JTextField field = new JTextField(20);
```

*20 significa 20 colunas e não 20 pixels. Isso define a largura preferida do campo de texto.*

```
JTextField field = new JTextField("Your name");
```

**Como usá-lo**

① **Capture o texto que se encontra nele.**
```
System.out.println(field.getText());
```

② **Insira texto nele.**
```
field.setText("whatever");
field.setText("");
```
*Isso limpa o campo.*

③ **Capture um ActionEvent quando o usuário pressionar return ou enter.**
```
field.addActionListener(myActionListener);
```

*Você também pode se registrar para ouvir eventos-chave, se quiser realmente ser informado sempre que o usuário pressionar uma tecla.*

④ **Selecione/realce o texto do campo.**
```
field.selectAll();
```

⑤ **Posicione o cursor no campo (para que o usuário possa começar a digitar).**
```
field.requestFocus();
```

### JTextArea

*Diferente de JTextField, JTextArea pode ter mais de uma linha de texto. É preciso algum esforço de configuração em sua criação, porque ele não vem com barras de rolagem ou quebra de linha. Para fazer um JTextArea rolar, você terá que inseri-lo em um ScrollPane. Um ScrollPane é um objeto que aprecia muito rolar e se encarregará das necessidades de rolagem da área de texto.*

### Construtores:

*10 significa 10 linhas (configura a altura preferida).*

```
JTextArea text = new JTextArea(10,20);
```

*20 significa 20 colunas (configura a largura preferida).*

**Como usá-lo**

**Faça com que ele tenha somente uma barra de rolagem vertical.**
```
JScrollPane scroller = new JScrollPane(text);
```
*Cria um JScrollPane e lhe fornece a área de texto para a qual ele rolará.*
```
text.setLineWrap(true);

scroller.setVerticalScrollBarPolicy
                    (ScrollPaneConstants.
                      VERTICAL_SCROLLBAR_ALWAYS);
scroller.setHorizontalScrollBarPolicy
                    (ScrollPaneConstants.
                      HORIZONTAL_SCROLLBAR_NEVER);
```
*Informa ao painel de rolagem para usar somente uma barra de rolagem vertical.*
```
panel.add(scroller);
```
*Importante! Você fornecerá a área de texto ao painel de rolagem (através do construtor do painel de rolagem) e, em seguida, adicionará o painel de rolagem ao painel geral. Você não adicionará a área de texto diretamente ao painel geral!*

**Substitua o texto existente.**
```
text.settext("Not all who are lost are
                             wandering");
```

**Acrescente algo ao texto existente.**
```
text.append("button clicked");
```

④ **Selecione/realce o texto do campo.**
```
text.selectAll();
```

⑤ **Posicione o cursor no campo (para que o usuário possa começar a digitar).**
```
text.requestFocus();
```

# Exemplo de JTextArea

```java
import javax.swing.*;
import java.awt.*;
import java.awt.event.*;

public class TextArea1 implements ActionListener {

    JTextArea text;

    public static void main (String[] args) {
        TextArea1 gui = new TextArea1();
        gui.go();
    }

    public void go() {
        JFrame frame = new JFrame();
        JPanel panel = new JPanel();
        JButton button = new JButton``("Just Click It");
        button.addActionListener(this);
        text = new JTextArea(10,20);
        text.setLineWrap(true);

        JScrollPane scroller = new JScrollPane(text);
        scroller.setVerticalScrollBarPolicy(ScrollPaneConstants.VERTICAL_SCROLLBAR_ALWAYS);
        scroller.setHorizontalScrollBarPolicy(ScrollPaneConstants.HORIZONTAL_SCROLLBAR_NEVER);

        panel.add(scroller);

        frame.getContentPane().add(BorderLayout.CENTER, panel);
        frame.getContentPane().add(BorderLayout.SOUTH, button);

        frame.setSize(350,300);
        frame.setVisible(true);
    }

    public void actionPerformed(ActionEvent ev) {
        text.append("button clicked \n ");
    }
}
```

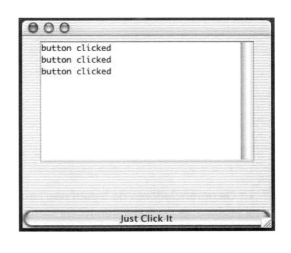

*Insere uma nova linha para que as palavras sejam inseridas em uma linha separada sempre que o botão for clicado. Caso contrário, ficará tudo junto.*

---

## JCheckBox

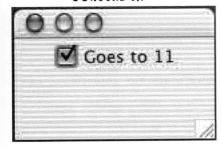

## Construtores:

```java
JCheckBox check = new JCheckBox("Goes to 11");
```

### Como usá-lo

① **Escute o evento de um item (quando ele for selecionado ou desmarcado).**
```java
check.addItemListener(this);
```

② **Manipule o evento (e descubra se ele foi ou não selecionado).**
```java
public void itemStateChanged(ItemEvent ev) {
    String onOrOff = "off";
    if (check.isSelected()) onOrOff = "on";
    System.out.println("Check box is " + onOrOff);
}
```

③ **Selecione ou desmarque-o em código.**
```java
check.setSelected(true);
check.setSelected(false);
```

# gerenciadores de layout

## não existem
# Perguntas Idiotas

**P:** Os gerenciadores de layout não causam mais problemas do que ajudam? Se eu tiver que passar por toda essa confusão, prefiro embutir em código o tamanho e as coordenadas de onde os elementos devem ser inseridos.

**R:** Obter o layout exato que você deseja de um gerenciador de layout pode ser um desafio. Mas pense no que o gerenciador de layout está realmente fazendo para você. Mesmo a tarefa aparentemente simples de saber onde os elementos devem ser inseridos na tela pode ser complexa. Por exemplo, o gerenciador de layout se encarregará de evitar que seus componentes se sobreponham. Em outras palavras, ele sabe como gerenciar o espaçamento entre os componentes (e entre a borda da moldura). É claro que você pode fazer isso sozinho, mas o que acontecerá se quiser que os componentes sejam inseridos bem próximos. Você pode conseguir inseri-los da maneira correta, manualmente, mas isso só será bom para sua JVM!

Por quê? Porque os componentes podem ser um pouco diferentes de uma plataforma para outra, principalmente se usarem a 'aparência' nativa da plataforma subjacente. Coisas sutis como o contorno dos botões podem ser tão diferentes que os componentes que ficam alinhados corretamente em uma plataforma repentinamente se amontoam em outra.

E ainda não chegamos ao que os gerenciadores fazem de realmente importante. Pense no que acontecerá quando o usuário redimensionar a janela! Ou se sua GUI for dinâmica, onde componentes surgem e desaparecem. Se você tivesse que controlar a reorganização de todos os componentes sempre que houvesse uma alteração no tamanho ou no conteúdo de um componente de plano de fundo... É bom nem pensar!

### JList

## Construtores:

```
String [] listEntries = {"alpha", "beta", "gamma",
        "delta", "epsilon", "zeta", "eta", "theta"}

list = new JList(listEntries);
```

*O construtor de JList usa uma matriz de qualquer tipo de objeto. Eles não têm que ser Strings, mas a representação de uma String aparecerá na lista.*

### Como usá-lo

**(1)** **Faça com que ele tenha uma barra de rolagem vertical.**
```
JScrollPane scroller = new JScrollPane(list);
scroller.setVerticalScrollBarPolicy
    (ScrollPaneConstants.VERTICAL_SCROLLBAR_ALWAYS);
scroller.setHorizontalScrollBarPolicy
    (ScrollPaneConstants.HORIZONTAL_SCROLLBAR_NEVER);

panel.add(scroller);
```

*Isso é o mesmo que ocorre com JTextArea — você criará um JScrollPane (e o fornecerá à lista) para em seguida adicionar o painel de rolagem (e NÃO a lista) ao painel geral.*

**(2)** **Configure a quantidade de linhas a serem exibidas antes da rolagem.**
```
list.setVisibleRowCount(4);
```

**(3)** **Restrinja o usuário à seleção de somente UMA coisa de cada vez.**
```
list.setSelectionMode(ListSelectionModel.
                            SINGLE_SELECTION);
```

**(4)** **Registre-se para ouvir eventos de seleção na lista.**
```
list.addListSelectionListener(this);
```

**(5)** **Manipule eventos (descubra o que foi selecionado na lista).**
```
public void valueChanged(ListSelectionEvent lse) {
```
*Você capturará o evento DUAS VEZES se não inserir esse teste if.*

```
    if(!lse.getValueIsAdjusting()) {
      String selection = (String)
                    list.getSelectedValue();
      System.out.println(selection);
    }
}
```

*Na verdade getSelectedValue() retornará um tipo Object. Uma lista não está limitada somente a objetos String.*

usando o swing

# Receita de código

**Essa parte é opcional. Estamos criando a BeatBox completa, com a GUI e todo o resto. No capítulo Salvando Objetos, aprenderemos como salvar e restaurar padrões de bateria. Para concluir, no capítulo sobre rede (Crie uma Conexão), converteremos a BeatBox em um cliente de bate-papo funcional.**

## Criando a BeatBox

Essa é a listagem completa do código dessa versão da BeatBox, com botões para a inicialização, a interrupção e a alteração do ritmo. A listagem do código está completa, e totalmente comentada, mas aí vai uma visão geral:

① Construa uma GUI com 256 caixas de seleção (JCheckBox) inicialmente desmarcadas, 16 rótulos (JLabel) para os nomes dos instrumentos e quatro botões.

② Registre um ActionListener para cada um dos quatro botões. Não precisamos de ouvintes para cada caixa de seleção, porque não estamos tentando alterar o padrão de som dinamicamente (isto é, quando o usuário marcar uma caixa). Em vez disso, esperaremos até que o usuário pressione o botão 'start' e, em seguida, percorreremos todas as 256 caixas de seleção para capturar seu estado e gerar uma faixa MIDI.

③ Configure o sistema MIDI (você já fez isso antes) incluindo a captura de um seqüenciador, a criação de uma seqüência e de uma faixa. Estamos usando um método do seqüenciador que é novo na Java 5.0, setLoopCount(). Esse método permitirá que você especifique quantas vezes quer que uma seqüência seja

## código da BeatBox

repetida. Também estamos usando o fator de ritmo da seqüência para diminuir ou acelerá-la, e manter o novo ritmo de uma iteração do loop até a próxima.

 Será quando o usuário pressionar 'start' que a ação real começará. O método de manipulação de eventos do botão 'start' chamará o método buildTrackandStart(). Nesse método, percorreremos todas as 256 caixas de seleção (uma linha de cada vez, todas as 16 batidas de um único instrumento) para capturar seu estado e, em seguida, usaremos as informações para construir uma faixa MIDI [empregando o prático método makeEvent() que usamos no capítulo anterior]. Quando a faixa estiver construída, iniciaremos o seqüenciador, que continuará a reprodução (porque ela estará sendo repetida) até o usuário pressionar 'stop'.

```java
import java.awt.*;
import javax.swing.*;
import javax.sound.midi.*;
import java.util.*;
import java.awt.event.*;

public class BeatBox {

    JPanel mainPanel;
    ArrayList<JCheckBox> checkboxList;   // Armazenaremos as caixas de seleção em uma ArrayList.
    Sequencer sequencer;
    Sequence sequence;
    Track track;
    JFrame theFrame;

    // Esses são os nomes dos instrumentos, como uma array de Strings, para a construção dos rótulos da GUI (em cada linha).
    String[] instrumentNames = {"Bass Drum", "Closed Hi-Hat", "Open Hi-Hat","Acoustic Snare", "Crash
        Cymbal", "Hand Clap", "High Tom", "Hi Bongo", "Maracas", "Whistle", "Low Conga", "Cowbell",
        "Vibraslap", "Low-mid Tom", "High Agogo", "Open Hi Conga"};
    int[] instruments = {35,42,46,38,49,39,50,60,70,72,64,56,58,47,67,63};
    // Esses números representam as teclas reais da bateria. O canal da bateria é como um piano, exceto pelo fato de cada tecla do piano ser um elemento de bateria diferente. Portanto, o número 35 é a tecla do bumbo (bass drum), 42 é o Hi-Chapéu Closed (Closed Hi-Hat), etc.

    public static void main (String[] args) {
        new BeatBox2().buildGUI();
    }

    public void buildGUI() {
        theFrame = new JFrame("Cyber BeatBox");
        theFrame.setDefaultCloseOperation(JFrame.EXIT_ON_CLOSE);
        BorderLayout layout = new BorderLayout();
        JPanel background = new JPanel(layout);
        background.setBorder(BorderFactory.createEmptyBorder(10,10,10,10));
        // Uma borda vazia nos fornecerá uma margem entre as bordas do painel e onde os componentes estão posicionados. Puramente estético.

        checkboxList = new ArrayList<JCheckBox>();
        Box buttonBox = new Box(BoxLayout.Y_AXIS);

        JButton start = new JButton("Start");
        start.addActionListener(new MyStartListener());
        buttonBox.add(start);

        JButton stop = new JButton("Stop");
        stop.addActionListener(new MyStopListener());
        buttonBox.add(stop);

        JButton upTempo = new JButton("Tempo Up");
        upTempo.addActionListener(new MyUpTempoListener());
        buttonBox.add(upTempo);

        JButton downTempo = new JButton("Tempo Down");

        downTempo.addActionListener(new MyDownTempoListener());
        buttonBox.add(downTempo);
        // Nada de especial aqui, apenas código da GUI. Grande parte você já viu.

        Box nameBox = new Box(BoxLayout.Y_AXIS);
        for (int i = 0; i < 16; i++) {
            nameBox.add(new Label(instrumentNames[i]));
        }
```

_**usando** o swing_

```java
background.add(BorderLayout.EAST, buttonBox);
background.add(BorderLayout.WEST, nameBox);

theFrame.getContentPane().add(background);

GridLayout grid = new GridLayout(16,16);
grid.setVgap(1);
grid.setHgap(2);
mainPanel = new JPanel(grid);
background.add(BorderLayout.CENTER, mainPanel);

for (int i = 0; i < 256; i++) {
   JCheckBox c = new JCheckBox();
   c.setSelected(false);
   checkboxList.add(c);
   mainPanel.add(c);
} // fim do loop

setUpMidi();

theFrame.setBounds(50,50,300,300);
theFrame.pack();
theFrame.setVisible(true);
} // fecha o método


public void setUpMidi() {
 try {
   sequencer = MidiSystem.getSequencer();
   sequencer.open();
   sequence = new Sequence(Sequence.PPQ,4);
   track = sequence.createTrack();
   sequencer.setTempoInBPM(120);

} catch(Exception e) {e.printStackTrace();}
} // fecha o método


public void buildTrackAndStart() {
   int[] trackList = null;

   sequence.deleteTrack(track);
   track = sequence.createTrack();

   for (int i = 0; i < 16; i++) {
      trackList = new int[16];

      int key = instruments[i];

      for (int j = 0; j < 16; j++ ) {

         JCheckBox jc = (JCheckBox) checkboxList.get(j + (16*i));
         if ( jc.isSelected()) {
            trackList[j] = key;
         } else {
            trackList[j] = 0;
         }
      } // fecha o loop interno
```

_Ainda é código de configuração da GUI. Nada de especial._

_Cria as caixas de seleção, configura-as com false (para que não estejam marcadas) e as adiciona à ArrayList E ao painel da GUI._

_O costumeiro trecho de configuração MIDI para a captura do seqüenciador, da seqüência e da faixa. Novamente, nada de especial._

_Criaremos uma matriz de 16 elementos para armazenar os valores de um instrumento, com todas as 16 batidas. Se o instrumento tiver que ser reproduzido nessa batida, o valor desse elemento será a tecla. Se esse instrumento NÃO tiver que ser reproduzido nessa batida, insira um zero._

_É aqui que tudo acontece! É o local em que convertermos o estado da caixa de seleção em eventos MIDI e os adicionamos à faixa._

_Elimina a faixa antiga, cria uma nova._

_Fará isso para cada uma das 16 LINHAS (isto é, Bass, Congo, etc.)._

_Configura a tecla que representará qual é esse instrumento (bumbo, hi-chapéu, etc. A matriz de instrumentos contém os números MIDI reais de cada instrumento)._

_Fará isso para cada uma das BATIDAS dessa linha._

_A caixa de seleção dessa batida está selecionada? Se estiver, insira o valor da tecla nessa posição da matriz (a posição que representa essa batida). Caso contrário, o instrumento NÃO deve reproduzir essa batida, portanto, configure-a com zero._

_você está aqui ▶_   **297**

*continuação do código*

```java
        makeTracks(trackList);
        track.add(makeEvent(176,1,127,0,16));
    } // fecha o loop externo


    track.add(makeEvent(192,9,1,0,15));
    try {


        sequencer.setSequence(sequence);
        sequencer.setLoopCount(sequencer.LOOP_CONTINUOUSLY);
        sequencer.start();
        sequencer.setTempoInBPM(120);
    } catch(Exception e) {e.printStackTrace();}
} // fecha o método buildTrackAndStart


public class MyStartListener implements ActionListener {
    public void actionPerformed(ActionEvent a) {
        buildTrackAndStart();
    }
} // fecha a classe interna

public class MyStopListener implements ActionListener {
    public void actionPerformed(ActionEvent a) {
        sequencer.stop();
    }
} // fecha a classe interna

public class MyUpTempoListener implements ActionListener {
    public void actionPerformed(ActionEvent a) {
        float tempoFactor = sequencer.getTempoFactor();
        sequencer.setTempoFactor((float)(tempoFactor * 1.03));
    }
} // fecha a classe interna

public class MyDownTempoListener implements ActionListener {
    public void actionPerformed(ActionEvent a) {
        float tempoFactor = sequencer.getTempoFactor();
        sequencer.setTempoFactor((float)(tempoFactor * .97));
    }
} // fecha a classe interna


public void makeTracks(int[] list) {

    for (int i = 0; i < 16; i++) {
        int key = list[i];

        if (key != 0) {
            track.add(makeEvent(144,9,key, 100, i));
            track.add(makeEvent(128,9,key, 100, i+1));
        }
    }
}

public  MidiEvent makeEvent(int comd, int chan, int one, int two, int tick) {
    MidiEvent event = null;
    try {
        ShortMessage a = new ShortMessage();
        a.setMessage(comd, chan, one, two);
        event = new MidiEvent(a, tick);

    } catch(Exception e) {e.printStackTrace(); }
    return event;
}

} // fecha a classe
```

*Para esse instrumento, e para todas as 16 batidas, cria eventos e os adiciona à faixa.*

*Queremos nos certificar sempre de que HÁ um evento na batida 16 (ela vai de 0 a 15). Caso contrário, a BeatBox pode não percorrer todas as 16 batidas antes de começar novamente.*

*Permite que você especifique a quantidade de iterações do loop ou, nesse caso, um loop contínuo.*

*AGORA REPRODUZA!!*

*A primeira das classes internas são os ouvintes dos botões. Nada de especial aqui.*

*Os ouvintes das outras classes internas dos botões*

*TempoFactor dimensionará o ritmo da seqüência pelo fator fornecido. O padrão é 1,0, portanto, estamos ajustando para cerca de 3% por clique.*

*Isso criará eventos para um instrumento de cada vez, para todas as 16 batidas. Portanto, pode capturar um int [ ] para o bumbo e cada índice da matriz conterá a tecla desse instrumento ou um zero. Se tiver um zero, o instrumento não deve ser reproduzido nessa batida. Caso contrário, um evento será criado e adicionado à faixa.*

*Cria os eventos NOTE ON e NOTE OFF e os adiciona à faixa.*

**Esse é o método utilitário da receita de código do último capítulo. Nada de novo.**

*usando* o swing

## Que código está relacionado a que layout?

Cinco das seis telas abaixo foram criadas a partir de um dos trechos de código ao lado. Ligue cada um dos cinco trechos de código ao layout que ele produziria.

Exercício

**1**

**3**

**2**

**5**

**4**

**6**

### Trechos de código

**D**
```
JFrame frame = new JFrame();
JPanel panel = new JPanel();
panel.setBackground(Color.darkGray);
JButton button = new JButton("tesuji");
JButton buttonTwo = new JButton("watari");
frame.getContentPane().add(BorderLayout.NORTH,panel);
panel.add(buttonTwo);
frame.getContentPane().add(BorderLayout.CENTER,button);
```

**B**
```
JFrame frame = new JFrame();
JPanel panel = new JPanel();
panel.setBackground(Color.darkGray);
JButton button = new JButton("tesuji");
JButton buttonTwo = new JButton("watari");
panel.add(buttonTwo);
frame.getContentPane().add(BorderLayout.CENTER,button);
frame.getContentPane().add(BorderLayout.EAST, panel);
```

**C**
```
JFrame frame = new JFrame();
JPanel panel = new JPanel();
panel.setBackground(Color.darkGray);
JButton button = new JButton("tesuji");
JButton buttonTwo = new JButton("watari");
panel.add(buttonTwo);
frame.getContentPane().add(BorderLayout.CENTER,button);
```

**A**
```
JFrame frame = new JFrame();
JPanel panel = new JPanel();
panel.setBackground(Color.darkGray);
JButton button = new JButton("tesuji");
JButton buttonTwo = new JButton("watari");
panel.add(button);
frame.getContentPane().add(BorderLayout.NORTH,buttonTwo);
frame.getContentPane().add(BorderLayout.EAST, panel);
```

**E**
```
JFrame frame = new JFrame();
JPanel panel = new JPanel();
panel.setBackground(Color.darkGray);
JButton button = new JButton("tesuji");
JButton buttonTwo = new JButton("watari");
frame.getContentPane().add(BorderLayout.SOUTH,panel);
panel.add(buttonTwo);
frame.getContentPane().add(BorderLayout.NORTH,button);
```

você está aqui ▶

*quebra-cabeças: palavras cruzadas*

## Cruzadas GUI 7.0

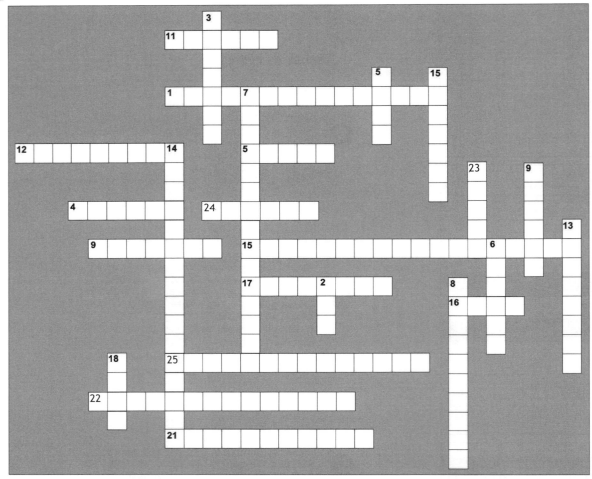

**Você consegue.**

### Horizontais

1. O playground do artista
4. Local para o que restar do gerenciador de limite
5. Aparência Java
9. Objeto genérico de espera
11. Um acontecimento
12. Aplicar um elemento gráfico
15. Padrão de JPanel
16. Teste polimórfico
17. Mova-se
21. Muito a dizer
22. Selecione várias
24. Companheiro do botão
25. Casa de actionPerformed

### Verticais

2. Pai do Swing
3. Jurisdição da moldura
5. Casa da ajuda
6. Mais diversão do que texto
7. Gíria para componente
8. Comando de Romulin
9. Disposição
13. Regras do gerenciador
14. Comportamento da origem
15. Usa o gerenciador de limite por padrão
18. Comportamento do usuário
23. Lado direito do gerenciador de limite

## Solução dos Exercícios

**1**

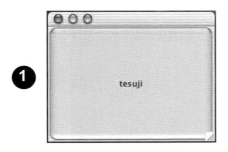

**2**

**C**
```
JFrame frame = new JFrame();
JPanel panel = new JPanel();
panel.setBackground(Color.darkGray);
JButton button = new JButton("tesuji");
JButton buttonTwo = new JButton("watari");
panel.add(buttonTwo);
frame.getContentPane().add(BorderLayout.CENTER,button);
```

**D**
```
JFrame frame = new JFrame();
JPanel panel = new JPanel();
panel.setBackground(Color.darkGray);
JButton button = new JButton("tesuji");
JButton buttonTwo = new JButton("watari");
frame.getContentPane().add(BorderLayout.NORTH,panel);
panel.add(buttonTwo);
frame.getContentPane().add(BorderLayout.CENTER,button);
```

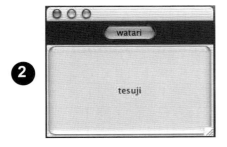

**3**

**4**

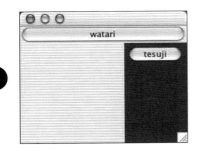

**6**

**E**
```
JFrame frame = new JFrame();
JPanel panel = new JPanel();
panel.setBackground(Color.darkGray);
JButton button = new JButton("tesuji");
JButton buttonTwo = new JButton("watari");
frame.getContentPane().add(BorderLayout.SOUTH,panel);
panel.add(buttonTwo);
frame.getContentPane().add(BorderLayout.NORTH,button);
```

**A**
```
JFrame frame = new JFrame();
JPanel panel = new JPanel();
panel.setBackground(Color.darkGray);
JButton button = new JButton("tesuji");
JButton buttonTwo = new JButton("watari");
panel.add(button);
frame.getContentPane().add(BorderLayout.NORTH,buttonTwo);
frame.getContentPane().add(BorderLayout.EAST, panel);
```

**B**
```
JFrame frame = new JFrame();
JPanel panel = new JPanel();
panel.setBackground(Color.darkGray);
JButton button = new JButton("tesuji");
JButton buttonTwo = new JButton("watari");
panel.add(buttonTwo);
frame.getContentPane().add(BorderLayout.CENTER,button);
frame.getContentPane().add(BorderLayout.EAST, panel);
```

*resposta* *do quebra-cabeças*

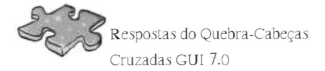

## Respostas do Quebra-Cabeças
## Cruzadas GUI 7.0

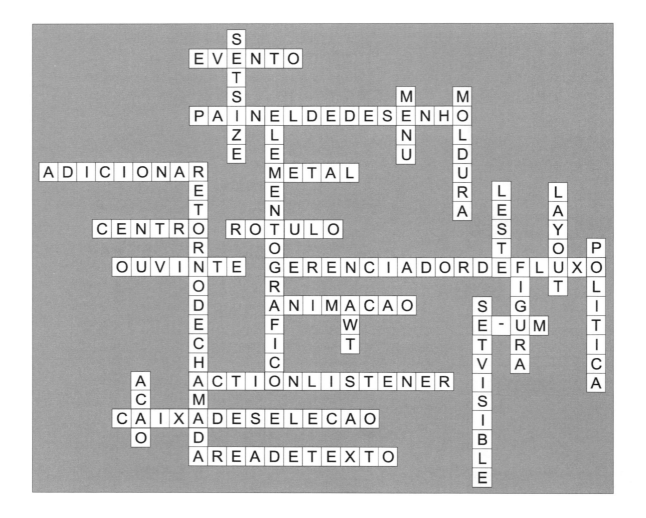

# 14 serialização e E/S de arquivo

# Salvando Objetos

*Se eu tiver que ler mais um arquivo cheio de dados, acho que terei que matá-lo. Ele sabe que posso salvar objetos inteiros, mas deixa que o faça? NÃO, isso seria muito fácil. Bem, veremos como ele se sente depois que eu...*

**Os objetos podem ser achatados e reconstituídos.** Os objetos possuem estado e comportamento. O comportamento reside na classe, mas o estado reside dentro de cada objeto individual. Portanto, o que acontecerá quando for hora de salvar o estado de um objeto? Se você estiver criando um jogo, precisará de um recurso Salvar/Restaurar Jogo. Se estiver criando um aplicativo que gere gráficos, precisará de um recurso Salvar/Abrir Arquivo. Se seu programa tiver que salvar o estado, você poderá fazê-lo da maneira mais difícil, examinando cada objeto e gravando meticulosamente o valor de cada variável de instância, no formato que criar. Ou, **da maneira mais fácil, orientada a objetos** — simplesmente congele/achate/faça persistir/desidrate o próprio objeto e o reconstitua/desachate/restaure/reidrate para que volte ao que era. Mas você ainda terá que fazê-lo da maneira difícil em algumas situações, principalmente quando o arquivo que seu aplicativo salvar tiver que ser lido por algum outro aplicativo não escrito em Java, logo, examinaremos as duas maneiras neste capítulo.

*salvando* objetos

# Capture a batida

Você *criou* o padrão perfeito. Deseja *salvá-lo*. Poderia pegar um pedaço de papel e começar a rascunhá-lo, mas em vez disso pressionou o botão **Salvar** (ou selecionou Salvar no menu Arquivo). Em seguida, forneceu um nome, selecionou um diretório e respirou aliviado sabendo que sua obra-prima não será eliminada pela mortal tela azul.

Você tem várias opções de como salvar o estado de seu programa Java e a que escolher provavelmente vai depender de como planeja *usar* o estado salvo. Aqui estão as opções que examinaremos neste capítulo.

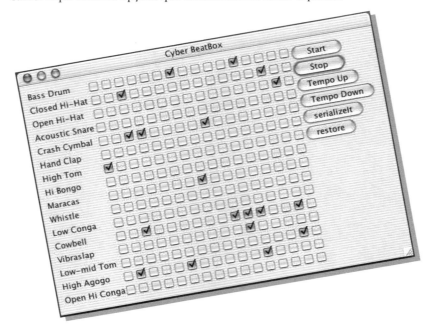

## Se seus dados forem usados somente pelo programa Java que os gerou:

 **Use a serialização**
  Grave um arquivo que contenha objetos achatados (serializados). Em seguida, faça seu programa ler os objetos serializados no arquivo e converta-os novamente em objetos ativos, residentes no acervo.

## Se seus dados forem usados por outros programas:

 **Grave um arquivo de texto simples**
  Grave um arquivo, com delimitadores que outros programas consigam analisar. Por exemplo, um arquivo delimitado por tabulação que um aplicativo de banco de dados ou planilha possa usar.

É claro que essas não são as únicas opções. Você pode salvar dados no formato que quiser. Em vez de gravar caracteres, por exemplo, você pode gravar seus dados como bytes. Ou gravar qualquer tipo primitivo Java *como* um tipo primitivo Java — há métodos para a gravação de inteiros, longos, booleanos, etc. Mas independentemente do método que você usar, as técnicas básicas de E/S serão muito parecidas: gravar alguns dados em *algo*, e geralmente esse algo é um arquivo em disco ou um fluxo sendo recebido de uma conexão de rede. Ler os dados é o mesmo processo invertido: ler alguns dados em um arquivo do disco ou de uma conexão de rede. E é lógico que tudo que abordaremos nessa parte estará relacionado às situações em que você não estiver usando um banco de dados real.

## Salvando o estado

Suponhamos que você tivesse um programa, digamos, um jogo com uma aventura fictícia, que precisasse de mais de uma sessão para ser concluído. Conforme o jogo progride, os personagens ficam mais fortes, fracos, inteligentes, etc. E coletam e usam (e perdem) armas. Você não quer começar do zero sempre que iniciar o jogo — seria necessária uma eternidade para colocar seus personagens em forma para uma batalha espetacular. Portanto, precisa de uma maneira de salvar o estado dos personagens e uma maneira de restaurá-lo quando voltar ao jogo. E já que você também é o programador do jogo, quer que o recurso de salvar e restaurar seja tão simples (e à prova de falhas) quanto possível.

---

 Opção um

**Grave os três objetos serializados dos personagens em um arquivo**

Crie um arquivo e grave três objetos serializados com os personagens. O arquivo não terá sentido se você tentar lê-lo como texto:

```
ÌsrGameCharacter
%gê8MÛIpowerLjava/lang/
String;[weaponst[Ljava/lang/
String;xp2tlfur[Ljava.lang.
String;'""VÁÈ{Gxptbowtsword
tdustsq~»tTrolluq~tbare handstbig
axsq~xtMagicianuq
~tspellstinvisibility
```

---

 Opção dois

**Grave um arquivo de texto simples**

Crie um arquivo e grave três linhas de texto, uma por personagem, separando as informações do estado com vírgulas:

```
50, Elfo, flecha, espada, pó
200, Troll, mãos, grande machado
120, Mago, encantamentos,
              invisibilidade
```

304 *capítulo 14*

## serialização e E/S de arquivo

## Gravando um objeto serializado em um arquivo

Aqui estão as etapas para serializarmos (salvarmos) um objeto. Não se preocupe em memorizar tudo isso; examinaremos com maiores detalhes posteriormente neste capítulo.

*Suponhamos que você tivesse que salvar três personagens de um jogo...*

**GameCharacter**

int power
String type
Weapon[] weapons

getWeapon()
useWeapon()
increasePower()
// outros métodos

**objeto** — poder: 50, type: Elfo, armas: flecha, espada, pó

**objeto** — poder: 200, type: Troll, armas: mãos, grande machado

**objeto** — poder: 120, type: Mago, armas: encantamentos, invisibilidade

*O arquivo serializado será muito mais difícil para as pessoas lerem, porém será muito mais fácil (e seguro) para seu programa restaurar os três objetos serializados do que através da leitura do valor das variáveis dos objetos salvos em um arquivo de texto. Por exemplo, imagine de quantas maneiras os valores poderiam ser acidentalmente lidos na ordem errada! O tipo pode se tornar pó em vez de Elfo, enquanto o Elfo será uma arma...*

① **Crie um objeto `FileOutputStream`**
`FileOutputStream fileStream = new FileOutputStream("MyGame.ser");`

*Se o arquivo MyGame.ser não existir, ele será criado automaticamente.*

*Cria um objeto FileOutputStream. FileOutputStream sabe como se conectar com (e criar) um arquivo.*

② **Crie um `ObjectOutputStream`**
`ObjectOutputStream os = new ObjectOutputStream(fileStream);`

*ObjectOutputStream permitirá que você grave objetos, mas não poderá se conectar diretamente com um arquivo. Ele precisa de um objeto auxiliar. Isso se chama encadear um fluxo a outro.*

③ **Grave o objeto**
`os.writeObject(characterOne);`
`os.writeObject(characterTwo);`
`os.writeObject(characterThree);`

*Serializa os objetos referenciados por characterOne, characterTwo e characterThree e grava no arquivo MyGame.ser.*

④ **Feche `ObjectOutputStream`**
`os.close();`

*Fechar o fluxo mais abrangente fechará os fluxos de nível inferior, portanto o objeto FileOutputStream (e o arquivo) será fechado automaticamente.*

*você está aqui* ▶ 305

*objetos serializados*

# Transferências de dados dos fluxos de um local para outro

**Fluxos de conexão representam uma conexão com uma origem ou destino (arquivo, soquete, etc.) enquanto fluxos de cadeia não podem se conectar por sua própria conta e devem ser encadeados a um fluxo de conexão.**

O API de E/S Java tem fluxos de *conexão* que representam conexões com destinos e origens como arquivos ou soquetes de rede, e fluxos de *cadeia* que só funcionam quando encadeados a outros fluxos.

Geralmente, são necessários pelo menos dois fluxos vinculados para que algo útil possa ser feito — *um* para representar a conexão e *outro* para chamar métodos. Por que dois? Porque os fluxos de *conexão* costumam estar em um nível muito baixo. FileOutputStream (um fluxo de conexão), por exemplo, tem métodos para a gravação de *bytes*. Mas não queremos gravar *bytes*! Queremos gravar *objetos*, portanto, precisamos de um fluxo de *cadeia* de nível mais alto.

Certo, mas por que não ter apenas um fluxo que faça *exatamente* o que você quer? Um fluxo que lhe permita gravar objetos, mas em um nível inferior os converta em bytes? Pense na vantagem da OO. Cada classe faz bem apenas *uma* coisa. FileOutputStreams gravam bytes em um arquivo. ObjectOutputStreams convertem objetos em dados que podem ser gravados em um fluxo. Portanto, criaremos um FileOutputStream que nos permita gravar em um arquivo e vincularemos um ObjectOutputStream (um fluxo de cadeia) ao final dele. Quando chamarmos writeObject() em ObjectOutputStream, o objeto será inserido no fluxo e, em seguida, será transferido para FileOutputStream, onde finalmente será gravado na forma de bytes em um arquivo.

O recurso de criar diferentes combinações de fluxos de conexão e de cadeia lhe proporcionará uma enorme flexibilidade! Se fôssemos forçados a usar somente uma classe de fluxo, estaríamos à mercê dos projetistas da API, esperando que eles pensassem em *tudo* que gostaríamos de fazer. Mas com o encadeamento, você pode criar suas próprias cadeias *personalizadas*.

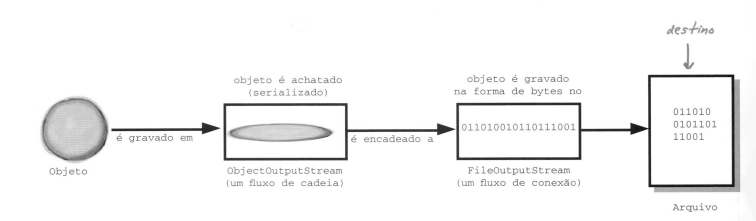

306 *capítulo 14*

*serialização e E/S de arquivo*

# O que acontece realmente a um objeto quando ele é serializado?

### ❶ Objeto no acervo

Os objetos no acervo têm estado - o valor das variáveis de instância do objeto. Esses valores tornam a instância de uma classe diferente de outra instância da mesma classe.

### ❷ Objeto serializado

Os objetos serializados salvam os valores das variáveis de instância, para que uma instância (objeto) idêntica possa ser reconstituída no acervo.

*Objeto com duas variáveis de instância primitivas*

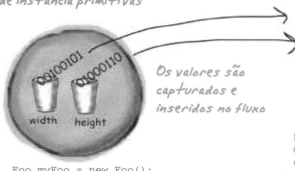

*Os valores são capturados e inseridos no fluxo*

foo.ser

*Os valores das variáveis de instância de largura e altura foram salvos no arquivo foo.ser, junto com mais algumas informações de que a JVM precisará para restaurar o objeto (como qual é o seu tipo de classe).*

```
Foo myFoo = new Foo();
myFoo.setWidth(37);
myFoo.setHeight(70);
```

```
FileOutputStream fs = new FileOutputStream("foo.ser");
ObjectOutputStream os = new ObjectOutputStream(fs);
os.writeObject(myFoo);
```

*Cria um FileOutputStream que se conectará com o arquivo foo.ser e, em seguida, encadeia um ObjectOutputStream e solicita que ele grave o objeto.*

## Mas o que É exatamente o estado de um objeto?
## O que precisa ser salvo?

Agora vai começar a ficar interessante. É muito fácil salvar os valores *primitivos* 37 e 70. Mas e se o objeto tiver uma variável de instância que for uma *referência* de objeto? E quanto a um objeto que tiver cinco variáveis de instância que forem referências de objeto? E se essas variáveis de instância do objeto tiverem elas próprias variáveis de instância?

Pense no assunto. Que parte de um objeto é potencialmente única? Pense no que precisa ser restaurado para obtermos um objeto que seja idêntico ao que foi salvo. É claro que ele terá um local diferente na memória, mas não precisamos nos preocupar com isso. Só temos que nos preocupar em termos no acervo um objeto com o mesmo estado que ele tinha quando foi salvo.

 Exercitando o cérebro!

*O objeto Car tem duas variáveis de instância que referenciam dois outros objetos.*

**O que precisa acontecer para o objeto Car ser salvo de tal forma que possa ser restaurado a seu estado original?**

**Pense no que — e como — você pode precisar para salvar o objeto Car.**

**E o que acontecerá se um objeto Engine tiver uma referência de um objeto Carburator? O que existe dentro do objeto Tire[ ]?**

*O que é necessário para salvar um objeto Car?*

*objetos serializados*

# Quando um objeto é serializado, todos os objetos que ele referencia nas variáveis de instância também são serializados. E todos os objetos que esses objetos referenciam são serializados. E, por sua vez, todos os objetos que esses objetos referenciam são serializados... E a melhor parte é que isso acontece automaticamente!

Esse objeto Kernel tem uma referência a um objeto de matriz Dog[]. O objeto Dog[] contém referências de dois objeto Dog. Cada objeto Dog contém uma referência de um objeto String e um objeto Collar. Os objetos String têm um conjunto de caracteres e os objetos Collar têm um int.

## Quando você salvar o objeto Kernel, tudo isso será salvo!

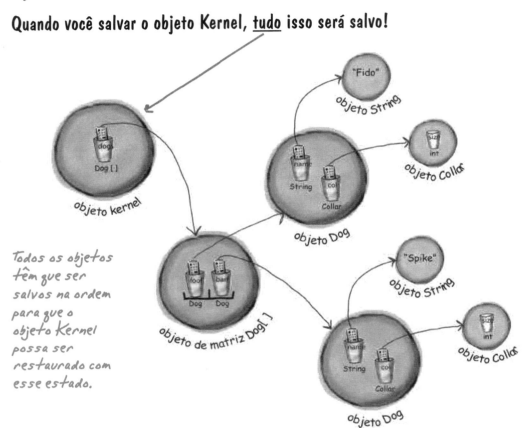

A serialização salva a *ramificação inteira do objeto.* Todos os objetos são referenciados pelas variáveis de instância, a partir do objeto que está sendo serializado.

Todos os objetos têm que ser salvos na ordem para que o objeto Kernel possa ser restaurado com esse estado.

## Se você quiser que sua classe possa ser serializada, implemente Serializable

A interface Serializable é considerada como uma interface *marcadora* ou de *tag*, porque não tem nenhum método a implementar. Sua única finalidade é anunciar que a classe que está implementando pode ser serializada. Em outras palavras, os objetos desse tipo poderão ser salvos através do mecanismo de serialização. Se qualquer superclasse de uma classe puder ser serializada, automaticamente a subclasse poderá ser serializada mesmo se não declarar explicitamente que *implementa Serializable*. (É assim que as interfaces *funcionam* sempre. Se sua superclasse "FOR-UM" tipo Serializable, você também será.)

```
objectOutputStream.writeObject(myBox);
```
O que quer que entre aqui DEVE implementar Serializable ou falhará no tempo de execução.

```
import java.io.*;

public class Box implements Serializable {

    private int width;
    private int height;

    public void setWidth(int w) {
        width = w;
    }
}
```

Serializable está no pacote java.io, portanto você precisa da importação.

Nenhum método a implementar, mas quando você inserir implements Serializable, estará dizendo à JVM, pode serializar os objetos desse tipo.

esses dois valores serão salvos.

308 capítulo 14

```
    public void setHeight(int h) {
        height = h;
    }

    public static void main (String[] args) {

        Box myBox = new Box();
        myBox.setWidth(50);
        myBox.setHeight(20);

        try {
            FileOutputStream fs = new FileOutputStream("foo.ser");
            ObjectOutputStream os = new ObjectOutputStream(fs);
            os.writeObject(myBox);
            os.close();
        } catch(Exception ex) {
            ex.printStackTrace();
        }
    }
}
```

*Se conectará com um arquivo chamado foo.ser se ele existir. Caso contrário, criará um novo arquivo chamado foo.ser.*

*Operações de E/S podem lançar exceções.*

*Cria um ObjectOutputStream encadeado ao fluxo de conexão. Solicita a ele que grave o objeto.*

## A serialização é tudo ou nada.

**Consegue imaginar o que aconteceria se algum estado do objeto não fosse salvo corretamente?**

*Nossa! Fico arrepiado só de pensar nisso! E se um cão for restaurado sem peso? Ou sem orelhas? Ou se a coleira for reconstituída com um tamanho igual a 3 em vez de 30? Isso não pode ser permitido!*

**A ramificação inteira do objeto tem que ser serializada corretamente ou a serialização falhará.**

**Você não pode serializar um objeto Pond se sua variável de instância Duck se recusar a ser serializada (não implementando Serializable).**

```
import java.io.*;

public class Pond implements Serializable {

    private Duck duck = new Duck();

    public static void main (String[] args) {
        Pond myPond = new Pond();
        try {
            FileOutputStream fs = new FileOutputStream("Pond.ser");
            ObjectOutputStream os = new ObjectOutputStream(fs);

            os.writeObject(myPond);
            os.close();

        } catch(Exception ex) {
            ex.printStackTrace();
        }
    }
}

public class Duck {
    // o código de duck entra aqui
}
```

*os objetos Pond podem ser serializados*

*A classe Pond tem uma variável de instância, um objeto Duck.*

*Quando você serializar myPond (um objeto Pond), sua variável de instância Duck será serializada automaticamente.*

*Nossa!! Duck não pode ser serializada! Ela não implementa Serializable, portanto, quando você tentar serializar um objeto Pond, não conseguirá, porque a variável de instância Duck desse objeto não pode ser salva.*

Quando você tentar executar o método main na classe Pond:

```
File Edit Window Help Regret
% java Pond
java.io.NotSerializableException: Duck
        at Pond.main(Pond.java:13)
```

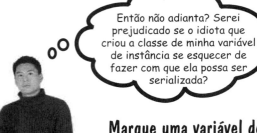

## Marque uma variável de instância como <u>transiente</u> se ela não puder (ou não for recomendável) ser salva.

Se você quiser que uma variável de instância seja ignorada pelo processo de serialização, marque-a com a palavra-chave **transient**.

```
import java.net.*;
class Chat implements Serializable {
    transient String currentID;    ← transient significa não salve essa variável durante a serialização, ignore-a

    String userName;    ← a variável userName será salva como parte do estado do objeto durante a serialização.

    // mais código
```

Se você tiver uma variável de instância que não puder ser salva porque não pode ser serializada, marque-a com a palavra-chave transient e o processo de serialização a deixará de lado.

Mas por que uma variável não poderia ser serializada? Talvez porque o projetista da classe simplesmente *esqueceu* de fazê-la implementar Serializable. Ou porque o objeto dependa de informações específicas do tempo de execução que não podem ser salvas. Embora quase tudo nas bibliotecas de classe Java possa ser serializado, você não pode salvar coisas como conexões de rede, threads ou objetos de arquivo. Todos dependem (e são específicos) de alguma 'ocorrência' no tempo de execução. Em outras palavras, são instanciados de uma maneira que é exclusiva de uma execução específica de seu programa, em uma determinada plataforma e JVM. Quando o programa for encerrado, não haverá como reconstituir essas coisas de uma maneira significativa; elas sempre terão que ser criadas do zero.

---

## Perguntas Idiotas
não existem

**P:** Se a serialização é tão importante, por que ela não é o padrão para todas as classes? Por que a classe Object não pode implementar Serializable para que todas as subclasses sejam serializadas automaticamente?

**R:** Ainda que a maioria das classes deva, e possa, implementar Serializable, você sempre poderá optar. E você deve tomar uma decisão consciente para 'ativar' a serialização implementando Serializable com base em cada classe que projetar. Em primeiro lugar, se a serialização fosse o padrão, como você a desativaria? As interfaces indicam funcionalidade e não falta de funcionalidade, portanto, o modelo do polimorfismo não funcionaria corretamente se fosse preciso dizer "implemente NonSerializable" para informar para todo mundo que você não pode ser salvo.

**P:** Por que eu criaria uma classe que não possa ser serializada?

**R:** Há bem poucas razões, mas você pode, por exemplo, ter uma situação de segurança em que não queira um objeto de senha armazenado. Ou ter um objeto que não faça sentido salvar, porque suas principais variáveis de instância não podem ser serializadas, portanto não há uma maneira útil de fazer com que sua classe possa ser serializada.

**P:** Se a classe que eu estiver usando não puder ser serializada, mas não houver uma boa razão para isso (exceto o fato de o projetista ter se esquecido ou então ser um estúpido), posso criar uma subclasse da classe 'incompleta' e fazer com que essa subclasse possa ser serializada?

**R:** Sim! Se a própria classe for extensível (isto é, não for final), você poderá criar uma subclasse que possa ser serializada e simplesmente inserir essa subclasse em todos os locais onde seu código estiver esperando o tipo da superclasse. (Lembre-se de que o polimorfismo permite isso.) O que traz à tona outra questão interessante: o que significa a superclasse não poder ser serializada?

*serialização e E/S de arquivo*

P: Você é que levantou a questão — o que significa ter uma subclasse que pode ser serializada em uma superclasse que não pode usar esse recurso?

R: Primeiro temos que examinar o que acontece quando uma classe é desserializada (falaremos sobre isso nas próximas páginas). Resumindo, quando um objeto é desserializado e sua superclasse não pode ser serializada, o construtor da superclasse é executado como se um novo objeto desse tipo estivesse sendo criado. Se não houver uma razão válida para uma classe não poder ser serializada, criar uma subclasse que possa ser é uma boa solução.

P: Uau! Acabei de perceber algo interessante... Se você tornar uma variável 'transiente', isso significa que seu valor será ignorado durante a serialização. Mas o que acontecerá com ela? Resolvemos o problema de ter uma variável de instância que não pode ser serializada tornando-a transiente, mas não PRECISAREMOS dela quando o objeto for reconstituído? Em outras palavras, a finalidade da serialização não é preservar o estado de um objeto?

R: Sim, esse é um problema, mas felizmente há uma solução. Se você serializar um objeto, a variável de instância transiente será reconstituída como nula, independentemente do valor que tinha no momento em que foi salva. Isso significa que a ramificação inteira do objeto conectado a essa variável de instância específica não será salva. É claro que isso pode ser ruim, porque é provável que você precise de um valor que não seja nulo para essa variável.

Você tem duas opções:

1) Quando o objeto for reconstituído, reinicialize essa variável de instância nula com algum estado padrão. Isso funcionará se o seu objeto desserializado não depender de um valor específico para essa variável transiente. Em outras palavras, pode ser importante que o objeto Dog tenha um objeto Collar, mas talvez todos os objetos Collar sejam iguais, portanto não terá importância se você fornecer ao objeto Dog reconstituído um novo objeto Collar; ninguém notará a diferença.

2) Se o valor da variável transiente for importante (digamos, se a cor e o modelo da variável transiente Collar forem exclusivos para cada objeto Dog), você terá que salvar os valores-chave do objeto Collar e usá-los quando o objeto Dog for reconstituído para essencialmente recriar um novo objeto Collar que seja idêntico ao original.

P: O que aconteceria se dois objetos da ramificação fossem iguais? Se você tiver dois objetos Cat diferentes no objeto Kennel, mas os dois referenciarem o mesmo objeto Owner. O objeto Owner será salvo duas vezes? Espero que não.

R: Excelente pergunta! O processo de serialização é suficientemente inteligente para saber quando dois objetos da ramificação são iguais. Nesse caso, só um dos objetos é salvo e durante a desserialização, e qualquer referência a esse objeto será restaurada.

---

## Desserialização: restaurando um objeto

A finalidade da serialização de um objeto é podermos restaurá-lo a seu estado original em algum momento posterior, em uma 'execução' diferente da JVM (que pode até não ser a mesma JVM que estava sendo executada no momento em que o objeto foi serializado). A desserialização é muito parecida com a serialização ao contrário.

*serializado*

*desserializado*

**① Crie um `FileInputStream`**
`FileInputStream fileStream = new FileInputStream("MyGame.ser");`

*Se o arquivo MyGame.ser não existir, você capturará uma exceção.*

*Cria um objeto FileInputStream. Esse objeto sabe como se conectar com um arquivo existente.*

**② Crie um `ObjectInputStream`**
`ObjectInputStream os = new ObjectInputStream(fileStream);`

*ObjectInputStream permitirá que você leia objetos, mas não poderá se conectar diretamente com um arquivo. Terá que ser encadeado a um fluxo de conexão, nesse caso um FileInputStream.*

*desserializando objetos*

**3** **leia** os objetos
```
Object one = os.readObject();
Object two = os.readObject();
Object three = os.readObject();
```

**Você capturará o próximo objeto do fluxo a cada método readObject() que tiver. Portanto os lerá na mesma ordem em que foram gravados. Você capturará uma exceção se tentar ler mais objetos do que criou.**

**4** **Converta** os objetos
```
GameCharacter elf = (GameCharacter) one;
GameCharacter troll = (GameCharacter) two;
GameCharacter magician = (GameCharacter) three;
```

*O valor de retorno de readObject() é de tipo Object (como ocorre com ArrayList), portanto você terá que convertê-lo para aquele que sabe ser seu tipo real.*

**5** **Feche** ObjectInputStream
```
os.close();
```

*Fechar o fluxo mais abrangente fechará os de nível mais baixo, portanto FileInputStream (e o arquivo) será fechado automaticamente.*

## O que acontece durante a desserialização?

Quando um objeto é desserializado, a JVM tenta reconstituí-lo criando um novo objeto no acervo que tenha o mesmo estado que o objeto serializado tinha na hora em que foi serializado. Bem, exceto pelas variáveis transientes, que são reconstituídas com nulo (para as referências de objeto) ou com valores primitivos padrão.

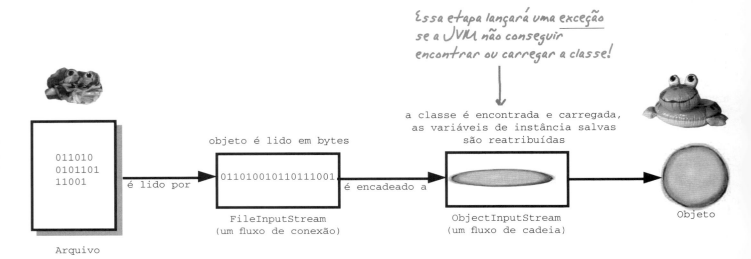

**1** O objeto é **lido** no fluxo.

**2** A JVM determina (através das informações armazenadas com o objeto serializado) o **tipo de classe** do objeto.

**3** A JVM tenta **encontrar e carregar** a **classe** do objeto. Se não conseguir encontrar e/ou carregar a classe, a JVM lançará uma exceção e a desserialização falhará.

**4** Espaço é atribuído para um novo objeto no acervo, mas o **construtor do objeto serializado NÃO é executado!** É claro que, se o construtor fosse executado, ele restauraria o objeto com o seu estado 'novo' original, e não é isso que queremos. Queremos que o objeto seja restaurado ao estado que tinha *quando foi serializado* e não quando foi criado.

**5** Se o objeto tiver uma classe que não possa ser serializada em algum local mais para cima em sua árvore de herança, o **construtor dessa classe sem serialização será executado** junto com qualquer construtor que houver acima dele (mesmo se puderem ser serializados). Quando o encadeamento de construtores começar, você não poderá interrompê-lo, o que significa que todas as superclasses, a partir da primeira que não puder ser serializada, reinicializarão seu estado.

**6** As **variáveis de instância** do objeto **recebem os valores do estado serializado**. As variáveis transientes recebem um valor nulo para referências de objeto e padrões (0, falso, etc.) para tipos primitivos.

312  *capítulo 14*

*serializa&ccedil;&atilde;o* e *E/S de arquivo*

não existem
## Perguntas Idiotas

**P:** **Por que a classe não é salva como parte do objeto? Dessa forma você não teria o problema de saber se a classe pode ser encontrada.**

**R:** Claro, a serialização poderia ter sido criada para funcionar dessa forma. Mas teríamos um desperdício e uma sobrecarga tremendos. E embora isso possa não parecer tão problemático em uma situação onde estivéssemos usando a serialização para gravar objetos no arquivo de uma unidade de disco rígido local, a serialização também é usada para enviar objetos através de uma conexão de rede. Se uma classe fosse empacotada com cada objeto serializado (que pudesse ser enviado), a largura de banda seria um problema muito maior do que já é.

No entanto, para que objetos serializados sejam enviados através de uma rede, na verdade há um mecanismo onde o objeto serializado pode ser 'carimbado' com um URL que demonstre onde sua classe pode ser encontrada. Isso é usado no Remote Method Invocation (RMI) da Java para podermos enviar um objeto serializado como parte, digamos, do argumento de um método, e se a JVM que receber a chamada não tiver a classe, poderá usar o URL para buscá-la na rede e carregá-la, tudo automaticamente. (Falaremos sobre o RMI no Capitulo 17.)

**P:** **E quanto às variáveis estáticas? Elas são serializadas?**

**R:** Não. Lembre-se de que estático significa "uma por classe" e não "uma por objeto". As variáveis estáticas não são salvas, e quando um objeto for desserializado, ele terá qualquer variável estática que sua classe tiver atualmente. Moral da história: não deixe que objetos que possam ser serializados dependam de uma variável estática que seja alterada dinamicamente! Ela pode não ser a mesma quando o objeto for reconstituído.

---

## Salvando e restaurando os personagens do jogo

```java
import java.io.*;

public class GameSaverTest {
    public static void main(String[] args) {
        GameCharacter one = new GameCharacter(50, "Elf", new String[] {"bow", "sword", "dust"});
        GameCharacter two = new GameCharacter(200, "Troll", new String[] {"bare hands", "big ax"});
        GameCharacter three = new GameCharacter(120, "Magician", new String[] {"spells", "invisibility"});
```

**Cria alguns personagens...**

```java
        // imagine um código que faça coisas com os personagens que possam alterar os valores de seu
estado

        try {
            ObjectOutputStream os = new ObjectOutputStream(new FileOutputStream("Game.ser"));
            os.writeObject(one);
            os.writeObject(two);
            os.writeObject(three);
            os.close();
        } catch(IOException ex) {
            ex.printStackTrace();
        }
        one = null;
        two = null;
        three = null;
```

*Configuramos com nulo para não podermos acessar os objetos no acervo.*

poder: 200
type: Troll
armas: mãos, grande machado
**Objeto**

poder: 50
type: Elfo
armas: flecha, espada, pó
**Objeto**

poder: 120
type: Mago
armas: encantamentos, invisibilidade
**Objeto**

```
File Edit Window Help Resuscitate

% java GameSaver

Elf

Troll

Magician
```

```java
        try {
            ObjectInputStream is = new ObjectInputStream(new FileInputStream("Game.ser"));
            GameCharacter oneRestore = (GameCharacter) is.readObject();
            GameCharacter twoRestore = (GameCharacter) is.readObject();
            GameCharacter threeRestore = (GameCharacter) is.readObject();

            System.out.println("One's type: " + oneRestore.getType());
            System.out.println("Two's type: " + twoRestore.getType());
            System.out.println("Three's type: " + threeRestore.getType());
        } catch(Exception ex) {
            ex.printStackTrace();
        }
    }
}
```

*Agora os lê no arquivo...*

*Verifica para saber se funcionou*

*você está aqui ▶* **313**

# exemplo de serialização

## A classe GameCharacter

```java
import java.io.*;

public class GameCharacter implements Serializable {
   int power;
   String type;
   String[] weapons;

   public GameCharacter(int p, String t, String[] w) {
      power = p;
      type = t;
      weapons = w;
   }

   public int getPower() {
      return power;
   }

   public String getType() {
      return type;
   }

   public String getWeapons() {
      String weaponList = "";

      for (int i = 0; i < weapons.length; i++) {
         weaponList += weapons[i] + " ";
      }
      return weaponList;
   }
}
```

**Essa é uma classe básica apenas para testarmos a serialização e, apesar de não temos um jogo real, deixaremos isso para você testar.**

## Serialização de objetos

### PONTOS DE BALA

- Você pode salvar o estado de um objeto serializando esse objeto.

- Para serializar um objeto, você precisará de um ObjectOutputStream (do pacote java.io).

- Os fluxos podem ser de conexão ou de cadeia.

- Os fluxos de conexão podem representar uma conexão estabelecida com uma origem ou destino, normalmente um arquivo, uma conexão de soquete de rede ou o console.

- Os fluxos de cadeia não podem se conectar com uma origem ou destino e devem ser encadeados a um fluxo de conexão (ou outro).

- Para serializar um objeto em um arquivo, crie um FileOutputStream e encadeie-o a um ObjectOutputStream.

- Para serializar um objeto, chame *writeObject(theObject)* em ObjectOutputStream. Você não precisará chamar métodos em FileOutputStream.

- Para ser serializado, um objeto deve implementar a interface Serializable. Se uma superclasse da classe implementar Serializable, automaticamente a subclasse poderá ser serializada, mesmo se não declarar especificamente que *implementa Serializable*.

- Quando um objeto for serializado, toda sua ramificação

## Gravando um objeto String em um arquivo de texto

Salvar objetos, através da serialização, é a maneira mais fácil de salvar e restaurar dados entre as execuções de um programa Java. Mas em algumas situações você terá que salvar dados em um arquivo de texto simples. Suponhamos que seu programa Java tivesse que gravar dados em um arquivo de texto simples que algum outro programa (que pode não ser Java) tivesse que ler. Você poderia, por exemplo, ter um servlet (código Java executado dentro de seu servidor Web) que pegasse dados de formulário que o usuário digitou em um navegador e os gravasse em um arquivo de texto que outra pessoa carregasse em uma planilha para análise.

Gravar dados de texto (uma String, na verdade) é semelhante a gravar um objeto, exceto por gravarmos uma String em vez de um objeto e por usarmos um FileWriter em vez de um FileOutputStream (e você não terá que encadeá-lo a um ObjectOutputStream).

*A aparência que os dados dos personagens teriam se você os gravasse como um arquivo de texto que pudesse ser lido por pessoas.*

```
50,Elf,bow,sword,dust
200,Troll,bare hands, big ax
120,Magician,spells,invisibility
```

também o será. Isso significa que qualquer objeto referenciado pelas variáveis de instância do objeto serializado poderá ser serializado, assim como qualquer objeto referenciado por esse outro objeto... E assim por diante.

- Se algum objeto da ramificação não puder ser serializado, uma exceção será lançada no tempo de execução, a menos que a variável de instância que referencia o objeto seja ignorada.

- Marque uma variável de instância com a palavra-chave *transient* se quiser que a serialização a ignore. Ela será restaurada com nulo (para referências de objeto) ou valores padrão (para tipos primitivos).

- Durante a desserialização, a classe de todos os objetos da ramificação deve estar disponível para a JVM.

- Você lerá os objetos (usando readObject) na ordem em que eles foram originalmente criados.

- O tipo de retorno de readObject() é Object, portanto objetos desserializados devem ser convertidos para seu tipo real.

- As variáveis estáticas não são serializadas! Não tem sentido salvar o valor de uma variável estática como parte do estado de um objeto específico, já que todos os objetos desse tipo compartilharão um único valor - o da classe.

**Para gravar um objeto serializado:**
`objectOutputStream.writeObject(someObject);`

**Para gravar uma String:**
`fileWriter.write("My first 'String to save");`

```java
import java.io.*;

class WriteAFile {
    public static void main (String[] args) {
        try {
            FileWriter writer = new FileWriter("Foo.txt");
            writer.write("hello foo!");
            writer.close();
        } catch(IOException ex) {
            ex.printStackTrace();
        }
    }
}
```

*Precisamos do pacote java.io por causa de FileWriter*

*Se o arquivo Foo.txt não existir, FileWriter o criará.*

*O método write() usa uma String*

*Feche-o quando tiver terminado!*

*TUDO que estiver relacionado à E/S deve ficar em um bloco try/catch. Todas essas instruções poderão lançar uma IOException!!*

## Exemplo de arquivo de texto: cartões pedagógicos eletrônicos

Lembra daqueles cartões pedagógicos que você usava na escola? Aqueles em que havia uma pergunta em um lado e a resposta atrás? Eles não serão de grande ajuda quando você estiver tentando entender algo, mas não há nada melhor para simples exercícios práticos e memorização mecânica. *Quando você tiver que gravar um fato.* E eles também são ótimos em jogos comuns.

## Criaremos uma versão eletrônica que terá três classes:

1) **QuizCardBuilder**, uma ferramenta de autoria simples para a criação e gravação de um conjunto de cartões pedagógicos eletrônicos.

2) **QuickCardPlayer**, um motor de reprodução que pode carregar um conjunto de cartões pedagógicos e reproduzi-los para o usuário.

3) **QuizCard**, uma classe simples representando os dados do cartão. Percorreremos o código das classes criadora e reprodutora e você mesmo criará a classe QuizCard, usando essas informações.

**Antigas fichas pedagógicas 3 x 5**

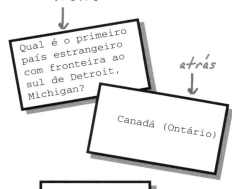

**QuizCardBuilder**
Terá um menu File com uma opção "Save" para a gravação do conjunto de cartões atual em um arquivo de texto.

**QuizCardPlayer**
Terá um menu File com uma opção "Load" que carregará o conjunto de cartões de um arquivo de texto.

*gravando um arquivo de texto*

# Quiz Card Builder (resumo do código)

```java
public class QuizCardBuilder {

    public void go() {
        // constrói e exibe a GUI
    }

    private class NextCardListener implements ActionListener {
        public void actionPerformed(ActionEvent ev) {
            // adiciona o cartão atual à lista e limpa as áreas de texto
        }
    }

    private class SaveMenuListener implements ActionListener {
        public void actionPerformed(ActionEvent ev) {
            // abre a caixa de diálogo de um arquivo
            // permite que o usuário nomeie e salve o conjunto
        }
    }

    private class NewMenuListener implements ActionListener {
        public void actionPerformed(ActionEvent ev) {
            // limpa a lista de cartões e as áreas de texto
        }
    }

    private void saveFile(File file) {
        // itera pela lista de cartões e grava cada um em um arquivo de texto
        // de uma maneira analisável (em outras palavras, com separações claras entre as partes)
    }
}
```

*Constrói e exibe a gui*

*Classe interna*

*Acionado quando o usuário pressionar o botão Next Card; significa que o usuário quer armazenar esse cartão na lista e iniciar um novo cartão.*

*Classe interna*

*Acionado quando o usuário selecionar Save no menu File; significa que o usuário quer salvar todos os cartões da lista atual como um conjunto (por exemplo: Conjunto de Mecânica Quântica, Trivialidades de Hollywood, Regras Java, etc).*

*Classe interna*

*Acionado pela seleção de New, no menu File; significa que o usuário quer iniciar um novo conjunto (portanto, limparemos a lista de cartões e as áreas de texto).*

*Chamado por SaveMenuListener; executa a gravação real do arquivo.*

```java
import java.util.*;
import java.awt.event.*;
import javax.swing.*;
import java.awt.*;
import java.io.*;

public class QuizCardBuilder {

    private JTextArea question;
    private JTextArea answer;
    private ArrayList<QuizCard> cardList;
    private JFrame frame;

    public static void main (String[] args) {
        QuizCardBuilder builder = new QuizCardBuilder();
        builder.go();
    }

    public void go() {
        // constrói a gui

        frame = new JFrame("Quiz Card Builder");
        JPanel mainPanel = new JPanel();
        Font bigFont = new Font("sanserif", Font.BOLD, 24);
        question = new JTextArea(6,20);
        question.setLineWrap(true);
        question.setWrapStyleWord(true);
        question.setFont(bigFont);

        JScrollPane qScroller = new JScrollPane(question);
        qScroller.setVerticalScrollBarPolicy(ScrollPaneConstants.VERTICAL_SCROLLBAR_ALWAYS);
        qScroller.setHorizontalScrollBarPolicy(ScrollPaneConstants.HORIZONTAL_SCROLLBAR_NEVER);

        answer = new JTextArea(6,20);
        answer.setLineWrap(true);
```

*Todo esse código é referente à GUI. Nada de especial, porém você pode querer examinar o código de MenuBar, Menu e MenuItems*

**316** *capítulo 14*

*serialização* e *E/S de arquivo*

```java
        answer.setWrapStyleWord(true);
        answer.setFont(bigFont);

        JScrollPane aScroller = new JScrollPane(answer);
        aScroller.setVerticalScrollBarPolicy(ScrollPaneConstants.VERTICAL_SCROLLBAR_ALWAYS);
        aScroller.setHorizontalScrollBarPolicy(ScrollPaneConstants.HORIZONTAL_SCROLLBAR_NEVER);

        JButton nextButton = new JButton("Next Card");

        cardList = new ArrayList<QuizCard>();

        JLabel qLabel = new JLabel("Question:");
        JLabel aLabel = new JLabel("Answer:");

        mainPanel.add(qLabel);
        mainPanel.add(qScroller);
        mainPanel.add(aLabel);
        mainPanel.add(aScroller);
        mainPanel.add(nextButton);
        nextButton.addActionListener(new NextCardListener());
        JMenuBar menuBar = new JMenuBar();
        JMenu fileMenu = new JMenu("File");
        JMenuItem newMenuItem = new JMenuItem("New");

        JMenuItem saveMenuItem = new JMenuItem("Save");
        newMenuItem.addActionListener(new NewMenuListener());

        saveMenuItem.addActionListener(new SaveMenuListener());
        fileMenu.add(newMenuItem);
        fileMenu.add(saveMenuItem);
        menuBar.add(fileMenu);
        frame.setJMenuBar(menuBar);
        frame.getContentPane().add(BorderLayout.CENTER, mainPanel);
        frame.setSize(500,600);
        frame.setVisible(true);
    }

    public class NextCardListener implements ActionListener {
        public void actionPerformed(ActionEvent ev) {

            QuizCard card = new QuizCard(question.getText(), answer.getText());
            cardList.add(card);
            clearCard();
        }
    }

    public class SaveMenuListener implements ActionListener {
        public void actionPerformed(ActionEvent ev) {
            QuizCard card = new QuizCard(question.getText(), answer.getText());
            cardList.add(card);

            JFileChooser fileSave = new JFileChooser();
            fileSave.showSaveDialog(frame);
            saveFile(fileSave.getSelectedFile());
        }
    }

    public class NewMenuListener implements ActionListener {
        public void actionPerformed(ActionEvent ev) {
            cardList.clear();
            clearCard();
        }
    }

    private void clearCard() {
        question.setText("");
        answer.setText("");
        question.requestFocus();
    }

    private void saveFile(File file) {
        try {
            BufferedWriter writer = new BufferedWriter(new FileWriter(file));
```

*Criamos uma barra de menus e um menu File e, em seguida, inserimos os itens de menu new e save no menu File. Adicionamos o menu à barra de menus e solicitamos à moldura que a use. Os itens de menu podem acionar um ActionEvent.*

*Abre a caixa de diálogo de um arquivo e aguarda nessa linha até o usuário selecionar Save. Toda a navegação pela caixa de diálogo e a seleção de um arquivo, etc., será feita para você por JFileChooser! É realmente muito fácil.*

*O método que executa a gravação real do arquivo (chamado pelo manipulador de eventos de SaveMenuListener). O argumento é o objeto File que o usuário está salvando. Examinaremos a classe File na próxima página.*

*Encadeamos um BufferedWriter a um novo FileWriter para tornar a gravação mais eficiente. (Falaremos sobre isso algumas páginas à frente.)*

você está aqui ▶ **317**

*continuação* do código

```
        for(QuizCard card:cardList) {
          writer.write(card.getQuestion() + "/");
          writer.write(card.getAnswer() + "\n");
        }
        writer.close();

      } catch(IOException ex) {
        System.out.println("couldn't write the cardList out");
        ex.printStackTrace();
      }
    }
  }
```

Percorremos a ArrayList de cartões e os gravamos, um cartão por linha, com a pergunta e a resposta separadas pelo símbolo / e, em seguida, adicionamos um caractere de nova linha (\n).

## A classe java.io.File

A classe java.io.File *representa* um arquivo existente em disco, mas não o *conteúdo* do arquivo. Como assim? Considere o objeto File como algo mais próximo a um *nome de arquivo* (ou até mesmo um *diretório*) em vez de ser o arquivo real propriamente dito. A classe File não tem, por exemplo, métodos de leitura e gravação. Algo MUITO útil com relação a um objeto File é que ele oferece uma maneira muito mais segura de representar um arquivo do que apenas através do uso de um nome de arquivo de tipo String. Por exemplo, a maioria das classes que usa um nome de arquivo de tipo String em seu construtor (como FileWriter ou FileInputStream) pode usar um objeto File em seu lugar. Você pode construir um objeto File, verificar se tem um caminho válido, etc. e fornecer esse objeto a FileWriter ou FileInputStream.

**Um objeto File representa o nome e o caminho de um arquivo ou diretório existente em disco, por exemplo:**

**/Users/Kathy/Data/GameFile.txt**

**Mas NÃO representa ou concede acesso aos dados existentes no arquivo!**

## Algumas coisas que você pode fazer com um objeto File:

(1) **Crie um objeto File que represente um arquivo existente.**
```
File f = new File("MyCode.txt");
```

(2) **Crie um novo diretório.**
```
File dir = new File("Chapter7");
dir.mkdir();
```

Um endereço NÃO é o mesmo que o local propriamente dito! Um objeto File é como um endereço... Ele representa o nome e o local de um arquivo específico, mas não é o arquivo real.

(3) **Liste o conteúdo de um diretório.**
```
if (dir.isDirectory()) {
   String[] dirContents = dir.list();
   for (int i = 0; i < dirContents.length; i++) {
      System.out.println(dirContents[i]);
   }
}
```

**O objeto File representa o nome do arquivo "GameFile.txt"**

**GameFile.txt**

```
50, Elfo, flecha, espada, pó
200, Troll, mãos, grande
machado
120, Mago, encantamentos,
invisibilidade
```

(4) **Capture o caminho absoluto de um arquivo ou diretório.**
```
System.out.println(dir.getAbsolutePath());
```

(5) **Exclua um arquivo ou diretório (retornará verdadeiro se for bem-sucedido).**
```
boolean isDeleted = f.delete();
```

Ele NÃO representa (ou concede acesso direto) os dados existentes no arquivo!

## A beleza dos buffers

Se não houvesse buffers, seria como fazer compras sem um carrinho. Você teria que carregar cada coisa até seu carro, uma lata de sopa ou um rolo de papel higiênico de cada vez.

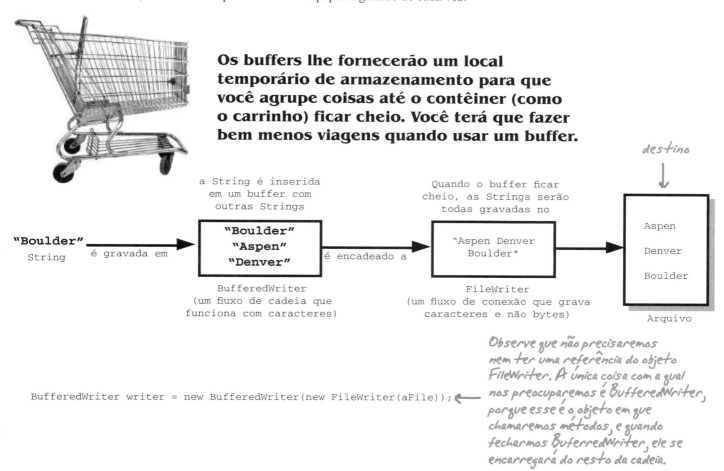

O interessante nos buffers é que eles são *muito* mais eficientes do que o trabalho sem sua utilização. Você pode gravar em um arquivo usando somente FileWriter, ao chamar write(someString), mas FileWriter gravará cada item que for passado para o arquivo sempre que eles forem passados. Isso será uma sobrecarga desnecessária e indesejada, já que cada acesso ao disco é uma tarefa difícil se comparada com a manipulação de dados na memória. Ao encadearmos um BufferedWriter a um FileWriter, BufferedWriter armazenará tudo que você gravar até ficar cheio. *Só quando o buffer ficar cheio é que o objeto FileWriter será realmente solicitado a gravar no arquivo existente em disco.*

Se você quiser enviar os dados *antes* do buffer ficar cheio, estará realmente no controle. *Simplesmente descarregue-os.* As chamadas a writer.flush() dirão "envie tudo que estiver no buffer, **agora**!"

## Lendo um arquivo de texto

Ler texto em um arquivo é simples, mas dessa vez usaremos um objeto File para representar o arquivo, um FileReader para executar realmente a gravação e um BufferedReader para tornar a leitura mais eficiente.

A leitura ocorrerá ao percorrermos as linhas em um loop *while*, terminando o loop quando o resultado do método readLine() for nulo. Esse é o estilo mais comum de leitura de dados (quase tudo que não for um objeto Serialized): ler o conteúdo em um loop while (na verdade o *teste* de um loop while) e terminar quando não houver mais nada a ser lido (o que saberemos, uma vez que o resultado do método de leitura que estivermos usando será nulo).

MyText.txt

*lendo* arquivos

```java
import java.io.*;

class ReadAFile {
    public static void main (String[] args) {

        try {
            File myFile = new File("MyText.txt");
            FileReader fileReader = new FileReader(myFile);

            BufferedReader reader = new BufferedReader(fileReader);



            String line = null;

            while ((line = reader.readLine()) != null) {
                System.out.println(line);
            }
            reader.close();

        } catch(Exception ex) {
            ex.printStackTrace();
        }
    }
}
```

*Não esqueça a importação*

*Um FileReader é um fluxo de conexão para caracteres, que se conecta com um arquivo de texto.*

*Encadeia o FileReader a um BufferedReader para uma leitura mais eficiente. Ele voltará ao arquivo para ler somente quando o buffer estiver vazio (porque o programa já terá lido tudo).*

*Cria uma variável de String para armazenar cada linha quando for lida*

*Essa instrução está dizendo Leia uma linha de texto e atribua-a à variável de String line. Enquanto essa variável não for nula (por HAVER algo a ser lido) exiba a linha que acabou de ser lida. Também há outra maneira de dizer isso, Enquanto ainda houver linhas a serem lidas, leia e exiba-as.*

# Quiz Card Player (resumo do código)

```java
public class QuizCardPlayer {

    public void go() {
        // constrói e exibe a gui
    }

    class NextCardListener implements ActionListener {
        public void actionPerformed(ActionEvent ev) {
            // se essa for uma pergunta, mostre a resposta, caso contrário exiba a próxima pergunta
            // configura um flag que indicará se estamos visualizando uma pergunta ou resposta
        }
    }

    class OpenMenuListener implements ActionListener {
        public void actionPerformed(ActionEvent ev) {
            // abre a caixa de diálogo de um arquivo
            // permite que o usuário navegue e selecione um conjunto de cartões a ser aberto
        }
    }

    private void loadFile(File file) {
        // deve construir um ArrayList de cartões, lendo-os em um arquivo de texto
        // chamado pelo manipulador de eventos de OpenMenuListener, lê o arquivo uma linha de cada vez
        // e solicita ao método makeCard() que crie um novo cartão a partir da linha
        // (uma linha do campo conterá tanto a pergunta quanto a resposta, separadas por um símbolo "/")
    }

    private void makeCard(String lineToParse) {
        // chamado pelo método loadFile, pega uma linha do arquivo de texto,
        // a divide em duas partes — pergunta e resposta — cria um novo QuizCard
        // e o adiciona à ArrayList chamada CardList
    }
}

import java.util.*;
import java.awt.event.*;
import javax.swing.*;
import java.awt.*;
import java.io.*;
```

*serializaçăo e E/S de arquivo*

```java
public class QuizCardPlayer {

    private JTextArea display;
    private JTextArea answer;
    private ArrayList<QuizCard> cardList;
    private QuizCard currentCard;
    private int currentCardIndex;
    private JFrame frame;
    private JButton nextButton;
    private boolean isShowAnswer;


    public static void main (String[] args) {
        QuizCardPlayer reader = new QuizCardPlayer();
        reader.go();
    }

    public void go() {

        // constrói a gui

        frame = new JFrame("Quiz Card Player");
        JPanel mainPanel = new JPanel();
        Font bigFont = new Font("sanserif", Font.BOLD, 24);

        display = new JTextArea(10,20);
        display.setFont(bigFont);

        display.setLineWrap(true);
        display.setEditable(false);

        JScrollPane qScroller = new JScrollPane(display);
        qScroller.setVerticalScrollBarPolicy(ScrollPaneConstants.VERTICAL_SCROLLBAR_ALWAYS);
        qScroller.setHorizontalScrollBarPolicy(ScrollPaneConstants.HORIZONTAL_SCROLLBAR_NEVER);
        nextButton = new JButton("Show Question");
        mainPanel.add(qScroller);
        mainPanel.add(nextButton);
        nextButton.addActionListener(new NextCardListener());

        JMenuBar menuBar = new JMenuBar();
        JMenu fileMenu = new JMenu("File");
        JMenuItem loadMenuItem = new JMenuItem("Load card set");
        loadMenuItem.addActionListener(new OpenMenuListener());
        fileMenu.add(loadMenuItem);
        menuBar.add(fileMenu);
        frame.setJMenuBar(menuBar);
        frame.getContentPane().add(BorderLayout.CENTER, mainPanel);
        frame.setSize(640,500);
        frame.setVisible(true);

    } // fecha go

    public class NextCardListener implements ActionListener {
        public void actionPerformed(ActionEvent ev) {
            if (isShowAnswer) {
                // exibe a resposta porque a pergunta já foi vista
                display.setText(currentCard.getAnswer());
                nextButton.setText("Next Card");
                isShowAnswer = false;
            } else {
                // exibe a próxima pergunta
                if (currentCardIndex < cardList.size()) {

                    showNextCard();

                } else {
                    // não há mais cartões!
                    display.setText("That was last card");
                    nextButton.setEnabled(false);
                }
            }
        }
    }
}
```

**Apenas código de GUI; Nada de especial**

**Verifica o flag booleano isShowAnswer para saber se atualmente está sendo exibida uma pergunta ou uma reposta e faz o que for apropriado dependendo do que for retornado.**

*você está aqui ▶*   **321**

*dividindo strings com split()*

```java
public class OpenMenuListener implements ActionListener {
    public void actionPerformed(ActionEvent ev) {
        JFileChooser fileOpen = new JFileChooser();
        fileOpen.showOpenDialog(frame);
        loadFile(fileOpen.getSelectedFile());
    }
}

private void loadFile(File file) {

    cardList = new ArrayList<QuizCard>();
    try {
        BufferedReader reader = new BufferedReader(new FileReader(file));
        String line = null;
        while ((line = reader.readLine()) != null) {
            makeCard(line);
        }
        reader.close();

    } catch(Exception ex) {
        System.out.println("couldn't read the card file");
        ex.printStackTrace();
    }

    // agora é hora de iniciar exibindo a primeira carta
    showNextCard();
}

private void makeCard(String lineToParse) {
    String[] result = lineToParse.split("/");
    QuizCard card = new QuizCard(result[0], result[1]);
    cardList.add(card);
    System.out.println("made a card");
}

private void showNextCard() {
    currentCard = cardList.get(currentCardIndex);
    currentCardIndex++;
    display.setText(currentCard.getQuestion());
    nextButton.setText("Show Answer");
    isShowAnswer = true;
}
} // fecha class
```

**Abre a caixa de diálogo dos arquivos e permite que o usuário navegue e selecione o arquivo a ser aberto.**

Cria um BufferedReader encadeado a um novo FileReader, fornecendo ao FileReader o objeto File que o usuário selecionou na caixa de diálogo Abrir.
Lê uma linha de cada vez, passando-a para o método makeCard(), que a analisará e converterá realmente em um QuizCard adicionando-o à ArrayList.

Cada linha de texto corresponde a um único cartão pedagógico, mas temos que analisar a pergunta e a resposta como partes separadas. Usamos o método split() de String para dividir a linha em duas fichas (uma para a pergunta e outra para a resposta). Examinaremos o método split() na próxima página.

## Dividindo com o método split( ) da classe String
Suponhamos que você tivesse um cartão pedagógico como este:

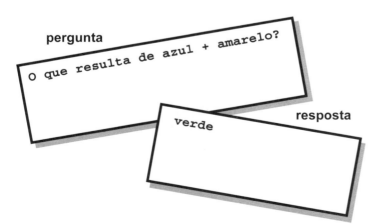

**Salvo em um arquivo de perguntas como esse:**

```
O que resulta de azul + amarelo?/verde
O que resulta de vermelho + azul?/roxo
```

## Como você separaria a pergunta e a resposta?

Quando você ler o arquivo, a pergunta e a resposta estarão agrupadas na mesma linha, separadas pela barra diagonal "/" (porque foi assim que gravamos o arquivo no código de QuizCardBuilder).

## O método split( ) da classe String permitirá que você divida uma String em pedaços.

Usar o método split() é o mesmo que dizer "me dê um separador e dividirei todos os trechos dessa String para você inserindo-os em uma matriz de Strings".

ficha1

separador

ficha2

```
String toTest = "O que resulta de azul + amarelo?/verde";
```

*No aplicativo de QuizCardPlayer, é assim que uma linha aparece quando é lida no arquivo.*

```
String[] result = toTest.split("/");

for (String token:result) {
   System.out.println(token);
}
```

*O método split() pegará a / e a usará para dividir a String em (nesse caso) dois pedaços. (Nota: split() pode ser usado para MUITAS outras coisas além da utilização que demos para ele aqui. Pode executar divisões extremamente complexas com filtros, curingas, etc.)*

*Percorre a matriz e exibe cada ficha (pedaço). Nesse exemplo, há apenas duas fichas: O que resulta de azul + amarelo? e verde.*

## Perguntas Idiotas
não existem

**P: Certo, examinei a API e há cerca de cinco milhões de classes no pacote java.io. Como saber quais usar?**

**R:** A API de E/S usa o conceito de 'encadeamento' modular para que você possa vincular fluxos de conexão e fluxos de cadeia (também chamados de fluxos de 'filtro') em uma grande variedade de combinações para obter praticamente o que quiser.

As cadeias não têm que parar em apenas dois níveis; você pode vincular vários fluxos de cadeia uns aos outros para obter o volume correto de processamento que precisa.

Quase sempre, no entanto, você usará as mesmas classes. Se estiver criando arquivos de texto, provavelmente só vai precisar de BufferedReader e BufferedWriter (encadeados a FileReader e FileWriter). Se estiver criando objetos serializados, poderá usar ObjectOutputStream e ObjectInputStream (encadeados a FileInputStream e FileOutputStream).

Em outras palavras, 90% do que você fará com a E/S Java pode usar o que já abordamos.

**P: E quanto às novas classes nio de E/S adicionadas na versão 1.4?**

**R:** As classes java.nio trazem um grande aumento no desempenho e se beneficiarão mais dos recursos nativos da máquina em que seu programa estiver sendo executado. Um dos novos recursos-chave do pacote nio é que você terá controle direto sobre os buffers. Outro recurso novo é a E/S sem bloqueio, o que significa que seu código de E/S não ficará parado esperando se não houver nada a ser lido ou gravado. Algumas das classes existentes (inclusive FileInputSteam e FileOutputStream) se beneficiam de alguns dos novos recursos, indiretamente. Mas as classes nio são mais complicadas de usar, portanto, a menos que precise realmente dos novos recursos, talvez seja melhor você usar as versões mais simples que empregamos aqui. Além disso, se não tiver cuidado, o pacote nio pode levar a uma perda no desempenho. A E/S sem uso do pacote nio costuma ser adequada para 90% do que fazemos normalmente, principalmente se você for iniciante em Java.

Mas você pode facilitar sua introdução às classes nio, usando FileInputStream e acessando seu canal através do método getChannel() (adicionado a FileInputStream a partir da versão 1.4).

*salvando objetos*

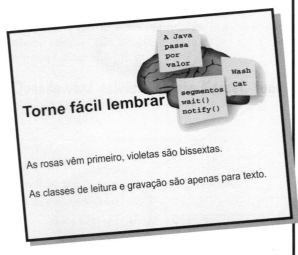

## PONTOS DE BALA

- Para gravar um arquivo de texto, comece com um fluxo de conexão FileWriter.

- Encadeie o FileWriter a um BufferedWriter para obter mais eficiência.

- Um objeto File representa o arquivo de um caminho específico, mas não o seu conteúdo real.

- Com um objeto File você pode criar, percorrer e excluir diretórios.

- A maioria dos fluxos que pode usar um nome de arquivo de tipo String também pode usar um objeto File e pode ser mais seguro empregar esse objeto.

- Para ler um arquivo de texto, comece com um fluxo de conexão FileReader.

- Encadeie o FileReader a um BufferedReader para obter mais eficiência.

- Para analisar um arquivo de texto, você precisa se certificar se ele foi gravado com alguma maneira de reconhecermos os diferentes elementos. Uma abordagem comum é o uso de algum tipo de caractere que separe as partes individuais.

- Use o método split() da classe String para dividir uma String em fichas individuais. Uma String com um separador terá duas fichas, uma em cada lado do separador. *O separador não é considerado uma ficha.*

## Identificação da versão: um grande problema da serialização

Agora você sabe que na verdade a E/S Java é muito simples, principalmente se usarmos as combinações mais comuns de conexão/cadeia. Mas há um problema com o qual você deve *realmente* se preocupar.

## O controle da versão é crucial!

Se você serializar um objeto, precisará da classe para desserializar e usar o objeto. Certo, isso é óbvio. Mas o que talvez não seja tão óbvio é o que acontecerá se você *alterar a classe* nesse ínterim. Imagine tentar reconstituir um objeto Dog quando uma de suas variáveis de instância (não-transiente) tiver sido alterada de um tipo double para uma String. Isso violará enormemente as regras Java de segurança de tipos. Mas essa não é a única alteração que pode atingir a compatibilidade. Pense nos itens a seguir:

### Alterações em uma classe que podem afetar a desserialização:

Excluir uma variável de instância.

Alterar o tipo declarado de uma variável de instância.

Alterar uma variável de instância não-transiente para transiente.

Mover uma classe para cima ou para baixo na hierarquia de herança.

Alterar uma classe (de qualquer local da ramificação do objeto) que pode ser serializada para não-serializada (removendo 'implements Serializable' de uma declaração de classe).

Alterar uma variável de instância para estática.

### Alterações em uma classe que não costumam gerar problemas:

Adicionar novas variáveis de instância à classe (os objetos existentes serão desserializados com valores padrão para as variáveis de instância que eles não tinham quando foram serializados).

Adicionar classes à árvore de herança.

Remover classes da árvore de heranaça.

Alterar o nível de acesso de uma variável de instância não impedirá que a desserialização atribua um valor à variável.

Alterar uma variável de instância de transiente para não-transiente (objetos já serializados simplesmente terão um valor padrão para as variáveis que eram transientes).

*serialização e E/S de arquivo*

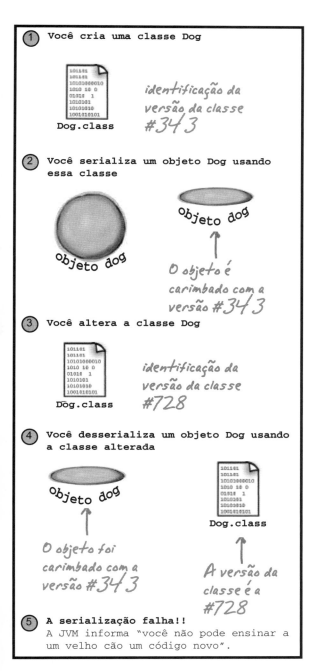

## Usando serialVersionUID

Sempre que é serializado, o objeto (e todos os outros objetos de sua ramificação) é 'carimbado' com um número identificador da versão de sua classe. A identificação é chamada de serialVersionUID e é calculada com base nas informações sobre a estrutura da classe. Quando um objeto está sendo desserializado, se a classe tiver sido alterada desde a serialização, ela poderá ter uma serialVersionUID diferente e a desserialização falhará! Mas você pode controlar isso.

### Se você acha que há ALGUMA possibilidade de sua classe evoluir, insira uma identificação de versão seqüencial nela.

Quando a Java tenta desserializar um objeto, ela compara a serialVersionUID do objeto serializado com a da classe que a JVM está usando para desserializá-lo. Por exemplo, se uma instância de Dog tiver sido serializada com uma identificação igual a, digamos, 23 (na verdade uma serialVersionUID é muito mais longa), quando a JVM desserializar o objeto Dog primeiro ela comparará sua serialVersionUID com a serialVersionUID da classe Dog. Se os dois números não coincidirem, a JVM assumirá que a classe não é compatível com o objeto serializado e você capturará uma exceção durante a desserialização.

Portanto, a solução é inserir uma serialVersionUID em sua classe e, assim, quando a classe evoluir, a serialVersionUID permanecerá a mesma e a JVM pensará "ótimo, a classe é compatível com esse objeto serializado" ainda que na verdade a classe tenha sido alterada.

Isso *só* funcionará se você tiver cuidado com as alterações feitas em sua classe! Em outras palavras, *você* está se responsabilizando por qualquer problema que possa surgir quando um objeto mais antigo for reconstituído com uma classe mais nova.

Para obter uma serialVersionUID para uma classe, use a ferramenta serialver que veio com seu kit de desenvolvimento Java.

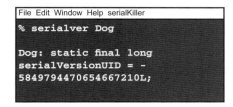

## Quando você achar que sua classe pode evoluir após alguém ter serializado objetos a partir dela...

**(1) Use a ferramenta de linha de comando serialver para obter a identificação de versão de sua classe**

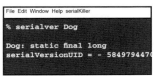

**(2) Cole a saída em sua classe**
```
public class Dog {
    static final long serialVersionUID = -6849794470754667710L;
    private String name;
    private int size;
    // o código do método entra aqui
}
```

**(3) Certifique-se de, quando fizer alterações na classe, se responsabilizar em seu código pelas conseqüências das alterações feitas! Por exemplo, certifique-se de que sua nova classe Dog consiga lidar com um objeto Dog antigo que esteja sendo desserializado com valores padrão para as variáveis de instância adicionadas à classe *depois* que ele foi serializado.**

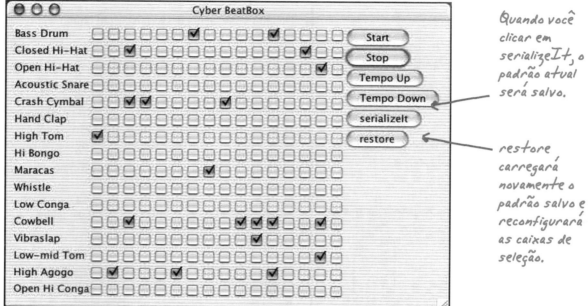

**Façamos a BeatBox salvar e restaurar nossos padrões favoritos**

## Salvando um padrão da BeatBox

Lembre-se, na BeatBox, de que um padrão de bateria nada mais é do que várias caixas de seleção. Quando chegar a hora de reproduzir a seqüência, o código percorrerá as caixas de seleção para saber que sons de bateria devem ser reproduzidos em cada uma das 16 batidas. Portanto, para salvar um padrão, tudo que precisamos fazer é salvar o estado das caixas de seleção.

Podemos criar uma matriz booleana simples, contendo o estado de cada uma das 256 caixas de seleção. Um objeto de matriz pode ser serializado, contanto que os elementos *da* matriz também possam, portanto, não teremos problemas para salvar uma matriz de booleanos.

Para carregar um padrão novamente, leremos (desserializaremos) o objeto de matriz booleana e restauraremos as caixas de seleção. Você já viu grande parte do programa, na receita de código em que construímos a GUI da BeatBox, portanto, neste capítulo, examinaremos somente o código de gravação e restauração.

Essa receita de código nos preparará para o próximo capítulo, onde em vez de gravar o padrão em um *arquivo*, o enviaremos através da *rede* para o servidor. E em vez de carregar um padrão a partir de um arquivo, acessaremos padrões no servidor, sempre que um participante enviar algo para ele.

_serialização_ e _E/S de arquivo_

## Serializando um padrão

**Essa é uma classe interna dentro do código da BeatBox.**

```java
public class MySendListener implements ActionListener {

    public void actionPerformed(ActionEvent a) {

        boolean[] checkboxState = new boolean[256];

        for (int i = 0; i < 256; i++) {

            JCheckBox check = (JCheckBox) checkboxList.get(i);
            if (check.isSelected()) {
                checkboxState[i] = true;
            }
        }

        try {
            FileOutputStream fileStream = new FileOutputStream(new File("Checkbox.ser"));
            ObjectOutputStream os = new ObjectOutputStream(fileStream);
            os.writeObject(checkboxState);
        } catch(Exception ex) {
            ex.printStackTrace();
        }

    } // fecha o método
} // fecha a classe interna
```

_Tudo acontecerá quando o usuário clicar no botão e o ActionEvent for acionado_

_Cria uma matriz booleana para armazenar o estado de cada caixa de seleção_

_Percorre checkboxList (ArrayList de caixas de seleção), captura o estado de cada caixa de seleção e o adiciona à matriz booleana._

**Essa parte é muito fácil. Apenas grava/ serializa a matriz booleana!**

## Restaurando um padrão da BeatBox

É praticamente o processo de salvar ao contrário — ler a matriz booleana e usá-la para restaurar o estado das caixas de seleção da GUI. Tudo acontecerá quando o usuário pressionar o botão "restore".

## Restaurando um padrão

**Essa é outra classe interna dentro da classe BeatBox.**

```java
public class MyReadInListener implements ActionListener {

    public void actionPerformed(ActionEvent a) {
        boolean[] checkboxState = null;
        try {
            FileInputStream fileIn = new FileInputStream(new File("Checkbox.ser"));
            ObjectInputStream is = new ObjectInputStream(fileIn);
            checkboxState = (boolean[]) is.readObject();

        } catch(Exception ex) {ex.printStackTrace();}

        for (int i = 0; i < 256; i++) {
            JCheckBox check = (JCheckBox) checkboxList.get(i);
            if (checkboxState[i]) {
                check.setSelected(true);
            } else {
                check.setSelected(false);
            }
        }

        sequencer.stop();
        buildTrackAndStart();

    } // fecha o método
} // fecha a classe interna
```

_Lê o único objeto do arquivo (a matriz booleana) e o converte novamente em uma matriz booleana [lembre-se de que readObject() retorna uma referência de tipo <u>Object</u>]._

_Agora restaurará o estado de cada caixa de seleção da ArrayList de objetos JCheckBox (checkboxList)._

_Agora interromperá o que estiver sendo reproduzido e reconstruirá a seqüência usando o novo estado das caixas de seleção da ArrayList._

### ✎ Aponte seu lápis

Essa versão tem uma grande limitação! Quando você pressionar o botão "serializeIt", ele serializará automaticamente, em um arquivo chamado "Chechbox.ser" (que será criado se não existir). Mas sempre que você salvar, substituirá o arquivo salvo anteriormente.

Aperfeiçoe o recurso de salvar e restaurar, incorporando um JFileChooser para que você possa nomear e salvar quantos padrões diferentes quiser e carregar/restaurar a partir de _qualquer_ um dos arquivos de padrão salvos anteriormente.

_você está aqui ▶_   **327**

## Aponte seu lápis

### Eles podem ser salvos?

Quais desses itens você acha que podem, ou devem, ser serializados? Se não puderem, por quê? Não são relevantes? Geram risco à segurança? Só funcionarão na execução atual da JVM? Faça o melhor que puder, sem procurar na API.

| Tipo de objeto | Pode ser serializado? | Se não puder, por quê? |
|---|---|---|
| Object | Sim / Não | _____ |
| String | Sim / Não | _____ |
| File | Sim / Não | _____ |
| Date | Sim / Não | _____ |
| OutputStream | Sim / Não | _____ |
| JFrame | Sim / Não | _____ |
| Integer | Sim / Não | _____ |
| System | Sim / Não | _____ |

## Qual é válido?

Circule os fragmentos de código que seriam compilados (presumindo que estejam dentro de uma classe válida).

```
FileReader fileReader = new FileReader();
BufferedReader reader = new BufferedReader(fileReader);
```

```
FileOutputStream f = new FileOutputStream(new File("Foo.ser"));
ObjectOutputStream os = new ObjectOutputStream(f);
```

```
BufferedReader reader = new BufferedReader(new FileReader(file));
String line = null;
while ((line = reader.readLine()) != null) {
   makeCard(line);
}
```

```
ObjectInputStream is = new ObjectInputStream(new
FileOutputStream("Game.ser"));
GameCharacter oneAgain = (GameCharacter) is.readObject();
```

# serialização e E/S de arquivo

Este capítulo explorou o maravilhoso mundo da E/S Java. Sua tarefa é definir se cada uma das declarações a seguir sobre a E/S é verdadeira ou falsa.

## Exercício

## Verdadeiro ou falso

1. A serialização é apropriada na gravação de dados que serão usados por programas não escritos em Java.
2. O estado do objeto pode ser salvo somente com o uso da serialização.
3. ObjectOutputStream é uma classe usada para salvar objetos serializados.
4. Os fluxos de cadeia podem ser usados isoladamente ou com fluxos de conexão.
5. Uma única chamada a writeObject() pode fazer com que muitos objetos sejam salvos.
6. Por padrão todas as classes podem ser serializadas.
7. O modificador transient permitirá que você faça com que variáveis de instância possam ser serializadas.
8. Se uma superclasse não puder ser serializada, a subclasse também não poderá.
9. Quando os objetos são desserializados, eles são lidos na ordem do tipo último a entrar, primeiro a sair.
10. Quando um objeto é desserializado, seu construtor não é executado.
11. Tanto a serialização quanto a gravação em um arquivo de texto podem lançar exceções.
12. BufferedWriters podem ser encadeados a FileWriters.
13. Os objetos File representam arquivos, mas não diretórios.
14. Você não pode forçar um buffer a enviar seus dados antes de ele ficar cheio.
15. Tanto os objetos que lêem arquivos quanto os que gravam podem ser armazenados em buffer.
16. O método split() da classe String inclui separadores como fichas na matriz de resultados.
17. *Qualquer* alteração em uma classe prejudicará objetos já serializados dessa classe.

## solução dos exercícios

# Ímãs de Geladeira

Esse é complicado, portanto o promovemos de Exercício para o status pleno de Quebra-Cabeça. Reorganize os trechos de código para criar um programa Java funcional que produza a saída listada abaixo. (Talvez você não precise de todos os ímãs, e poderá reutilizar um ímã mais de uma vez.)

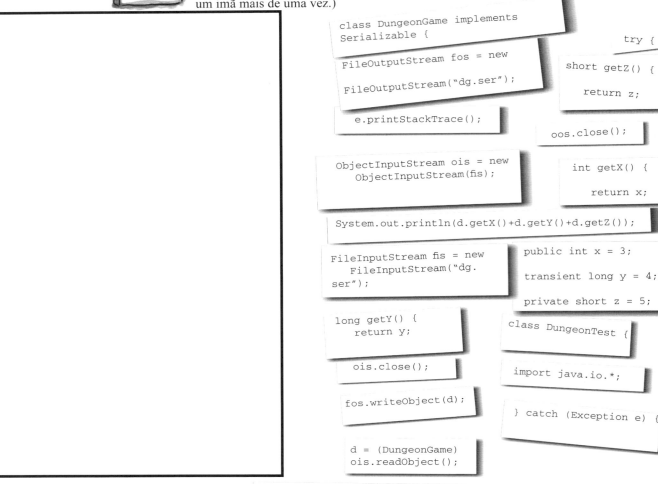

```
% java DungeonTest
12
8
```

*serialização e E/S de arquivo*

## Solução dos Exercícios

1. A serialização é apropriada na gravação de dados que serão usados por programas não escritos em Java. **Falso**

2. O estado do objeto pode ser salvo somente com o uso da serialização. **Falso**

3. ObjectOutputStream é uma classe usada para salvar objetos serializados. **Verdadeiro**

4. Os fluxos de cadeia podem ser usados isoladamente ou com fluxos de conexão. **Falso**

5. Uma única chamada a writeObject() pode fazer com que muitos objetos sejam salvos. **Verdadeiro**

6. Por padrão todas as classes podem ser serializadas. **Falso**

7. O modificador transient permitirá que você faça com que variáveis de instância possam ser serializadas. **Falso**

8. Se uma superclasse não puder ser serializada, a subclasse também não poderá. **Falso**

9. Quando os objetos são desserializados, eles são lidos na ordem do tipo último a entrar, primeiro a sair. **Falso**

10. Quando um objeto é desserializado, seu construtor não é executado. **Verdadeiro**

11. Tanto a serialização quanto a gravação em um arquivo de texto podem lançar exceções. **Verdadeiro**

12. BufferedWriters podem ser encadeados a FileWriters. **Verdadeiro**

13. Os objetos File representam arquivos, mas não diretórios. **Falso**

14. Você não pode forçar um buffer a enviar seus dados antes de ele ficar cheio. **Falso**

15. Tanto os objetos que lêem arquivos quanto os que gravam podem ser armazenados em buffer. **Verdadeiro**

16. O método split() da classe String inclui separadores como fichas na matriz de resultados. **Falso**

17. *Qualquer* alteração em uma classe prejudicará objetos já serializados dessa classe. **Falso**

*você está aqui* ▶  331

## solução dos exercícios

> Ainda bem que chegamos às respostas. Já estava ficando cansado deste capítulo.

```
% java DungeonTest
12
8
```

```java
import java.io.*;

class DungeonGame implements Serializable {
   public int x = 3;
   transient long y = 4;
   private short z = 5;
   int getX() {
      return x;
   }
   long getY() {
      return y;
   }
   short getZ() {
      return z;
   }
}

class DungeonTest {
   public static void main(String [] args) {
      DungeonGame d = new DungeonGame();
      System.out.println(d.getX() + d.getY() + d.getZ());
      try {
         FileOutputStream fos = new FileOutputStream("dg.ser");
         ObjectOutputStream oos = new ObjectOutputStream(fos);
         oos.writeObject(d);
         oos.close();
         FileInputStream fis = new FileInputStream("dg.ser");
         ObjectInputStream ois = new ObjectInputStream(fis);
         d = (DungeonGame) ois.readObject();
         ois.close();
      } catch (Exception e) {
         e.printStackTrace();
      }
      System.out.println(d.getX() + d.getY() + d.getZ());
   }
}
```

# 15 rede e segmentos

# Crie uma Conexão

**Conecte-se com o ambiente externo.** Seu programa Java pode se conectar com um programa de outra máquina. É fácil. Todos os detalhes de nível inferior de rede são definidos pelas classes da biblioteca java.net. Um dos maiores benefícios do Java é que enviar e receber dados através de uma rede é realmente apenas E/S com um fluxo de conexão um pouco diferente no final da cadeia. Se você tiver um BufferedReader, poderá ler. Mas o BufferedReader será menos importante se os dados forem provenientes de um arquivo ou enviados em um cabo de ethernet. Neste capítulo nos conectaremos com o ambiente externo através de soquetes. Criaremos soquetes de cliente. Criaremos soquetes de servidor. Criaremos clientes e servidores. E os faremos se comunicar. Antes do fim do capítulo, você terá um cliente de bate-papo totalmente funcional com vários segmentos. Dissemos com vários segmentos? Sim, agora você aprenderá o segredo de como conversar com Bob e escutar Suzy ao mesmo tempo.

*bate-papo* na beat box

# Bate-papo em tempo real na Beat Box

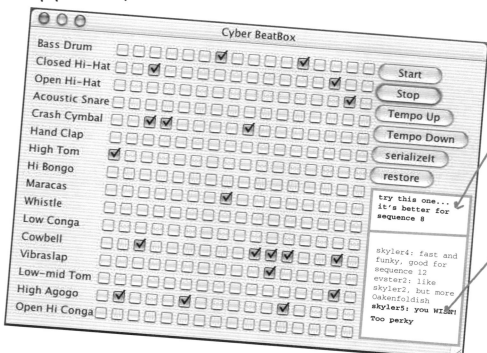

Você está trabalhando em um jogo de computador. Você e sua equipe estão criando o projeto de som de cada parte do jogo. Usando uma versão de 'bate-papo' da Beat Box, sua equipe poderá colaborar — você poderá enviar um padrão de batida junto com sua mensagem e todos os participantes do bate-papo na Beat Box a receberão. Portanto, você não estará apenas *lendo* as mensagens de outros participantes, poderá carregar e *reproduzir* um padrão de batida simplesmente clicando na mensagem existente na área de mensagens recebidas.

Neste capítulo aprenderemos o que é necessário à criação de um cliente de bate-papo como esse. Aprenderemos até mesmo um pouco sobre a criação de um *servidor* de bate-papo. Deixaremos o Bate-Papo da Beat Box para a Receita de Código, mas neste capítulo você *criará* um cliente de bate-papo muito simples e um servidor de bate-papo também simples que enviarão e receberão mensagens de texto.

# Visão geral do programa de bate-papo

**O cliente tem que saber da existência do servidor.**

**O servidor tem que saber informações sobre TODOS os clientes.**

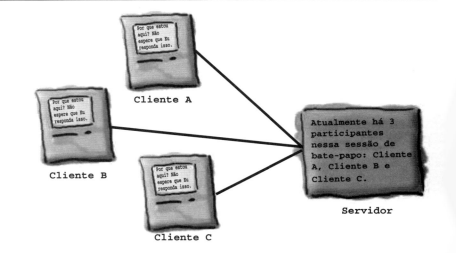

334 *capítulo 15*

## Como funciona:

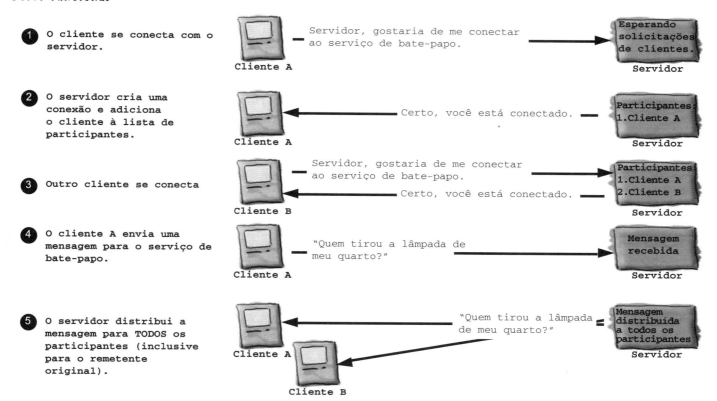

① O cliente se conecta com o servidor.

② O servidor cria uma conexão e adiciona o cliente à lista de participantes.

③ Outro cliente se conecta

④ O cliente A envia uma mensagem para o serviço de bate-papo.

⑤ O servidor distribui a mensagem para TODOS os participantes (inclusive para o remetente original).

## Conectando-se, enviando e recebendo

As três coisas que temos que aprender para fazer o cliente funcionar são:

1) Como estabelecer a **conexão** inicial entre o cliente e o servidor.

2) Como **enviar** mensagens *para* o servidor.

3) Como **receber** mensagens *do* servidor.

Há muitas operações de baixo nível que têm que ocorrer para essas coisas funcionarem. Mas estamos com sorte, porque o pacote de rede da API Java (java.net) torna isso tudo muito fácil para os programadores. Você verá muito mais código de GUI que de rede e E/S.

E isso não é tudo.

Participar do cliente simples de bate-papo é um problema que ainda não enfrentamos neste livro: fazer duas coisas ao mesmo tempo. Estabelecer uma conexão é uma operação que só ocorre uma vez (funciona ou falha). Mas depois disso, um participante do bate-papo pode querer *enviar mensagens* e **simultaneamente** recebê-las dos outros participantes (através do servidor). Hmmmm... Isso vai ser um pouco complicado, mas chegaremos lá em apenas algumas páginas.

① **Conecte-se.**
O cliente se conecta com o servidor estabelecendo uma conexão de **soquete**.

② **Envie.**
O cliente **envia** uma mensagem para o servidor.

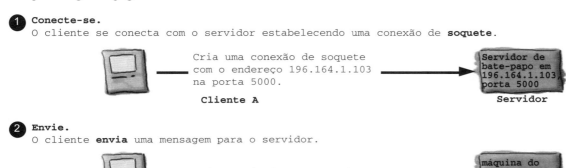

*conexões* de soquete

**3** **Receba.**
O cliente **recebe** uma mensagem do servidor.

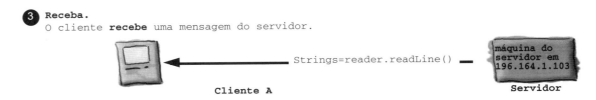

## Crie uma conexão de rede através de soquete

Para se conectar com outra máquina, precisamos de uma conexão de soquete. Um soquete (classe java.net.Socket) é um objeto que representa uma conexão de rede entre duas máquinas. O que é uma conexão? Um *relacionamento* entre duas máquinas, onde **dois sistemas sabem da existência um do outro.** O mais importante é que esses dois sistemas sabem como se *comunicar* entre si. Em outras palavras, como enviar *bits* um para o outro.

Não nos preocuparemos com detalhes de nível inferior, porque eles são manipulados em um local muito mais abaixo na 'pilha de rede'. Se você não sabe o que é a 'pilha de rede', não se preocupe com isso. É apenas uma maneira de considerar as camadas através das quais as informações (bits) devem viajar para sair de um programa Java sendo executado na JVM de algum sistema operacional, passar por hardware físico (cabos de ethernet, por exemplo) e entrar novamente em alguma outra máquina. *Alguém* tem que se encarregar de todos os detalhes incômodos. Mas não você. Esse alguém é uma combinação de um software específico do sistema operacional e a API de rede Java. A parte com a qual você terá que se preocupar é de nível superior — na verdade *muito* superior — e surpreendentemente simples. Pronto?

> **Para criar uma conexão de soquete, você precisa saber duas coisas sobre o servidor: quem é ele e em que porta está sendo executado.**
>
> **Em outras palavras, o endereço IP e o número da porta TCP.**

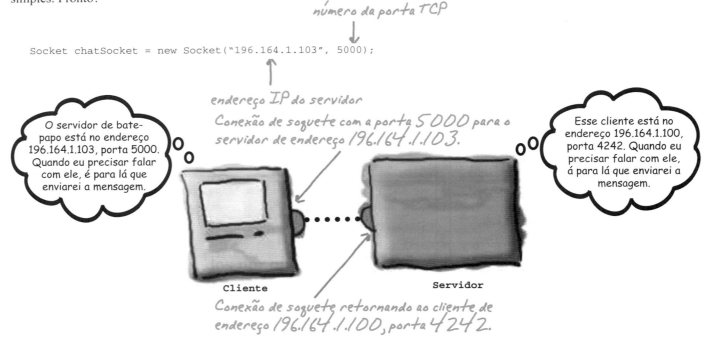

**Uma conexão de soquete significa que as duas máquinas têm informações uma sobre a outra, inclusive o local na rede (endereço IP) e a porta TCP.**

## Uma porta TCP é apenas um número. Um número de 16 bits que identifica um programa específico no servidor.

Seu servidor Web (HTTP) na Internet é executado na porta 80. Isso é um padrão. Se você tem um servidor Telnet, ele está sendo executando na porta 23. FTP? 20. Servidor de correio POP3? 110. SMTP? 25. O servidor de horário se encontra na porta 37. Considere os números de porta como identificadores exclusivos. Eles representam uma conexão lógica com um software específico sendo executado no servidor. É só isso. Não é possível virar o computador para encontrar uma porta TCP. Por uma razão, há 65536 delas em um servidor (0 — 65535). Portanto, é claro que elas não representam um local com o qual dispositivos físicos são conectados. São apenas um número representando um aplicativo.

Sem números de porta, o servidor não teria como saber com que aplicativo um cliente quer se conectar. E já que cada aplicativo pode ter seu próprio protocolo exclusivo, pense no problema que você teria sem esses identificadores. E se seu navegador Web, por exemplo, se conectasse com o servidor de correio POP3 em vez do servidor HTTP? O servidor de correio não saberia como analisar uma solicitação HTTP! E, mesmo que soubesse, o servidor POP3 não sabe nada sobre atender solicitações HTTP.

Quando você escrever um programa de servidor, incluirá um código que informará ao programa em que número de porta quer que ele seja executado (veremos como fazer isso em Java um pouco mais adiante neste capítulo). No programa de bate-papo que estamos criando aqui, selecionamos a porta 5000. Só porque quisemos. E porque ela atendia o critério de ser um número entre 1024 e 65535. Por que 1024? Porque os números de 0 a 1023 estão reservados para os serviços conhecidos, como os que acabamos de citar.

E se você estiver criando serviços (programas de servidor) para serem executados na rede de uma empresa, deve verificar com os administradores de sistemas para saber que portas já estão sendo usadas. Os administradores de sistema podem lhe dizer, por exemplo, que você não pode usar nenhum número de porta abaixo de, digamos, 3000. De qualquer forma, se não quiser se meter em problemas, você não atribuirá números de porta a esmo. A menos que esteja em sua rede *doméstica*. Caso em que só terá que verificar com seus *filhos*.

## Números conhecidos de porta TCP de aplicativos comuns de servidor

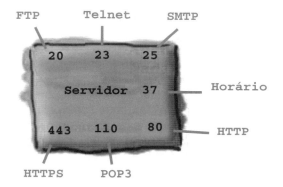

*Um servidor pode ter até 65.536 aplicativos diferentes sendo executados, um em cada porta.*

**Os números de porta TCP de 0 a 1023 estão reservados para serviços conhecidos. Não os use em seus próprios programas de servidor!***

**O servidor de bate-papo que estamos criando usa a porta 5000. Apenas selecionamos um número entre 1024 e 65535.**

*Bem, você *pode* usar um desses números, mas o administrador de sistemas de seu local de trabalho provavelmente não vai gostar.

---

### Perguntas Idiotas (não existem)

**P: Como saber o número da porta do programa de servidor com o qual quero me conectar?**

**R:** Isso vai depender se o programa é um dos serviços conhecidos. Se você estiver tentando se conectar com um serviço conhecido, como os da página acima (HTTP, SMTP, FTP, etc.), poderá procurá-lo na Internet (procurar "porta conhecida" no Google). Ou perguntar ao amigável administrador de sistemas que estiver por perto.

Mas se o programa não for um dos serviços conhecidos, você terá que descobrir quem o implantou. Pergunte a essa pessoa. Normalmente, quando alguém cria um serviço de rede e quer que outras pessoas criem clientes para ele, o autor publica o endereço IP, o número da porta e o protocolo do serviço. Por exemplo, se você quiser criar um cliente para um servidor de jogos GO, poderá visitar um dos sites do servidor GO e procurar informações sobre como criar um cliente para esse servidor específico.

*O endereço IP é o shopping*

*O número da porta é a loja específica do shopping.*

**O endereço IP é como especificar um shopping específico, digamos, "Flatirons Marketplace".**

**O número da porta é como nomear uma loja específica, digamos, "Bob's CD Shop".**

*lendo em um soquete*

P: **Pode haver mais de um programa sendo executado em uma única porta? Em outras palavras, dois aplicativos no mesmo servidor podem ter o mesmo número de porta?**

R: Não! Se você tentar vincular um programa a uma porta que já esteja em uso, verá uma exceção BindException. Vincular um programa a uma porta significa apenas iniciar um aplicativo de servidor e informar a ele que seja executado em uma porta específica. Novamente, você aprenderá mais sobre isso quando chegarmos à parte deste capítulo referente ao servidor.

### Exercitando o cérebro

Certo, você tem uma conexão de soquete. O cliente e o servidor sabem o endereço IP e o número da porta TCP um do outro. E agora? Como se comunicar através dessa conexão? Em outras palavras, como transferir bits de um para o outro? Imagine os tipos de mensagens que seu cliente de bate-papo terá que enviar e receber.

*Como esses dois conversam realmente entre si?*

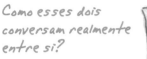
Cliente

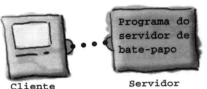
Programa do servidor de bate-papo
Servidor

## Para ler dados em um soquete, use um BufferedReader

Para se comunicar através de uma conexão de soquete, você usará fluxos. Os velhos fluxos de E/S que usamos no último capítulo. Um dos recursos mais avançados em Java é que grande parte de seu trabalho de E/S não se importará com o que seu fluxo de cadeia de alto nível estará conectado. Em outras palavras, você pode usar um BufferedReader como fez quando estava gravando em um arquivo, a diferença é que o fluxo de conexão subjacente estará conectado a um objeto *Socket* em vez de um objeto *File*!

*Fluxos de entrada e saída sendo enviados e recebidos em conexões de soquete.*

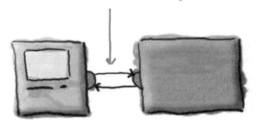

**① Crie uma conexão de <u>soquete</u> com o servidor.**

```
Socket chatSocket = new Socket("127.0.0.1", 5000);
```

*O número da porta, que você conhece porque lhe DISSEMOS que 5000 é o número da porta de nosso servidor de bate-papo.*

*127.0.0.1 é o endereço IP de localhost, em outras palavras, o endereço em que esse código está sendo executado. Você pode usá-lo quando estiver testando seu cliente e servidor na mesma máquina autônoma.*

**② Crie um <u>InputStreamReader</u> encadeado ao fluxo de entrada de nível inferior (conexão) do soquete.**

```
InputStreamReader stream = new InputStreamReader(chatSocket.getInputStream());
```

*InputStreamReader é uma ponte entre um fluxo de bytes de nível inferior (como o recebido do soquete) e um fluxo de caracteres de nível superior (como o BufferedReader que estamos procurando para ser nosso fluxo de início de cadeia).*

*Tudo que precisamos fazer é PEDIR ao soquete um fluxo de entrada! Trata-se de um fluxo de conexão de nível inferior, mas nós o encadearemos a algo mais baseado em texto.*

**③ Crie um <u>BufferedReader</u> e leia!**

```
BufferedReader reader = new BufferedReader(stream);
String message = reader.readLine();
```

*Encadeia o BufferedReader a InputStreamReader (que estava encadeado ao fluxo de conexão de nível inferior que recebemos do soquete).*

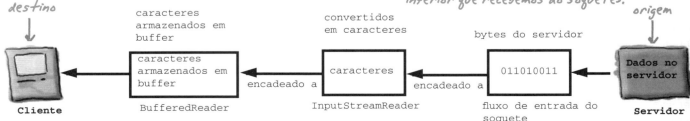

## Para gravar dados em um soquete, use PrintWriter

Não usamos PrintWriter no último capítulo, usamos BufferedWriter. Podemos optar aqui, mas quando você estiver gravando uma String de cada vez, PrintWriter será a alternativa padrão. E você reconhecerá os dois métodos-chave de PrintWriter, print() e println()! Iguais aos do velho Sistem.out.

**Crie uma conexão de soquete com o servidor.**
```
Socket chatSocket = new Socket("127.0.0.1", 5000);
```
*Esta parte é igual a da página ao lado — para gravar no servidor, primeiro temos que nos conectar com ele.*

**Crie um PrintWriter encadeado ao fluxo de saída de nível inferior (conexão) do soquete.**
```
PrintWriter writer = new PrintWriter(chatSocket.getOutputStream());
```

*PrintWriter age como sua própria ponte entre os dados de caracteres e os bytes recebidos do fluxo de saída de nível inferior do soquete. Encadeando um objeto PrintWriter ao fluxo de saída do soquete, poderemos gravar Strings na conexão de soquete.*

*O soquete nos fornecerá um fluxo de conexão de nível inferior que encadearemos ao objeto PrintWriter fornecendo-o ao construtor de PrintWriter.*

**Grave (exiba) algo.**
```
writer.println("message to send");
writer.print("another message");
```
*println() adicionará uma nova linha ao final do que enviar.*
*print() não adicionará a nova linha.*

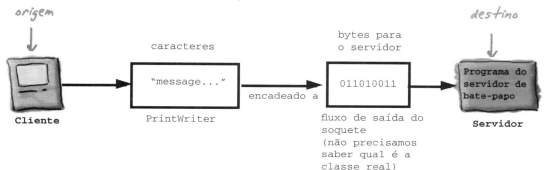

## O DailyAdviceClient

Antes de começarmos a construir o aplicativo de bate-papo, iniciaremos com algo um pouco menor. O Advice Guy é um programa de servidor que oferece dicas práticas e sugestivas que o ajudarão naqueles longos dias de codificação.

Estamos construindo um cliente para o programa Advice Guy, que receberá uma mensagem do servidor sempre que se conectar.

O que está esperando? Quem *sabe* que oportunidades você perdeu sem esse aplicativo?

**Conecte-se.**
O cliente se conecta com o servidor e recebe dele um fluxo de entrada.

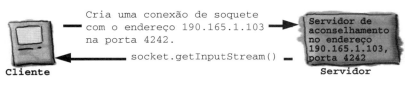

**Leia.**
O cliente lê uma mensagem do servidor.

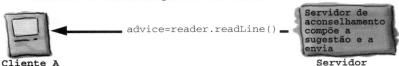

**O conselheiro (Advice Guy)**

*criando um cliente*

## Código de DailyAdviceClient

Esse programa criará um soquete, criará um BufferedReader (com a ajuda de outros fluxos) e lerá uma única linha do aplicativo do servidor (o que quer que estiver sendo executado na porta 4242).

```java
import java.io.*;
import java.net.*;

public class DailyAdviceClient {

    public void go() {
        try {
            Socket s = new Socket("127.0.0.1", 4242);

            InputStreamReader streamReader = new InputStreamReader(s.getInputStream());
            BufferedReader reader = new BufferedReader(streamReader);

            String advice = reader.readLine();
            System.out.println("Today you should: " + advice);

            reader.close();

        } catch(IOException ex) {
            ex.printStackTrace();
        }
    }

    public static void main(String[] args) {
        DailyAdviceClient client = new DailyAdviceClient();
        client.go();
    }
}
```

- `import java.net.*;` → *A classe Socket se encontra no pacote java.net.*
- `try {` → *Muitas coisas podem dar errado aqui.*
- `Socket s = new Socket("127.0.0.1", 4242);` → *Criará uma conexão de soquete com o que quer que estiver sendo executado na porta 4242, no mesmo host em que esse código estiver sendo executado (o host local).*
- `BufferedReader reader = new BufferedReader(streamReader);` → *Encadeia um BufferedReader a um InputStreamReader que é encadeado ao fluxo de entrada proveniente do soquete.*
- `String advice = reader.readLine();` → *Esse método readLine() é EXATAMENTE a mesma coisa que se você estivesse usando um BufferedReader encadeado a um objeto FILE. Em outras palavras, quando você chamar um método de BufferedWriter, o objeto de gravação não saberá ou se importará com o local de onde os caracteres vieram.*

---

### Aponte seu lápis

Teste sua memória no que diz respeito aos fluxos/classes de leitura e gravação em um soquete. Tente não olhar a página ao lado!

Para *ler* em um soquete:

origem

**Cliente** — Escreva/desenhe a cadeia de fluxos que o cliente usa para ler no servidor. — **Servidor**

Para *enviar* texto para um soquete:

destino

**Cliente** — Escreva/desenhe a cadeia de fluxos que o cliente usa para enviar algo para o servidor. — **Servidor**

## Aponte seu lápis
### Preencha as lacunas:

Quais são as duas informações de que o cliente precisa para criar uma conexão de soquete com um servidor?
_____  _____

Que números de porta TCP estão reservados para 'serviços conhecidos' como o HTTP e o FTP?
_____

VERDADEIRO ou FALSO: o intervalo de números de porta TCP válidos pode ser representado por um tipo primitivo curto?
_____

## Criando um servidor simples

Mas o que é necessário para a criação de um aplicativo de servidor? Apenas um par de soquetes. Sim, um par significando *dois*. Um objeto ServerSocket, que aguardará solicitações de clientes (quando um cliente estabelecer uma nova conexão) e um dos velhos objetos Socket a ser usado na comunicação com o cliente.

## Como funciona:

**1** O aplicativo do servidor cria um objeto ServerSocket, em uma porta específica.
ServerSocket serverSock = new ServerSocket(4242);

Isso iniciará a escuta do aplicativo do servidor por solicitações de clientes recebidas na porta 4242.

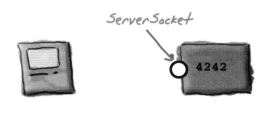

**2** O cliente cria uma conexão de soquete direcionada ao aplicativo do servidor.
Socket sock = new Socket("190.165.1.103", 4242);

O cliente conhece o endereço IP e o número da porta (publicados ou fornecidos para ele por quem tiver configurado o aplicativo do servidor nessa porta).

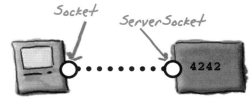

**3** O servidor cria um novo objeto Socket para se comunicar com esse cliente.
Socket sock = serverSock.accept();

O método accept() ficará bloqueado (apenas aguardando) enquanto estiver esperando uma conexão de soquete do cliente. Quando finalmente um cliente tentar se conectar, o método retornará um objeto Socket simples (em uma porta diferente) que saberá como se comunicar com esse cliente (isto é, saberá o endereço IP e o número da porta do cliente). O objeto Socket estará em uma porta diferente de ServerSocket, para que ServerSocket possa voltar a esperar por outros clientes.

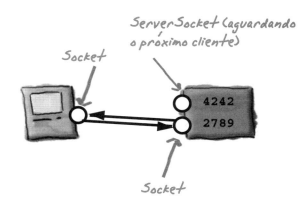

## Código de DailyAdviceServer

Esse programa criará um objeto ServerSocket e aguardará solicitações de cliente. Quando receber uma solicitação (isto é, quando o cliente estabelecer uma nova conexão de soquete direcionada a esse aplicativo), o servidor criará uma nova conexão de soquete com esse cliente. Ele criará um objeto PrintWriter (usando o fluxo de saída de Socket) e enviará uma mensagem para o cliente.

*criando* um servidor

```java
import java.io.*;
import java.net.*;
public class DailyAdviceServer {
```

**Lembre-se das importações.**

*O aconselhamento diário virá dessa matriz. (Lembre-se de que essas Strings foram formatadas pelo editor de código. Nunca pressione enter no meio de uma String!)*

```java
    String[] adviceList = {"Morda pedaços menores", "Use o jeans apertado. Não, ele NÃO faz você parecer gorda.", "Só vou dizer uma palavra: inapropriado", "Pelo menos hoje, seja honesta. Diga a seu chefe o que realmente pensa", "Reconsidere esse corte de cabelo."};

    public void go() {
        try {
            ServerSocket serverSock = new ServerSocket(4242);

            while(true) {
                Socket sock = serverSock.accept();


                PrintWriter writer = new PrintWriter(sock.getOutputStream());
                String advice = getAdvice();
                writer.println(advice);
                writer.close();
                System.out.println(advice);
            }

        } catch(IOException ex) {
            ex.printStackTrace();
        }
    } // fecha go

    private String getAdvice() {
        int random = (int) (Math.random() * adviceList.length);
        return adviceList[random];
    }

    public static void main(String[] args) {
        DailyAdviceServer server = new DailyAdviceServer();
        server.go();
    }
}
```

*ServerSocket fará esse aplicativo de servidor escutar solicitações de cliente na porta 4242 a partir da máquina em que esse código estiver sendo executado.*

*O método accept ficará bloqueado (aguardando) até uma solicitação chegar, momento em que ele retornará um objeto Socket (em alguma porta anônima) para a comunicação com o cliente.*

*Agora usamos a conexão de soquete estabelecida com o cliente para criar um objeto PrintWriter e enviar (println()) para ele uma mensagem de aconselhamento na forma de String. Em seguida, fechamos o soquete, porque terminamos o serviço para esse cliente.*

## Exercitando o cérebro

**Como o servidor sabe como se comunicar com o cliente?**

O cliente sabe o endereço IP e o número da porta do servidor, mas como o servidor consegue criar uma conexão de soquete com o cliente (e criar fluxos de entrada e saída)?

Pense em como / quando / onde o servidor obtém informações sobre o cliente.

não existem
## Perguntas Idiotas

**P:** O código do servidor de aconselhamento nesta página tem uma limitação MUITO grave — parece que ele só consegue lidar com um cliente de cada vez!

**R:** Sim, é verdade. Ele não pode aceitar a solicitação de um cliente até ter terminado com o cliente atual e iniciado a próxima iteração do loop infinito [onde aguardará na chamada de accept() até uma solicitação chegar, momento em que criará uma conexão de soquete com o novo cliente e começará o processo novamente].

**P:** Deixe eu reformular a pergunta: como criar um servidor que consiga lidar com vários clientes simultaneamente??? Isso nunca funcionaria para um servidor de bate-papo, por exemplo.

**R:** Ah, isso é simples. Use segmentos separados e forneça cada novo soquete de cliente a um novo segmento. Está chegando a hora de aprendermos a fazer isso!

## PONTOS DE BALA

- Os aplicativos do cliente e do servidor se comunicam através de uma conexão de soquete.
- Um soquete representa uma conexão entre dois aplicativos que podem (ou não) estar sendo executados em duas máquinas físicas diferentes.
- Um cliente deve saber o endereço IP (ou nome de domínio) e o número da porta TCP do aplicativo do servidor.
- Uma porta TCP é um número de 16 bits sem sinal atribuído a um aplicativo de servidor específico. Os números de porta TCP permitem que diferentes clientes se conectem a mesma máquina, mas se comuniquem com aplicativos distintos sendo executados nessa máquina.
- Os números de porta de 0 a 1023 estão reservados para 'serviços conhecidos' inclusive o HTTP, FTP, SMTP, etc.
- O cliente se conecta com um servidor criando um soquete de servidor

```
Socket s = new Socket("127.0.0.1", 4200);
```

- Uma vez conectado, o cliente poderá receber fluxos de entrada e saída do soquete. Serão fluxos de 'conexão' de nível inferior.

```
sock.getInputStream();
```

- Para ler dados de texto no servidor, crie um BufferedReader, encadeado a um InputStreamReader, que por sua vez será encadeado ao fluxo de entrada do soquete.
- InputStreamReader é um fluxo 'intermediário' que recebe bytes e os converte em dados de texto (caracteres). Ele é usado principalmente para atuar como o elo intermediário entre o objeto BufferedReader de nível superior e o fluxo de entrada do soquete de nível inferior.
- Para gravar dados de texto no servidor, crie um objeto PrintWriter encadeado diretamente ao fluxo de saída do soquete. Chame os métodos print() ou println() para enviar Strings para o servidor.
- Os servidores usam um objeto ServerSocket que aguarda solicitações de clientes em um número de porta específico.
- Quando um objeto ServerSocket recebe uma solicitação, ele a 'aceita' criando uma conexão de soquete com o cliente.

## Criando um cliente de bate-papo

Criaremos o aplicativo do cliente de bate-papo em dois estágios. Primeiro criaremos uma versão somente de saída que enviará mensagens para o servidor, mas não conseguirá ler nenhuma das mensagens de outros participantes (uma alternativa interessante e misteriosa ao conceito de sala de bate-papo).

Em seguida, passaremos para o projeto completo de bate-papo e criaremos uma versão que tanto envie *quanto* receba mensagens.

### Versão um: somente de envio

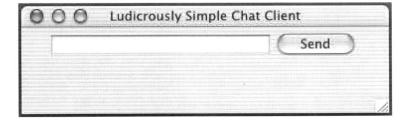

**Digite uma mensagem e, em seguida, pressione 'Send' para enviá-la para o servidor. Não receberemos nenhuma mensagem DO servidor nessa versão, portanto, não há área de rolagem de texto.**

*um cliente de bate-papo **simples***

## Resumo do código

```java
public class SimpleChatClientA {
    JTextField outgoing;
    PrintWriter writer;
    Socket sock;

    public void go() {
        // cria a gui e registra um ouvinte no botão send
        // chama o método setUpNetworking()
    }

    private void setUpNetworking() {
        // cria um objeto Socket e, em seguida, um objeto PrintWriter
        // atribui o objeto PrintWriter à variável de instância writer
    }

    public class SendButtonListener implements ActionListener {
        public void actionPerformed(ActionEvent ev) {
            // captura o texto no campo de texto e
            // o envia para o servidor usando o objeto de gravação (um objeto PrintWriter)
        }
    } // fecha a classe interna SendButtonListener
} // fecha a classe externa
```

```java
import java.io.*;
import java.net.*;
import javax.swing.*;
import java.awt.*;
import java.awt.event.*;

public class SimpleChatClientA {
    JTextField outgoing;
    PrintWriter writer;
    Socket sock;

    public void go() {
        JFrame frame = new JFrame("Ludicrously Simple Chat Client");
        JPanel mainPanel = new JPanel();
        outgoing = new JTextField(20);
        JButton sendButton = new JButton("Send");
        sendButton.addActionListener(new SendButtonListener());
        mainPanel.add(outgoing);
        mainPanel.add(sendButton);
        frame.getContentPane().add(BorderLayout.CENTER, mainPanel);
        setUpNetworking();
        frame.setSize(400,500);
        frame.setVisible(true);
    } // fecha go

    private void setUpNetworking() {
        try {
            sock = new Socket("127.0.0.1", 5000);
            writer = new PrintWriter(sock.getOutputStream());
            System.out.println("networking established");
        } catch(IOException ex) {
            ex.printStackTrace();
        }
    } // fecha setUpNetworking

    public class SendButtonListener implements ActionListener {
        public void actionPerformed(ActionEvent ev) {
            try {
                writer.println(outgoing.getText());
                writer.flush();

            } catch(Exception ex) {
                ex.printStackTrace();
            }
            outgoing.setText("");
            outgoing.requestFocus();
        }
    } // fecha a classe interna SendButtonListener

    public static void main(String[] args) {
        new SimpleChatClientA().go();
    }
} // fecha a classe externa
```

**Importações dos fluxos (java.io), do soquete (java.net) e dos elementos de GUI.**

*Constrói a GUI, nada de novo aqui e nada relacionado à rede ou E/S.*

*Estamos usando o host local, portanto, você pode testar o cliente e o servidor na mesma máquina.*

*É aqui que criaremos o Socket e o PrintWriter (o bloco será chamado pelo método go() imediatamente antes da exibição da GUI do aplicativo).*

*Agora executaremos realmente a gravação. Lembre-se de que a variável writer foi encadeada ao fluxo de entrada a partir do objeto Socket, portanto, sempre que executarmos println(), ela viajará pela rede até o servidor!*

> Se você quiser testar isso agora, digite o código predefinido do servidor de bate-papo listado no final deste capítulo. Primeiro, inicie o servidor em um terminal. Em seguida, use outro terminal para iniciar esse cliente.

**344** *capítulo 15*

## Versão dois: envie e receba

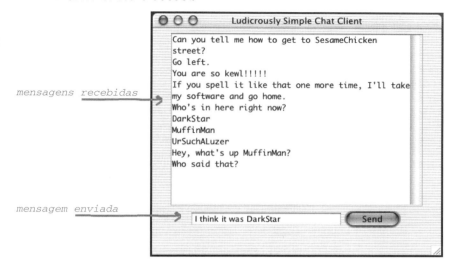

*mensagens recebidas*

*mensagem enviada*

**O servidor enviará uma mensagem para todos os clientes participantes, assim que recebê-la. Quando um cliente enviar uma mensagem, ela não aparecerá na área de exibição de mensagens recebidas até que o servidor a envie para todos.**

## Pergunta importante: COMO você receberá mensagens do servidor?

É fácil; quando configurar a rede, crie também um fluxo de entrada (que pode ser um BufferedReader). Em seguida, leia as mensagens usando readLine().

## Pergunta mais importante ainda: QUANDO você receberá mensagens do servidor?

Pense nisso. Quais são as opções?

① **Opção um: consulte o servidor a cada 20 segundos.**

**Vantagens:** Bem, pode ser feito.
**Desvantagens:** Como o servidor saberá o que você viu e o que não viu? Ele teria que armazenar as mensagens, em vez de apenas distribuir e esquecer sempre que recebesse uma. E por que 20 segundos? Um retardo assim afetaria o desempenho, mas, ao reduzi-lo, você se arriscará a afetar seu servidor sem necessidade. Ineficiente.

② **Opção dois: leia algo no servidor sempre que o usuário enviar uma mensagem.**

**Vantagens:** Pode ser feito e é muito fácil
**Desvantagens:** É uma solução estúpida. Por que escolher um momento tão arbitrário para procurar mensagens? E se um usuário participar como ouvinte e não enviar nada?

③ **Opção três: leia as mensagens assim que forem enviadas pelo servidor**

**Vantagens:** Mais eficiente, melhor desempenho.
**Desvantagens:** Como você fará duas coisas ao mesmo tempo? Onde inseriria esse código? Você precisaria de um loop em algum local que estivesse sempre esperando para fazer leituras no servidor. Mas onde ele entraria? Quando você iniciar a GUI, nada acontecerá até um evento ser acionado por um componente dela.

**Em Java você PODE realmente caminhar e mascar chiclete ao mesmo tempo.**

*os segmentos* e o objeto Thread

## Você já deve saber que ficaremos com a opção três.

Queremos que algo seja executado continuamente, procurando mensagens no servidor, mas *sem prejudicar a possibilidade de o usuário interagir com a GUI!* Portanto, enquanto o usuário estiver alegremente digitando novas mensagens ou rolando as mensagens recebidas, queremos que algo *em segundo plano* continue lendo as novas entradas no servidor.

Isso significa que finalmente precisamos de um segmento. Uma pilha nova separada.

Queremos que tudo que fizemos na versão somente de envio (versão um) funcione da mesma maneira, enquanto um novo *processo* é executado paralelamente lendo informações no servidor e exibindo-as na área de texto recebido.

Bem, não chegará a tanto. A menos que você tenha vários processadores em seu computador, cada novo segmento Java não será realmente um processo separado sendo executado no sistema operacional. Mas a *sensação* é quase a mesma.

## Múltiplos segmentos em Java

O Java tem a segmentação múltipla embutida na própria linguagem. E é fácil criar um novo segmento de execução:

```
Thread t = new Thread();
t.start();
```

É só isso. Ao criar um novo *objeto* Thread, você iniciou um *segmento de execução* separado, com sua própria pilha de chamadas.

### Exceto por um problema.

Na verdade esse segmento não *faz* nada, portanto, "desaparece" praticamente no instante em que nasce. Quando um segmento é eliminado, sua pilha desaparece novamente. Fim da história.

Logo, estamos perdendo um componente-chave — a *tarefa* do segmento. Em outras palavras, precisamos que o código que você quer ter seja executado por um segmento separado.

A segmentação múltipla em Java significa que temos que examinar tanto o *segmento* quanto a *tarefa* que é *executada* por ele. E também teremos que examinar a *classe* Thread do pacote java.lang. (Lembre-se de que java.lang é o pacote que será importado sem declaração, implicitamente, e é onde as classes mais fundamentais para a linguagem residem, inclusive String e System.)

## A Java tem segmentos múltiplos, mas só uma classe Thread

Podemos falar de *thread* (segmento) com 't' minúsculo e **Thread** com 'T' maiúsculo. Quando você encontrar *thread*, estaremos falando sobre um segmento separado de execução. Em outras palavras, uma pilha de chamadas separada. Quando encontrar **Thread**, pense na convenção de nomeação Java. O que começa com letra maiúscula em Java? Classes e interfaces. Nesse caso, **Thread** é uma classe do pacote java.lang. Um objeto **Thread** representa um *segmento de execução*; você criará uma instância da classe **Thread** sempre que quiser iniciar um novo *segmento* de execução.

> Um thread é um 'segmento de execução'. Em outras palavras, uma pilha de chamadas separada.
>
> Um Thread é uma classe Java que representa um segmento.
>
> Para gerar um thread, crie um objeto Thread.

**segmento principal**

**outro segmento iniciado pelo código**

**Thread**

| Thread |
|---|
| void join() |
| void start() |
| static void sleep() |

**classe java.lang.Thread**

Um thread ('t' minúsculo) é um segmento de execução separado. Isso significa uma pilha de chamadas separada. Todo aplicativo Java inicia um segmento principal — o segmento que insere o método main() no final da pilha. A JVM é responsável por iniciar o segmento principal (e outros segmentos, conforme for conveniente para ela, inclusive o segmento de coleta de lixo). Como programador, você pode escrever um código que inicie outros segmentos criados por sua própria conta.

Thread ('T' maiúsculo) é uma classe que representa um segmento de execução. Ela tem métodos para a inicialização de um segmento, a vinculação de um segmento a outro e a suspensão de um segmento. (Há mais métodos; esses são apenas os cruciais que precisaremos usar agora.)

# O que significa ter mais de uma pilha de chamadas?

Com mais de uma pilha de chamadas, você dará a *impressão* de ter várias coisas ocorrendo ao mesmo tempo. Na verdade, só um sistema com vários processadores pode realmente fazer mais de uma coisa ao mesmo tempo, mas com os segmentos Java, podemos dar a *impressão* de que você está fazendo várias coisas simultaneamente. Em outras palavras, a execução pode ir e voltar entre as pilhas tão rapidamente que você achará que todas as pilhas estão sendo executadas ao mesmo tempo. Lembre-se de que a Java é apenas um processo sendo executado em seu sistema operacional subjacente. Portanto, primeiro a *própria* Java tem que ser 'o processo sendo executado atualmente' no sistema operacional. Mas uma vez que a Java estiver sendo executada, *o que* exatamente a JVM *executará?* Quais bytecodes serão executados? Aquele que estiver no topo da pilha sendo executada atualmente! E em 100 milissegundos, o código que estiver sendo executado pode passar para um método *diferente* em uma *outra* pilha.

Uma das coisas que um segmento deve fazer é controlar que instrução está sendo executada atualmente em sua pilha.

O processo é semelhante a esse:

1. **A JVM chama o método main().**
   ```
   public static void main(String[] args) {
   ...
   }
   ```

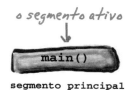

2. **main() inicia um novo segmento. O segmento principal é temporariamente interrompido enquanto o novo segmento começa a ser executado.**
   ```
   Runnable r = new MyThreadJob();
   Thread t = new Thread(r);
   t.start();
   Dog d = new Dog();
   ```
   *Você aprenderá o que isso significa em breve...*

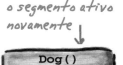

3. **A JVM se alterna entre o novo segmento (segmento A do usuário) e o segmento principal original, até que os dois sejam concluídos.**

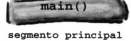
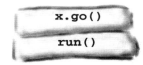

## Como iniciar um novo segmento:

1. **Crie um objeto Runnable (a tarefa do segmento).**
   ```
   Runnable threadJob = new MyRunnable();
   ```

   Runnable é uma interface sobre a qual você aprenderá na próxima página. Você criará uma classe que implemente a interface Runnable e será nessa classe que definirá a tarefa que um segmento executará. Em outras palavras, o método que será executado da nova pilha de chamadas do segmento.

2. **Crie um objeto Thread (o executor) e forneça a ele um objeto Runnable (a tarefa).**
   ```
   Thread myThread = new Thread(threadJob);
   ```

   Passe o novo objeto Runnable para o construtor de Thread. Isso informará ao novo objeto Thread que método deve ser inserido no final da nova pilha - o método run() de Runnable.

3. **Inicie o objeto Thread.**
   ```
   myThread.start();
   ```

   Nada acontecerá até você chamar o método start() de Thread. Só então você deixará de ter apenas uma instância de Thread para ter um novo segmento de execução. Quando o novo segmento for iniciado, pegará o método run() do objeto Runnable e o inserirá no fim de sua pilha.

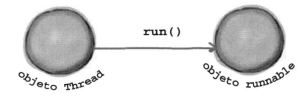

*iniciando um segmento*

# Todo objeto Thread precisa de uma tarefa a ser executada.
# Um método a ser inserido na pilha do novo segmento.

> **Runnable é para um objeto Thread o que uma tarefa é para um trabalhador. Um objeto Runnable é a tarefa que um segmento deve executar.**
>
> **O objeto Runnable contém o método que é inserido no fim da pilha do novo segmento: run( ).**

Um objeto Thread precisa de uma tarefa. Uma tarefa que o segmento executará quando for iniciado. Na verdade essa tarefa será o primeiro método a ser inserido na pilha do novo segmento e deve sempre ser um método semelhante a este:

```
public void run() {
   // código que será executado pelo novo segmento
}
```

*A interface Runnable define somente um método, public void run(). (Lembre-se de que se trata de uma interface, portanto, o método será público independentemente de você digitá-lo dessa forma.)*

Como o segmento sabe que método inserir no fim da pilha? Porque Runnable define um contrato. Porque Runnable é uma interface. A tarefa de um segmento pode ser definida em qualquer classe que implemente a interface Runnable. O segmento só verificará se você passou para o construtor de Thread um objeto de uma classe que implemente Runnable.

Quando você passar um objeto Runnable para o construtor de um objeto Thread, na verdade estará apenas fornecendo à Thread uma maneira de chegar a um método run(). Você estará fornecendo ao objeto Thread a tarefa que ele deve executar.

## Para criar uma tarefa para seu segmento, implemente a interface Runnable

```
public class MyRunnable implements Runnable {

   public void run() {
      go();
   }

   public void go() {
      doMore();
   }

   public void doMore() {
      System.out.println("top o' the stack");
   }
}

class ThreadTester {
   public static void main (String[] args) {

      Runnable threadJob = new MyRunnable();
      Thread myThread = new Thread(threadJob);

      myThread .start();

      System.out.println("back in main");
   }
}
```

*Runnable está no pacote java.lang, portanto, você não precisa importá-la.*

*Runnable tem apenas um método a implementar: public void run() (sem argumentos). É aí que você inserirá a TAREFA que o segmento deve executar. Esse é o método que entrará no final da nova pilha.*

*Passa a nova instância de Runnable para o construtor do novo objeto Thread. Isso informará ao segmento que método inserir no final da nova pilha. Em outras palavras, o primeiro método que o novo segmento executará.*

*Você não obterá um novo segmento de execução até chamar start() na instância de Thread. Um segmento não será realmente um segmento até você iniciá-lo. Antes disso, ele será apenas uma instância de Thread, como qualquer outro objeto, mas não terá nenhuma utilidade real.*

**348** capítulo 15

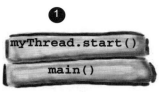

segmento principal

novo segmento

### Exercitando o cérebro

Qual você acha que será a saída se executarmos a classe ThreadTester? (Veremos daqui a algumas páginas.)

## Os três estados de um novo segmento

```
Thread t = new Thread(r);
```

*É aqui que um segmento deseja chegar!*

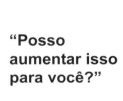

**NOVO** — t.start(); → **EXECUTÁVEL** — Selecionado para execução → **EM EXECUÇÃO**

"Estou esperando ser iniciado".

"Estou pronto para ir!"

"Posso aumentar isso para você?"

`Thread t = new Thread(r);`
Uma instância de Thread foi criada mas não iniciada. Em outras palavras, há um *objeto* Thread, mas nenhum *segmento de execução*.

`t.start();`
Quando você iniciar o segmento, ele passará para o estado executável. Isso significa que o segmento estará pronto para ser processado e continuará aguardando apenas sua chance de ser selecionado para execução. Nesse momento, haverá uma nova pilha de chamadas para esse segmento.

Esse é o estado que todos os segmentos desejam! Ser o Escolhido. O Segmento Sendo Executado Atualmente. Só o agendador de segmentos da JVM pode tomar essa decisão. Às vezes é possível *influenciar* a decisão, mas você não poderá forçar um segmento a passar de executável para em execução. No estado 'em execução', um segmento (e SÓ esse segmento) terá a pilha de chamadas ativa e o método inicial estará sendo executado.

**Porém há mais. Quando o segmento se torna executável, pode se alternar entre executável, em execução e um estado adicional: temporariamente não executável (também conhecido como 'bloqueado').**

*estados* do segmento

## Típico loop executável/em execução

Normalmente, um segmento se alterna entre executável e em execução, quando o agendador de segmentos da JVM seleciona um segmento a ser executado e, em seguida, o retorna ao estado anterior para poder dar a chance a outro segmento.

## Um segmento pode ser definido como temporariamente não-executável

O agendador de segmentos pode passar um segmento em execução para o estado de bloqueado por vários razões. Por exemplo, o segmento pode estar executando um código que lê o fluxo de entrada de um soquete, sem que haja nenhum dado para ser lido. O agendador tirará o segmento do estado 'em execução' até que algo esteja disponível. Ou o código que estiver sendo executado pode ter solicitado ao segmento que entre em suspensão (sleep()). Ou ainda, o segmento pode estar esperando porque tentou chamar um método em um objeto e esse objeto estava 'bloqueado'. Nesse caso, o segmento não poderá continuar até que o bloqueio do objeto seja liberado pelo segmento que o tiver.

Todas essas condições (e outras) farão com que um segmento se torne temporariamente não-executável.

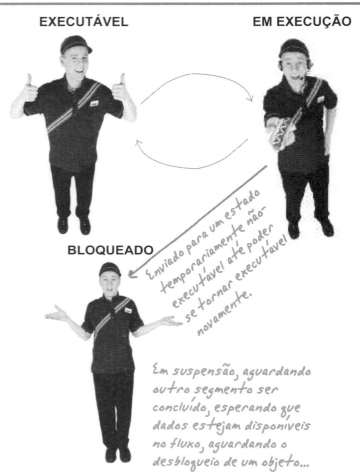

## O agendador de thread

O agendador de segmentos toma todas as decisões sobre quem passará de executável para em execução e quando (sob que circunstâncias) um segmento sairá do estado 'em execução'. O agendador define quem será executado, por quanto tempo e para onde os segmentos irão quando ele decidir tirá-los do estado de atualmente em execução.

Você não pode controlar o agendador. Não há uma API que chame métodos no agendador. O mais importante é que não há garantias no agendamento! (Há algumas *quase*-garantias, mas mesmo essas são um pouco complicadas.)

O importante é isto: ***não baseie a eficácia de seu programa no fato de o agendador funcionar de uma maneira específica!*** As implementações do agendador são diferentes para JVMs distintas e até executar o mesmo programa na mesma máquina pode produzir resultados diferentes. Um dos piores erros que programadores Java iniciantes cometem é testar seu programa de múltiplos segmentos em uma única máquina e presumir que o agendador de segmentos sempre funcionará dessa maneira, independentemente de onde o programa for executado.

*rede e segmentos*

Portanto, o que isso significa para o conceito 'escreva uma vez, execute em qualquer local'? Significa que para você escrever um código Java que não dependa da plataforma, seu programa de vários segmentos deve funcionar independentemente de *como* o agendador de segmentos se comporte. Ou seja, você não pode depender, por exemplo, de o agendador assegurar que todos os segmentos terão chances perfeitamente iguais de entrar no estado 'em execução'. Embora muito improvável atualmente, seu programa pode acabar sendo executado em uma JVM com um agendador que diga "Certo, segmento cinco, você está ativo e, se depender de mim, pode ficar assim até terminar, quando seu método run() for concluído".

O segredo de quase tudo é *a suspensão*. É isso mesmo, *a suspensão*. Colocar um segmento em suspensão, mesmo que seja por alguns milissegundos, forçará o segmento atualmente sendo executado a sair do estado 'em execução', dando assim a outro segmento uma chance de ser executado. O método sleep() dos segmentos oferece *uma* garantia: um segmento em suspensão *não* se tornará o segmento sendo executado atualmente antes que a duração de seu tempo de suspensão tenha acabado. Por exemplo, se você solicitar ao seu segmento que entre em suspensão por dois segundos (2.000 milissegundos), esse segmento nunca poderá se tornar o segmento sendo executado novamente até algum tempo *depois* dos de ois segundos terem passado.

**Número quatro, você já teve tempo suficiente. Volte ao estado executável. Número dois, parece que você está pronto! Oh, agora parece que você vai ter que entrar em suspensão. Número cinco, assuma o lugar dele. Numero dois, você ainda está em suspensão...**

O agendador de segmentos toma todas as decisões sobre quem será executado quem não será. Geralmente faz os segmentos se alternarem satisfatoriamente. Mas isso não é garantido. Ele pode permitir que um segmento seja completamente executado enquanto o outro permanece esperando.

## Um exemplo de como o agendador pode ser imprevisível...

### A execução desse código em uma máquina:

```java
public class MyRunnable implements Runnable {

    public void run() {
        go();
    }

    public void go() {
        doMore();
    }

    public void doMore() {
        System.out.println("top o' the stack");
    }
}

class ThreadTestDrive {

    public static void main (String[] args) {

        Runnable threadJob = new MyRunnable();
        Thread myThread = new Thread(threadJob);

        myThread.start();

        System.out.println("back in main");
    }
}
```

*Observe como a ordem foi alterada aleatoriamente. As vezes o novo segmento termina primeiro e as vezes o segmento principal é quem termina antes.*

### Produziu esta saída:

```
File Edit Window Help PickMe
% java ThreadTestDrive
back in main
top o' the stack
% java ThreadTestDrive
top o' the stack
back in main
% java ThreadTestDrive
top o' the stack
back in main
% java ThreadTestDrive
top o' the stack
back in main
% java ThreadTestDrive
top o' the stack
back in main
% java ThreadTestDrive
top o' the stack
back in main
% java ThreadTestDrive
back in main
top o' the stack
```

*você está aqui* ▶ **351**

## Como acabamos com resultados diferentes?
## Às vezes a execução ocorre assim:

| main() inicia o novo segmento | O agendador envia o segmento principal do estado de execução para o executável, para que o novo segmento possa ser executado. | O agendador permite que o novo segmento seja executado até o final, exibindo "top o' the stack". | O novo segmento é eliminado, porque seu método run() foi concluído. O segmento principal se torna novamente o segmento sendo executado e exibe "back in main". |
|---|---|---|---|
| 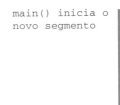 segmento principal |  segmento principal |  novo segmento |  segmento principal |

tempo →

## E às vezes ocorre assim:

| main() inicia o novo segmento | O agendador envia o segmento principal do estado de execução para o executável, para que o novo segmento possa ser executado. | O agendador permite que o novo segmento seja executado durante algum tempo, mas não o suficiente para o método run() ser concluído. | O agendador envia o novo segmento de volta ao estado executável. | Ele seleciona o segmento principal novamente como o segmento em execução. O método main exibe "back in main". | O novo segmento retorna ao estado de execução e exibe "top o' the stack". |
|---|---|---|---|---|---|
|  segmento principal | 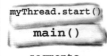 segmento principal |  novo segmento |  novo segmento |  segmento principal |  novo segmento |

tempo →

### Perguntas Idiotas
### não existem

**P:** Vi exemplos que não usam uma implementação de Runnable separada, mas em vez disso apenas criam uma subclasse de Thread e sobrepõem seu método run(). Assim, você chamará o construtor sem argumentos de Thread quando criar o novo segmento:

```
Thread t = new Thread(); // sem Runnable
```

**R:** Sim, essa é outra maneira de criar seu próprio segmento, mas pense nisso sob a perspectiva da OO. Qual é a finalidade da subclasse? Lembre-se de que estamos falando de duas coisas diferentes aqui — o objeto Thread e a tarefa do segmento. Do ponto de vista da OO, essas são duas atividades muito diferentes e pertencem a classes separadas. O único momento em que você vai ter que criar uma subclasse/ estender a classe Thread será se estiver criando um tipo novo e mais específico dela. Em outras palavras, se você considerar o objeto Thread como o executor, não estenderá a classe Thread, a menos que precise de comportamentos executores mais específicos. Mas se tudo que você precisar for uma nova tarefa a ser executada por um objeto Thread/executor, então implemente Runnable em uma classe separada, específica da tarefa (e não específica do executor).

Essa é uma questão relacionada ao projeto e não ao desempenho ou à linguagem. É perfeitamente válido criar uma subclasse de Thread e sobrepor o método run(), mas raramente é uma boa idéia.

P: É possível reutilizar um objeto Thread? Você pode fornecer uma nova tarefa para ele executar e, em seguida, reiniciá-lo chamando start() novamente?

R: Não. Quando o método run() de um segmento for concluído, o segmento nunca poderá ser restaurado. Na verdade, nesse momento o segmento passará para um estado sobre o qual não falamos — *desativado*. No estado desativado, o segmento concluiu seu método run() e nunca poderá ser restaurado. O objeto Thread pode ainda existir no acervo, como um objeto presente em que você poderá chamar outros métodos (se apropriado), mas terá perdido permanentemente sua 'funcionalidade'. Em outras palavras, não haverá mais uma pilha de chamadas separada e o objeto Thread não será mais um segmento, nesse momento, como todos os outros objetos.

Porém, há padrões de projeto para a criação de um pool de segmentos que você poderá continuar usando para executar diferentes tarefas. Mas isso não é feito pela restauração de um segmento desativado.

## Colocando um segmento em suspensão

Uma das melhores maneiras de ajudar seus segmentos a se alternarem é colocá-los em suspensão periodicamente. Tudo de que você precisa fazer é chamar o método estático sleep(), passando para ele a duração da suspensão em milissegundos.

Por exemplo:
`Thread.sleep(2000);`

Tirará um segmento do estado de execução e o manterá fora do estado executável por dois segundos. Ele *não poderá* se tornar o segmento em execução novamente antes que pelo menos dois segundos tenham passado.

Infelizmente, o método sleep lança uma InterruptedException, uma exceção verificada, portanto todas as chamadas a sleep devem ser inseridas em um bloco try/catch (ou declaradas). Logo, na verdade uma chamada a sleep terá esta aparência:

```
try {
  Thread.sleep(2000);
} catch(InterruptedException ex) {
  ex.printStackTrace();
}
```

Provavelmente a suspensão de seu segmento *nunca* será interrompida; a exceção está na API para dar suporte a um mecanismo de comunicação de segmentos que quase ninguém usa no dia-a-dia. Mas você ainda terá que obedecer a regra 'manipule ou declare', portanto terá que se acostumar a inserir suas chamadas a sleep() em um bloco try/catch.

Agora você sabe que seu segmento não ficará ativo *antes* da duração especificada, mas é possível que ele desperte algum tempo *depois* do prazo ter expirado? Sim e não. Não importa, na verdade, porque, quando o segmento despertar, *ele sempre voltará ao estado executável!* Ele não despertará automaticamente na hora designada e se tornará o segmento sendo executado atualmente. Quando um segmento desperta, fica novamente à mercê do agendador de segmentos. No entanto, para aplicativos que não requeiram um timing exato, e que só tenham alguns segmentos, pode parecer que o segmento despertou e retomou a execução naquele momento (digamos, depois de 2000 milissegundos). Mas não aposte seu programa nisso.

### PONTOS DE BALA

- Um thread com 't' minúsculo é um segmento de execução separado em Java.

- Todo segmento em Java tem sua própria pilha de chamadas.

- Um Thread com 'T' maiúsculo é a classe java.lang.Thread. Um objeto Thread representa um segmento de execução.

- Um objeto Thread precisa de uma tarefa a ser executada. A tarefa de Thread será uma instância de algo que implemente a interface Runnable.

- A interface Runnable tem apenas um método, run(). Esse é o método que entrará no fim da nova pilha de chamadas. Em outras palavras, é o primeiro método a ser executado no novo segmento.

- Para iniciar um novo segmento, você precisará de uma interface Runnable para passar para o construtor de Thread.

- Um segmento estará no estado NOVO quando você tiver instanciado um objeto Thread, mas ainda não tiver chamado start().

- Quando você iniciar um segmento [chamando o método start() do objeto Thread], uma nova pilha será criada, com o método run() de Runnable no fim dela. Agora o segmento estará no estado EXECUTÁVEL, aguardando ser selecionado para execução.

- Diz-se que um segmento está EM EXECUÇÃO quando o agendador de segmentos da JVM o selecionou para ser o segmento sendo executado atualmente. Em uma máquina com apenas um processador, só pode haver um segmento sendo executado atualmente.

- Às vezes um segmento pode ser passado do estado de EXECUÇÃO para o estado BLOQUEADO (temporariamente não-executável). Um segmento pode ser bloqueado porque está aguardando dados de um fluxo, entrou em suspensão ou está esperando o desbloqueio de um objeto.

- Não há garantias de que o agendamento de segmentos funcione de uma maneira específica, portanto não há como ter certeza de que os segmentos se alternarão satisfatoriamente. Você pode ajudar a influenciar a alternância colocando seus segmentos em suspensão periodicamente.

> Coloque seu segmento em suspensão se quiser ter certeza de que outros segmentos terão uma chance de ser executados.
>
> Quando o segmento despertar, ele sempre voltará ao estado executável e aguardará o agendador de segmentos selecioná-lo para execução novamente.

*usando* *Thread.sleep()*

## Usando a suspensão para tornar seu programa mais previsível.

Lembra de um exemplo anterior que nos fornecia resultados diferentes sempre que o executávamos? Volte e estude o código e a saída do exemplo. Às vezes main tinha que esperar até o novo segmento terminar (e exibir "top o' the stack"), enquanto em outros momentos o novo segmento era retornado ao estado executável antes de ter terminado, permitindo que o segmento principal voltasse e exibisse "back in main". Como podemos corrigir isso? Pare por um momento e responda essa pergunta: "Onde você pode colocar uma chamada a sleep(), para se certificar que "back in main" sempre seja exibido antes de "top o' the stack"?"

Esperaremos enquanto você pensa em uma reposta (há mais de uma reposta certa).

Descobriu?

*É isso que queremos — uma ordem consistente de instruções de exibição.*

```
File  Edit  Window  Help  PickMe
% java ThreadTestDrive
back in main
top o' the stack
% java ThreadTestDrive
back in main
top o' the stack
% java ThreadTestDrive
back in main
top o' the stack
% java ThreadTestDrive
back in main
top o' the stack
% java ThreadTestDrive
back in main
top o' the stack
```

```java
public class MyRunnable implements Runnable {

   public void run() {
      go();
   }

   public void go() {

      try {
         Thread.sleep(2000);
      } catch(InterruptedException ex) {
         ex.printStackTrace();
      }

      doMore();
   }

   public void doMore() {
      System.out.println("top o' the stack");
   }
}

class ThreadTestDrive {
   public static void main (String[] args) {
      Runnable theJob = new MyRunnable();
      Thread t = new Thread(theJob);
      t.start();
      System.out.println("back in main");
   }
}
```

*Chamar sleep aqui forçará o novo segmento a sair do estado de execução!*

*O segmento principal se tornará novamente o segmento sendo executado atualmente e exibirá back in main. Em seguida, haverá uma pausa (por cerca de dois segundos) antes de chegarmos a essa linha, que chama doMore() e exibe top o the stack*

## Criando e iniciando dois segmentos

Os segmentos têm nomes. Você pode fornecer aos seus segmentos um nome de sua preferência ou aceitar seus nomes padrão. Mas o interessante nos nomes é que você pode usá-los para informar que segmento está sendo executado. O exemplo a seguir inicia dois segmentos. Os dois têm a mesma tarefa: executar um loop, exibindo o nome do segmento sendo executado atualmente a cada iteração.

```java
public class RunThreads implements Runnable {

   public static void main(String[] args) {
      RunThreads runner = new RunThreads();
      Thread alpha = new Thread(runner);
      Thread beta = new Thread(runner);
      alpha.setName("segmento Alfa");
      beta.setName("segmento Beta");
      alpha.start();
      beta.start();
   }
```

*Cria uma instância de Runnable*

*Cria dois segmentos, com a mesma interface Runnable ( a mesma tarefa — falaremos sobre dois segmentos e uma interface Runnable algumas páginas adiante).*

*Nomeia os segmentos.*

*Inicia os segmentos.*

**354** *capítulo 15*

```
    public void run() {
        for (int i = 0; i < 25; i++) {
            String threadName = Thread.currentThread().getName();
            System.out.println(threadName + " está sendo executado");
        }
    }
}
```

**Cada segmento percorrerá esse loop, exibindo seu nome a cada iteração.**

## O que acontecerá?

Os segmentos se revezarão? Você verá os nomes dos segmentos se alternando? Com que freqüência eles se alternarão? A cada iteração? Após cinco iterações?

Você já sabe a resposta: *não sabemos!* Vai depender do agendador. E em seu sistema operacional, com sua JVM específica, em sua CPU, você pode obter resultados muito diferentes.

Se usarmos o OS X 10.2 (Jaguar), com cinco ou menos iterações, o segmento Alfa será executado até o final e, em seguida, o segmento Beta será executado até o fim. Muito consistente. Não há garantias, mas é muito consistente.

Mas quando você aumentar o loop para 25 ou mais iterações, as coisas começarão a oscilar. O segmento Alfa pode não concluir todas as 25 iterações antes do agendador retorná-lo ao estado executável para permitir que o segmento Beta tenha uma chance.

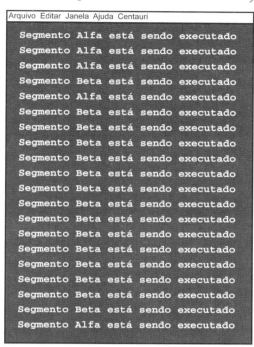

*Parte da saída quando o loop iterar 25 vezes.*

```
Arquivo Editar Janela Ajuda Centauri
Segmento Alfa está sendo executado
Segmento Alfa está sendo executado
Segmento Alfa está sendo executado
Segmento Beta está sendo executado
Segmento Alfa está sendo executado
Segmento Beta está sendo executado
Segmento Beta está sendo executado
Segmento Beta está sendo executado
Segmento Beta está sendo executado
Segmento Beta está sendo executado
Segmento Beta está sendo executado
Segmento Beta está sendo executado
Segmento Beta está sendo executado
Segmento Beta está sendo executado
Segmento Beta está sendo executado
Segmento Beta está sendo executado
Segmento Beta está sendo executado
Segmento Beta está sendo executado
Segmento Beta está sendo executado
Segmento Alfa está sendo executado
```

*Uau! Os segmentos são a melhor coisa desde o MINI Cooper! Não consigo detectar uma única desvantagem no uso de segmentos, e você?*

## Hum, sim. HÁ um lado negativo.

## Os segmentos podem levar a 'problemas' de concorrência.

Os problemas de concorrência levam a condições de disputa. As condições de disputa levam à adulteração de dados. A adulteração de dados leva ao medo... Você conhece o resto.

Tudo se resume a um cenário potencialmente fatal: dois ou mais segmentos tendo acesso aos *dados* de um único objeto. Em outras palavras, métodos sendo executados em duas pilhas diferentes chamando, digamos, métodos de captura ou configuração no mesmo objeto do acervo.

É um problema do tipo "o lado esquerdo não sabe o que o lado direito está fazendo". Dois segmentos, sem qualquer preocupação, tranqüilamente executando seus métodos, cada um pensando que é o Segmento Legítimo. O único que importa. Afinal, quando um segmento não está sendo executado, e se encontra no estado executável (ou bloqueado), está essencialmente inconsciente.

Quando ele se torna novamente o segmento sendo executado, não sabe que em algum momento foi interrompido.

os segmentos *não são maravilhosos?*

# Casamento em perigo.
# Essa casal pode ser salvo?

**A seguir, em um show muito especial do Dr. Steve**

**[Transcrito do show do Dr. Steve]**

Bem-vindos ao show do Dr. Steve!

A história de hoje girará em torno das duas razões principais pelas quais os casais se separam — finanças e sono.

O casal com problemas de hoje, Ryan e Mônica, compartilham a cama e a conta bancária. Mas não por muito tempo se não conseguirmos encontrar uma solução. O problema? A questão clássica "duas pessoas — uma conta bancária".

Veja como Mônica descreveu o problema para mim:

"Ryan e eu concordamos que nenhum dos dois estouraria a conta bancária. Portanto, o procedimento seria que quem quisesse sacar dinheiro *teria* que verificar o saldo da conta *antes* de fazer a retirada. Tudo parecia tão simples. Mas de repente os cheques estavam sendo devolvidos e tínhamos contas pagas com cheques sem fundos!

Não achava que pudesse ocorrer, considerava nosso procedimento seguro. Mas então *isso* aconteceu:

Ryan precisou de 50 dólares, portanto verificou o saldo da conta e viu que era de 100 dólares. Não havia problemas. Logo, ele planejou a retirada do dinheiro. **Mas primeiro dormiu!**

E é aí que *eu* entro, enquanto Ryan ainda estava dormindo quis sacar 100 dólares. Verifiquei o saldo e ele era de 100 dólares (porque Ryan continuava dormindo e não tinha feito seu saque), portanto pensei, sem problemas. Fiz a retirada e novamente não houve problemas. Mas então Ryan acordou, fez *sua* retirada e de repente tínhamos estourado a conta! Ele nem mesmo sabia que tinha caído no sono, portanto, seguiu em frente e concluiu sua transação sem verificar o saldo novamente. "Você tem que nos ajudar Dr. Steve!"

Há uma solução? Eles estão condenados? Não podemos impedir Ryan de dormir, mas podemos nos certificar de que Mônica não consiga manipular a conta bancária antes de ele acordar?

Faça uma pausa e pense nisso enquanto vamos para um intervalo.

*Ryan e Mônica: vítimas do problema duas pessoas, uma conta.*

*Ryan dorme depois de verificar o saldo porém antes de fazer a retirada. Quando ele acordar, fará a retirada imediatamente sem verificar o saldo novamente.*

---

# O problema de Ryan e Mônica, em código

O exemplo a seguir mostra o que pode acontecer quando *dois* segmentos (Ryan e Monica) compartilham um *único* objeto (a conta bancária).

O código tem duas classes, BankAccount e RyanAndMonicaJob. A classe RyanAndMonicaJob implementa Runnable e representa o comportamento que Ryan e Mônica terão — verificar o saldo e fazer retiradas. Mas é claro que cada segmento entrará em suspensão *entre* a verificação do saldo e a execução real da retirada.

A classe RyanAndMonicaJob tem uma variável de instância de tipo BankAccount, que representa sua conta compartilhada.

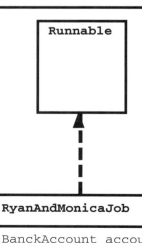

356 capítulo 15

*rede e segmentos*

O código funciona assim:

**(1) Crie uma instância de RyanAndMonicaJob.**
A classe RyanAndMonicaJob será o objeto Runnable (a tarefa a ser executada) e já que tanto Mônica quanto Ryan fazem a mesma coisa (verificam o saldo e sacam o dinheiro), precisamos de apenas uma instância.

```
RyanAndMonicaJob  theJob = new RyanAndMonicaJob();
```

**(2) Crie dois segmentos com o mesmo objeto Runnable.**
(a instância de RyanAndMonicaJob)

```
Thread one = new Thread(theJob);
Thread two = new Thread(theJob);
```

**(3) Nomeie e inicie os segmentos.**

```
one.setName("Ryan");
two.setName("Monica");
one.start();
two.start();
```

**(4) Observe os dois segmentos executarem o método run( ).**
(verificar o saldo e fazer uma retirada)
Um segmento representa Ryan, o outro representa Mônica.
Os dois segmentos verificarão continuamente o saldo e, em seguida, farão uma retirada, mas só se for seguro!

```
if (account.getBalance() >= amount) {
   try {
      Thread.sleep(500);
   } catch(InterruptedException ex) {ex.printStackTrace(); }
}
```

**No método run( ), faça extamente o que Ryan e Monica fariam — verifique o saldo e, se houver dinheiro suficiente, faça a retirada.**

**Isso deve proteger contra o estouro da conta.**

**Exceto... Ryan e Monica sempre dormem <u>depois</u> de verificar o saldo, porém <u>antes</u> de concluir a retirada.**

---

## O exemplo de Ryan e Mônica

```
class BankAccount {
   private int balance = 100;          ← A conta começa com um saldo de 100 dólares.

   public int getBalance() {
      return balance;
   }
   public void withdraw(int amount) {
      balance = balance - amount;
   }
}

public class RyanAndMonicaJob implements Runnable {

   private BankAccount account = new BankAccount();     ←
                                                           Haverá apenas UMA instância de
                                                           RyanAndMonicaJob. Isso significa apenas
                                                           UMA instância da conta bancária. Os dois
                                                           segmentos acessarão essa conta.
   public static void main (String [] args) {
      RyanAndMonicaJob  theJob = new RyanAndMonicaJob();  ← Instancia o objeto Runnable (a tarefa).

      Thread one = new Thread(theJob);     ←
      Thread two = new Thread(theJob);     ←   Cria dois segmentos, fornecendo a cada um a
      one.setName("Ryan");                     mesma tarefa Runnable. Isso significa que os
      two.setName("Monica");                   dois segmentos acessarão a mesma variável de
      one.start();                             instância account da classe Runnable.
      two.start();
   }

   public void run() {
      for (int x = 0; x < 10; x++) {
         makeWithdrawal(10);
         if (account.getBalance() < 0) {
            System.out.println("Estouro!");
         }
      }
   }
}
```

**No método run(), um segmento percorre o loop e tenta fazer uma retirada a cada iteração. Depois da retirada, ele verifica o saldo novamente para ver se a conta foi estourada.**

*você está aqui ▶* **357**

***saída do código*** de Ryan e Monica

```java
    private void makeWithdrawal(int amount) {

        if (account.getBalance() >= amount) {
        System.out.println(Thread.currentThread().getName() + " vai fazer uma retirada");
         try {
            System.out.println(Thread.currentThread().getName() + " vai dormir");
            Thread.sleep(500);
         } catch(InterruptedException ex) {ex.printStackTrace(); }
            System.out.println(Thread.currentThread().getName() + " acordou");
            account.withdraw(amount);
            System.out.println(Thread.currentThread().getName() + " concluiu a retirada");
        }
        else {
            System.out.println("Desculpe, não tem o suficiente para " + Thread.currentThread().getName());
        }
    }
}
```

*Verifica o saldo da conta e se não houver dinheiro suficiente, apenas exibe uma mensagem. Se HOUVER, entraremos em suspensão para em seguida despertar e concluir a retirada, como Ryan fez.*

*Inserimos várias instruções de exibição para podermos saber o que está acontecendo durante a execução.*

```
Arquivo  Editar  Janela  Ajuda  Visa
    Ryan vai fazer uma retirada.
    Ryan vai dormir.
    Mônica acordou.
    Mônica concluiu a retirada!
    Mônica vai fazer uma retirada.
    Mônica vai dormir.
    Ryan acordou.
    Ryan concluiu a retirada!
    Ryan vai fazer uma retirada.
    Ryan vai dormir.
    Mônica acordou.
    Mônica concluiu a retirada!
    Mônica vai fazer uma retirada.
    Mônica vai dormir.
    Ryan acordou.
    Ryan concluiu a retirada!
    Ryan vai fazer uma retirada.
    Ryan vai dormir.
    Mônica acordou.
    Mônica concluiu a retirada!
    Desculpe, não tem o suficiente para Mônica.
    Desculpe, não tem o suficiente para Mônica.
    Desculpe, não tem o suficiente para Mônica.
    Desculpe, não tem o suficiente para Mônica.
    Desculpe, não tem o suficiente para Mônica.
    Ryan acordou.
    Ryan concluiu a retirada!
    Estouro!
    Desculpe, não tem o suficiente para Ryan.
    Estouro!
    Desculpe, não tem o suficiente para Ryan.
    Estouro!
    Desculpe, não tem o suficiente para Ryan.
    Estouro!
```

*Como isso aconteceu?*

## O método makeWithdrawal( ) sempre verificará o saldo antes de fazer uma retirada, mas mesmo assim estouraremos a conta.

### Aqui está um cenário:

Ryan verificou o saldo, viu que há dinheiro suficiente e, em seguida, dormiu.

Enquanto isso, Mônica chegou e verificou o saldo. Ela também viu que havia dinheiro suficiente. Mas não sabia que Ryan ia acordar e concluir a retirada.

Mônica dormiu.

Ryan acordou e concluiu sua retirada.

Mônica acordou e concluiu sua retirada. Problemas à vista! No intervalo entre ela verificar o saldo e fazer a retirada, Ryan acordou e sacou o dinheiro da conta.

### A verificação feita por Mônica na conta não foi válida, porque Ryan já tinha verificado e ainda estava para fazer uma retirada.

Mônica deve ser impedida de acessar a conta até Ryan acordar e concluir sua transação. E vice-versa.

## Eles precisam de um bloqueio de acesso à conta!

### O bloqueio funciona assim:

Haverá um cadeado associado à transação com a conta bancária (verificar o saldo e retirar dinheiro). Teremos apenas uma chave e ela permanecerá com o 'cadeado' até alguém querer acessar a conta.

**A transação de conta bancária ficará desbloqueada quando ninguém estiver usando a conta.**

Quando Ryan quiser acessar a conta bancária (para verificar o saldo e retirar dinheiro), ele fechará o cadeado e colocará a chave em seu bolso. Agora ninguém mais poderá acessar a conta, já que a chave foi levada.

**Quando Ryan quiser acessar a conta, ele fechará o cadeado e levará a chave.**

**Ryan manterá a chave em seu bolso até concluir a transação.** Ele tem a única chave, portanto, Mônica não poderá acessar a conta (ou o talão de cheques) até Ryan desbloqueá-la e devolver a chave.
Agora, mesmo se Ryan dormir depois de verificar o saldo, ele terá uma garantia de que o saldo será o mesmo quando acordar, porque estava com a chave enquanto dormia!

**Quando Ryan tiver terminado, ele abrirá o cadeado e devolverá a chave. Agora a chave está disponível para Mônica (ou Ryan novamente) acessar a conta.**

## Precisamos fazer o método makeWithdrawal( ) ser executado como algo <u>atômico</u>.

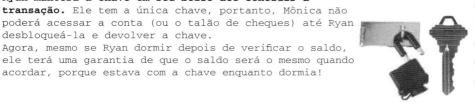

Precisamos nos certificar de que após um segmento entrar no método makeWithdrawal(), *ele consiga concluí-lo* antes que outro segmento possa entrar.

Em outras palavras, precisamos nos certificar de que uma vez que um segmento tenha verificado o saldo da conta, ele tenha a garantia de que poderá despertar e concluir a retirada *antes que qualquer outro segmento possa verificar o saldo!*

Use a palavra-chave **synchronized** para alterar um método de modo que só um segmento de cada vez possa acessá-lo.

É assim que você protegerá a conta bancária! Você não inserirá um bloqueio na própria conta bancária; bloqueará o método que executa a transação. Dessa forma, um segmento poderá concluir a transação inteira, do início ao fim, mesmo se entrar em suspensão no meio do método!

Portanto, se você não está bloqueando a conta bancária, o que exatamente *será* bloqueado? Será o método? O objeto Runnable? O próprio segmento?

Examinaremos isso na próxima página. Em código, no entanto, é bem simples — apenas adicione o modificador synchronized a sua declaração de método:

**A palavra-chave synchronized significa que um segmento precisará de uma chave para acessar o código sincronizado.**

**Para proteger seus dados (como a conta bancária), sincronize os métodos que atuam sobre eles.**

```
private synchronized void makeWithdrawal(int amount) {
   if (account.getBalance() >= amount) {
      System.out.println(Thread.currentThread().getName() + " vai fazer uma retirada");
      try {
         System.out.println(Thread.currentThread().getName() + " vai dormir");
         Thread.sleep(500);
      } catch(InterruptedException ex) {ex.printStackTrace(); }
      System.out.println(Thread.currentThread().getName() + " acordou");
      account.withdraw(amount);
      System.out.println(Thread.currentThread().getName() + " concluiu a retirada");
   } else {
      System.out.println("Desculpe, não tem o suficiente para " + Thread.currentThread().getName());
   }
}
```

*(Nota para vocês leitores conhecedores de física: sim, a convenção do uso da palavra atômico aqui não reflete o conceito das partículas subatômicas. Pense em Newton, e não Einstein, quando ouvir a palavra atômico no contexto de segmentos ou transações. Ei, não foi idéia NOSSA. Se pudéssemos escolher, aplicaríamos o Princípio da Incerteza de Heisenberg para quase tudo que estivesse relacionado a segmentos.)*

*problemas da sincronização*

## Usando o bloqueio de um objeto

Todo objeto tem um cadeado. Quase sempre, o cadeado está aberto e podemos imaginar uma chave virtual perto dele. O bloqueio de objetos entra em cena apenas quando há métodos sincronizados. Quando um objeto tiver um ou mais métodos sincronizados, *o segmento só poderá entrar em um deles se conseguir a chave para desbloquear o objeto!*

Os bloqueios não existem por *método*, e sim por *objeto*. Se um objeto tiver dois métodos sincronizados, isso não significa apenas que você não poderá ter dois segmentos entrando no mesmo método. Significa que você não poderá ter dois segmentos entrando em *nenhum* dos métodos sincronizados.

Pense bem. Se você tiver vários métodos podendo atuar sobre as variáveis de instância de um objeto, todos eles terão que ser protegidos com synchronized.

O objetivo da sincronização é proteger dados críticos. Mas lembre-se de que você não bloqueará os dados propriamente ditos e sim os métodos que *acessam* esses dados.

Portanto, o que acontecerá quando um segmento estiver percorrendo sua pilha de chamadas [começando no método run()] e repentinamente chegar em um método sincronizado? O segmento perceberá que precisa da chave desse objeto antes de poder entrar no método. Ele procurará a chave (isso tudo é manipulado pela JVM; não há uma API em Java para o acesso a objetos bloqueados) e, se ela estiver disponível, o segmento a pegará e entrará no método.

Desse momento em diante, o segmento se agarrará a essa chave como se sua vida dependesse dela. Ele não soltará a chave até concluir o método sincronizado. Portanto, enquanto esse segmento estiver de posse da chave, nenhum outro segmento poderá entrar em *qualquer* dos métodos sincronizados desse objeto, porque sua única chave não estará disponível.

**Todo objeto Java tem um cadeado.**

**Um cadeado tem apenas uma chave.**

**Quase sempre, o cadeado fica destrancado e ninguém se incomoda.**

**Mas se um objeto tiver métodos sincronizados, o segmento SÓ poderá entrar em um deles se a chave do cadeado desse objeto estiver disponível. Em outras palavras, só se outro segmento já não tiver pego a única chave.**

---

## O temível problema da "Atualização Perdida"

Aqui está outro problema clássico da concorrência, proveniente do universo dos bancos de dados. Ele está intimamente ligado à história de Ryan e Mônica e usaremos esse exemplo para ilustrar mais alguns pontos.

A atualização perdida ocorre devido a um processo:

Etapa 1: Obter o saldo da conta.

```
int i = balance;
```

Etapa 2: Adicionar 1 a esse saldo.

```
balance = i + 1;
```

O truque para mostrarmos isso foi forçar o computador a usar duas etapas na conclusão da alteração do saldo. No dia-a-dia, você executaria essa operação específica em uma única instrução:

```
balance++;
```

Mas, ao forçá-lo a ter *duas* etapas, deixaremos claro o problema do processo não–atômico. Portanto, imagine se em vez das etapas comuns "obtenha o saldo e depois adicione 1 ao saldo atual", as duas (ou mais) etapas desse método fossem muito mais complexas e não pudessem ser executadas em uma única instrução.

No problema da "Atualização Perdida", temos dois segmentos, ambos tentando incrementar o saldo.

**Perdemos as últimas atualizações que o segmento A fez!**

**O segmento B tinha feito uma 'leitura' do valor do saldo e, quando despertou, simplesmente deu prosseguimento como se não tivesse perdido nada.**

360 *capítulo 15*

# rede e *segmentos*

```
class TestSync implements Runnable {

   private int balance;

   public void run() {
      for(int i = 0; i < 50; i++) {
         increment();
         System.out.println("balance is " + balance);
      }
   }

   public void increment() {
      int i = balance;
      balance = i + 1;
   }
}
public class TestSyncTest {
   public static void main (String[] args) {
      TestSync job = new TestSync();
      Thread a = new Thread(job);
      Thread b = new Thread(job);
      a.start();
      b.start();
   }
}
```

*Cada segmento é executado 50 vezes, incrementando o saldo a cada iteração.*

*Aqui está a parte crucial! Incrementamos o saldo adicionando 1 a qualquer que fosse seu valor NO MOMENTO EM QUE O LEMOS (em vez de adicionar 1 a qualquer que seja o valor ATUAL).*

## Executemos esse código...

① **O segmento A é executado por algum tempo.**

> Insere o valor do saldo na variável i.
> O saldo é 0, portanto, agora i é 0.
> Configura o valor do saldo com o resultado de i + 1.
> Agora o saldo é 1.
> Insere o valor do saldo na variável i.
> O saldo é 1, portanto, agora i é 1.
> Configura o valor do saldo com o resultado de i + 1.
> Agora o saldo é 2.

② **O segmento B é executado por algum tempo.**

> Insere o valor do saldo na variável i.
> O saldo é 2, portanto, agora i é 2.
> Configura o valor do saldo com o resultado de i + 1.
> Agora o saldo é 3.
> Insere o valor do saldo na variável i.
> O saldo é 3, portanto, agora i é 3.
> [Agora o segmento B será retornado ao estado executável,
> **antes** de configurar o valor do saldo com 4.]

③ **O segmento A é executado novamente, continuando onde parou.**

> Insere o valor do saldo na variável i.
> O saldo é 3, portanto, agora i é 3.
> Configura o valor do saldo com o resultado de i + 1.
> Agora o saldo é 4.
> Insere o valor do saldo na variável i.
> O saldo é 4, portanto, agora i é 4.
> Configura o valor do saldo com o resultado de i + 1.
> Agora o saldo é 5.

④ **O segmento B é executado novamente e continua exatamente onde parou!**

> Configura o valor do saldo com o resultado de i + 1.
> **Agora o saldo é 4.**

### Opa!!

*O segmento A atualizou o saldo para 5, mas agora B voltou e sobrepôs a atualização que A fez, como se ela nunca tivesse ocorrido.*

## Torne o método increment( ) atômico. Sincronize-o!

Sincronizar o método increment() resolverá o problema da "Atualização Perdida", porque isso manterá as duas etapas no método como uma unidade inseparável.

```
public synchronized void increment() {
   int i = balance;
   balance = i + 1;
}
```

**Quando um segmento entrar no método, teremos que nos certificar de que todas as etapas desse método sejam concluídas (como um processo atômico) antes de qualquer outro segmento poder entrar.**

---

### não existem Perguntas Idiotas

**P: Parece que é uma boa idéia sincronizar tudo, apenas para nos protegermos dos segmentos.**

**R:** Não, não é uma boa idéia. A sincronização tem seu preço. Em primeiro lugar, um método sincronizado apresenta uma certa sobrecarga. Em outras palavras, quando um código chega em um método sincronizado, isso afeta o desempenho (embora normalmente não seja notado) enquanto o problema "a chave está disponível?" é resolvido.

Em segundo lugar, um método sincronizado pode retardar seu programa porque a sincronização restringe a concorrência. Em outras palavras, um método sincronizado forçará outros segmentos a entrarem em fila para aguardar sua vez. Isso pode não ser um problema em seu código, mas é preciso considerá-lo.

Em terceiro lugar e o que é mais assustador, os métodos sincronizados podem levar ao impasse! (Consulte a página 359.)

Uma boa regra prática é sincronizar somente o mínimo que precisar ser sincronizado. E na verdade, você pode sincronizar com uma granularidade que seja ainda menor do que um método. Não fizemos isso no livro, mas você pode empregar a palavra-chave synchronized para sincronizar o nível ainda mais granulado de uma ou mais instruções, em vez de no nível do método inteiro.

*doStuff() não precisa ser sincronizado, portanto não sincronizaremos o método inteiro.*

```
public void go() {
   doStuff();

   synchronized(this) {
      criticalStuff();
      moreCriticalStuff();
   }
}
```

*Agora, só essas duas chamadas de método estão agrupadas em uma unidade atômica. Quando você usar a palavra-chave synchronized DENTRO de um método, em vez de na declaração de um método, terá que fornecer um argumento que seja o objeto cuja chave o segmento terá que obter.*

*Embora haja outras maneiras de fazer isso, quase sempre você sincronizará no objeto atual (this). É o mesmo objeto que você bloquearia se o método inteiro fosse sincronizado.*

---

**① O segmento A é executado por algum tempo.**

```
Tenta entrar no método increment().
O método está sincronizado, portanto, captura a chave desse objeto.
Insere o valor do saldo na variável i.
O saldo é 0, portanto, agora i é 0.
Configura o valor do saldo com o resultado de i + 1.
Agora o saldo é 1.
Retorna a chave [ele concluiu o método increment()].
Entra novamente no método increment() e captura a chave.
Insere o valor do saldo na variável i.
O saldo é 1, portanto, agora i é 1.
[Agora o segmento A será retornado para o estado executável, mas já que não concluiu o
método sincronizado, continuará com a chave.]
```

② **O segmento B é selecionado para execução.**

Tenta entrar no método increment(). O método está sincronizado, portanto, precisamos capturar a chave.
**A chave não está disponível.**
*[Agora o segmento B será enviado para o local de espera 'chave do objeto indisponível'.]*

③ **O segmento A é executado novamente, continuando onde parou.**
(Lembre-se de que ele ainda tem a chave.)

Configura o valor do saldo com o resultado de i + 1.
Agora o saldo é 2.
**Retorna a chave.**
*[Agora o segmento A será retornado ao estado executável, mas já que concluiu o método increment(), NÃO continuará com a chave.]*

④ **O segmento B é selecionado para execução.**

Tenta entrar no método increment(). O método está sincronizado, portanto, precisamos capturar a chave.
Dessa vez, a chave ESTÁ disponível, capture a chave.
Insere o valor do saldo na variável i.
*[Continua a ser executado...]*

# O lado fatal da sincronização

Tome cuidado quando usar código sincronizado, porque nada fará seu programa travar como o impasse de segmentos. O impasse de segmentos ocorrerá quando você tiver dois segmentos, ambos contendo uma chave que o outro queira. Não há como sair desse cenário, portanto os dois segmentos simplesmente aguardarão. E aguardarão. E aguardarão...

Se você está familiarizado com bancos de dados ou outros servidores de aplicativo, deve ter reconhecido o problema; geralmente os bancos de dados têm um mecanismo de bloqueio semelhante ao da sincronização. Mas um sistema de gerenciamento de transações às vezes consegue lidar com o impasse. Ele pode presumir, por exemplo, que o impasse deve ter ocorrido quando duas transações estavam demorando demais para ser concluídas. Mas, diferente de Java, o servidor de aplicativos pode executar uma "reversão da transação" que retorne o estado da transação revertida para o existente antes dela (a parte atômica) começar.

A Java não tem um mecanismo para a manipulação do impasse. Ela nem mesmo *saberá* que o impasse ocorreu. Portanto, você é que terá que projetar cuidadosamente. Se perceber que está escrevendo código com muitos segmentos, talvez seja melhor estudar o texto "Threads Java" de Scott Oaks e Henry Wong para ver dicas de projeto sobre como evitar o impasse. Uma das dicas mais comuns é prestar atenção na ordem em que seus segmentos são iniciados.

**Só precisamos de dois objetos e dois segmentos para que ocorra o impasse.**

*impasse de segmentos*

## Um cenários simples de impasse:

O segmento A entra em um método sincronizado do objeto *foo* e captura a chave.

O segmento A entra em suspensão, contendo a chave de *foo*.

O segmento B entra em um método sincronizado do objeto *bar* e captura a chave.

O segmento B tenta entrar em um método sincronizado do objeto *foo*, mas não consegue capturar **essa** chave (porque está com A). B vai para a sala de espera, até a chave de *foo* estar disponível. B continua com a chave de *bar*.

O segmento A desperta (ainda contendo a chave de *foo*) e tenta entrar em um método sincronizado do objeto *bar*, mas não consegue capturar **essa** chave porque B está com ela. A vai para a sala de espera, até a chave de *bar* ficar disponível (ela nunca ficará!).

O segmento A não poderá ser executado até conseguir capturar a chave de *bar*, mas B está com ela e B não poderá ser executado até capturar a chave de *foo* que está com A e...

---

### PONTOS DE BALA

- O método estático Thread.sleep() força um segmento a sair do estado de execução durante no mínimo o tempo passado para o método. Thread.sleep(200) colocará um segmento em suspensão por 200 milissegundos.

- O método sleep() lança uma exceção verificada (InterruptedException), portanto, todas as suas chamadas devem ser inseridas em um bloco try/catch ou declaradas.

- Você pode usar sleep() para ajudar a assegurar que todos os segmentos tenham uma chance de ser executados, embora não haja garantia de que quando um segmento despertar ele vá para a linha posterior ao estado executável. Ele pode, por exemplo, voltar para onde parou. Na maioria dos casos, chamadas a sleep() com um tempo apropriado será tudo que você precisará para manter seus segmentos se alternando satisfatoriamente.

- Você pode nomear um segmento usando o método setName() (outra novidade). Todos os segmentos recebem um nome padrão, mas dar a eles um nome explícito pode lhe ajudar a rastreá-los, principalmente se estiver depurando com instruções de exibição.

- Você pode ter problemas sérios com os segmentos se dois ou mais deles tiverem acesso ao mesmo objeto do acervo.

- Dois ou mais segmentos acessando o mesmo objeto pode levar à adulteração dos dados se um segmento, por exemplo, sair do estado de execução enquanto ainda estiver no meio da manipulação do estado crítico de um objeto.

- Para tornar seus objetos protegidos contra os segmentos, defina que instruções devem ser tratadas como um processo atômico. Em outras palavras, defina que métodos devem ser executados até o final antes que outro segmento entre no mesmo método desse objeto.

- Use a palavra-chave **synchronized** para modificar a declaração de um método, quando quiser impedir que dois segmentos entrem no mesmo método.

- Todo objeto apresenta apenas um bloqueio, com uma única chave. Quase nunca nos preocupamos com esse bloqueio; eles só entram em cena quando um objeto tem métodos sincronizados.

- Quando um segmento tentar entrar em um método sincronizado, terá que capturar a chave do objeto (o objeto cujo método o segmento está tentando executar). Se a chave não estiver disponível (porque outro segmento já a capturou), o segmento irá para um tipo de sala de espera, até a chave ficar disponível.

- Mesmo se um objeto tiver mais de um método sincronizado, ainda haverá apenas uma chave. Uma vez que algum segmento tiver entrado em um método sincronizado, nenhum segmento poderá entrar em qualquer outro método sincronizado do mesmo objeto. Essa restrição permitirá que você proteja seus dados sincronizando qualquer método que os manipule.

_rede e segmentos_

## SimpleChatClient novo e melhorado

Mais atrás, perto do início deste capítulo, construímos o SimpleChatClient que conseguia _enviar_ mensagens para o servidor mas não recebia nada. Lembra? Foi por isso que entramos no tópico sobre segmentos, porque precisávamos de uma maneira de fazer duas coisas ao mesmo tempo; enviar mensagens _para_ o servidor (interagindo com a GUI) enquanto simultaneamente leríamos as mensagens recebidas _dele_, exibindo-as na área de rolagem de texto.

```java
import java.io.*;
import java.net.*;
import java.util.*;
import javax.swing.*;
import java.awt.*;
import java.awt.event.*;

public class SimpleChatClient {

    JTextArea incoming;
    JTextField outgoing;
    BufferedReader reader;
    PrintWriter writer;
    Socket sock;

    public static void main(String[] args) {
        SimpleChatClient client = new SimpleChatClient();
        client.go();
    }

    public void go() {

        JFrame frame = new JFrame("Ludicrously Simple Chat Client");
        JPanel mainPanel = new JPanel();
        incoming = new JTextArea(15,50);
        incoming.setLineWrap(true);
        incoming.setWrapStyleWord(true);
        incoming.setEditable(false);
        JScrollPane qScroller = new JScrollPane(incoming);
        qScroller.setVerticalScrollBarPolicy(ScrollPaneConstants.VERTICAL_SCROLLBAR_ALWAYS);
        qScroller.setHorizontalScrollBarPolicy(ScrollPaneConstants.HORIZONTAL_SCROLLBAR_NEVER);
        outgoing = new JTextField(20);
        JButton sendButton = new JButton("Send");
        sendButton.addActionListener(new SendButtonListener());
        mainPanel.add(qScroller);
        mainPanel.add(outgoing);
        mainPanel.add(sendButton);
        setUpNetworking();

        Thread readerThread = new Thread(new IncomingReader());
        readerThread.start();

        frame.getContentPane().add(BorderLayout.CENTER, mainPanel);
        frame.setSize(400,500);
        frame.setVisible(true);
    } // fecha go

    private void setUpNetworking() {

        try {
            sock = new Socket("127.0.0.1", 5000);
            InputStreamReader streamReader = new InputStreamReader(sock.getInputStream());
            reader = new BufferedReader(streamReader);
            writer = new PrintWriter(sock.getOutputStream());
            System.out.println("networking established");
        } catch(IOException ex) {
            ex.printStackTrace();
        }
    } // fecha setUpNetworking
```

**Sim, HÁ um fim para este capítulo. Mas ainda não...**

**Isso é em grande parte código de GUI que você já viu. Nada de especial exceto pela parte realçada onde iniciamos o novo segmento 'de leitura'.**

_Estamos iniciando um novo segmento, usando uma nova classe interna como seu objeto Runnable (a tarefa). A tarefa do segmento é ler o fluxo do soquete do servidor, exibindo qualquer mensagem recebida na área de rolagem de texto._

_Estamos usando o soquete para capturar os fluxos de entrada e saída. Já estávamos usando o fluxo de saída para enviar para o servidor, mas agora estamos usando o fluxo de entrada para que o novo segmento de leitura possa capturar mensagens no servidor._

_você está aqui_ ▶  **365**

*código do servidor de bate-papo*

```
public class SendButtonListener implements ActionListener {
   public void actionPerformed(ActionEvent ev) {
    try {
       writer.println(outgoing.getText());
       writer.flush();

    } catch(Exception ex) {
       ex.printStackTrace();
    }
    outgoing.setText("");
    outgoing.requestFocus();
   }
} // fecha a classe interna
```

**Nada novo aqui. Quando o usuário clicar no botão 'send', esse método enviará o conteúdo do campo de texto para o servidor.**

```
public class IncomingReader implements Runnable {
   public void run() {
     String message;
     try {

        while ((message = reader.readLine()) != null) {
        System.out.println("read " + message);
        incoming.append(message + "\n");

        } // fecha while
     } catch(Exception ex) {ex.printStackTrace();}
   } // fecha run
} // fecha a classe interna
```
} // fecha a classe externa

**É isso que o segmento faz!!! No método run(), ele permanecerá em um loop (enquanto o que estiver capturando no servidor não tiver valor nulo), lendo uma linha de cada vez e adicionando cada linha à área de rolagem de texto (junto com um caractere de nova linha).**

### Um servidor de bate-papo realmente simples

**Código predefinido**

Você pode usar esse código de servidor nas duas versões do cliente de bate-papo. Qualquer isenção de responsabilidade que já possa ter sido declarada é aplicável aqui. Para manter o código resumido aos aspectos essencialmente básicos, retiramos muitas partes que seriam necessárias para torná-lo um servidor real. Em outras palavras, ele funciona, mas há no mínimo uma centena de maneiras de interrompê-lo. Se você quiser um exercício Aponte Seu Lápis realmente eficiente para depois que tiver terminado este livro, volte e torne esse código de servidor mais robusto.

Outro exercício Aponte Seu Lápis possível, que você poderia fazer imediatamente, é comentar esse código por sua própria conta. Você o entenderá muito melhor se descobrir o que está acontecendo do que se o explicarmos. Porém não esqueça que esse é um código predefinido, portanto, você não precisa entender nada. Ele está aqui apenas para dar suporte às duas versões do cliente de bate-papo.

```
import java.io.*;
import java.net.*;
import java.util.*;

public class VerySimpleChatServer {
   ArrayList clientOutputStreams;

   public class ClientHandler implements Runnable {
     BufferedReader reader;
     Socket sock;

     public ClientHandler(Socket clientSocket) {
       try {
          sock = clientSocket;
          InputStreamReader isReader = new InputStreamReader(sock.getInputStream());
          reader = new BufferedReader(isReader);
       } catch(Exception ex) {ex.printStackTrace();}
     } // fecha o construtor

     public void run() {
        String message;
        try {
           while ((message = reader.readLine()) != null) {
              System.out.println("read " + message);
              tellEveryone(message);
```

**Para executar o cliente de bate-papo, você precisará de dois terminais. Primeiro, inicie esse servidor em um terminal e, em seguida, inicie o cliente em outro terminal.**

_rede e segmentos_

```java
          } // fecha while
      } catch(Exception ex) {ex.printStackTrace();}
    } // fecha run
  } // fecha a classe interna

  public static void main (String[] args) {
     new VerySimpleChatServer().go();
  }

  public void go() {
     clientOutputStreams = new ArrayList();
      try {
        ServerSocket serverSock = new ServerSocket(5000);
        while(true) {
           Socket clientSocket = serverSock.accept();
           PrintWriter writer = new PrintWriter(clientSocket.getOutputStream());
           clientOutputStreams.add(writer);
           Thread t = new Thread(new ClientHandler(clientSocket));
           t.start();
           System.out.println("got a connection");
        }
     } catch(Exception ex) {
        ex.printStackTrace();
     }
  } // fecha go

  public void tellEveryone(String message) {
     Iterator it = clientOutputStreams.iterator();
     while(it.hasNext()) {
        try {
           PrintWriter writer = (PrintWriter) it.next();
           writer.println(message);
           writer.flush();
        } catch(Exception ex) {
           ex.printStackTrace();
        }
     } // end while
  } // fecha tellEveryone
} // fecha class
```

não existem
# Perguntas Idiotas

**P:** **E quanto à proteção do estado da variável estática? Se você tiver métodos estáticos que alterem o estado da variável estática, ainda poderá usar a sincronização?**

**R:** Sim! Lembre-se de que os métodos estáticos são executados em relação à classe e não à sua instância individual. Portanto, você deve estar se perguntando: o bloqueio de que objeto será usado em um método estático? Afinal, pode nem mesmo haver qualquer instância dessa classe. Felizmente, assim como cada objeto apresenta seu próprio bloqueio, cada classe carregada tem um bloqueio. Isso significa que se você tiver três objetos Dog em seu acervo, terá um total de quatro bloqueios relacionados a eles. Três pertencentes as três instâncias de Dog e um pertencente à própria classe. Quando você sincronizar um método estático, a Java usará o bloqueio da própria classe. Logo, se sincronizar dois métodos estáticos da mesma classe, um segmento precisará do desbloqueio da classe para entrar em qualquer um dos métodos.

**P:** **O que são as prioridades dos segmentos? Ouvi falar que é uma maneira de conseguirmos controlar o agendamento.**

**R:** As prioridades de segmentos podem ajudá-lo a influenciar o agendador, mas continuarão não oferecendo nenhuma garantia. As prioridades são valores numéricos que informarão ao agendador (caso ele se importe) o quanto um segmento é importante para você. Geralmente, o agendador tira um segmento de prioridade mais baixa do estado de execução quando um segmento de prioridade mais alta subitamente se torna executável. Porém... Mais uma vez, repita comigo agora, "não há garantias". Recomendamos que você use as prioridades somente se quiser influenciar o desempenho, mas nunca, jamais, dependa delas para tornar o programa eficaz.

_você está aqui_ ▶ **367**

*receita* de código

P: Por que não sincronizar apenas todos os métodos de captura e configuração da classe que tiver os dados que você estiver tentando proteger? Por exemplo, por que não poderíamos ter sincronizado apenas os métodos checkBalance() e withdraw() da classe BankAccount, em vez de sincronizar o método makeWithdrawal() da classe de Runnable?

R: Na verdade, deveríamos ter sincronizado esses métodos, para impedir que outros segmentos pudessem acessá-los de outras maneiras. Não nos importamos, porque nosso exemplo não tinha nenhum outro código acessando a conta.

Mas sincronizar os métodos de captura e configuração [ou nesse caso checkBalance() e withdraw()] não é suficiente. Lembre-se de que o importante na sincronização é fazer uma seção específica do código funcionar ATOMICAMENTE. Em outras palavras, não estamos preocupados apenas com os métodos individualmente e sim com os métodos que requerem mais de uma etapa para ser concluídos! Pense nisso. Se não tivéssemos sincronizado o método makeWithdrawal(), Ryan teria verificado o saldo [chamando o método sincronizado checkBalance()] e, em seguida, saído imediatamente do método e retornado a chave!

É claro que ele capturaria a chave novamente, depois de despertar, para poder chamar o método sincronizado withdraw(), mas isso ainda nos deixaria com o mesmo problema que tínhamos antes da sincronização! Ryan pode verificar o saldo, cair no sono e Mônica chegar e também verificar o saldo antes de Ryan conseguir acordar e concluir sua retirada.

Portanto, sincronizar todos os métodos de acesso pode ser uma boa idéia, para impedir que outros segmentos interfiram, mas você ainda terá que sincronizar os métodos que tenham instruções que precisem ser executadas como uma unidade atômica.

# Receita de Código

**Essa é a última versão da BeatBox!**

**Ela se conectará com um servidor musical simples para poder enviar e receber padrões de batida de outros clientes.**

**O código é realmente muito longo, portanto, a listagem completa se encontra no Apêndice A.**

*rede e segmentos*

Exercício

# Ímãs de Geladeira

Um programa Java funcional está todo misturado sobre a geladeira. Você conseguiria adicionar os trechos de código às classes vazias abaixo, para criar um programa Java funcional que produzisse a saída listada? Algumas das chaves caíram no chão e são muito pequenas para que as recuperemos, portanto fique à vontade para adicionar quantas delas precisar!

```
public class TestThreads {
```

```
class ThreadOne {
```

```
class Accum {
```

```
class ThreadTwo
```

---

```
Thread one = new Thread(t1);
```
```
} catch(InterruptedException ex) { }
```
```
Thread two = new Thread(t2);
```
```
Accum a = Accum.getAccum();
```
```
public static Accum getAccum() {
```
```
private int counter = 0;
```
```
a.updateCounter(1);
```
```
for(int x=0; x < 99; x++) {
```
```
public int getCount()
```
```
public void updateCounter(int add) {
```
```
for(int x=0; x < 98; x++) {
```
```
try {
```
```
public void run() {
```
```
two.start()
```
```
Accum a = Accum.getAccum();
```
```
System.out.println("two "+a.getCount());
```
```
ThreadTwo t2 = new ThreadTwo();
```
```
return counter;
```
```
implements Runnable {
```
```
counter += add;
```
```
try {
```
```
one.start();
```
```
Thread.sleep(50);
```
```
} catch(InterruptedException ex) { }
```
```
private static Accum a = new Accum();
```
```
public void run() {
```
```
Thread.sleep(50);
```
```
implements Runnable {
```
```
return a;
```
```
a.updateCounter(1000);
```
```
System.out.println("one "+a.getCount());
```
```
public static void main(String [] args) {
```
```
private Accum() { }
```
```
ThreadOne t1 = new ThreadOne();
```

```
File Edit Window Help Serving
% java TestThreads
one 98098
two 98099
```

Pergunta adicional: por que acha que usamos os modificadores na classe Accum?

*quebra-cabeças:* Misterio dos Cinco Minutos

Mistério dos Cinco Minutos

## Tentativa perigosa na câmara de vácuo

Quando Sarah chegou à reunião de revisão do projeto da equipe de desenvolvimento que estava a bordo, fitou pelo portal o nascer do Sol sobre o Oceano Índico. Ainda que a sala de conferência da nave fosse incrivelmente claustrofóbica, a visão do branco e azul crescentes substituindo a noite no planeta abaixo encheu Sarah de reverência e gratidão.

A reunião dessa manhã enfocaria os sistemas de controle das câmaras de vácuo da nave. Já que as fases finais de construção estavam chegando a sua conclusão, a quantidade de caminhadas espaciais estava programada para aumentar dramaticamente e o tráfego era intenso tanto dentro quanto fora das câmaras de vácuo da nave. "Bom dia, Sarah", disse Tom, "Chegou na hora certa, estamos começando a revisão detalhada do projeto".

"Como vocês todos sabem", disse Tom, "as câmaras de vácuo estão equipadas com terminais de GUI preparados, por dentro e por fora, para a atmosfera espacial. Sempre que os astronautas estiverem entrando ou saindo da nave usarão esses terminais para iniciar as seqüências da câmara de vácuo". Sarah pediu um aparte, "Tom você pode nos dizer qual a seqüência dos métodos de entrada e saída?" Tom levantou e flutuou até o quadro-branco, "Primeiro, aqui está o pseudocódigo do método da seqüência de saída", e escreveu rapidamente.

```
orbiterAirlockExitSequence()
    verifyPortalStatus();
    pressurizeAirlock();
    openInnerHatch();
    confirmAirlockOccupied();
    closeInnerHatch();
    decompressAirlock();
    openOuterHatch();
    confirmAirlockVacated();
    closeOuterHatch();
```

"Para assegurar que a seqüência não seja interrompida, sincronizamos todos os métodos chamados pelo método orbiterAirlockExitSequence()", Tom explicou. "Odiaríamos ver um astronauta retornar e pegar inadvertidamente alguém sem as calças!"

Todos riram enquanto Tom apagava o quadro, mas algo não parecia certo para Sarah e ela se deu conta do que era enquanto Tom começava a escrever o pseudocódigo da seqüência de entrada no quadro. "Espere um pouco Tom!", falou Sarah, "Acho que temos uma grande falha no projeto da seqüência de saída, voltemos a ele, pode ser crítico!"

Por que Sarah interrompeu a reunião? De que ela suspeitou?

*rede e segmentos*

## Solução dos Exercícios

```java
public class TestThreads {
    public static void main(String [] args) {
        ThreadOne t1 = new ThreadOne();
        ThreadTwo t2 = new ThreadTwo();
        Thread one = new Thread(t1);
        Thread two = new Thread(t2);
        one.start();
        two.start();
    }
}

class Accum {
    private static Accum a = new Accum();          ⟵ ──────  Cria uma instância estática da classe Accum.
    private int counter = 0;

    private Accum() { }  ⟵ ───────────────────────  Um construtor privado.

    public static Accum getAccum() {
        return a;
    }

    public void updateCounter(int add) {
        counter += add;
    }

    public int getCount() {
        return counter;
    }
}

class ThreadOne implements Runnable {
    Accum a = Accum.getAccum();
    public void run() {
        for(int x=0; x < 98; x++) {
            a.updateCounter(1000);
            try {
                Thread.sleep(50);
            } catch(InterruptedException ex) { }
        }
        System.out.println("one "+a.getCount());
    }
}

class ThreadTwo implements Runnable {
    Accum a = Accum.getAccum();
    public void run() {
        for(int x=0; x < 99; x++) {
            a.updateCounter(1);
            try {
                Thread.sleep(50);
            } catch(InterruptedException ex) { }
        }
        System.out.println("two "+a.getCount());
    }
}
```

> Segmentos de duas classes diferentes estão atualizando o mesmo objeto de uma terceira classe, porque os dois segmentos estão acessando a mesma instância de Accum. A linha de código:
> private static Accum a = new Accum(); cria uma instância estática de Accum (lembre-se de que estático significa um por classe) e o construtor privado de Accum significa que ninguém mais pode criar um objeto desse tipo. Essas duas técnicas (construtor privado e método estático de captura) usadas em conjunto, criam o que é conhecido como 'Singleton' — um padrão da OO para restringir a quantidade de instâncias de um objeto existentes em um aplicativo. (Geralmente, há apenas uma instância de uma classe Singleton — daí o nome, mas você pode usar o padrão para restringir a criação da instância da maneira que quiser.)

*você está aqui* ▶ **371**

*solução dos exercícios*

## O que Sarah sabia?

Sarah percebeu que para assegurar que a seqüência inteira de saída fosse executada sem interrupções o método orbiterAirlockExitSequence() teria que ser sincronizado. Como o projeto se encontrava, seria possível para um astronauta que chegasse interromper a seqüência de saída! O segmento da seqüência de saída não podia ser interrompido no meio de alguma das chamadas de método de nível inferior, mas *poderia* ser interrompido *entre* essas chamadas. Sarah sabia que a seqüência inteira devia ser executada como uma unidade atômica e se o método orbiterAirlockExitSequence fosse sincronizado, ele não poderia ser interrompido em nenhum ponto.

# 16 conjuntos e tipos genéricos

# Estruturas de Dados

**A classificação é instantânea em Java.** Você terá todas as ferramentas para coletar e manipular dados sem ter que escrever seus próprios algoritmos de classificação (a menos que esteja lendo isso na aula de Ciência da Computação, caso em que, acredite — vai realmente escrever código de classificação enquanto o resto de nós apenas chamará um método da API Java). A Java Collections Framework tem uma estrutura de dados que deve funcionar para praticamente qualquer coisa que você precisar fazer. Quer manter uma lista que você possa aumentar facilmente? Encontrar algo pelo nome? Criar uma lista que exclua automaticamente todos os dados repetidos? Classificar seus colaboradores por quantas vezes lhe traíram? Classificar seus animais de estimação pela quantidade de truques aprendidos? Está tudo aqui...

este é um novo capítulo    373

*classificando uma lista*

## Rastreando a popularidade das canções em sua jukebox

Parabéns por seu novo trabalho — gerenciar o sistema de jukebox automatizada no restaurante do Lou. Não há Java dentro da própria jukebox, mas sempre que alguém reproduz uma canção, seus dados são anexados a um arquivo de texto simples.

Sua tarefa é gerenciar os dados para rastrear a popularidade das canções, gerar relatórios e manipular as listas de reprodução. Você não vai escrever o aplicativo inteiro — alguns dos outros desenvolvedores de software/garçons também estarão envolvidos, mas você será o responsável por gerenciar e classificar os dados dentro do aplicativo Java. E já que Lou não gosta de bancos de dados, esse será um conjunto de dados estritamente na memória. Tudo que você terá será o arquivo em que a jukebox continuará adicionando dados. Sua tarefa é extraí-los de lá.

Você já sabe como ler e analisar o arquivo e até agora tem armazenado os dados em uma ArrayList.

**SongList.txt**

```
Pink Moon/Nick Drake
Somersault/Zero 7
Shiva Moon/Prem Joshua
Circles/BT
Deep Channel/Afro Celts
Passenger/Headmix
Listen/Tahiti 80
```

*Esse é o arquivo em que o dispositivo da jukebox grava dados. Seu código deve ler o arquivo e, em seguida, manipular os dados das canções.*

## Desafio #1
## Classifique as canções em ordem alfabética

Você tem uma lista de canções em um arquivo, onde cada linha representa uma canção e o título e o artista estão separados por uma barra inclinada. Portanto, será simples analisar a linha e inserir todas as canções em uma ArrayList.

Seu chefe só está interessado nos títulos das canções, logo, por enquanto você pode simplesmente criar uma lista que tenha apenas os títulos.

Mas pelo que podemos ver a lista não está em ordem alfabética... O que você pode fazer?

Você sabe que em uma ArrayList, os elementos são mantidos na ordem em que são inseridos na lista, portanto, inseri-los em uma ArrayList não irá colocá-los em ordem alfabética, a menos que... Talvez haja um método sort() na classe ArrayList.

## Veja o que você tem até agora, sem a classificação:

```java
import java.util.*;
import java.io.*;

public class Jukebox1 {
    ArrayList<String> songList = new ArrayList<String>();

    public static void main(String[] args) {
        new Jukebox1().go();
    }

    public void go() {
        getSongs();
        System.out.println(songList);
    }

    void getSongs() {
        try {
            File file = new File("SongList.txt");
            BufferedReader reader = new BufferedReader(new FileReader(file));
            String line = null;
            while ((line= reader.readLine()) != null) {
                addSong(line);
            }
        } catch(Exception ex) {
            ex.printStackTrace();
        }
    }

    void addSong(String lineToParse) {
        String[] tokens = lineToParse.split("/");
        songList.add(tokens[0]);
    }
}
```

*Armazenaremos os títulos das canções em uma ArrayList de Strings.*

*O método que inicia a carga do arquivo e, em seguida, exibe o conteúdo da ArrayList songList.*

*Nada de especial aqui... Apenas lê o arquivo e chama o método addSong() para cada linha.*

*O método addSong() funciona como o QuizCard do capítulo sobre E/S — você dividirá a linha (que tem tanto o título quanto o artista) em duas partes (fichas) usando o método split().*

*Só queremos o título da canção, portanto, adicionamos somente a primeira ficha a SongList (a ArrayList).*

**374** *capítulo 16*

*conjuntos e tipos genéricos*

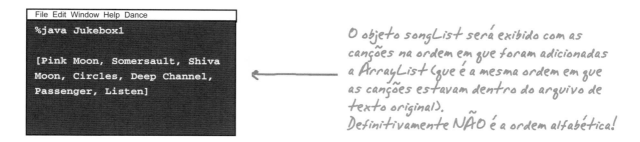

O objeto songList será exibido com as canções na ordem em que foram adicionadas a ArrayList (que é a mesma ordem em que as canções estavam dentro do arquivo de texto original).
Definitivamente NÃO é a ordem alfabética!

## Mas a classe ArrayList NÃO tem um método sort( )!

Quando você procurar ArrayList, provavelmente não encontrará nenhum método relacionado à classificação. Subir pela hierarquia da herança também não ajudará — está claro que *você não poderá chamar um método de classificação na ArrayList*.

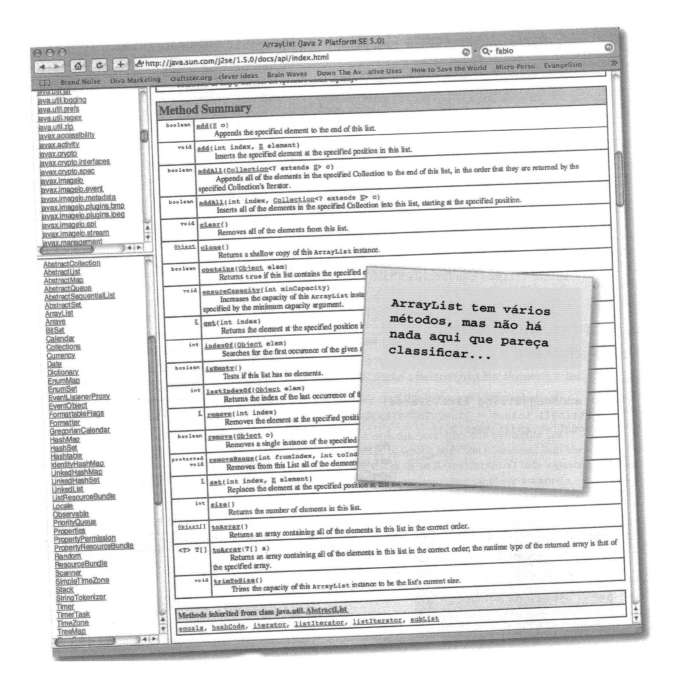

ArrayList tem vários métodos, mas não há nada aqui que pareça classificar...

você está aqui ▶   **375**

# API *Array List*

*Estou vendo uma classe de conjuntos chamada TreeSet... E os documentos dizem que ela armazena os dados classificados. Me pergunto se não deveria usar um objeto TreeSet em vez de uma ArrayList...*

## ArrayList NÃO é o único conjunto

Embora ArrayList seja o conjunto que você vai usar com mais freqüência, há outros para ocasiões especiais. Algumas das principais classes de conjuntos incluem:

*Não se preocupe em tentar aprender essas outras classes agora. Elas serão examinadas com mais detalhes um pouco mais adiante.*

### - TreeSet

Mantém os elementos classificados e não permite duplicatas.

### - HashMap

Permitirá que você armazene e acesse os elementos como pares nome/valor.

### - LinkedList

Projetada para fornecer um desempenho melhor quando você inserir ou excluir elementos do meio do conjunto. (Na prática, geralmente ainda estaremos querendo uma ArrayList.)

### - HashSet

Não permite duplicatas no conjunto e, fornecido um elemento, consegue encontrá-lo rapidamente.

### - LinkedHashMap

Como a classe HashMap, exceto por conseguir lembrar a ordem em que os elementos (pares nome/valor), foram inseridos ou por poder ser configurada para lembrar a ordem em que os elementos foram acessados na última vez.

## Você poderia usar um objeto TreeSet...
## Ou o método Collections.sort( )

Se você inserisse todas as Strings (os títulos das canções) em um objeto **TreeSet** em vez de em uma ArrayList, as Strings seriam armazenadas no local correto, classificadas alfabeticamente. Sempre que você exibisse a lista, os elementos apareceriam em ordem alfabética.

E isso será ótimo quando você precisar de um *conjunto* (falaremos sobre os conjuntos em breve) ou quando souber que a lista deve ficar *sempre* em ordem alfabética.

Por outro lado, se você não precisar da lista ordenada, TreeSet pode ser mais exigente que o necessário — **sempre que você inserir algo em um TreeSet, ele demorará um pouco para descobrir em que local da árvore o novo elemento deve entrar.** Na ArrayList, as inserções podem ocorrer muito rapidamente, porque o novo elemento simplesmente entrará no final.

***Nota:*** *essa NÃO é a API real da classe Collections; nós o simplificamos aqui deixando de fora as informações de tipo genérico (que você verá daqui a algumas páginas).*

| java.util.Collections |
|---|
| public static void **copy**(List destination, List source) |
| public static List **emptyList**() |
| public static void **fill**(List listToFill, Object objToFillWith) |
| public static int **frequency**(Collection c, Object o) |
| public static void **reverse**(List list) |
| public static void **rotate**(List list, int distance) |
| public static void **shuffle**(List list) |
| public static void ⟨**sort**(List list)⟩ |
| public static boolean **replace**(List list, Object oldVal, Object newVal) |
| // muitos outros métodos |

*Hmmm... HÁ um método sort() na classe Collections. Ele usa um objeto List e já que ArrayList implementa a interface List, ArrayList É UM objeto List. Graças ao polimorfismo, você pode passar uma ArrayList para um método declarado para usar List.*

_conjuntos e **tipos genéricos**_

P: **Mas você PODE adicionar algo a uma ArrayList em um índice específico em vez de somente no final - há um método add() sobrecarregado que usa um inteiro junto com o elemento a ser adicionado. Porém isso não seria mais lento do que inserir no final?**

R: Sim. É mais lento inserir algo em uma ArrayList em algum local que não seja no final. Portanto, usar o método sobrecarregado add(index, element) não funcionará tão rapidamente quanto chamar o método add(element) — que insere o elemento no final. Mas quase sempre que você usar ArrayLists, não precisará inserir algo em um índice específico.

P: **Vi que há uma classe LinkedList, portanto ela não seria melhor na execução de inserções em um local intermediário? Ao menos pelo que lembro de minha classe de Estruturas de Dados da faculdade...**

R: Sim, lembrou bem. A classe LinkedList pode ser mais rápida quando você inserir ou remover algo do meio, mas, na maioria dos casos, a diferença entre inserções no meio em uma LinkedList e uma ArrayList geralmente não é suficiente a ponto de chamar a atenção a menos que você esteja lidando com uma quantidade enorme de elementos. Examinaremos melhor a LinkedList em breve.

## Adicionando <u>Collections.sort( )</u> ao código da jukebox

```java
import java.util.*;
import java.io.*;

public class Jukebox1 {

    ArrayList<String> songList = new ArrayList<String>();

    public static void main(String[] args) {
        new Jukebox1().go();
    }

    public void go() {
        getSongs();
        System.out.println(songList);
        Collections.sort(songList);
        System.out.println(songList);
    }

    void getSongs() {
    try {
        File file = new File("SongList.txt");
        BufferedReader reader = new BufferedReader(new FileReader(file));
        String line =  null;
        while ((line= reader.readLine()) != null) {
            addSong(line);
        }

        } catch(Exception ex) {
            ex.printStackTrace();
        }
    }

    void addSong(String lineToParse) {
    .   String[] tokens = lineToParse.split("/");
        songList.add(tokens[0]);
    }
}
```

**O método Collections. sort() ordena uma lista de Strings alfabeticamente.**

_Chama o método estático sort() de Collections e, em seguida, exibe a lista novamente. A segunda exibição está em ordem alfabética!_

```
File Edit Window Help Chill
%java Jukebox1

[Pink Moon, Somersault, Shiva Moon, Circles, Deep Channel,
Passenger, Listen]

[Circles, Deep Channel, Listen, Passenger, Pink Moon, Shiva Moon,
Somersault]
```

_Antes de chamar sort()._

_Depois de chamar sort()._

_você está aqui ▶_ **377**

*classificando seus próprios objetos*

## Mas agora você precisa de objetos Song e não apenas Strings.

Agora seu chefe quer instâncias reais da classe Song na lista e não apenas Strings, para que cada objeto Song possa ter mais dados. O novo dispositivo de jukebox exibirá mais informações, portanto, dessa vez, o arquivo terá *quatro* partes (fichas) em vez de apenas duas.

A classe Song é realmente simples, com somente um recurso interessante — o método toString() sobreposto. Lembre-se que o método toString() é definido na classe Object, portanto toda classe em Java o herda. E já que o método toString() é chamado em um objeto quando ele é exibido [System.out.println(anObject)], você deve sobrepô-lo para que exiba algo mais legível do que o código padrão do identificador exclusivo. Quando você exibir uma lista, o método toString() será chamado em cada objeto.

**SongListMore.txt**

```
Pink Moon/Nick Drake/5/80
Somersault/Zero 7/4/84
Shiva Moon/Prem Joshua/6/120
Circles/BT/5/110
Deep Channel/Afro Celts/4/120
Passenger/Headmix/4/100
Listen/Tahiti 80/5/90
```

**O novo arquivo de canções contém quatro atributos em vez de apenas dois.**
**E queremos TODOS eles em nossa lista, portanto teremos que criar uma classe Song com variáveis de instância para todos os quatro atributos das canções.**

```
class Song {
    String title;
    String artist;
    String rating;
    String bpm;

    Song(String t, String a, String r, String b) {
        title = t;
        artist = a;
        rating = r;
        bpm = b;
    }

    public String getTitle() {
        return title;
    }

    public String getArtist() {
        return artist;
    }

    public String getRating() {
        return rating;
    }

    public String getBpm() {
        return bpm;
    }

    public String toString() {
        return title;
    }
}
```

*Quatro variáveis de instância para os quatro atributos da canção existentes no arquivo.*

*A variáveis são todas configuradas no construtor quando o novo objeto Song é criado.*

*Os métodos de captura dos quatro atributos.*

*Sobrepusemos toString(), porque quando você executar uma instrução System.out.println(aSongObject), queremos ver o título. Quando você executar uma instrução System.out.println(aListOfSongs), ela chamará o método toString() de CADA elemento da lista.*

## Alterando o código da jukebox para que use objetos Song em vez de Strings

Seu código será só um pouco alterado — o código de E/S de arquivo será o mesmo e a análise também (String.split()), exceto por dessa vez haver *quatro* fichas para cada canção/linha e todas as quatro serem usadas na criação de um novo objeto Song. E é claro que a ArrayList será de tipo <Song> em vez de <String>.

```
import java.util.*;
import java.io.*;

public class Jukebox3 {

    ArrayList<Song> songList = new ArrayList<Song>();
    public static void main(String[] args) {
        new Jukebox3().go();
    }
```

*Altera para uma ArrayList de objetos Song em vez de String.*

conjuntos *e tipos genéricos*

```java
public void go() {
    getSongs();
    System.out.println(songList);
    Collections.sort(songList);
    System.out.println(songList);
}
void getSongs() {
    try {
        File file = new File("SongListMore.txt");
        BufferedReader reader = new BufferedReader(new FileReader(file));
        String line =  null;
        while ((line= reader.readLine()) != null) {
            addSong(line);
        }
    } catch(Exception ex) {
        ex.printStackTrace();
    }
}

void addSong(String lineToParse) {
    String[] tokens = lineToParse.split("/");

    Song nextSong = new Song(tokens[0], tokens[1], tokens[2], tokens[3]);
    songList.add(nextSong);
}
}
```

**Cria um novo objeto Song usando as quatro fichas (isto é, os quatro trechos da informação do arquivo de canções nessa linha) e, em seguida, adiciona o objeto Song à lista.**

## Não será compilado!

Algo está errado... A classe Collections mostra claramente que há um método sort(), que usa um objeto List.

ArrayList é-um objeto List, porque implementa a interface List, portanto... *Deveria* funcionar.

### *Mas não funcionou!*

O compilador está informando que não consegue encontrar um método sort que use ArrayList<Song>, portanto talvez ele não goste de uma ArrayList de objetos Song. Ele não se importou com ArrayList<String>, então, qual é a grande diferença entre Song e String? Qual é a diferença que está fazendo o compilador falhar?

```
File Edit Window Help Bummer
%java Jukebox3.java
Jukebox3.java:15: cannot find symbol
symbol : method sort(java.util.ArrayList<Song>)
location : class java.util.Collections
                 Collections.sort(songList);
                      ^

1 error
```

E é claro que provavelmente você já se perguntou "Baseado *em* que ele está classificando?" Como o método sort *saberia* o que tornou um objeto Song maior ou menor do que o outro? É óbvio que se você quiser que o *título* seja o valor que determinará como as canções serão classificadas, precisará de alguma maneira de informar ao método sort que tem que usar o título e não, digamos, as batidas por minuto.

Examinaremos tudo isso agora, mas primeiro, descobriremos por que o compilador não nos deixou nem mesmo passar uma ArrayList de objetos Song para o método sort().

*você está aqui* ▶ 379

*tipos* genéricos

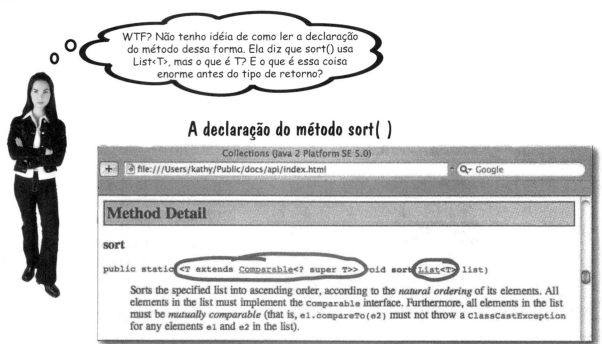

A declaração do método sort( )

Nos documentos da API (procure a classe java.util.Collections e role até o método sort()), parece que o método sort() é declarado... *De uma maneira estranha.* Ou pelo menos diferente de tudo que vimos até agora.

Isso ocorre porque o método sort() (e outros itens da estrutura de conjuntos em Java) faz uso intenso de tipos *genéricos*. Sempre que você se deparar com algo que tenha os sinais de maior e menor em código-fonte ou documentação Java, isso significará tipos genéricos — um recurso adicionado ao Java 5.0. Portanto, parece que teremos que aprender como interpretar a documentação antes de descobrir porque conseguimos classificar objetos String em uma ArrayList, mas não uma ArrayList de objetos Song.

## As classes genéricas significam maior compatibilidade de tipos

Diremos isso apenas uma vez — *praticamente todos os códigos que você escrever que lidarem com tipos genéricos serão códigos relacionados a conjuntos*. Embora os tipos genéricos possam ser usados de outras maneiras, sua finalidade principal é permitir a criação de conjuntos com compatibilidade de tipos. Em outras palavras, código que faça o compilador impedi-lo de inserir um objeto Dog em uma lista de objetos Duck.

Antes dos tipos genéricos (isto é, antes do Java 5.0), o compilador não se importava com o que era inserido em um conjunto, porque todas as implementações de conjuntos eram declaradas para conter o tipo Object. Você poderia inserir *qualquer coisa* em qualquer ArrayList; era como se todas as ArrayLists fossem declaradas com ArrayList<Object>.

*Com os tipos genéricos, você poderá criar conjuntos de tipos compatíveis onde a maioria dos problemas será capturada no tempo de compilação em vez de no tempo de execução.*
*Sem os tipos genéricos, o compilador permitiria tranquilamente que você inserisse um objeto Pumpkin em uma ArrayList projetada para só armazenar objetos Cat.*

### SEM os tipos genéricos
Os elementos ENTRAM como uma referência aos objetos SoccerBall, Fish, Guitar e Car

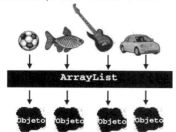

*Antes dos tipos genéricos, não havia como declarar o tipo de uma ArrayList, portanto, seu método add() usava o tipo Object.*

### E SAEM como uma referência de tipo Object

### COM os tipos genéricos
Os elementos ENTRAM somente como referência do objeto Fish

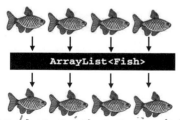

*Agora, com os tipos genéricos, você pode inserir somente objetos Fish em ArrayList<Fish>, para que eles saiam com esse mesmo tipo de referência.*
*Não é preciso se preocupar com o fato de alguém inserir um Volkswagen ou se iremos capturar algo que não possa ser convertido em uma referência de Fish.*

### E saem como uma referência de tipo Fish

380 capítulo 16

conjuntos e *tipos genéricos*

# Conhecendo os tipos genéricos

Entre as várias coisas que você poderia aprender sobre os tipos genéricos, na verdade há só três que importam para a maioria dos programadores:

**(1) Criação de instâncias de _classes_ generalizadas (como ArrayList)**
Quando você criar uma ArrayList, terá que informar a ela o tipo de objetos que permitirá na lista, como é feito nas matrizes comuns.

`new ArrayList<Song>()`

**(2) Declaração e atribuição de _variáveis_ de tipo genéricos**
Como o polimorfismo funciona com os tipos genéricos? Se você tiver uma variável de referência ArrayList<Animal> poderá atribuir uma ArrayList<Dog> a ela? E quanto a uma referência List<Animal>? Poderá atribuir uma ArrayList<Animal> a ela? Você verá...

`List<Song> songList =`
`new ArrayList<Song>()`

**(3) Declaração (e chamada) de _métodos_ que usem tipos genéricos**
Se você tiver um método que use como parâmetro, digamos, uma ArrayList de objetos Animal, o que isso significará na verdade? Você também poderá passar para ele uma ArrayList de objetos Dog? Examinaremos alguns problemas sutis e complicados do polimorfismo que são muito diferentes daqueles com os quais nos deparamos quando criamos métodos que usam matrizes simples.
(Na verdade trata-se da mesma coisa abordada no nº 2, mas queremos realçar o quanto achamos isso importante.)

`void foo(List<Song> list)`

`x.foo(songList)`

**P:** **Mas também não terei que aprender como criar minhas PRÓPRIAS classes genéricas? E se eu quiser criar um tipo de classe que permita que as pessoas que a instanciarem decidam o tipo de coisa que essa classe usará?**

**R:** Provavelmente você não fará muito isso. Pense bem — os projetistas da API criaram uma biblioteca inteira de classes de conjunto abordando a maioria das estruturas de dados necessárias e praticamente os únicos tipos de classe que precisam realmente ser genéricos são as classes de conjuntos. Em outras palavras, são classes projetadas para conter outros elementos e queremos que os programadores que as utilizarem especifiquem que tipo têm esses elementos quando declararem e instanciarem a classe de conjunto.

Sim, é possível que você possa querer criar classes genéricas, mas isso será uma exceção, portanto, não abordaremos aqui. (Mas você descobrirá como fazê-lo pelas coisas que abordarmos.)

---

# Usando <u>CLASSES</u> genéricas

Já que ArrayList é o tipo genérico que estamos usando mais, começaremos examinando sua documentação. As duas áreas-chave que devem ser examinadas em uma classe genérica são:

1) A declaração da *classe*.

2) As declarações de *métodos* que lhe permitirão adicionar elementos.

**Considere o "E" como um substituto para "o tipo de elemento que você deseja que esse conjunto armazene e retorne". (<u>E</u> é a abreviatura de <u>E</u>lemento.)**

## Entendendo a documentação da ArrayList

**(Ou, o que significa realmente "E"?)**

*O E é um espaço reservado para o tipo que você realmente usará quando declarar e criar uma ArrayList.*

*ArrayList é uma subclasse de AbstractList, portanto, independentemente do tipo que você especificar para a ArrayList, ele será automaticamente usado como o tipo da AbstractList.*

```
public class ArrayList<E> extends AbstractList<E> implements List<E>  ... {
```

*O tipo (o valor de <E>) também se tornará o tipo da interface List.*

```
public boolean add(E o)
```

```
    // mais código
}
```

*Aqui está a parte importante! Qualquer que seja E ele determinará que tipo de coisas você poderá adicionar à ArrayList.*

*você está aqui* ▶ **381**

*métodos* *genéricos*

O "E" representa o tipo usado na criação de uma instância de ArrayList. Quando você se deparar com um "E" na documentação da ArrayList, substitua-o mentalmente por qualquer que seja o <tipo> usado para instanciar a lista.

Portanto, new ArrayList<Song> significa que "E" se tornará "Song", em qualquer declaração de método ou variável que o usar.

## Usando parâmetros de tipo com ArrayList
## ESSE código:

```
ArrayList<String> thisList = new ArrayList<String>
```

## Significa que a ArrayList:

```
public class ArrayList<E> extends AbstractList<E> ... {

public boolean add(E o)

    // mais código
}
```

## Será tratada pelo compilador como:

```
public class ArrayList<String> extends AbstractList<String>... {

public boolean add(String o)

    // mais código
}
```

Em outras palavras, o "E" será substituído pelo tipo *real* (também chamado de *parâmetro de tipo*) que você usar quando criar a ArrayList. E é por isso que o método add() da ArrayList não permitirá a inclusão de algo que não sejam objetos de um tipo de referência que seja compatível com o tipo de "E". Portanto, se você criar uma ArrayList<**String**>, de repente o método add() se tornará **add(String o)**. Se você criar a ArrayList de tipo **Dog**, repentinamente o método add() se tornará **add(Dog o)**.

P: **O "E" é a única coisa que pode ser inserida aí? Porque os documentos de sort usavam "T"...**

R: Você pode usar qualquer coisa que seja um identificador Java válido. Isso significa que qualquer coisa que você possa usar como nome de um método ou variável funcionará como um parâmetro de tipo. Mas a convenção é usar uma única letra (portanto, é isso que deve ser usado) e uma convenção adicional é usar "T" a menos que você esteja criando especificamente uma classe de conjunto, caso em que usaria "E" para representar o "tipo de Elemento que o conjunto armazenará".

## Usando MÉTODOS genéricos

Uma *classe* ser genérica significa que a *declaração da classe* inclui um parâmetro de tipo. Um *método* ser genérico significa que a declaração do método usa um parâmetro de tipo em sua assinatura.

Você pode usar parâmetros de tipo em um método de várias maneiras diferentes:

(1) **Usando o parâmetro de tipo definido na declaração da classe.**

```
public class ArrayList<E> extends AbstractList<E> ... {

    public boolean add(E o)
```

*Você pode usar o E aqui SÓ porque ele já foi definido como parte da classe.*

```
Quando você declarar um parâmetro de tipo para a classe, poderá
simplesmente usar esse tipo em qualquer local em que usaria um
tipo de classe ou interface real.
```

**382** *capítulo 16*

*conjuntos e tipos genéricos*

**② Usando um parâmetro de tipo que NÃO foi definido na declaração da classe.**

```
public <T extends Animal> void takeThing(ArrayList<T> list)
```

Se a própria classe não usar um parâmetro de tipo, você ainda poderá especificar um para um método, declarando-o em um local muito inusitado (mas disponível) — *antes do tipo de retorno*. Esse método diz que T pode ser "qualquer tipo de Animal".

*Aqui podemos usar <T> porque declaramos T anteriormente na declaração do método.*

> Espere... Isso não pode estar certo. Se você pode usar uma lista de objetos Animal, por que simplesmente não DIZ isso? O que há de errado em usar apenas takeThing(ArrayList<Animal>list?

### É aqui que fica estranho...

**Isso:**

```
public <T extends Animal> void takeThing(ArrayList<T> list)
```

**NÃO é o mesmo que isso:**

```
public void takeThing(ArrayList<Animal> list)
```

As duas instruções são válidas, porém *diferentes*!

A primeira, em que **<T extends Animal>** faz parte da declaração do método, significa que qualquer ArrayList declarada com o tipo Animal ou um de seus subtipos (como Dog ou Cat), pode ser usada. Portanto, você poderia chamar o método de nível superior usando ArrayList<Dog>, ArrayList<Cat> ou ArrayList<Animal>.

Mas... A instrução de baixo, em que o argumento do método é (ArrayList<Animal>list) significa que *só* ArrayList<Animal> pode ser usada. Em outras palavras, enquanto a primeira versão usa uma ArrayList de qualquer tipo de Animal (Animal, Dog, Cat, etc.), a segunda versão usa *somente* uma ArrayList de tipo Animal. Não ArrayList<Dog> ou ArrayList<Cat> mas somente ArrayList<Animal>.

E sim, parece violar o conceito de polimorfismo, porém ficará claro quando voltarmos a esse assunto com detalhes no fim do capítulo. Por enquanto, lembre-se de que ele só está sendo discutido porque ainda estamos tentando descobrir como classificar aquele objeto SongList e isso nos levou a examinar a API do método sort(), que tinha essa estranha declaração de tipo genérico.

***Por enquanto, tudo que você precisa saber é que a sintaxe da versão de cima é válida e que ela quer dizer que podemos passar um objeto ArrayList instanciado como Animal ou qualquer subtipo de Animal.***

E agora voltemos ao nosso método sort()...

> Isso ainda não explica por que o método sort falhou em uma ArrayList de objetos Song mas funcionou para uma ArrayList de Strings...

### Lembre-se de onde estávamos...

```
File Edit Window Help Bummer
%java Jukebox3.java
Jukebox3.java:15: cannot find symbol
symbol  : method sort(java.util.ArrayList<Song>)
location : class java.util.Collections
                Collections.sort(songList);
                           ^
1 error
```

*você está aqui* ▶ **383**

## classificando um objeto Song

```java
import java.util.*;
import java.io.*;

public class Jukebox3 {
   ArrayList<Song> songList = new ArrayList<Song>();
   public static void main(String[] args) {
      new Jukebox3().go();
   }
   public void go() {
      getSongs();
      System.out.println(songList);
      Collections.sort(songList);
      System.out.println(songList);
   }
   void getSongs() {
      try {
         File file = new File("SongListMore.txt");
         BufferedReader reader = new BufferedReader(new FileReader(file));
         String line =  null;
         while ((line= reader.readLine()) != null) {
            addSong(line);
         }
      } catch(Exception ex) {
         ex.printStackTrace();
      }
   }
   void addSong(String lineToParse) {
      String[] tokens = lineToParse.split("/");
      Song nextSong = new Song(tokens[0], tokens[1], tokens[2], tokens[3]);
      songList.add(nextSong);
   }
}
```

**É aqui que não funcionará! O código funcionou bem quando passamos ArrayList<String>, mas assim que tentamos classificar ArrayList<Song>, ele falhou.**

## Revisitando o método sort( )

Portanto, aqui estamos, tentando ler os documentos do método sort() para descobrir por que ele funcionou ao classificar uma lista de Strings mas não com uma lista de objetos Song. E parece que a resposta é...

### O método sort( ) só pode usar listas de objetos Comparable.

### Song NÃO é um subtipo de Comparable, portanto você não pode classificar a lista de objetos Song.

Pelo menos não ainda...

```
public static <T extends Comparable<? super T>> void sort(List<T> list)
```

*Isso diz O que quer que seja T deve ser de tipo Comparable.*

*(Ignore essa parte por enquanto. Porém, se não conseguir, ela significa apenas que o parâmetro de tipo de Comparable deve ser de tipo T ou um dos supertipos de T.)*

*Você só pode passar um objeto List (ou um subtipo de List, como ArrayList) que use um tipo parametrizado que estenda Comparable.*

*Humm... Acabei de verificar os documentos de String e essa classe não estende o tipo Comparable — ela o IMPLEMENTA. Comparable é uma interface. Portanto, está errado dizer <T extends Comparable>.*

```
public final class String extends Object implements Serializable,
                                         Comparable<String>, CharSequence
```

*conjuntos e tipos genéricos*

## Para os tipos genéricos, "extends" significa "extends <u>ou</u> implements"

Os projetistas do Java tinham que fornecer uma maneira de inserirmos uma restrição ao tipo parametrizado, para podermos restringi-lo a, digamos, somente subclasses de Animal. Mas você também terá que restringir um tipo para permitir somente classes que implementem uma interface específica. Portanto, temos uma situação em que precisamos que um tipo de sintaxe funcione nos dois casos — de herança e implementação. Em outras palavras, que funcione tanto para *extends* quanto para *implements*.

E a palavra vencedora foi... *extends*. Mas na verdade ela vai significar "é-um" e funcionará independente do tipo à direita ser uma interface ou uma classe.

**Para os tipos genéricos, a palavra-chave "extends" significa "é-um" e funciona TANTO para classes QUANTO para interfaces.**

> *Comparable é uma interface, portanto na verdade isso quer dizer T deve ser um tipo que implemente a interface Comparable.*

```
public static <T extends Comparable<? super T>> void sort(List<T> list)
```

> *Independentemente do elemento da direita ser uma classe ou interface, você usará extends.*

## P: Por que não simplesmente inventar uma nova palavra-chave, "is"?

## R: Adicionar uma nova palavra-chave à linguagem é algo muito perigoso porque poderia danificar um código Java que você criou em uma versão anterior. Pense nisso — você pode estar usando uma variável "is" (que realmente usamos neste livro para representar fluxos de entrada). E já que não pode usar palavras-chave como identificadores em seu código, isso significa que qualquer código anterior que usasse a palavra-chave antes de ela ser uma palavra reservada, seria interrompido. Portanto, sempre que os projetistas da Sun podem reutilizar uma palavra-chave existente, como fizeram aqui com "extends", geralmente preferem fazer isso. Mas às vezes eles não têm escolha...

Algumas (muito poucas) palavras-chave novas têm sido adicionadas à linguagem, como assert no Java 1.4 e enum no Java 5.0 (examinaremos enum no apêndice). E isso prejudica realmente o código das pessoas, no entanto, às vezes há a alternativa de compilar e executar uma versão mais recente do Java para que ela se comporte como se fosse mais antiga. Você pode fazer isso passando um flag especial para o compilador ou a JVM na linha de comando, que signifique "Sim, eu SEI que essa é o Java 1.4, mas, por favor, finja que é a versão 1.3, porque estou usando uma variável em meu código chamada assert que criei quando vocês diziam que não havia problemas!#$%".

(Para saber se você tem um flag disponível, digite javac (para o compilador) ou java (para a JVM) na linha de comando, sem qualquer coisa após, e deve ver uma lista de opções disponíveis. Você aprenderá mais sobre esses flags no capítulo sobre implantação.)

---

## Finalmente sabemos o que está errado...
## A classe Song precisa implementar Comparable

Só poderemos passar ArrayList<Song> para o método sort() se a classe Song implementar Comparable, já que é assim que sort() foi declarado. Uma olhada rápida nos documentos da API mostrará que a interface Comparable é realmente simples, com apenas um método a implementar:

**A grande pergunta é: o que torna uma canção menor, igual ou maior do que a outra?**

**Você não poderá implementar a interface Comparable até definir isso.**

**java.lang.Comparable**

```
public interface Comparable<T> {
    int compareTo(T o);
}
```

*você está aqui* ▶  **385**

*a interface* Comparable

E a documentação do método compareTo() diz

> **Retornará:**
> um inteiro negativo, zero ou um inteiro
> positivo quando esse objeto for
> menor, igual ou maior do que o objeto
> especificado.

Parece que o método compareTo() será chamado em um objeto Song, passando para ele a referência de um objeto Song diferente. O objeto Song que estiver executando o método compareTo() terá que descobrir se o objeto que foi passado deve ser inserido acima, abaixo ou no mesmo local da lista.

O grande problema agora é definir o que torna uma canção maior do que a outra e, em seguida, implementar o método compareTo() para refletir isso. Um número negativo (qualquer número negativo) significará que o objeto Song que você recebeu é maior do que o que está executando o método. Retornar um número positivo informará que o objeto Song que está executando o método é maior do que o objeto que foi passado para compareTo(). Retornar zero significará que os objetos Song são iguais (pelo menos para a finalidade da classificação... Não significa necessariamente que sejam o mesmo objeto). Você pode, por exemplo, ter dois objetos Song com o mesmo título.

(O que trará mais uma série de problemas que examinaremos posteriormente...)

## Aponte seu lápis

Escreva sua idéia e o pseudocódigo (ou, melhor ainda, o código REAL) da implementação do método compareTo() de uma maneira que classifique os objetos Song por título.

Dica: se você estiver no caminho certo, deve usar menos de três linhas de código!

## A nova classe Song comparável e aperfeiçoada

Decidimos que queremos classificar por título, portanto, implementaremos o método compareTo() para que ele compare o título do objeto Song que recebeu com o título da canção em que foi chamado. Em outras palavras, a canção que estiver executando o método terá que decidir como seu título pode ser definido com relação ao título do parâmetro do método.

Hmmm... Sabemos que a classe String deve conhecer a ordem alfabética, porque o método sort() funcionou com uma lista de Strings. Sabemos que String tem um método compareTo(), portanto por que não chamá-lo? Dessa forma, poderemos simplesmente deixar que a String de um título se compare com a outra e não teremos que escrever o algoritmo de comparação/classificação alfabética!

**Geralmente esses elementos são iguais... Estamos especificando o tipo com o qual a classe que está implementando Comparable pode ser comparada. Isso significa que os objetos Song podem ser comparados com outros objetos Song, com a finalidade de classificação.**

```java
class Song implements Comparable<Song> {
    String title;
    String artist;
    String rating;
    String bpm;



    public int compareTo(Song s) {
        return title.compareTo(s.getTitle());
    }

    Song(String t, String a, String r, String b) {
        title = t;
        artist = a;
        rating = r;
        bpm = b;
    }
    public String getTitle() {
```

*O método sort() envia um objeto Song para compareTo() ver como ele pode ser definido com relação ao objeto Song em que o método foi chamado.*

*Simples! Apenas passamos a tarefa para objetos String title, já que sabemos que as Strings têm um método compareTo().*

```
      return title;
   }

   public String getArtist() {
      return artist;
   }

   public String getRating() {
      return rating;
   }

   public String getBpm() {
      return bpm;
   }

   public String toString() {
      return title;
   }
}
```

**Dessa vez funcionou. O código exibiu a lista e, em seguida, chamou sort que colocou os objetos Song em ordem alfabética por título.**

```
File Edit Window Help Ambient
%java Jukebox3

[Pink Moon, Somersault, Shiva Moon, Circles, Deep Channel,
Passenger, Listen]

[Circles, Deep Channel, Listen, Passenger, Pink Moon, Shiva
Moon, Somersault]
```

## Conseguimos classificar a lista, mas...

Há um novo problema — Lou quer dois tipos diferentes de lista de canções, uma por canção e outra por artista!

Mas quando você tornar um elemento do conjunto comparável (fazendo-o implementar Comparable), só terá uma chance de implementar o método compareTo(). Portanto, o que se pode fazer?

A pior maneira seria usar uma variável de flag na classe Song e, em seguida, executar um teste *if* em compareTo() fornecendo um resultado diferente conforme o flag usar o título ou o artista na comparação.

Mas além de ser uma solução horrível e vulnerável, há algo muito melhor. Algo embutido na API só para essa finalidade — quando você quiser classificar a mesma coisa de maneiras diferentes.

**Examine a API da classe Collections novamente. Há um segundo método sort() — e ele usa um objeto Comparator.**

*Isso ainda não está bom. Posso querer classificar por artista em vez de título.*

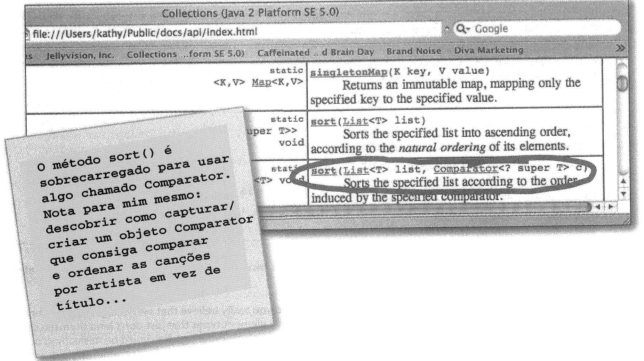

*O método sort() é sobrecarregado para usar algo chamado Comparator. Nota para mim mesmo: descobrir como capturar/criar um objeto Comparator que consiga comparar e ordenar as canções por artista em vez de título...*

*a interface Comparator*

## Usando um objeto Comparator personalizado

O elemento de uma lista pode comparar *a si mesmo* com outro elemento de seu próprio tipo apenas de uma maneira, usando seu método compareTo(). Mas um objeto Comparator será externo ao tipo de elemento que você estiver comparando — trata-se de uma classe separada. Portanto, você pode criar quantos dele quiser! Quer comparar canções por artista? Crie um ArtistComparator. Classificar considerando as batidas por minuto? Crie um BPMComparator.

Assim você só precisará chamar o método sort() sobrecarregado que usa List e Comparator e ele ajudará o método sort() de nível superior a colocar os elementos em ordem.

O método sort() que usa Comparator empregará esse objeto em vez do próprio método compareTo() do elemento, quando colocar os elementos em ordem. Em outras palavras, se seu método sort() capturar um objeto Comparator, não precisará nem mesmo *chamar* o método compareTo() dos elementos da lista. Em vez disso ele chamará o método **compare( )** no objeto Comparator.

Portanto, as regras são:

**java.util.Comparator**

```
public interface Comparator<T> {
    int compare(T o1, T o2);
}
```

*Se você passar um objeto Comparator para o método sort( ), a ordem da classificação será determinada por esse objeto em vez de pelo próprio método compareTo( ) do elemento.*

> **- Chamar o método sort(List o) de um argumento significa que o método compareTo() do elemento da lista determinará a ordem. Logo, os elementos da lista DEVEM implementar a interface Comparable.**

> **- Chamar sort(List o, Comparator c) significa que o método compareTo( ) do elemento da lista NÃO será chamado e o método compare( ) de Comparator será usado em seu lugar. Isso quer dizer que os elementos da lista NÃO terão que implementar a interface Comparable.**

**P:** Então isso significa que se você tiver uma classe que não implemente Comparable, e não tiver o código-fonte, ainda poderá colocar os elementos em ordem criando um objeto Comparator?

**R:** Isso mesmo. A outra opção (se for possível) seria criar uma subclasse do elemento e fazê-la implementar Comparable.

**P:** Mas por que nem toda classe implementa Comparable?

**R:** Você acredita realmente que qualquer coisa pode ser ordenada? Se você tiver tipos de elementos que não aceitem nenhuma espécie de ordenação natural, estaria confundindo outros programadores se implementasse Comparable. E não está se arriscando muito não implementando Comparable, já que um programador poderá comparar qualquer coisa da maneira que ele quiser usando seu próprio objeto Comparator personalizado.

## Atualizando a jukebox para que use um objeto Comparator

Fizemos três coisas novas nesse código:

1) Criamos uma classe interna que implementa Comparator [e conseqüentemente o método *compare( )* que executará a tarefa que seria de *compareTo()*].

2) Criamos uma instância da classe interna Comparator.

3) Chamamos o método sort() sobrecarregado, fornecendo para ele tanto a lista de canções quanto a instância da classe interna Comparator.

Nota: também atualizamos o método toString() da classe Song para que exiba tanto o título quanto o artista da canção. (Ele exibirá *título: artista*, independentemente de como a lista for classificada.)

**388** *capítulo 16*

*conjuntos e tipos genéricos*

```java
import java.util.*;
import java.io.*;

public class Jukebox5 {
   ArrayList<Song> songList = new ArrayList<Song>();

   public static void main(String[] args) {
      new Jukebox5().go();
   }

   class ArtistCompare implements Comparator<Song> {
      public int compare(Song one, Song two) {
         return one.getArtist().compareTo(two.getArtist());
      }
   }

   public void go() {
      getSongs();
      System.out.println(songList);
      Collections.sort(songList);
      System.out.println(songList);

      ArtistCompare  artistCompare = new ArtistCompare();
      Collections.sort(songList, artistCompare);

      System.out.println(songList);
   }

   void getSongs() {
      // o código de E/S entra aqui
   }

   void addSong(String lineToParse) {
      // analisa a linha e adiciona à lista de canções
   }
}
```

*Cria uma nova classe interna que implementa Comparator (observe que seu parâmetro de tipo é igual ao tipo que vamos comparar — nesse caso objetos Song).*

*Isso se tornará uma String (o artista)*

*Estamos permitindo que as variáveis String (do artista) façam a comparação real, já que as Strings sabem como ordenar alfabeticamente.*

*Cria uma instância da classe interna Comparator. Chama sort(), passando para ele a lista e uma referência do novo objeto Comparator personalizado.*

> **Nota:** tornamos a classificação por título o padrão, fazendo o método compareTo() de Song usar os títulos. Mas outra maneira de projetar isso seria implementar tanto a classificação por título quanto por artista como classes internas Comparator e não fazer Song implementar Comparable. Isso significa que sempre usaríamos a versão de dois argumentos de Collections.sort().

---

## Aponte seu lápis

### Engenharia reversa

Nota: as respostas estão no final do capítulo.

Suponhamos que esse código se encontre em um único arquivo. Sua tarefa é preencher as lacunas para que o programa gere a saída mostrada.

```java
import _____;
public class SortMountains {
   LinkedList_____ mtn = new LinkedList_____();
   class NameCompare _____ {
      public int compare(Mountain one, Mountain two) {
         return _____;
      }
   }
   class HeightCompare _____ {
      public int compare(Mountain one, Mountain two) {
         return (_____);
      }
   }
   public static void main(String [] args) {
      new SortMountains().go();
   }
   public void go() {
      mtn.add(new Mountain("Longs", 14255));
      mtn.add(new Mountain("Elbert", 14433));
      mtn.add(new Mountain("Maroon", 14156));
      mtn.add(new Mountain("Castle", 14265));
      System.out.println("as entered:\n" + mtn);
      NameCompare nc = new NameCompare();
      _____;
      System.out.println("by name:\n" + mtn);
      HeightCompare hc = new HeightCompare();
      _____;
      System.out.println("by height:\n" + mtn);
   }
}
class Mountain {
```

```
_____;
_____;

_____ {
   _____;
   _____;
}

_____ {
   _____;
}
```

**Saída:**

```
File  Edit  Window  Help  ThisOne'sForBob
%java SortMountains
as entered:
[Longs 14255, Elbert 14433, Maroon 14156, Castle 14265]
by name:
[Castle 14265, Elbert 14433, Longs 14255, Maroon 14156]
by height:
[Elbert 14433, Castle 14265, Longs 14255, Maroon 14156]
```

*você está aqui ▶  389*

*lidando* com duplicatas

### Aponte seu lápis

## Preencha as lacunas

Para cada uma das perguntas a seguir, preencha a lacuna com uma das palavras da lista de "respostas possíveis" e responda corretamente a pergunta. As respostas estão no final do capítulo.

**Respostas possíveis:** Comparator, Comparable, compareTo(), compare(), sim, não

**Dada a instrução compilável a seguir:**

    Collections.sort(myArrayList);

1. O que a classe dos objetos armazenados em myArrayList deve implementar? _____
2. Que método a classe dos objetos armazenados em myArrayList deve implementar? _____
3. A classe dos objetos armazenado em myArrayList pode implementar tanto Comparator QUANTO Comparable? _____

**Dada a instrução compilável a seguir:**

    Collections.sort(myArrayList, myCompare);

4. A classe dos objetos armazenados em myArrayList pode implementar Comparable? _____
5. A classe dos objetos armazenados em myArrayList pode implementar Comparator? _____
6. A classe dos objetos armazenados em myArrayList deve implementar Comparable? _____
7. A classe dos objetos armazenados em myArrayList deve implementar Comparator? _____
8. O que a classe do objeto myCompare deve implementar? _____
9. Que método a classe do objeto myCompare deve implementar? _____

---

## Humm. A classificação funcionou perfeitamente, mas agora temos duplicatas...

A classificação funcionou muito bem, agora sabemos como classificar tanto o *título* [usando o método compareTo() do objeto Song] quanto o *artista* [usando o método compare() de Comparator]. Mas há um novo problema que não percebemos ao testar o arquivo de texto da jukebox — *a lista classificada contém duplicatas.*

Parece que a jukebox do restaurante continua gravando no arquivo independentemente da canção já ter sido reproduzida (e portanto gravada). O arquivo de texto SongListMore.txt da jukebox é um registro completo de todas as canções que foram reproduzidas e pode conter a mesma canção várias vezes.

```
File Edit Window Help TooManyNotes
%java Jukebox4


[Pink Moon: Nick Drake, Somersault: Zero 7, Shiva Moon: Prem Joshua, Circles: BT,
Deep Channel: Afro Celts, Passenger: Headmix, Listen: Tahiti 80, Listen: Tahiti
80, Listen: Tahiti 80, Circles: BT]

[Circles: BT, Circles: BT, Deep Channel: Afro Celts, Listen: Tahiti 80, Listen
Tahiti 80, Listen: Tahiti 80, Passenger: Headmix, Pink Moon: Nick Drake, Shiva
Moon: Prem Joshua, Somersault: Zero 7]

[Deep Channel: Afro Celts, Circles: BT, Circles: BT, Passenger: Headmix, Pink
Moon: Nick Drake, Shiva Moon: Prem Joshua, Listen: Tahiti 80, Listen: Tahiti 80,
Listen: Tahiti 80, Somersault: Zero 7]
```

← Antes de classificar

← Depois de classificar usando o próprio método compareTo() de Song (classificação por título).

← Depois de classificar usando o objeto Comparator ArtistCompare (classificação pelo nome do artista).

conjuntos e tipos genéricos

```
SongListMore.txt

Pink Moon/Nick Drake/5/80
Somersault/Zero 7/4/84
Shiva Moon/Prem Joshua/6/120
Circles/BT/5/110
Deep Channel/Afro Celts/4/120
Passenger/Headmix/4/100
Listen/Tahiti 80/5/90
Listen/Tahiti 80/5/90
Listen/Tahiti 80/5/90
Circles/BT/5/110
```

**Agora o arquivo de texto SongListMore tem duplicatas, porque a jukebox está gravando todas as canções reproduzidas, em ordem. Alguém decidiu reproduzir "Listen" três vezes consecutivas, seguida de "Circles", uma canção que tinha sido tocada anteriormente.**

**Não podemos alterar a maneira como o arquivo de texto é gravado porque podemos precisar de todas essas informações. Temos que alterar o código Java.**

## Precisamos de um objeto <u>Set</u> em vez de <u>List</u>

No API de Collection, encontramos três interfaces principais, **List**, **Set** e **Map**. ArrayList e um objeto **List**, mas parece que **Set** é exatamente o que precisamos.

### - LIST — quando a *seqüência* é importante

Objetos Collection que sabem a *posição do índice*.

Os objetos List sabem onde algo está na lista. Você pode ter mais de um elemento referenciando o mesmo objeto.

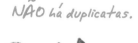

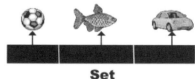

### - SET — quando a *exclusividade* é que importa

Objetos Collection que **não permitem duplicatas.**

Os objetos Set sabem se algo já existe no conjunto. Você nunca poderá ter mais de um elemento referenciando o mesmo objeto (ou mais de um elemento referenciando dois objetos que sejam considerados iguais — examinaremos o que significa a igualdade entre objetos em breve).

### -MAP — quando *encontrar algo pela chave* é importante

Objetos Collection que usam **pares chave-valor.**

Os objetos Map sabem o valor que está associado a uma determinada chave. Você pode ter duas chaves referenciando o mesmo valor, mas não pode ter chaves duplicadas. Embora normalmente as chaves sejam nomes de tipo String (para que você possa criar listas de propriedades nome/valor, por exemplo), uma chave pode ser qualquer objeto.

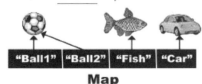

você está aqui ▶  391

o API de conjuntos

## A API Collection (parte dele)

Observe que a interface Map não estende realmente a interface Collection, mas mesmo assim é considerada parte da "Estrutura Collection" (também conhecida como "API Collection"). Portanto, os objetos Map são conjuntos, ainda que não incluam java.util.Collection em sua árvore de herança.

(Nota: esse não é a API de conjuntos completo; há outras classes e interfaces, mas essas são as mais importantes para nós.)

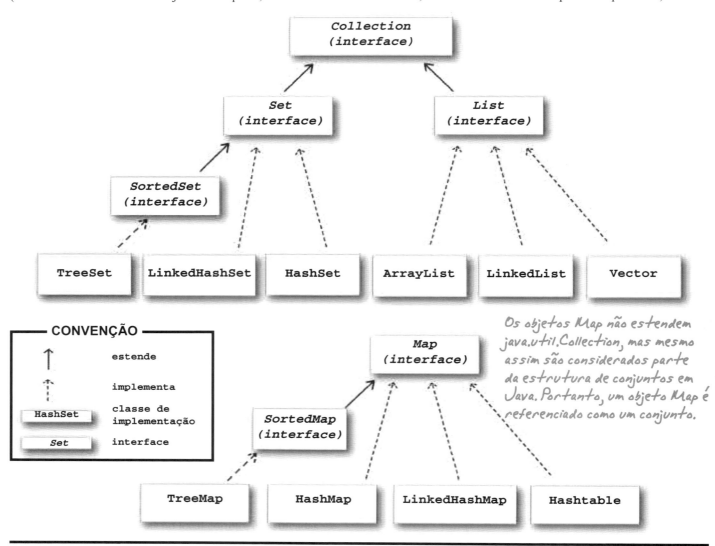

## Usando um HashSet em vez de ArrayList

Continuaremos a incrementar a jukebox inserindo as canções em um objeto HashSet. [Nota: deixamos de fora parte do código da jukebox, mas você pode copiá-lo das versões anteriores. E para tornar mais fácil a leitura da saída, voltamos à versão anterior do método toString() de Song, para que ele exiba somente o título em vez do título *e* o artista.]

```java
import java.util.*;
import java.io.*;

public class Jukebox6 {
    ArrayList<Song> songList = new ArrayList<Song>();
        // método main etc.

    public void go() {

        getSongs();

        System.out.println(songList);

        Collections.sort(songList);
```

Não alteramos o método getSongs(), portanto ele ainda insere as canções em uma ArrayList.

392   capítulo 16

```
            System.out.println(songList);

        HashSet<Song> songSet = new HashSet<Song>();

        songSet.addAll(songList);

        System.out.println(songSet);
    }
    // métodos getSongs() e addSong()
}
```

*Aqui criamos um novo objeto HashSet parametrizado para armazenar objetos Song.*

*HashSet tem um método simples, addAll(), que pode receber outro conjunto e usá-lo para preencher o objeto HashSet. É o mesmo que se adicionássemos uma canção de cada vez (exceto por ser muito mais simples).*

```
File Edit Window Help GetBetterMusic
%java Jukebox5

[Pink Moon, Somersault, Shiva Moon, Circles, Deep Channel,
Passenger, Listen, Listen, Listen, Circles]

[Circles, Circles, Deep Channel, Listen, Listen, Listen,
Passenger, Pink Moon, Shiva Moon, Somersault]

[Pink Moon, Listen, Shiva Moon, Circles, Listen, Deep Channel,
Passenger, Circles, Listen, Somersault]
```

*Antes de classificar a ArrayList.*

*Depois de classificar a ArrayList (por título).*

*Depois de inserir os elementos em um HashSet e exibi-los [não chamamos sort() novamente].*

*O objeto Set não ajudou!! Ainda estamos com todas as duplicatas! (É ele perdeu sua ordem de classificação quando inserimos a lista em um objeto HashSet, mas nos preocuparemos com isso depois...)*

## O que torna dois objetos iguais?

Primeiro, temos que perguntar — o que faz com que duas referências de Song sejam duplicatas? Elas devem ser consideradas *iguais*. São apenas duas referências do mesmo objeto ou são dois objetos separados que têm o mesmo *título*?

Isso traz um problema-chave: igualdade entre *referências* versus igualdade entre *objetos*.

> Se dois objetos, foo e bar, forem iguais, foo.equals(bar) deve ser verdadeiro e tanto foo quanto bar devem retornar o mesmo valor para hashCode(). Para Set tratar dois objetos como duplicatas, você deve sobrepor os métodos hashCode() e equals() herdados da classe Object, para poder fazer com que dois objetos diferentes sejam considerados iguais.

## - Igualdade entre referências

### Duas referências, um objeto no acervo.

Duas referências que apontam para o mesmo objeto no acervo são iguais. Ponto. Se você chamar o método **hashCode( )** nas duas referências, obterá o mesmo resultado. Se não sobrepuser o método hashCode(), o comportamento padrão (lembre-se de que você herdou isso da classe Object) será que cada objeto receberá um número exclusivo (a maioria das versões de Java atribui um código de hashing com base no endereço do objeto no acervo, portanto, dois objetos não terão o mesmo código de hashing).

Se você quiser saber se duas referências estão realmente apontando para o mesmo objeto, use o operador = =, que (lembre-se) compara os bits das variáveis. Se as duas referências apontarem para o mesmo objeto, os bits serão idênticos.

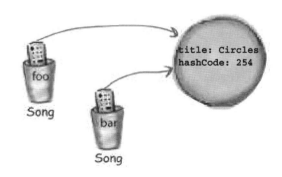

```
if (foo == bar) {
  // as duas referências estão apontando
  // para o mesmo objeto no acervo
}
```

*igualdade entre objetos*

## - Igualdade entre objetos

**Duas referências, dois objetos no acervo, mas os objetos são considerados significativamente equivalentes.**

Se você quiser tratar dois objetos Song diferentes como iguais (por exemplo, se definir que dois objetos Song serão iguais se tiverem variáveis *title* coincidentes), terá que sobrepor os método hashCode() e equals() herdados da classe Object.

Como dissemos há pouco, se você *não* sobrepuser hashCode(), o comportamento padrão (de Object) será a atribuição de um código de hashing com valor exclusivo para cada objeto. Portanto, você deve sobrepor hashCode() para assegurar que dois objetos equivalentes retornem o mesmo código de hashing. Mas também deve sobrepor equals() para se chamá-lo em *um* dos objetos, passando o outro, sempre retornar **verdadeiro**.

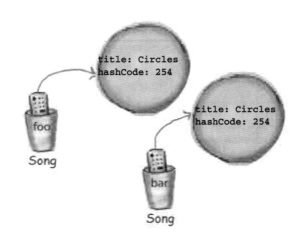

```
if (foo.equals(bar) && foo.hashCode() == bar.hashCode()) {
    // as duas referências estão apontando para apenas
    // um objeto ou para dois objetos que são iguais
}
```

---

## Como um HashSet procura duplicatas: hashCode( ) e equals( )

Quando você inserir um objeto em um HashSet, ele usará o valor do código de hashing do objeto para determinar onde inseri-lo no conjunto. Mas também comparará o código com o de todos os outros objetos desse conjunto e se não houver um código coincidente, o HashSet presumirá que esse novo objeto não é uma duplicata.

Em outras palavras, se os códigos de hashing forem diferentes, o HashSet presumirá que não há como os objetos serem iguais!

Portanto, você deve sobrepor hashCode() se quiser assegurar que os objetos tenham o mesmo valor.

Mas dois objetos com o mesmo hashCode() podem *não* ser iguais (veremos mais sobre isso na próxima página), portanto, se o HashSet encontrar um código de hashing coincidente para dois objetos — um que você esteja inserindo e outro já existente no conjunto — ele chamará um dos métodos equals() do objeto para saber se esses objetos com códigos coincidentes *são* realmente iguais.

E se eles forem iguais, o HashSet saberá que o objeto que você está tentando adicionar é uma duplicata de algo existente no conjunto, portanto a inserção não ocorrerá.

Você não capturará uma exceção, mas o método add() de HashSet retornará um booleano para informá-lo (caso importe) se o novo objeto foi adicionado. Logo, se o método add() retornar *falso*, você saberá que o novo objeto era uma duplicata de algo já existente no conjunto.

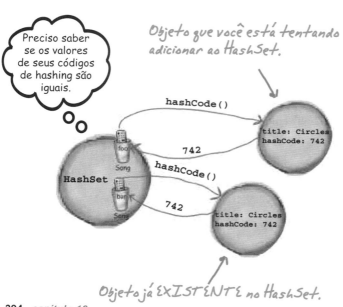

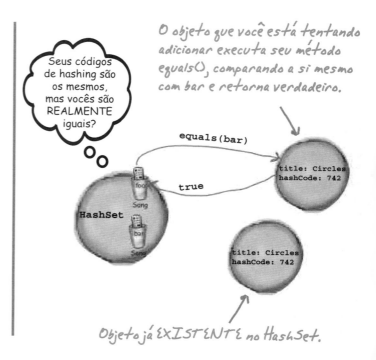

*conjuntos e tipos genéricos*

# A classe Song com hashCode() e equals() sobrepostos

```java
class Song implements Comparable<Song>{
    String title;
    String artist;
    String rating;
    String bpm;

    public boolean equals(Object aSong) {
        Song s = (Song) aSong;
        return getTitle().equals(s.getTitle());
    }

    public int hashCode() {
        return title.hashCode();
    }

    public int compareTo(Song s) {
        return title.compareTo(s.getTitle());
    }

    Song(String t, String a, String r, String b) {
        title = t;
        artist = a;
        rating = r;
        bpm = b;
    }

    public String getTitle() {
        return title;
    }

    public String getArtist() {
        return artist;
    }

    public String getRating() {
        return rating;
    }

    public String getBpm() {
        return bpm;
    }

    public String toString() {
        return title;
    }
}
```

*O HashSet (ou qualquer outra coisa que chamar esse método) envia para o método outro objeto Song.*

*A BOA notícia é que title é uma String e as Strings têm um método equals() sobreposto. Portanto, tudo que temos que fazer é perguntar a uma variável title se ela é igual à variável title de outra canção.*

*A mesma coisa aqui... A classe String tem um método hashCode() sobreposto, portanto você pode simplesmente retornar o resultado da chamada a hashCode() na variável title. Observe como hashCode() e equals() estão usando a MESMA variável de instância.*

*Agora está funcionando! Não há nenhuma duplicata na exibição do HashSet. Mas não chamamos sort() novamente e quando inserimos o ArrayList no HashSet, esse não preservou a ordem de classificação.*

```
File  Edit  Window  Help  RebootWindows
%java Jukebox6

[Pink Moon, Somersault, Shiva Moon, Circles, Deep
Channel, Passenger, Listen, Listen, Listen, Circles]


[Circles, Circles, Deep Channel, Listen, Listen, Listen,
Passenger, Pink Moon, Shiva Moon, Somersault]


[Pink Moon, Listen, Shiva Moon, Circles, Deep Channel,
Passenger, Somersault]
```

## Regra dos objetos Java para hashCode() e equals()

**Os documentos da API para a classe Object declaram as regras que você DEVE seguir:**

- Se dois objetos forem iguais, eles DEVEM ter códigos de hashing coincidentes.

- Se dois objetos forem iguais, chamar equals() em um deles DEVE retornar verdadeiro. Em outras palavras, se [a.equals(b)] então [b.equals(a)].

- Se dois objetos tiverem o mesmo valor de código de hashing, NÃO serão necessariamente iguais. Mas se forem iguais, DEVEM ter o mesmo valor de código de hashing.

- Portanto, se você sobrepuser equals(), DEVE sobrepor hashCode().

- O comportamento padrão de hashCode() é gerar um inteiro exclusivo para cada objeto do acervo. Portanto, se você não sobrepuser hashCode() em uma classe, dois objetos desse tipo NUNCA poderão ser considerados iguais.

- O comportamento padrão de equals() é executar uma comparação como a do operador = =. Em outras palavras, verificar se as duas referências apontam para um único objeto no acervo. Portanto, se você não sobrepuser equals() em uma classe, dois objetos NUNCA poderão ser considerados iguais já que as referências desses dois objetos distintos sempre conterão um padrão de bits diferente.

*a.equals(b)* também deve significar que

a.hashCode( ) == b.hashCode( )

Mas *a.hashCode() == b.hashCode()*

NÃO significa necessariamente que *a.equals(b)*

*você está aqui ▶* **395**

*TreeSets e classificação*

não existem
## Perguntas Idiotas

### P: Como os códigos de hashing podem ser iguais mesmo quando os objetos não são?

### R: Os HashSets usam códigos de hashing para armazenar os elementos de uma maneira que torne o acesso mais rápido. Se você tentar encontrar um objeto em uma ArrayList fornecendo para ela uma cópia do objeto (e não o valor de um índice), a ArrayList terá que procurar desde o início, examinando cada elemento da lista para saber se coincide. Mas um HashSet pode encontrar um objeto muito mais rapidamente, porque usa o código de hashing como um tipo de rótulo do "contêiner" onde armazenou o elemento. Portanto, se você disser "quero que encontre um objeto no conjunto que seja exatamente como esse..." o HashSet examinará o valor do código de hashing da cópia do objeto Song fornecido (digamos, 742), dirá "sei exatamente onde o objeto de código de hashing 742 está armazenado..." e irá diretamente até o contêiner 742.

Essa não é a história inteira ensinada em uma aula de ciência da computação, mas é o bastante para você usar os HashSets eficientemente. Na verdade, o desenvolvimento de um bom algoritmo de código de hashing é o tema de muitas teses de PhD e mais do que desejamos abordar neste livro.

O interessante é que os códigos de hashing podem ser iguais sem garantir que os objetos serão necessariamente os mesmos, porque pode ocorrer de o "algoritmo de hashing" usado no método hashCode() retornar o mesmo valor para vários objetos. E sim, isso significa que vários objetos seriam inseridos no mesmo contêiner do HashSet (porque cada contêiner representa um único valor de código de hashing), mas isso não é o fim do mundo. Pode significar que o HashSet é apenas um pouco menos eficiente (ou que foi preenchido com uma quantidade extremamente grande de elementos), mas se ele encontrar mais de um objeto no mesmo contêiner de código de hashing, simplesmente usará o método equals() para saber se há uma coincidência perfeita. Em outras palavras, às vezes os valores de código de hashing são usados para estreitar a pesquisa, mas para encontrar uma coincidência exata, o HashSet ainda terá que pegar todos os objetos desse contêiner (o contêiner dos objetos com o mesmo código de hashing) e chamar equals() para saber se o objeto procurado está nele.

---

## E se quisermos que o conjunto <u>permaneça</u> classificado, temos TreeSet

TreeSet é semelhante a HashSet por não permitir duplicatas. Mas, além disso, também *mantém* a lista classificada. Ele funciona como o método sort() pelo fato de que se você criar um TreeSet usando o construtor sem argumentos do conjunto, esse usará o método compareTo() de cada objeto na classificação. Mas alternativamente você tem a opção de passar um objeto Comparator para o construtor de TreeSet usar. A desvantagem de TreeSet é que mesmo se você não *precisar* classificar, terá que pagar por isso com uma pequena perda no desempenho. Mas provavelmente vai achar que a perda não será percebida na maioria dos aplicativos.

```java
import java.util.*;
import java.io.*;
public class Jukebox8 {
    ArrayList<Song> songList = new ArrayList<Song>();
    int val;

    public static void main(String[] args) {
        new Jukebox8().go();
    }

    public void go() {
        getSongs();
        System.out.println(songList);
        Collections.sort(songList);
        System.out.println(songList);
        TreeSet<Song> songSet = new TreeSet<Song>();
        songSet.addAll(songList);
        System.out.println(songSet);
    }

    void getSongs() {
        try {
            File file = new File("SongListMore.txt");
            BufferedReader reader = new BufferedReader(new FileReader(file));
            String line =  null;
            while ((line= reader.readLine()) != null) {
            addSong(line);
            }
```

*Instancia um TreeSet em vez de HashSet.*
*Chamar o construtor sem argumentos de TreeSet significa que o conjunto usará o método compareTo() do objeto Song para classificar. (Poderíamos ter passado um objeto Comparator.)*

*Podemos adicionar todas as canções do HashSet usando addAll(). (Ou poderíamos ter adicionado as canções individualmente usando songSet.add() da mesma forma que adicionamos canções à ArrayList.)*

**396** *capítulo 16*

conjuntos *e tipos genéricos*

```
        } catch(Exception ex) {
          ex.printStackTrace();
        }
    }

    void addSong(String lineToParse) {
        String[] tokens = lineToParse.split("/");
        Song nextSong = new Song(tokens[0], tokens[1], tokens[2], tokens[3]);
        songList.add(nextSong);
    }
}
```

## O que você DEVE saber sobre TreeSet...

TreeSet parece simples, mas certifique-se de ter realmente entendido o que precisa fazer para usá-lo. Achamos isso tão importante que criamos um exercício para *obrigá-lo* a refletir sobre o assunto. NÃO vire a página até tê-lo terminado. *E estamos falando sério.*

---

### Aponte seu lápis

Examine esse código. Leia-o cuidadosamente e, em seguida, responda as perguntas abaixo.

(Nota: não há erros de sintaxe no código.)

```
import java.util.*;

public class TestTree {
    public static void main (String[] args) {
        new TestTree().go();
    }

    public void go() {
        Book b1 = new Book("How Cats Work");
        Book b2 = new Book("Remix your Body");
        Book b3 = new Book("Finding Emo");

        TreeSet<Book> tree = new TreeSet<Book>();
        tree.add(b1);
        tree.add(b2);
        tree.add(b3);
        System.out.println(tree);
    }
}

class Book {
    String title;
    public Book(String t) {
        title = t;
    }
}
```

1) Qual será o resultado quando você compilar esse código?

_____

_____

2) Se ele for compilado, qual será o resultado quando você executar a classe TestTree?

_____

_____

3) Se houver um problema (no tempo de compilação ou de execução) no código, como você o corrigiria?

_____

_____

*você está aqui* ▶ **397**

*como os TreeSets classificam*

## Os elementos de TreeSet TÊM que ser comparáveis

TreeSet não pode ler a mente do programador para descobrir como os objetos devem ser classificados. Você tem que informar *como* isso será feito.

## Para um TreeSet ser usado, uma dessas coisas deve ser verdadeira:

### - Os elementos da lista devem ser de um tipo que implemente *Comparable*

A classe Book da página anterior não implementa Comparable, portanto, não funcionaria no tempo de execução. Pense nisto: a única finalidade do objeto TreeSet é manter seus elementos classificados e novamente - ele não sabia como classificar objetos Book! Ele não falhará no tempo de compilação, porque o método add() de TreeSet não usa um tipo Comparable. O método usará o tipo que você usou quando criou o TreeSet. Em outras palavras, se você usar new TreeSet<Book>() o método terá essencialmente a forma add(Book). E não será necessário que a classe Book implemente Comparable! Mas ela falhará no tempo de execução quando você adicionar o segundo elemento ao conjunto. Essa será a primeira vez que o conjunto tentará chamar um dos métodos compareTo() do objeto e... Não conseguirá.

```
class Book implements Comparable {
   String title;
   public Book(String t) {
      title = t;
   }
   public int compareTo(Object b) {
      Book book = (Book) b;
      return (title.compareTo(book.title));
   }
}
```

## OU

### -Você usará o construtor sobrecarregado de TreeSet que usa um objeto *Comparator*

TreeSet funciona de maneira muito semelhante ao método sort() - você terá a opção de usar o método compareTo() do elemento, se o tipo desse elemento tiver implementado a interface Comparable OU poderá usar um objeto Comparator personalizado que saiba como classificar os elementos no conjunto. Para usar um objeto Comparator personalizado, você chamará o construtor de TreeSet que usa essa interface.

```
public class BookCompare implements Comparator<Book>{
   public int compare(Book one, Book two) {
      return (one.title.compareTo(two.title));
   }
}

class Test {
   public void go() {
      Book b1 = new Book("How Cats Work");
      Book b2 = new Book("Remix your Body");
      Book b3 = new Book("Finding Emo");
      BookCompare bCompare = new BookCompare();
      TreeSet<Book> tree = new TreeSet<Book>(bCompare);
      tree.add(new Book("How Cats Work"));
      tree.add(new Book("Finding Emo"));
      tree.add(new Book("Remix your Body"));
      System.out.println(tree);
   }
}
```

## Vimos objetos List e Set, agora usaremos um objeto Map

Os objetos List e Set são ótimos, mas às vezes um objeto Map é o melhor conjunto (sem o tipo Collection com "C" maiúsculo — lembre-se de que os objetos Map fazem parte dos conjuntos Java mas não implementam a interface Collection).

Suponhamos que quiséssemos um conjunto que agisse como uma lista de propriedades, para a qual você fornecesse um nome e ela retornasse o valor associado a esse nome. Embora geralmente as chaves sejam Strings, elas podem ser qualquer objeto Java (ou, através do auto-empacotamento, um tipo primitivo).

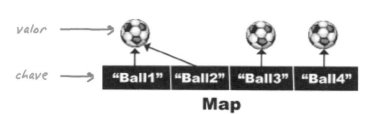

**Cada elemento de um objeto Map na verdade é composto por DOIS objetos - uma chave e um valor.**

**Você pode ter valores duplicados, mas NÃO chaves duplicadas.**

398  capítulo 16

_conjuntos e tipos genéricos_

## Exemplo de Map

```java
import java.util.*;

public class TestMap {

    public static void main(String[] args) {

        HashMap<String, Integer> scores = new HashMap<String, Integer>();

        scores.put("Kathy", 42);
        scores.put("Bert", 343);
        scores.put("Skyler", 420);

        System.out.println(scores);
        System.out.println(scores.get("Bert"));
    }
}
```

_HashMap precisa de DOIS parâmetros de tipo — um para a chave e outro para o valor._

_Usa put() em vez de add() e agora é claro que usará dois argumentos (chave, valor)._

_O método get() usa uma chave e retorna o valor (nesse caso, um inteiro)._

```
File Edit Window Help WhereAmI
%java TestMap

{Skyler=420, Bert=343, Kathy=42}
343
```

_Quando você exibir um objeto Map, ele fornecerá a chave=valor, entre chaves { } em vez dos colchetes [ ] que vemos quando exibimos os objetos List e Set._

## Finalmente, de volta aos tipos genéricos

Você deve lembrar que no início do capítulo falamos sobre como os métodos que usam argumentos com tipos genéricos podem ser... _Estranhos_. E quisemos dizer estanhos no sentido polimórfico. Se as coisas começarem a parecer estranhas aqui, apenas prossiga — demoraremos algumas páginas para contar a história toda.

Começaremos revisando como os argumentos de _matriz_ funcionam, polimorficamente, e em seguida, examinaremos a mesma coisa com listas genéricas. O código a seguir será compilado e executado sem erros:

**Se o argumento de um método for uma matriz de objetos Animal, ele também poderá usar uma matriz de qualquer subtipo de Animal.**

**Em outras palavras, se um método for declarado como:**

```java
void foo(Animal[] a) { }
```

**Se Dog estender Animal, você poderá chamar os dois:**

```java
foo(anAnimalArray);
foo(aDogArray);
```

## Veja como funciona com matrizes comuns:

```java
import java.util.*;

public class TestGenerics1 {
    public static void main(String[] args) {
        new TestGenerics1().go();
    }

    public void go() {
        Animal[] animals = {new Dog(), new Cat(), new Dog()};
        Dog[] dogs = {new Dog(), new Dog(), new Dog()};
        takeAnimals(animals);
        takeAnimals(dogs);
    }

    public void takeAnimals(Animal[] animals) {
        for(Animal a: animals) {
            a.eat();
        }
    }
}
```

_Declara e cria uma matriz Animal, que contém tanto objetos Dog quanto objetos Cat._

_Declara e cria uma matriz Dog, que contém somente objetos Dog (o compilador não permitirá que você insira um objeto Cat)._

_O ponto crucial é que o método takeAnimals() pode usar uma matriz Animal [ ] ou Dog [ ], já que Dog É-UM objeto Animal. O polimorfismo em ação._

_Lembre-se de que podemos chamar SOMENTE os métodos declarados com o tipo Animal, já que o parâmetro animals é do tipo matriz Animal e não fizemos nenhuma conversão. (Em que poderíamos converter? Essa matriz pode conter tanto objetos Dog quanto objetos Cat.)_

_você está aqui ▶_  **399**

*polimorfismo e tipos genéricos*

```java
abstract class Animal {
   void eat() {
      System.out.println("animal eating");
   }
}
class Dog extends Animal {
   void bark() { }
}
class Cat extends Animal {
   void meow() { }
}
```

**A hierarquia da classe Animal simplificada.**

## Usando argumentos polimórficos e tipos genéricos

Vimos como funciona com matrizes, mas funcionará da mesma forma quando passarmos de uma matriz para um ArrayList? Parece lógico, não?

Primeiro, tentaremos somente com o ArrayList Animal. Fizemos apenas algumas alterações no método go():

### Passando apenas ArrayList<Animal>

**Uma alteração simples de Animal[ ] para ArrayList<Animal>.**

```java
public void go() {
   ArrayList<Animal> animals = new ArrayList<Animal>();
   animals.add(new Dog());
   animals.add(new Cat());
   animals.add(new Dog());

   takeAnimals(animals);
}
public void takeAnimals(ArrayList<Animal> animals) {
   for(Animal a: animals) {
      a.eat();
   }
}
```

*Temos que adicionar um de cada vez já que não há uma sintaxe de atalho como na criação de matrizes.*

*Esse é o mesmo código, exceto por agora a variável animals referenciar uma ArrayList em vez de uma matriz.*

**Agora o método usa uma ArrayList em vez de uma matriz, mas o resto é igual. Lembre-se que a sintaxe do loop for funciona tanto para matrizes quanto para conjuntos.**

**Será compilado e executado sem problemas**

```
File Edit Window Help CatFoodIsBetter
%java TestGeneric2

animal eating
animal eating
animal eating
animal eating
animal eating
animal eating
```

## Mas funcionará com ArrayList<Dog>?

Graças ao polimorfismo, o compilador nos permitirá passar uma matriz Dog para um método com um argumento de matriz Animal. Sem problemas. E ArrayList<Animal> poderá ser passada para um método com um argumento ArrayList<Animal>. Portanto, a grande pergunta é, o argumento ArrayList<Animal> aceitará ArrayList<Dog>? Se funciona com matrizes, não deveria funcionar aqui também?

## Passando apenas ArrayList<Dog>

```java
public void go() {
   ArrayList<Animal> animals = new ArrayList<Animal>();
   animals.add(new Dog());
   animals.add(new Cat());
   animals.add(new Dog());
   takeAnimals(animals);

   ArrayList<Dog> dogs = new ArrayList<Dog>();
   dogs.add(new Dog());
   dogs.add(new Dog());
   takeAnimals(dogs);
}
```

*Sabemos que essa linha funcionou bem.*

*Cria uma ArrayList Dog e insere um par de objetos Dog nela.*

*Isso funcionará agora que passamos de uma matriz para uma ArrayList?*

_conjuntos e tipos genéricos_

```
public void takeAnimals(ArrayList<Animal> animals) {
   for(Animal a: animals) {
      a.eat();
   }
}
```

## Quando compilarmos:

```
File Edit Window Help CatsAreSmarter
%java TestGenerics3

TestGenerics3.java:21: takeAnimals(java.util.
ArrayList<Animal>) in TestGenerics3 cannot be applied to
(java.util.ArrayList<Dog>)
      takeAnimals(dogs);
      ^
1 error
```

**Parecia tão correto, mas deu tão errado...**

> E eu tenho que aceitar isso? Prejudicou totalmente minha simulação com animais em que o programa de uma veterinária usa uma lista de qualquer tipo de animal, para que um canil possa enviar uma lista de cães e um abrigo para gatos possa enviar uma lista de gatos... Agora você está dizendo que não posso fazer isso se usar conjuntos em vez de matrizes?

## O que aconteceria se fosse permitido...

Imagine se o compilador permitisse que você fizesse isso. Ele teria permitido que você passasse ArrayList<Dog> para um método declarado como:

```
public void takeAnimals(ArrayList<Animal> animals) {
   for(Animal a: animals) {
      a.eat();
   }
}
```

Não há nada nesse método que _pareça_ perigoso, certo? Afinal, o interessante no polimorfismo é que qualquer coisa que Animal possa fazer (nesse caso, executar o método eat()), um objeto Dog também possa. Portanto, qual é o problema em fazermos o método chamar eat() em cada uma das referências de Dog?

_Nenhum._ Absolutamente nenhum.

Não há nada errado _nesse_ código. Mas veja _este_ outro:

```
public void takeAnimals(ArrayList<Animal> animals) {
   animals.add(new Cat());    ←
}
```

_Nossa! Acabamos de inserir um objeto Cat no que pode ser uma ArrayList somente de objetos Dog._

Portanto, esse é o problema. Com certeza não há nada errado em adicionar um objeto Cat a uma ArrayList<Animal> e isso é que torna interessante termos uma ArrayList de um supertipo como Animal — para que você possa inserir todos os tipos de animais em uma única ArrayList Animal.

Mas se você passasse uma ArrayList Dog — criada para conter APENAS objetos Dog — para esse método que usa uma ArrayList Animal, poderia acabar com um objeto Cat na lista de objetos Dog. O compilador sabe que se deixar você passar uma ArrayList Dog para o método, alguém poderia, no tempo de execução, adicionar um objeto Cat a sua lista de objetos Dog. Portanto, em vez disso, ele apenas não deixará que você se arrisque.

_Se você declarar um método que use ArrayList<Animal> ele SÓ poderá usar uma ArrayList<Animal> e não uma ArrayList<Dog> ou uma ArrayList<Car>._

_você está aqui ▶_ **401**

*matrizes versus ArrayLists*

> Espere um pouco... Se é por isso que eles não me deixarão passar uma ArrayList Dog para um método que use uma ArrayList Animal — para impedir que você possa inserir um objeto Cat no que na verdade seria uma lista de objetos Dog, por que funciona com matrizes? Não há o mesmo problema com as matrizes? Você não poderia adicionar um objeto Cat a uma matriz Dog[ ]?

## Os tipos da matriz serão verificados novamente no <u>tempo de execução</u>, mas as verificações do tipo de conjunto só ocorrerão quando você <u>compilar</u>

Suponhamos que você adicionasse um objeto Cat a uma matriz declarada como Dog[ ] (uma matriz que fosse passada para o argumento de um método declarado como Animal[ ], que é uma atribuição perfeitamente válida para matrizes).

```
public void go() {
    Dog[] dogs = {new Dog(), new Dog(), new Dog()};
    takeAnimals(dogs);
}

public void takeAnimals(Animal[] animals) {
    animals[0] = new Cat();
}
```

*Inserimos um novo objeto Cat em uma matriz Dog. O compilador permitiu, porque sabe que você pode ter passado uma matriz Cat ou Animal para o método, portanto, para o compilador isso poderia estar correto.*

**Será compilado, mas quando executarmos:**

```
File Edit Window Help CatsAreSmarter
%java TestGenerics1
Exception in thread "main" java.lang.ArrayStoreException:
Cat
        at TestGenerics1.takeAnimals(TestGenerics1.java:16)
        at TestGenerics1.go(TestGenerics1.java:12)
        at TestGenerics1.main(TestGenerics1.java:5)
```

**Uau! Pelo menos a JVM interrompeu.**

> Não seria maravilhoso se houvesse uma maneira de usarmos tipos de conjunto polimórficos como argumentos de métodos, para que meu programa da veterinária pudesse usar listas de objetos Dog e de objetos Cat? Dessa forma eu poderia percorrer as listas em um loop e chamar seu método imunizar(), mas isso teria que ser seguro para que você não conseguisse adicionar um objeto Cat à lista de objetos Dog. Mas acho que é apenas ilusão...

*conjuntos e tipos genéricos*

## Os curingas nos ajudarão

Parece incomum, mas *há* uma maneira de criar um argumento de método que possa aceitar uma ArrayList de qualquer subtipo de Animal. A maneira mais simples é usar um **curinga** - adicionado à linguagem Java exclusivamente por essa razão.

```
public void takeAnimals(ArrayList<? extends Animal> animals) {
    for(Animal a: animals) {
        a.eat();
    }
}
```

*Lembre-se de que aqui a palavra-chave extends significará extends ou implements dependendo do tipo. Portanto, se você quiser usar uma ArrayList de tipos que implementem a interface Pet, terá que declará-la como: ArrayList<? extends Pet>*

Então agora você deve estar pensando, "Qual é a diferença? Você não terá o mesmo problema de antes? O método anterior não está fazendo nada perigoso — está chamando um método que qualquer subtipo de Animal possui — mas não seria possível alguém alterar isso para adicionar um objeto Cat à lista *animals*, ainda que na verdade ela seja uma ArrayList<Dog>? E já que isso não será verificado novamente no tempo de execução, por que é diferente da declaração sem o curinga?"

E você estaria certo em pensar isso. A resposta é NÃO. Quando você usar o curinga<?> em sua declaração, o compilador não permitirá que faça nada que adicione algo à lista!

---

**Quando você usar um curinga no argumento de seu método, o compilador o IMPEDIRÁ de fazer qualquer coisa que possa danificar a lista referenciada pelo parâmetro do método.**

**Você ainda poderá chamar métodos nos elementos da lista, mas não poderá adicionar elementos a ela.**

**Em outras palavras, você poderá usar os elementos da lista, mas não poderá inserir novos elementos.**

**Portanto, você estará seguro no tempo de execução, porque o compilador não permitirá que faça nada que possa ser inadequado nesse momento.**

**Então isso estará correto dentro de takeAnimals():**

```
for(Animal a: animals) {
    a.eat();
}
```

**Mas ISSO não será compilado:**

```
animals.add(new Cat());
```

---

## Sintaxe alternativa para fazermos a mesma coisa

Você deve lembrar que quando examinamos o método sort(), ele usava um tipo genérico, mas com um formato incomum em que o parâmetro de tipo foi declarado antes do tipo de retorno. É apenas uma maneira diferente de declarar o parâmetro de tipo, mas os resultados são iguais:

# Isso:

```
public <T extends Animal> void takeThing(ArrayList<T> list)
```

# Faz a mesma coisa que isto:

```
public void takeThing(ArrayList<? extends Animal> list)
```

*você está aqui ▶*   **403**

*exercício:* *seja o compilador*

### Perguntas Idiotas
não existem

**P:** Se as duas instruções fazem a mesma coisa, porque usar uma em vez da outra?

**R:** Tudo dependerá do fato de você querer usar "T" em algum outro local. Por exemplo, e se você quiser que o método tenha dois argumentos — ambos sendo listas de um tipo que estenda Animal? Nesse caso, seria mais eficiente declarar o parâmetro de tipo apenas uma vez:

```
public <T extends Animal> void takeThing(ArrayList<T> one, ArrayList<T> two)
```

Em vez de digitar:

```
public void takeThing(ArrayList<? extends Animal> one, ArrayList<? extends Animal> two)
```

---

Exercício

## Seja o compilador, avançado

Sua tarefa é personificar o compilador e determinar quais dessas instruções seriam compiladas. Mas alguns desses códigos não foram abordados no capítulo, portanto, você terá que responder baseado no que aprendeu, aplicando as "regras" a essas novas situações. Em alguns casos, você pode ter que adivinhar, mas o importante é produzir uma resposta sensata com base no que aprendeu até agora.

(Nota: suponhamos que esse código esteja dentro de uma classe e um método válidos.)

### Será compilado?

☐ `ArrayList<Dog> dogs1 = new ArrayList<Animal>();`

☐ `ArrayList<Animal> animals1 = new ArrayList<Dog>();`

☐ `List<Animal> list = new ArrayList<Animal>();`

☐ `ArrayList<Dog> dogs = new ArrayList<Dog>();`

☐ `ArrayList<Animal> animals = dogs;`

☐ `List<Dog> dogList = dogs;`

☐ `ArrayList<Object> objects = new ArrayList<Object>();`

☐ `List<Object> objList = objects;`

☐ `ArrayList<Object> objs = new ArrayList<Dog>();`

*conjuntos e tipos genéricos*

# Solução do exercício Aponte Seu Lápis de engenharia reversa

```java
import java.util.*;
public class SortMountains {
    LinkedList<Mountain> mtn = new LinkedList<Mountain>();
    class NameCompare implements Comparator <Mountain> {
        public int compare(Mountain one, Mountain two) {
            return one.name.compareTo(two.name);
        }
    }
    class HeightCompare implements Comparator <Mountain> {
        public int compare(Mountain one, Mountain two) {
            return (two.height - one.height);
        }
    }
    public static void main(String [] args) {
        new SortMountains().go();
    }
    public void go() {
        mtn.add(new Mountain("Longs", 14255));
        mtn.add(new Mountain("Elbert", 14433));
        mtn.add(new Mountain("Maroon", 14156));
        mtn.add(new Mountain("Castle", 14265));
        System.out.println("as entered:\n" + mtn);
        NameCompare nc = new NameCompare();
        Collections.sort(mtn, nc);
        System.out.println("by name:\n" + mtn);
        HeightCompare hc = new HeightCompare();
        Collections.sort(mtn, hc);
        System.out.println("by height:\n" + mtn);
    }
}
class Mountain {
    String name;
    int height;
    Mountain(String n, int h) {
        name = n;
        height = h;
    }
    public String toString( ) {
        return name + " " + height;
    }
}
```

*Você notou que a lista height esta em ordem DECRESCENTE? :)*

**Saída:**

```
File  Edit  Window  Help  ThisOne'sForBob
%java SortMountains
as entered:
[Longs 14255, Elbert 14433, Maroon 14156, Castle 14265]
by name:
[Castle 14265, Elbert 14433, Longs 14255, Maroon 14156]
by height:
[Elbert 14433, Castle 14265, Longs 14255, Maroon 14156]
```

# Solução do exercício Preencha as Lacunas

**Dada a instrução compilável a seguir:**

```java
Collections.sort(myArrayList);
```

1. O que a classe dos objetos armazenados em myArrayList deve implementar? **Comparable**

2. Que método a classe dos objetos armazenados em myArrayList deve implementar? **compareTo()**

3. A classe dos objetos armazenado em myArrayList pode implementar tanto Comparator QUANTO Comparable? **sim**

**Dada a instrução compilável a seguir:**

```java
Collections.sort(myArrayList, myCompare);
```

4. A classe dos objetos armazenados em myArrayList pode implementar Comparable? **sim**

5. A classe dos objetos armazenados em myArrayList pode implementar Comparator? **sim**

6. A classe dos objetos armazenados em myArrayList deve implementar Comparable? **não**

7. A classe dos objetos armazenados em myArrayList deve implementar Comparator? **não**

8. O que a classe do objeto myCompare deve implementar? **Comparator**

9. Que método a classe do objeto myCompare deve implementar? **compare()**

*você está aqui ▶* **405**

*solução* do exercício

Solução do exercício Seja o Compilador

## Será compilado?

☐ `ArrayList<Dog> dogs1 = new ArrayList<Animal>();`

☐ `ArrayList<Animal> animals1 = new ArrayList<Dog>();`

☒ `List<Animal> list = new ArrayList<Animal>();`

☐ `ArrayList<Dog> dogs = new ArrayList<Dog>();`

☐ `ArrayList<Animal> animals = dogs;`

☒ `List<Dog> dogList = dogs;`

☒ `ArrayList<Object> objects = new ArrayList<Object>();`

☒ `List<Object> objList = objects;`

☐ `ArrayList<Object> objs = new ArrayList<Dog>();`

# 17 pacote, arquivos jar e implantação

# Lance seu Código

**É hora de pôr em prática o que você aprendeu.** Você escreveu seu código. Testou esse código. Aprimorou-o. Você disse para todo mundo que sabe que se nunca se deparar com uma linha de código novamente, não haverá problema. Mas, no fim das contas, criou uma obra de arte. O projeto funciona mesmo! Mas e agora? Como disponibilizá-lo para os usuários finais? O que fornecerá exatamente para eles? E se você nem mesmo souber quem são seus usuários finais? Nestes dois últimos capítulos, estudaremos como organizar, empacotar e implantar seu código Java. Examinaremos opções de implantação local, semilocal e remota inclusive arquivos jar executáveis, o Java Web Start, RMI e Servlets. Neste capítulo, passaremos grande parte de nosso tempo organizando e empacotando seu código — atividades que você terá que conhecer independentemente de sua opção final de implantação. No último capítulo, terminaremos com uma das coisas mais interessantes que podem ser feitas em Java. Calma. Lançar seu código não significa dizer adeus. Sempre haverá a manutenção...

*implantação Java*

# Implantando seu aplicativo

O que exatamente *é* um aplicativo Java? Em outras palavras, quando você tiver terminado o desenvolvimento, o que será distribuído? Há chances de que seus usuários finais não tenham um sistema idêntico ao seu. E o que é mais importante, eles não terão seu aplicativo. Portanto, chegou a hora de preparar seu programa para implantação a atividades do dia-a-dia. Neste capítulo, examinaremos as implantações locais, inclusive os arquivos jar executáveis e a tecnologia parte local/parte remota chamada Java Web Start. No próximo capítulo, examinaremos as opções de implantação mais remotas, inclusive o RMI e os Servlets.

**Um programa Java é um conjunto de classes. Esse será o resultado de seu desenvolvimento.**

**A pergunta real é o que fazer com essas classes quando você tiver terminado?**

## Opções de implantação

1. **Local**
   O aplicativo inteiro é executado no computador do usuário final, como um programa autônomo, provavelmente com GUI, implantado como um arquivo jar executável (examinaremos o formato JAR daqui a algumas páginas).

2. **Combinação de local e remota**
   O aplicativo é distribuído com uma parte cliente sendo executada no sistema local do usuário, conectada a um servidor onde outras partes do aplicativo são executadas.

3. **Remota**
   O aplicativo Java inteiro é executado em um sistema servidor, com o cliente acessando o sistema através de algum meio não relacionado à Java, provavelmente um navegador Web.

### Exercitando o cérebro

Quais são as vantagens e desvantagens de distribuir seu programa Java como um aplicativo local autônomo sendo executado no computador do usuário final?

Quais são as vantagens e desvantagens de distribui seu programa Java como um sistema baseado na Web onde o usuário interaja com um navegador Web e o código Java seja executado na forma de servlets no servidor?

Mas antes de entrarmos definitivamente no assunto da implantação, voltaremos um pouco e examinaremos o que acontecerá quando você tiver terminado a programação de seu aplicativo e simplesmente quiser extrair os arquivos de classe para fornecê-los a um usuário final. O que haverá realmente *nesse* diretório de trabalho?

## Imagine este cenário...

Bob está trabalhando alegremente nas partes finais de seu avançado novo programa Java. Após semanas no modo "Falta apenas compilar mais uma vez", ele finalmente terminou. O programa é um aplicativo de GUI realmente sofisticado, mas já que grande parte é composta por código Swing, ele só criou nove classes por sua própria conta.

Finalmente, é hora de distribuir o programa para o cliente. Ele acha que tudo que terá que fazer é copiar os arquivos das nove classes, já que o cliente já tem a API Java instalado. Bob começará executando o comando **ls** no diretório onde todos seus arquivos estão...

*pacote, arquivos jar e implantação*

> Mas o quê?

Uau! Algo estranho aconteceu. Em vez de 18 arquivos (nove arquivos de código-fonte e nove arquivos de classes compiladas), ele vê 31 arquivos, muitos dos quais têm nomes bem estranhos como:

Account$FileListener.class

Chart$SaveListener.class

e assim por diante. Ele tinha se esquecido completamente de que o compilador tem que gerar arquivos de classe para todos esses ouvintes de eventos de GUI da classe interna que criou e é isso que são todas as classes de nome estranho.

Agora ele terá que extrair cuidadosamente todos os arquivos de classe de que precisa. Se deixar pelo menos um deles de fora, seu programa não funcionará. Mas isso será complicado já que ele não quer enviar acidentalmente para o cliente um de seus arquivos de código-*fonte* e tudo se encontra no mesmo diretório em uma grande confusão.

## Separe os arquivos de código-fonte dos de classes

É uma bagunça ter um único diretório com uma porção de arquivos de código-fonte e de classes. Bob devia ter organizado seus arquivos desde o início, mantendo separados código-fonte e código compilado. Em outras palavras, assegurar que seus arquivos de classes compiladas não fossem inseridos no mesmo diretório de seu código-fonte.

*A chave é combinar a organização da estrutura do diretório e a opção –d do compilador.*

Há várias maneiras pelas quais você pode organizar seus arquivos e sua empresa pode ter uma maneira específica que deseja que seja obedecida. Recomendamos um esquema organizacional que se tornou quase um padrão.

Com esse esquema, você criará um diretório do projeto e dentro dele criará um diretório chamado **source** (fonte) e outro chamado **classes**. Você começará salvando seu código-fonte (arquivos .java) no diretório **source**. Em seguida, o truque é compilar seu código de uma maneira que a saída (os arquivos .class) acabem ficando no diretório **classes**.

E há um flag apropriado no compilador, **-d**, que lhe permitirá fazer isso.

> Mas achei que não tivesse uma alternativa à inserção dos arquivos de classe junto com os arquivos de código fonte. Quando compilamos, eles simplesmente tomam esse rumo, portanto, o que posso fazer?

## Compilando com o flag –d (de diretório)

```
%cd MyProject/source

%javac -d ../classes MyApp.java
```

solicita ao compilador que insira o código compilado (arquivos de classes) no diretório classes que fica abaixo do diretório de trabalho atual.

a última coisa é o nome do arquivo java a ser compilado

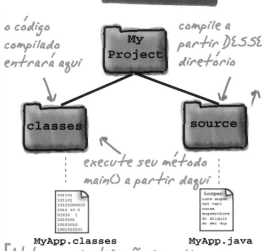

o código compilado entrará aqui

compile a partir DESSE diretório

execute seu método main() a partir daqui

MyApp.classes    MyApp.java

Usando o flag **–d**, *você* poderá decidir em que *diretório* o código compilado será inserido, em vez de aceitar que o padrão dos arquivos de classe sejam inseridos no mesmo diretório que o código-fonte. Para compilar todos os arquivos .java do diretório de código-fonte, use:

```
%javac -d ../classes *.java
```

o comando *.java compilará TODOS os arquivos de código-fonte do diretório atual.

## Executando seu código

```
%cd MyProject/classes

%java Mini
```

execute seu programa a partir do diretório de classes.

[Nota para identificação de problemas: todo o conteúdo deste capítulo presume que o diretório de trabalho atual (isto é,.) se encontra em seu caminho de classe. Se você tiver configurado explicitamente uma variável de ambiente para o caminho de classe, certifique-se de que ela tenha o.]

*arquivo JAR executável*

## Insira seu código Java em um arquivo JAR

Um arquivo **JAR** é um **J**ava **AR**chive. Ele se baseia no formato de arquivo pkzip e permitirá que você empacote todas as suas classes para, que em vez de fornecer a seu cliente 28 arquivos de classes, passe apenas um único arquivo JAR. Se você estiver familiarizado com o comando tar do UNIX, reconhecerá os comandos da ferramenta jar. (Nota: quando escrevermos JAR somente com letras maiúsculas, estaremos nos referindo ao *arquivo*. Quando usarmos letras minúsculas, estaremos nos referindo à *ferramenta jar* que você usará para criar arquivos JAR.)

A pergunta é: o que o cliente *fará* com o arquivo JAR? Como você o fará ser *executado*?

Você o tornará **executável**.

Tornar um arquivo JAR executável significa que o usuário final não terá que extrair os arquivos de classes antes de executar o programa. Ele poderá executar o aplicativo com os arquivos de classes ainda no arquivo JAR. O truque é criar um arquivo de **declaração**, que seja inserido no arquivo JAR e contenha informações sobre os arquivos contidos em JAR. Para que um arquivo JAR executável seja criado, o arquivo de declaração deve informar à JVM *que classe tem o método main()*!

## Criando um arquivo JAR executável

① **Certifique-se de que todos os seus arquivos de classe fiquem no diretório classes**
   Vamos melhorar isso daqui a algumas páginas, mas, por enquanto, mantenha todos os seus arquivos de classe no diretório chamado 'classes'.

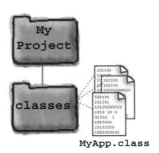

② **Crie um arquivo manifest.txt que declare que classe tem o método main( )**
   Crie um arquivo de texto chamado manifest.txt que tenha uma linha:

   Main-Class: MyApp   ← *Não insira a class no final.*

   Pressione a tecla enter depois de digitar a linha Main-Class ou seu arquivo de declaração pode não funcionar corretamente. Insira o arquivo de declaração no diretório

③ **Execute a ferramenta jar para criar um arquivo JAR que contenha tudo o que existe no diretório classes, mais o arquivo de declaração.**

```
%cd MiniProject/classes
%jar -cvmf manifest.txt app1.jar *.class
OR
%jar -cvmf manifest.txt app1.jar MyApp.class
```

*Não há código-fonte (.java) no arquivo JAR.*

**A maioria dos aplicativos Java 100% locais é implantada como arquivos JAR executáveis.**

410  *capítulo 17*

*pacote, arquivos jar e implantação*

# Executando (processando) o arquivo JAR

A Java (a JVM) pode carregar uma classe a partir de um arquivo JAR e chamar o método main() dessa classe. Na verdade, o aplicativo inteiro pode *estar* no arquivo JAR. Quando o processo tiver iniciado [isto é, o método main() começar a ser executado], a JVM não se importará *com o local* de origem de suas classes, contanto que ela consiga encontrá-las. E um dos locais que a JVM examinara será dentro de qualquer arquivo JAR existente no caminho da classe. Se conseguir *ver* um arquivo JAR, a JVM *examinará* seu conteúdo quando tiver que encontrar e carregar uma classe.

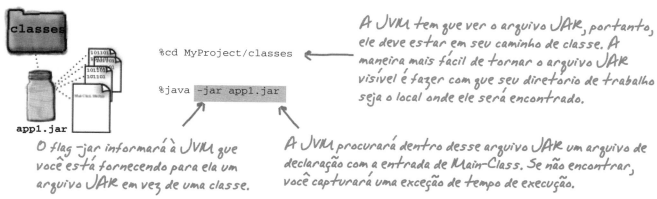

Dependendo de como seu sistema operacional estiver configurado, talvez você possa apenas clicar duas vezes no arquivo JAR para iniciá-lo. Isso funciona na maioria das versões do Windows e no Mac OS X. Geralmente conseguimos fazer isso selecionando o arquivo JAR e solicitando ao sistema operacional para "Abrir com..." (Ou uma opção equivalente existente em seu sistema operacional.)

---
### não existem
### Perguntas Idiotas
---

**P:** Por que não posso simplesmente armazenar um diretório inteiro em um arquivo JAR?

**R:** A JVM verificará dentro do arquivo JAR esperando encontrar o que ela precisa que esteja aí. Não procurará outros diretórios, a menos que a classe faça parte de um pacote e mesmo nesse caso ela só examinará os diretórios que coincidirem com os da declaração do pacote.

**P:** O que você acabou de dizer?

**R:** Você não pode inserir seus arquivos de classes em algum diretório arbitrário e armazená-los em um arquivo JAR dessa forma. Mas se suas classes pertencerem a pacotes, você poderá arquivar em um arquivo JAR a estrutura inteira do diretório do pacote. Na verdade, você deve fazer isso. Explicaremos tudo a seguir, portanto, pode ficar tranqüilo.

# Insira suas classes em pacotes!

Bem, você criou alguns arquivos de classes adequadamente reutilizáveis e os enviou em sua biblioteca de desenvolvimento interno para outros programadores usarem. Enquanto exultava por ter acabado de distribuir alguns dos melhores exemplos (em sua modesta opinião) de OO já concebidos, recebeu um telefonema. Duas de suas classes têm o mesmo nome das classes que Fred acabou de distribuir para a biblioteca. E tudo que há de ruim começa a acontecer quando o desenvolvimento está sujeito a colisões e ambigüidades na nomeação.

E apenas porque você não usou pacotes! Bem, na verdade você usou pacotes, por ter empregado classes da API Java que, é claro, estão em pacotes. Mas não inseriu suas próprias classes em pacotes e no dia-a-dia isso é um problema.

Alteraremos a estrutura organizacional das páginas anteriores, apenas um pouco, para inserir as classes em um pacote e armazenar o pacote inteiro em um arquivo JAR. Preste muita atenção aos detalhes sutis e minuciosos. Até mesmo a menor distração pode impedir que seu código seja compilado e/ou executado.

*você está aqui* ▶ **411**

## Os pacotes impedem conflitos de nome de classe

Embora os pacotes não existam apenas para evitar colisões de nome, esse é um recurso-chave. Você pode criar uma classe chamada Customer, uma chamada Account e outra chamada ShoppingCart. E, pelo que sabemos, metade de todos os desenvolvedores que trabalha no comércio eletrônico empresarial já deve ter criado classes com esse nomes. No universo da OO, isso é perigoso. Se parte da importância da OO é a criação de componentes reutilizáveis, os desenvolvedores têm que ser capazes de agregar componentes de várias origens e construir algo novo a partir deles. Seus componentes têm que conseguir 'ser compatíveis com outros', inclusive os que você não criou ou que nem souber que existem.

Você deve se lembrar do Capítulo 6, quando discutimos como o nome de um pacote é como o nome completo de uma classe, tecnicamente conhecido como *nome totalmente qualificado*. A classe ArrayList na verdade é ***java.util.ArrayList***. JButton é ***javax.swing.JButton*** e Socket é ***java.net.Socket***. Observe que duas dessas classes, ArrayList e Socket, têm *java* como seu "primeiro nome". Em outras palavras, a primeira parte de seus nomes totalmente qualificados é "java". Lembre-se de uma hierarquia quando pensar em estruturas de pacotes e organize suas classes dessa forma.

A estrutura de pacote daAPI Java para:

java.text.NumberFormat

java.util.ArrayList

java.awt.FlowLayout

java.awt.event.AcionEvent

java.net.Socket

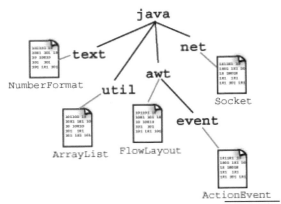

Com o que você acha que esse cenário se parece? Não se parece muito com uma hierarquia de <u>diretório</u>?

## Evitando conflitos de nome de pacote

Inserir sua classe em um pacote reduzirá as chances de conflitos com o nome de outras classes, mas como impedir que dois programadores criem nomes de *pacote* idênticos? Em outras palavras, como impedir que dois programadores, ambos com uma classe chamada Account, a insiram em um pacote chamado shopping.customers? As duas classes, nesse caso, *ainda* teriam o mesmo nome:

*shopping.customers.Account*

A Sun sugere uma convenção de nomeação de pacotes que reduz muito esse risco — acrescente na frente de todas as classes o nome de seu domínio invertido. Lembre-se de que os nomes de domínio têm a garantia de ser exclusivos. Dois homens diferentes podem ter o nome Bartholomew Simpson, mas dois domínios diferentes não podem ter o nome doh.com.

*Os pacotes podem evitar conflitos de nome, mas só se você escolher um nome de pacote que garanta exclusividade. A melhor maneira de fazer isso é iniciar os pacotes com seu nome de domínio invertido.*

com.headfirstbooks.Book

nome do pacote / nome da classe

pacote, arquivos jar e implantação

## Nomes de pacote com o domínio invertido

`com.headfirstjava.projects.Chart`

*Inicie o pacote com seu domínio invertido, separado por um ponto (.) e, em seguida, adicione sua própria estrutura organizacional.*

*projects.Chart pode ser um nome comum, mas a inclusão de com.headfirstjava significa que só teremos que nos preocupar com os desenvolvedores internos.*

*O nome da classe deve estar sempre em maiúsculas.*

## Para inserir sua classe em um pacote:

① **Escolha um nome de pacote**
Estamos usando **com.headfirstjava** como nosso exemplo. O nome da classe é PackageExercise, portanto, agora o nome totalmente qualificado da classe é: com.headfirstjava.PackageExercise.

② **Insira uma instrução de pacote em sua classe**
Ela deve ser a primeira instrução do arquivo de código-fonte, antes de qualquer instrução de importação. Só pode haver uma instrução de pacote por arquivo de código-fonte, portanto, **todas as classes de um arquivo de código-fonte devem ficar no mesmo pacote.** É claro que isso também inclui as classes internas.

```
package com.headfirstjava;

import javax.swing.*;

public class PackageExercise {
    // um código excepcional entra aqui
}
```

③ **Configure uma estrutura de diretório coincidente**
Não é o suficiente *dizer* que sua classe está em um pacote, simplesmente inserindo uma instrução de pacote no código. Sua classe não estará *realmente* em um pacote até você inseri-la em uma estrutura de diretório coincidente. Portanto, se o nome totalmente qualificado da classe for com.headfirstjava.PackageExercise, você **deve** inserir o código-fonte de PackageExercise em um diretório chamado **headfirstjava**, que **deve** ficar em um diretório chamado **com**.
É *possível* compilar sem fazer isso, mas acredite — não vale a pena pelos outros problemas que você vai ter. Mantenha seu código-fonte em uma estrutura de diretório que coincida com a estrutura do pacote e evitará várias dores de cabeça terríveis.

> **Você deve inserir uma classe em uma estrutura de diretório que coincida com a hierarquia do pacote.**

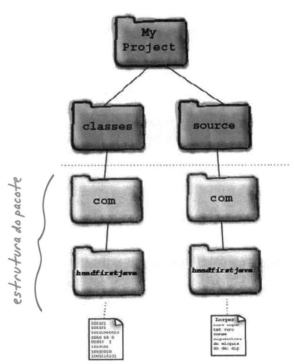

PackageExercise.class   PackageExercise.java

*Configure uma estrutura de diretório coincidente tanto para a árvore do código-fonte quanto para a das classes.*

## Compilando e executando com pacotes

Quando sua classe estiver em um pacote, será um pouco mais complicado compilar e executar. O principal problema é que tanto o compilador quanto a JVM têm que ser capazes de encontrar sua classe e todas as outras classes que ela usar. Quanto às classes da API principal, isso nunca será um problema. O Java sempre sabe onde estão suas próprias crias. Mas no que diz respeito às suas classes, a solução de compilar a partir do mesmo diretório onde os arquivos de código-fonte estão simplesmente não funcionará (ou pelo menos não de maneira *confiável*). Garantimos, no entanto, que, se você seguir a estrutura que descrevemos nessa página, terá sucesso. Há outras maneiras de fazê-lo, mas essa é a que achamos mais confiável e mais fácil de adotar.

você está aqui ▶ 413

## Compilando com o flag –d (de diretório)

```
%cd MyProject/source
```

```
%javac -d ../classes com/headfirstjava/PackageExercise.java
```

*Solicita ao compilador que insira o código compilado (arquivos de classe) no diretório classes, dentro da estrutura de pacote certa!! Sim, ele sabe.*

*Agora você tem que especificar o CAMINHO para chegarmos ao arquivo real do código-fonte.*

*Fique no diretório source! Não desça para o diretório em que o arquivo .java está!*

*Você ainda executará a partir daqui.*

*Você ainda compilará a partir daqui.*

Para compilar todos os arquivos .java do pacote com.headfirstjava, use:

```
%javac -d ../classes com/headfirstjava/*.java
```

*Compilará todos os arquivos de código-fonte (.java) desse diretório.*

### Executando seu código

```
%cd MyProject/classes
```

```
%java com.headfirstjava.PackageExercise
```

*Execute seu programa a partir do diretório classes.*

Você DEVE fornecer o nome totalmente qualificado da classe! A JVM verá isso e examinará imediatamente o conteúdo de seu diretório atual (classes) esperando encontrar um diretório chamado com, onde procurará um diretório chamado headfirstjava e nesse local encontrará a classe. Se a classe estiver no diretório com ou até mesmo em classes, não funcionará!

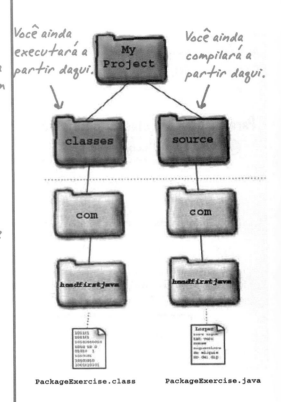

### O flag –d é ainda mais interessante do que dissemos

Compilar com o flag –d é ótimo, porque ele não só permitirá que você envie seus arquivos de classes compiladas para um diretório diferente daquele onde o arquivo de código-fonte está, como também saberá inserir a classe na estrutura de diretório correta referente ao pacote em que ela está.

Mas vai ficar ainda melhor!

Suponhamos que você tivesse uma estrutura de diretório adequada toda configurada para seu código-fonte. Mas não tivesse configurado uma estrutura de diretório coincidente para o diretório de suas classes. Isso não será problema! Compilar com –d solicitará ao compilador não só que *insira* suas classes na árvore de diretório correta, mas que *construa* os diretórios se eles não existirem.

> **O flag –d solicitará ao compilador o seginte:**
> **"Insira a classe na estrutura de diretório de seu pacote, usando a classe especificada depois de –d como o diretório-raiz. Mas... Se os diretórios não existirem, crie-os primeiro e, em seguida, insira a classe no local correto!"**

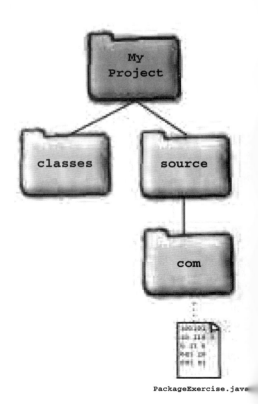

*pacote, arquivos jar e implantação*

## não existem Perguntas Idiotas

**P:** Tentei passar para o diretório em que minha classe principal estava, mas agora a JVM está dizendo que não consegue encontrá-la! Porém ela está exatamente LÁ no diretório atual!

**R:** Quando sua classe estiver em um pacote, você não poderá chamá-la pelo seu nome 'abreviado'. TERÁ que especificar, na linha de comando, o nome totalmente qualificado da classe cujo método main() quiser executar. Mas já que o nome totalmente qualificado inclui a estrutura do pacote, a Java demanda que a classe esteja em uma estrutura de diretório coincidente. Portanto, se você escrever na linha de comando:

```
%java com.foo.Book
```

**P:** a JVM procurará em seu diretório atual (e no resto de seu caminho de classe), um diretório chamado "com". Ela não procurará uma classe chamada Book, até ter encontrado um diretório chamado "com" que tenha dentro um diretório chamado "foo". Só então a JVM aceitará que encontrou a classe Book correta. Se ela encontrar uma classe Book em outro local, presumirá que a classe não está na estrutura correta, mesmo se estiver! Por exemplo, a JVM não examinará novamente a árvore do diretório para dizer: "Oh, posso ver que acima de nós existe um diretório chamado com, portanto, esse deve ser o pacote correto..."

### Criando um arquivo JAR executável com pacotes

Quando sua classe estiver em um pacote, a estrutura de diretório do pacote deve ficar dentro do arquivo JAR! Você não pode simplesmente inserir suas classes no arquivo JAR como fizemos antes dos pacotes. E deve se certificar de não incluir nenhum outro diretório acima de seu pacote. O primeiro diretório de seu pacote (geralmente com) deve ser o primeiro diretório dentro do arquivo JAR! Se você incluir acidentalmente o diretório que estiver *acima* do pacote (por exemplo, o diretório classes), o arquivo JAR não funcionará corretamente.

### Criando um arquivo JAR executável

① **Certifique-se de que todos os seus arquivos de classe fiquem dentro da estrutura de pacote correta, sob o diretório classes.**

② **Crie um arquivo manifest.txt que declare que classe tem o método main() e certifique-se de usar o nome totalmente qualificado!**
Crie um arquivo de texto chamado manifest.txt que tenha somente a linha:

```
Main-Class: com.headfirstjava.PackageExercise
```

Insira o arquivo de declaração no diretório de classes.

③ **Execute a ferramenta jar para criar um arquivo JAR que contenha os diretórios do pacote mais o arquivo de declaração**
A única coisa que você precisa incluir é o diretório 'com' e o pacote inteiro (com todas as classes) será inserido em JAR.

*Tudo que você precisa especificar é o diretório com! E terá tudo que existe dentro dele!*

```
%cd MyProject/classes

%jar -cvmf  manifest.txt  packEx.jar  com
```

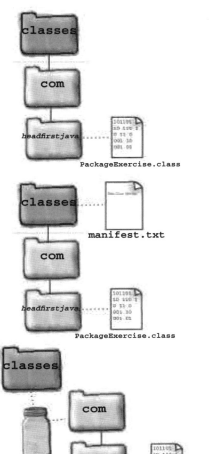

*você está aqui ▶*  **415**

*arquivos JAR e pacotes*

## Mas onde o arquivo de declaração entrará?

Por que não examinamos o arquivo JAR para descobrir? Na linha de comando, a ferramenta jar pode fazer mais do que apenas criar e executar um arquivo JAR. Você pode extrair o conteúdo de um arquivo JAR (da mesma forma que descompactamos um arquivo 'zip' ou 'tar').

Suponhamos que você tivesse inserido packEx.jar em um diretório chamado Skyler.

## Comandos jar para listar e extrair

① **Liste o conteúdo de um arquivo JAR**

% jar -tf packEx.jar

*-tf é a abreviatura de Table File como se disséssemos mostre uma tabela do arquivo JAR.*

```
File Edit Window Help Pickle
% cd Skyler
% jar -tf packEx.jar
META-INF/
META-INF/MANIFEST.MF
com/
com/headfirstjava/
com/headfirstjava/PackageExercise.class
```

② **Extraia o conteúdo de um arquivo JAR (isto é, descompacte)**

% cd Skyler

% jar -xf packEx.jar

*-xf é a abreviação de Extract File e funciona como quando descompactamos um arquivo zip ou tar. Se você extrair packEx.jar, verá os diretórios META-INF e com em seu diretório atual.*

*Inserimos o arquivo JAR em um diretório chamado Skyler.*

*A ferramenta jar construirá automaticamente um diretório META-INF e inserirá o arquivo de declaração nele.*

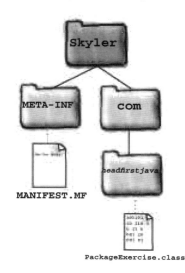

**META-INF significa 'metainformação'. A ferramenta jar criará o diretório META-INF assim como o arquivo MANIFEST.MF. Ela também pegará o conteúdo de *seu* arquivo de declaração e o inserirá no arquivo MANIFEST.MF. Portanto, *seu arquivo* de declaração não ficará no arquivo JAR, porque seu *conteúdo* será inserido no arquivo de declaração 'real' (MANIFEST.MF).**

## Aponte seu lápis

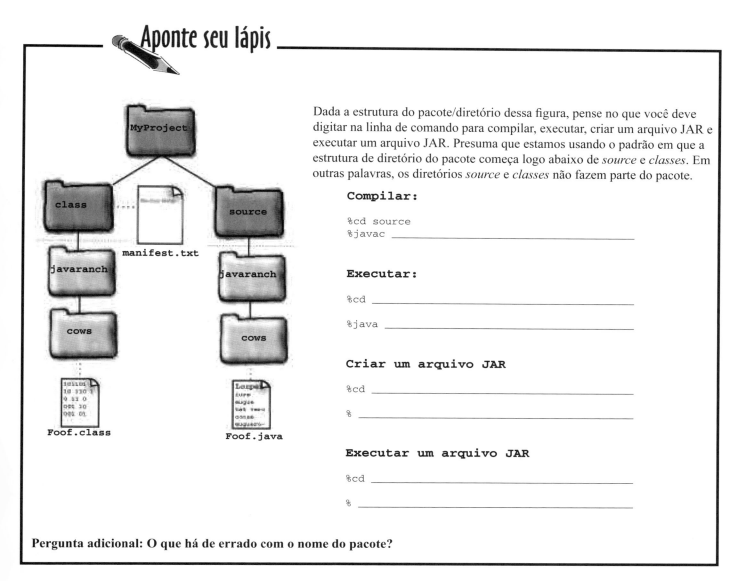

Dada a estrutura do pacote/diretório dessa figura, pense no que você deve digitar na linha de comando para compilar, executar, criar um arquivo JAR e executar um arquivo JAR. Presuma que estamos usando o padrão em que a estrutura de diretório do pacote começa logo abaixo de *source* e *classes*. Em outras palavras, os diretórios *source* e *classes* não fazem parte do pacote.

**Compilar:**

%cd source
%javac _____

**Executar:**

%cd _____

%java _____

**Criar um arquivo JAR**

%cd _____

% _____

**Executar um arquivo JAR**

%cd _____

% _____

**Pergunta adicional:** O que há de errado com o nome do pacote?

## Perguntas Idiotas
não existem

**P:** O que acontecerá se você tentar processar um arquivo JAR executável e o usuário final não tiver o Java instalado?

**R:** Nada será executado, já que sem uma JVM, o código Java não pode ser executado. O usuário final deve ter o Java instalado.

**P:** Como posso fazer o Java ser instalado na máquina do usuário final?

**R:** O ideal seria você criar um instalador personalizado e distribuí-lo junto com seu aplicativo. Várias empresas oferecem programas instaladores que vão do simples ao extremamente poderoso. Um programa instalador poderia, por exemplo, detectar se o usuário final tem ou não uma versão apropriada da Java instalada, e, se ele não tiver, instalar e configurar o Java antes de instalar seu aplicativo. InstallShield, InstallAnywhere e DeployDirector, todos oferecem soluções de instalador Java.

Outra coisa interessante sobre alguns dos programas instaladores é que você pode até mesmo criar um CD-ROM de implantação que inclua instaladores para todas as principais plataformas Java, portanto... Ter apenas um CD que seja adequado para todas. Se o usuário estiver executando o Solaris, por exemplo, a versão do Java para o Solaris será instalada. No Windows, a versão para Windows, etc. Se você tiver dinheiro, essa será sem dúvida a maneira mais fácil de seus usuários finais terem a versão correta da Java instalada e configurada.

organizando suas classes

# PONTOS DE BALA

- Organize seu projeto de modo que os arquivos de código-fonte e de classes não fiquem no mesmo diretório.

- Uma estrutura organizacional padrão é a que cria um diretório de *projeto* e, em seguida, insere um diretório *source* e um diretório *classes* dentro do diretório do projeto.

- Organizar suas classes em pacotes evitará colisões com o nome de outras classes, se você acrescentar o nome de seu domínio invertido na frente do nome de uma classe.

- Para inserir uma classe em um pacote, inclua uma instrução de pacote no início do arquivo de código-fonte, antes de qualquer instrução importante:

```
package com.wickedlysmart;
```

- Para estar em um pacote, uma classe deve estar em uma *estrutura de diretório que coincida exatamente com a estrutura do pacote*. Em com.wickedlysmart.Foo, a classe Foo deve estar em um diretório chamado *wickedlysmart*, que estará em um diretório chamado *com*.

- Para fazer sua classe compilada ser inserida na estrutura de diretório do pacote correto sob o diretório *classes*, use o flag **–d** do compilador:

```
% cd source
% javac -d ../classes com/wickedlysmart/Foo.java
```

- Para executar seu código, passe para o diretório classes e forneça o nome totalmente qualificado de sua classe:

```
% cd classes
% java com.wickedlysmart.Foo
```

- Você pode empacotar suas classes em arquivos JAR (Java ARchive). O arquivo JAR usa o formato pkzip.

- Você pode criar um arquivo JAR executável inserindo nele um arquivo de declaração que informe que classes têm o método main(). Para criar um arquivo de declaração, gere um arquivo de texto com uma entrada como a seguinte (por exemplo):

```
Main-Class: com.wickedlysmart.Foo
```

- Certifique-se de pressionar a tecla return depois de digitar a linha Main-Class ou seu arquivo de declaração pode não funcionar.

- Para criar um arquivo JAR, digite:

```
jar -cvfm manifest.txt MyJar.jar com
```

- A estrutura de diretório inteira do pacote (*somente* os diretórios que coincidirem com o pacote) deve ser inserida diretamente dentro do arquivo JAR.

- Para processar um arquivo JAR executável, digite:

```
java -jar MyJar.jar
```

Os arquivos JAR executáveis são interessantes, mas não seria maravilhoso se houvesse uma maneira de criar uma GUI de cliente sofisticada e autônoma que pudesse ser distribuída através da Web? Para você não precisar gravar e distribuir todos esses CD-ROMs? E não seria um sonho se o programa pudesse se atualizar automaticamente, substituindo apenas as partes que foram alteradas? Os clientes ficariam sempre atualizados e você nunca precisaria se preocupar com novas distribuições.

pacote, arquivos jar e *implantação*

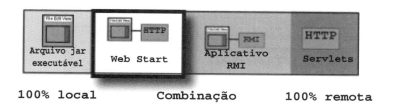

## Java Web Start

Com o Java Web Start (JWS), seu aplicativo será iniciado a partir de um navegador Web (entendeu? *Web Start*) mas executado como um aplicativo autônomo (bem, *quase*), sem as restrições do navegador. E quando ele tiver sido baixado na máquina do usuário final (o que acontecerá na primeira vez que o usuário acessar o link do navegador que inicia o download), *permanecerá* nesse local.

O Java Web Start é, entre outras coisas, um pequeno programa Java que reside na máquina cliente e funciona de maneira muito semelhante a um plug-in de navegador (do modo, digamos, que o Adobe Acrobat Reader é aberto quando seu navegador captura um arquivo .pdf). Esse programa Java se chama **'aplicativo auxiliar' Java Web Start** e sua finalidade principal é gerenciar o download, atualização e inicialização (execução) de *seus* aplicativos JWS.

Quando o JWS fizer o download de seu aplicativo (um arquivo JAR executável), chamará seu método main(). Depois disso, o usuário final poderá iniciar o diretório de seu aplicativo a partir do aplicativo auxiliar JWS *sem* ter que retornar através do link da página Web.

Mas essa não é a melhor parte. O interessante no JWS é sua habilidade de detectar quando até mesmo uma pequena parcela do aplicativo (digamos, um único arquivo de classe) foi alterada no servidor e — sem qualquer intervenção do usuário final - fazer o download e integrar o código atualizado.

É claro que ainda há um problema, por exemplo, como o usuário final vai *capturar* o Java e o Java Web Start? Ele vai precisar dos dois - do Java para executar o aplicativo e do Java Web Start (que também não passa de um pequeno aplicativo Java) para manipular sua recuperação e inicialização. Mas até *isso* foi resolvido. Você pode configurar o cenário de modo que se seus usuário finais não tiverem o JWS, eles possam fazer o download a partir da Sun. E se eles o tiverem, mas sua versão da Java estiver desatualizada (por você ter especificado em seu aplicativo JWS que precisa de uma determinada versão do Java), o Java 2 Standard Edition poderá ser baixado na máquina do usuário final.

O melhor de tudo é que é simples de usar. Você pode servir um aplicativo JWS de maneira semelhante a qualquer outro tipo de recurso Web como uma página HTML comum ou uma figura JPEG. Só terá que configurar uma página Web (HTML) com um link que conduza a seu aplicativo JWS e pronto.

No fim das contas, seu aplicativo JWS não será muito mais do que um arquivo JAR executável que os usuários finais poderão baixar a partir da Web.

**Os usuários finais poderão iniciar um aplicativo Java Web Start clicando em um link na página Web. Mas uma vez que o aplicativo tiver sido baixado, ele será executado fora do navegador, como qualquer outro aplicativo Java autônomo. Na verdade, um aplicativo Java Web Start é apenas um arquivo JAR executável que é distribuído através da Web.**

### Como o Java Web Start funciona

① **O cliente clicará em um link na página Web que conduzirá a seu aplicativo JWS (um arquivo .jnlp).**
O link da página Web

```
<a href="MyApp.jnlp">Click</a>
```

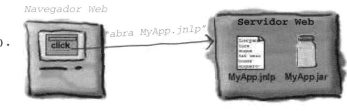

② **O servidor Web (HTTP) capturará a solicitação e retornará um arquivo .jlnp (que NÃO é o arquivo JAR).**
O arquivo .jnlp é um documento XML que contém o nome do arquivo JAR executável do aplicativo.

você está aqui ▶   419

*implantando* com o JWS

③ O Java Web Start (um pequeno 'aplicativo auxiliar' no cliente) será inicializado pelo navegador. O aplicativo auxiliar JWS lerá o arquivo .jnlp e solicitará o arquivo MyApp.jar ao servidor.

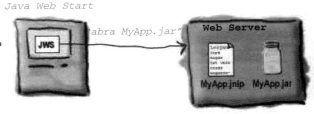

④ O servidor Web 'servirá' o arquivo .jar solicitado.

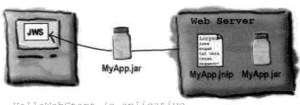

⑤ O Java Web Start capturará o arquivo JAR e iniciará o aplicativo chamando o método main() especificado (como ocorre com um arquivo JAR executável).
Da próxima vez que o usuário quiser executar esse aplicativo, ele poderá abrir o aplicativo Java Web Start e a partir desse local chamá-lo sem nem mesmo estar on-line.

*HelloWebStart (o aplicativo no arquivo JAR)*

## O arquivo .jnlp

Para criar um aplicativo Java Web Start, você precisará de um arquivo .jnlp (Java Network Launch Protocol) que o descreva. É esse arquivo que o aplicativo JWS lerá e usará para encontrar seu arquivo JAR e iniciar o aplicativo principal [chamando o método main() de JAR]. Um arquivo .jnlp é um documento XML simples em que você poderá inserir várias coisas, mas no mínimo, ele deve ter este conteúdo:

*A tag codebase é onde você especificará a raiz de onde seu programa de inicialização na Web se encontra no servidor. Estamos testando isso em seu host local, portanto, usamos o endereço de auto-retorno local 127.0.0.1. Para aplicativos inicializados em nosso servidor Web na Internet, o endereço seria http://www.wickedlysmart.com.*

```xml
<?xml version="1.0" encoding="utf-8"?>

<jnlp spec="0.2 1.0"
    codebase="http://127.0.0.1/~kathy"
    href="MyApp.jnlp">


<information>
    <title>kathy App</title>
    <vendor>Wickedly Smart</vendor>
    <homepage href="index.html"/>
    <description>Head First WebStart demo</description>
    <icon href="kathys.gif"/>
    <offline-allowed/>
</information>

<resources>
    <j2se version="1.3+"/>
    <jar href="MyApp.jar"/>
</resources>

<application-desc main-class="HelloWebStart"/>
</jnlp>
```

*Esse é o local do arquivo .jnlp relativo à tag codebase. Esse exemplo mostra que MyApp.jnlp está disponível no diretório raiz do servidor Web e não aninhado em algum outro diretório.*

*Certifique-se de incluir todas essas tags ou seu aplicativo pode não funcionar corretamente! As tags information são usadas pelo aplicativo auxiliar JWS que geralmente as exibe quando o usuário quer reiniciar um aplicativo já baixado.*

*Isso significa que o usuário poderá executar seu programa sem estar conectado à Internet. Se o usuário estiver off-line, o recurso de atualização automática não funcionará.*

*Isso quer dizer que seu aplicativo precisa da versão 1.3 da Java ou superior.*

*O nome de seu arquivo JAR executável! Você também pode ter outros arquivos JAR, que contenham outras classes ou até mesmo sons e imagens usadas por seu aplicativo.*

*Isso é semelhante à entrada Main-Class do arquivo de declaração... Informa que classe do arquivo JAR tem o método main().*

*pacote, arquivos jar e implantação*

# Etapas da criação e implantação de um aplicativo Java Web Start

① Crie um arquivo JAR executável para seu aplicativo.

MyApp.jar

② Crie um arquivo .jnlp.

MyApp.jnlp

③ Insira os arquivos JAR e .jnlp em seu servidor Web.

④ Adicione um novo tipo mime a seu servidor Web.

application/x-java-jnlp-file

Isso fará com que o servidor envie o arquivo .jnlp com o cabeçalho correto, para que quando o navegador receber o arquivo saiba do que se trata e como iniciar o aplicativo auxiliar JWS.

⑤ Crie uma página Web com um link que conduza a seu arquivo .jnlp

```
<HTML>
   <BODY>
      <a href="MyApp2.jnlp">Launch My Application</a>
   </BODY>
</HTML>
```

MyJWSApp.html

---

Exercício

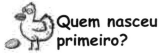
Quem nasceu primeiro?

Examine a seqüência de eventos a seguir e insira-as na ordem em que ocorreriam em um aplicativo JWS.

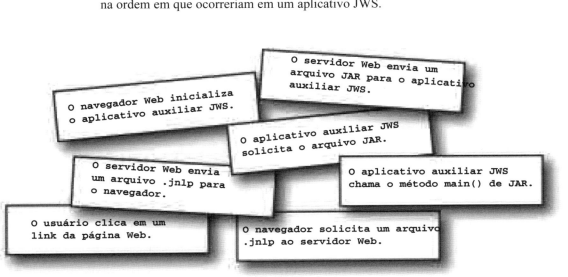

1.

2.

3.

4.

5.

6.

7.

você está aqui ▶ 421

## não existem Perguntas Idiotas

**P:** Em que o Java Web Start é diferente de um applet?

**R:** Os applets não podem residir fora de um navegador Web. Um applet é baixado como parte de uma página Web em vez de simplesmente a partir de uma página Web. Em outras palavras, para o navegador, o applet é como um arquivo JPEG ou qualquer outro recurso. O navegador usa um plug-in Java ou o código Java embutido nele próprio (muito menos comum atualmente) para executar o applet. Os applets não têm o mesmo nível de funcionalidade para coisas como atualização automática e devem sempre ser iniciados a partir do navegador. Com relação aos aplicativos JWS, uma vez tendo sido baixados da Web, o usuário não precisa nem mesmo estar usando um navegador para reiniciar o aplicativo localmente. Em vez disso, o usuário pode inicializar o aplicativo auxiliar e usá-lo para iniciar novamente o aplicativo já baixado.

**P:** Quais são as restrições de segurança do JWS?

**R:** Os aplicativos JWS apresentam várias restrições inclusive à leitura e gravação na unidade de disco rígido do usuário. Mas... O Java Web Start tem sua própria API com uma caixa de diálogo especial 'abrir e salvar' para que, com a permissão do usuário, seu aplicativo possa salvar e ler seus próprios arquivos em uma área restrita especial da unidade de disco do usuário.

### PONTOS DE BALA

- A tecnologia Java Web Start permitirá que você implante um aplicativo cliente autônomo a partir da Web.

- O Java Web Start inclui um 'aplicativo auxiliar' que deve ser instalado no cliente (junto com o Java).

- Um aplicativo Java Web Start (JWS) tem duas partes: um arquivo JAR executável e um arquivo .jnlp.

- Um arquivo .jnlp é um documento XML simples que descreve o aplicativo JWS. Ele inclui tags para a especificação do nome e local do arquivo JAR e do nome e classe que tem o método main().

- Quando um navegador capturar um arquivo .jnlp no servidor (por que o usuário clicou em um link que conduz ao arquivo .jnlp), ele inicializará o aplicativo auxiliar JWS.

- O aplicativo auxiliar JWS lerá o arquivo .jnlp e solicitará o arquivo JAR executável ao servidor Web.

- Quando o JWS capturar o arquivo JAR, chamará o método main() (especificado no arquivo .jnlp).

Exercício

Exploramos o empacotamento, a implantação e o JWS neste capítulo.
Sua tarefa é definir se cada uma das declarações a seguir é verdadeira ou falsa.

### Verdadeiro ou falso

1. O compilador Java tem um flag –d, que permitirá que você decida onde seus arquivos .class devem ser inseridos.
2. Um JAR é um diretório padrão onde seus arquivos .class devem residir.
3. Quando criar um Java Archive você terá que gerar um arquivo chamado jar.mf.
4. O arquivo de suporte do Java Archive declara que classe tem o método main().
5. Os arquivos JAR devem ser descompactados antes de a JVM poder usar as classes que ele contém.
6. Na linha de comando, os Java Archives são chamados com o uso do flag –arch.
7. As estruturas dos pacotes são representadas de maneira significativa com o uso de hierarquias.
8. Usar o nome de domínio de sua empresa não é recomendado na nomeação de pacotes.
9. Classes diferentes dentro de um arquivo de código-fonte podem pertencer a pacotes distintos.
10. Na compilação das classes de um pacote, o flag –p é altamente recomendável.
11. Na compilação das classes de um pacote, o nome completo deve espelhar a árvore do diretório.
12. O uso sensato do flag –d pode ajudar a assegurar que não haja erros de grafia em sua árvore de classes.
13. A extração de um arquivo JAR com pacotes criará um diretório chamado meta-inf.
14. A extração de um arquivo JAR com pacotes criará um arquivo chamado manifest.mf.
15. O aplicativo auxiliar JWS sempre é executado junto com um navegador.
16. Os aplicativos JWS requerem um arquivo .jnlp (Network Launch Protocol) para funcionar adequadamente.
17. O método main de um aplicativo JWS é especificado em seu arquivo JAR.

pacote, arquivos jar e implantação

### Exercício

Cruzadas-resumo 7.0

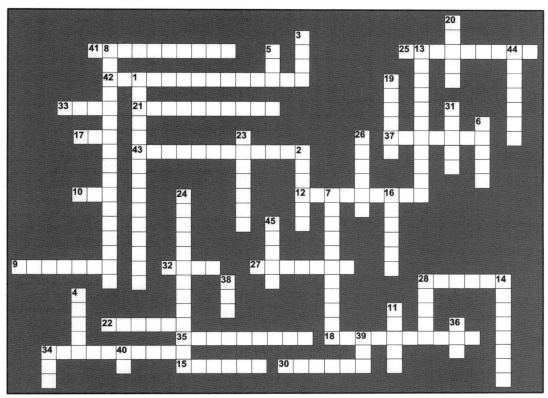

Tudo dentro deste livro pode ser usado neste jogo

## Horizontais

9. Não me divida
10. Pode ser lançado
12. Fluxo de E/S
15. Achatar
17. Método de captura encapsulado
18. Envie-o
21. Faça dessa forma
22. Peneira de E/S
25. Ramificação no disco
27. O alvo da GUI
28. Equipe Java
30. Fábrica
32. While
33. 8 partes atômicas
34. Não viajará
35. Bom como novo
37. Evento em pares
41. Onde começar
42. Um pequeno firewall
43. Tenho a chave

## Verticais

1. Elementos gráficos insistentes
2. _____ de desejo
3. Apelido para 'abandonado'
4. Uma parte
5. Método de Matemática não relacionado à trigonometria
6. Seja bravo
7. Organize bem
8. Gíria do Swing
11. canais de E/S
13. Lançamento organizado
14. Sem instância
16. Quem tem permissão
19. Especialista em eficiência
20. Saída antecipada
23. Sim ou não
24. Invólucros Java
26. Não é um comportamento
28. Conjunto de soquetes
31. Mili-soneca
34. Método trigonométrico
36. Método encapsulado
38. Formato do arquivo JNLP
39. Arquivo final do VB
40. Ramificação Java
44. Empacotador comum
45. Limpeza de E/S

você está aqui ▶ 423

## soluções dos exercícios

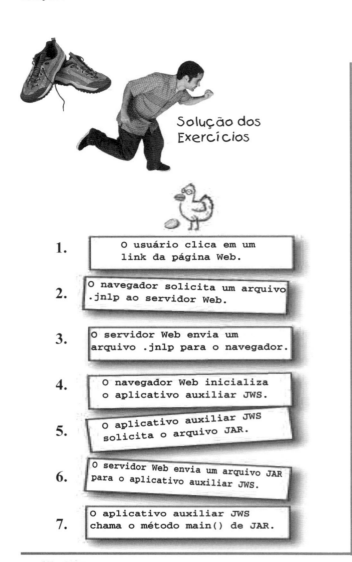

Solução dos Exercícios

1. O usuário clica em um link da página Web.
2. O navegador solicita um arquivo .jnlp ao servidor Web.
3. O servidor Web envia um arquivo .jnlp para o navegador.
4. O navegador Web inicializa o aplicativo auxiliar JWS.
5. O aplicativo auxiliar JWS solicita o arquivo JAR.
6. O servidor Web envia um arquivo JAR para o aplicativo auxiliar JWS.
7. O aplicativo auxiliar JWS chama o método main() de JAR.

| | |
|---|---|
| Verdadeiro | 1. O compilador Java tem um flag –d, que permitirá que você decida onde seus arquivos .class devem ser inseridos. |
| Falso | 2. Um JAR é um diretório padrão onde seus arquivos .class devem residir. |
| Falso | 3. Quando criar um Java Archive você terá que gerar um arquivo chamado jar.mf. |
| Verdadeiro | 4. O arquivo de suporte do Java Archive declara que classe tem o método main(). |
| Falso | 5. Os arquivos JAR devem ser descompactados antes de a JVM poder usar as classes que ele contém. |
| Falso | 6. Na linha de comando, os Java Archives são chamados com o uso do flag –arch. |
| Verdadeiro | 7. As estruturas dos pacotes são representadas de maneira significativa com o uso de hierarquias. |
| Falso | 8. Usar o nome de domínio de sua empresa não é recomendado na nomeação de pacotes. |
| Falso | 9. Classes diferentes dentro de um arquivo de código-fonte podem pertencer a pacotes distintos. |
| Falso | 10. Na compilação das classes de um pacote, o flag –p é altamente recomendável. |
| Verdadeiro | 11. Na compilação das classes de um pacote, o nome completo deve espelhar a árvore do diretório. |
| Verdadeiro | 12. O uso sensato do flag –d pode ajudar a assegurar que não haja erros de grafia em sua árvore de classes. |
| Verdadeiro | 13. A extração de um arquivo JAR com pacotes criará um diretório chamado meta-inf. |
| Verdadeiro | 14. A extração de um arquivo JAR com pacotes criará um arquivo chamado manifest.mf. |
| Falso | 15. O aplicativo auxiliar JWS sempre é executado junto com um navegador. |
| Falso | 16. Os aplicativos JWS requerem um arquivo .jnlp (Network Launch Protocol) para funcionar adequadamente. |
| Falso | 17. O método main de um aplicativo JWS é especificado em seu arquivo JAR. |

 Cruzadas-resumo 7.0

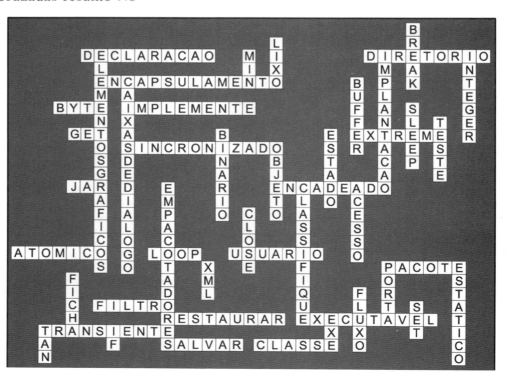

424 *capítulo 17*

# 18 implantação remota com o RMI

# Computação Distribuída

*Todos dizem que relacionamentos à distância são difíceis, mas com o RMI, é fácil. Independentemente de o quanto estivermos distantes, o RMI fará parecer que estamos juntos.*

**Trabalhar remotamente não precisa ser ruim.** Certo, as coisas são mais fáceis quando todas as partes do aplicativo estão em um mesmo local, em um acervo, com uma JVM para regular tudo. Mas nem sempre isso é possível. Ou desejável. E se seu aplicativo manipular cálculos poderosos, porém os usuários finais estiverem usando um pequeno dispositivo habilitado com Java? E se ele precisar de dados de um banco de dados, mas por razões de segurança, só códigos em seu servidor possam acessar o banco de dados? Consegue imaginar um grande back-end de comércio eletrônico, que tenha que ser executado dentro de um sistema de gerenciamento de transações? Em algumas situações, parte de seu aplicativo terá que ser executada em um servidor, enquanto outra parte (geralmente um cliente) será executada em uma máquina diferente. Neste capítulo, aprenderemos a usar a surpreendentemente simples tecnologia Remote Method Invocation (RMI) da Java. Também examinaremos rapidamente os Servlets, os Enterprise Java Beans (EJB) e o Jini, e veremos como o EJB e o JINI podem depender do RMI. Terminaremos o livro criando uma das coisas mais interessantes que você poderia desenvolver em Java, um navegador universal de serviços.

*quantos* acervos?

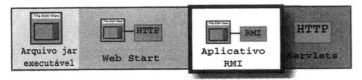

100% local      Combinação      100% remota

## As chamadas de método ocorrem sempre entre dois objetos do <u>mesmo</u> acervo.

Até agora neste livro, todos os métodos que chamamos se encontravam em um objeto sendo executado na mesma máquina virtual de quem os chamou. Em outras palavras, o objeto que chamou e o que foi chamado (o objeto em que chamamos o método) residiam no mesmo acervo.

```
class Foo {
    void go() {
        Bar b = new Bar();
        b.doStuff();
    }
    public static void main (String[] args) {
        Foo f = new Foo();
        f.go();
    }
}
```

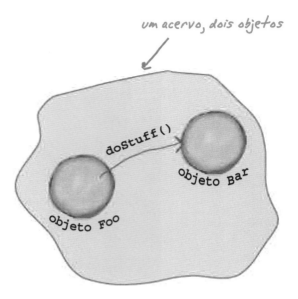

*um acervo, dois objetos*

No código anterior, sabemos que a instância de Foo referenciada por *f* e o objeto Bar referenciado por *b* estão no mesmo acervo, sendo executados pela mesma JVM. Lembre-se de que a JVM sempre sabe onde está cada objeto e como chegar até ele. Mas ela só consegue obter informações sobre referências de seu *próprio* acervo! Você não pode, por exemplo, fazer uma JVM sendo executada em uma máquina ter informações sobre o espaço do acervo de uma JVM sendo executada em uma máquina *diferente*. Na verdade, uma JVM sendo executada em uma máquina não consegue saber nada sobre uma JVM diferente sendo executada na *mesma* máquina. Não faz diferença se as JVMs estão na mesma ou em máquinas físicas diferentes; a única coisa que importa é se as duas JVMs são, bem, duas chamadas diferentes da JVM.

**Na maioria dos aplicativos, quando um objeto chama um método em outro, os dois objetos se encontram no mesmo acervo. Em outras palavras, ambos estão sendo executados dentro da mesma JVM.**

## E se você quiser chamar um método em um objeto sendo executado em outra máquina?

Sabemos como capturar informações de uma máquina para outra — através de soquetes e fluxos de E/S. Abrimos uma conexão de soquete com outra máquina, capturamos um objeto OutputSream e gravamos alguns dados nele.

Mas e se quisermos *chamar um método* em algo que estiver sendo executado em outra máquina... Outra JVM? É claro que poderíamos construir nosso próprio protocolo e quando você enviasse dados para um ServerSocket o servidor poderia analisá-lo, descobrir o que você quer, executar a tarefa e retornar o resultado em outro fluxo. Mas isso dá muito trabalho. Não seria muito melhor apenas capturar uma referência do objeto na outra máquina e chamar um método?

Imagine dois computadores...

*minúsculo, irregular, muito lento em cálculos*

*poderoso, rápido, satisfatório em grandes cálculos*

Pequeno      Grande

O dispositivos Grande tem algo que o Pequeno quer.

<u>Poder de computação</u>.

O dispositivo Pequeno quer enviar alguns dados para o Grande, para que esse possa fazer cálculos pesados.

O dispositivo Pequeno quer simplesmente chamar um método...

     `double doCalcUsingDatabase(CalcNumbers numbers)`

e obter o resultado.

Mas como o dispositivo Pequeno capturará uma <u>referência</u> de um objeto que se encontra no dispositivo Grande?

# O Objeto A, que está sendo executado no dispositivo Pequeno, quer chamar um método no Objeto B, que está sendo executado no dispositivo Grande.

A pergunta é: como capturar um objeto em uma máquina (isto é, um acervo/JVM diferente) para chamar um método em outra máquina?

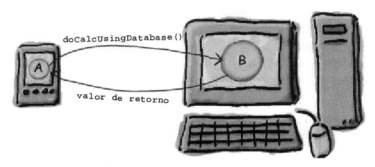

## Mas você não pode fazer isso.

Bem, não diretamente. Você não pode capturar uma referência de algo que se encontra em outro acervo. Se você escrever:

```
Dog d = ???
```

O que quer que *d* esteja referenciando terá que estar no mesmo espaço de acervo do código que está executando a instrução.

Mas suponhamos que você quisesse projetar algo que usasse soquetes e a E/S para comunicar sua intenção (uma chamada de método em um objeto sendo executado em outra máquina) e mesmo assim tivesse a *impressão* de estar executando uma chamada de método local.

Em outras palavras, você quer causar uma chamada de método em um objeto *remoto* (isto é, o objeto de um acervo situado em outro local), mas com um código que lhe permita *simular* que está chamando um método em um objeto local. A facilidade de uma chamada de método comum, mas com o poder da chamada de método remota. Esse é nosso objetivo.

É isso que o RMI (Remote Method Invocation) lhe fornecerá!

Mas voltemos um pouco para pensar como você projetaria o RMI se estivesse criando-o por sua própria conta. Entender o que teria que construir sozinho o ajudará a aprender como o RMI funciona.

## Um projeto para chamadas de método remotas
## Crie quatro coisas: o servidor, o cliente, o auxiliar do servidor, o auxiliar do cliente

① Crie os aplicativos cliente e servidor. O aplicativo servidor é o **serviço remoto** que tem um objeto com o método que o cliente quer chamar.

② Crie os 'auxiliares' do cliente e do servidor. Eles manipularão todos os detalhes de E/S e rede de nível inferior para que seu cliente e o serviço possam agir como se estivessem no mesmo acervo.

## A função dos 'auxiliares'

Os 'auxiliares' são os objetos que executam realmente a comunicação. Eles tornam possível para o cliente *agir* como se estivesse chamando um método em um objeto local. Na verdade, ele *estará*. O cliente chamará um método em seu objeto auxiliar, *como se esse fosse o serviço real. O auxiliar do cliente estará representando o serviço real.*

Em outras palavras, o objeto do cliente *agirá* como se estivesse chamando um método do serviço remoto, porque o auxiliar estará *simulando* ser o objeto do serviço. *Estará fingindo ser o item que possui o método que o cliente quer chamar!*

Mas o auxiliar do cliente não é o serviço remoto real. Embora *aja* como ele (porque tem o mesmo método que o serviço está oferecendo), não possui a lógica do método real que o cliente quer usar. Em vez disso, ele entrará em contato com o servidor, transferirá informações sobre a chamada de método (por exemplo, o nome do método, argumentos, etc.) e aguardará um retorno.

No lado do servidor, o auxiliar do serviço receberá a solicitação do auxiliar do cliente (através de uma conexão de soquete), descompactará as informações sobre a chamada e, em seguida, chamará o método *real* no objeto do serviço *real*. Portanto, para o objeto do serviço, a chamada é local. Está vindo do auxiliar do serviço e não de um cliente remoto.

O auxiliar do serviço capturará o valor retornado por ele, o compactará e enviará (através de um fluxo de saída do soquete) para o auxiliar do cliente. O auxiliar do cliente descompactará as informações e retornará o valor para o objeto do cliente.

**O objeto do cliente agirá como se estivesse fazendo chamadas de método remotas. Mas <u>na verdade</u> estará chamando métodos em um objeto 'intermediário' do acervo local que manipulará todos os detalhes de nível inferior relativos aos soquetes e fluxos.**

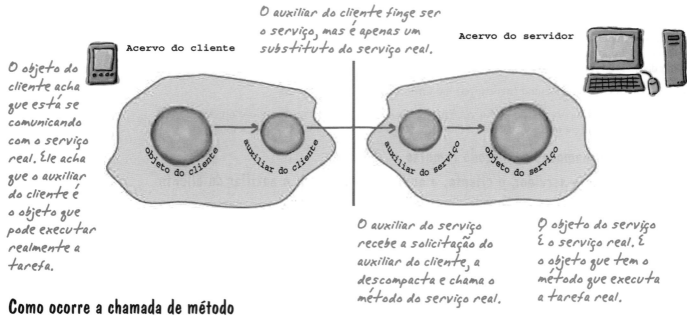

## Como ocorre a chamada de método

① O objeto do cliente chama doBigThing() no objeto auxiliar do cliente

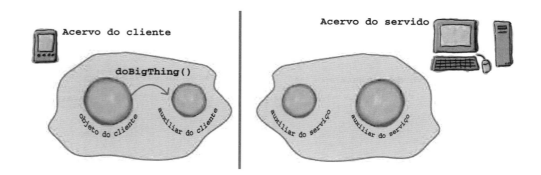

② O auxiliar do cliente empacota informações sobre a chamada (argumentos, nome do método, etc.) e as envia através da rede para o auxiliar do serviço.

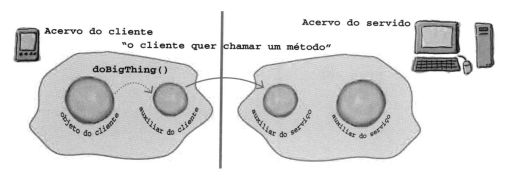

③ O auxiliar do serviço descompacta as informações do auxiliar do cliente, verifica que método deve chamar (e em que objeto) e chama o método <u>real</u> no objeto do serviço <u>real</u>.

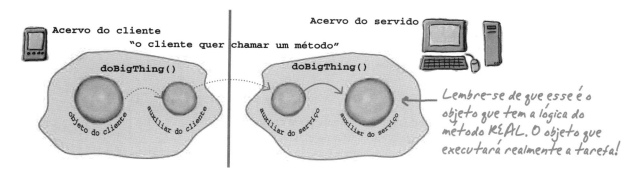

*Lembre-se de que esse é o objeto que tem a lógica do método REAL. O objeto que executará realmente a tarefa!*

## O RMI Java lhe fornecerá os objetos auxiliares do serviço e do cliente!

Em Java, o RMI construirá os objetos auxiliares do cliente e do serviço para você e saberá até mesmo como fazer o auxiliar do cliente parecer o serviço real. Em outras palavras, o RMI saberá como fornecer ao objeto auxiliar do cliente os mesmos métodos que você deseja chamar no serviço remoto.

Além disso, o RMI fornece toda a infra-estrutura de tempo de execução para fazer isso funcionar, inclusive um serviço de busca para que o cliente consiga encontrar e capturar o auxiliar do cliente (o representante do serviço real).

Com o RMI, você não criará *nenhum* código de rede ou E/S por sua própria conta. O cliente chamará os métodos remotos (isto é, os que o serviço real tem) como se fossem chamadas de método comuns em objetos sendo executados na JVM local do próprio cliente.

Ou quase.

Há uma diferença entre chamadas do RMI e chamadas de métodos locais (comuns). Lembre-se, ainda que para ao cliente pareça que a chamada de método é local, o auxiliar do cliente a enviará através da rede. Portanto, há serviço de rede e E/S. E o que sabemos sobre métodos de rede e E/S?

Eles são arriscados!

Lançam exceções o tempo todo.

Portanto, o cliente terá que estar consciente do risco. O cliente terá que estar ciente de que, quando chamar um método remoto, ainda que para ele seja apenas uma chamada local, para o objeto auxiliar/intermediário, a chamada *acabará* envolvendo soquetes e fluxos. A chamada original do cliente é *local*, mas o objeto auxiliar a transformará em uma chamada *remota*. Uma chamada remota significa apenas um método chamado em um objeto de outra JVM. *Como* as informações sobre essa chamada serão transferidas de uma JVM para outra vai depender do protocolo usado pelos objetos auxiliares.

Com o RMI, você poderá escolher o protocolo: JRMP ou IIOP. O JRMP é o protocolo 'nativo' do RMI, desenvolvido apenas para chamadas remotas de Java para Java. O IIOP, por outro lado, é o protocolo do CORBA (Common Object Request Broker Architecture) e permitirá que você faça chamadas remotas em elementos que não sejam necessariamente objetos Java. Geralmente o CORBA é *muito* mais complicado do que o RMI, porque, se você não tiver a Java nas duas extremidades, serão necessárias várias transações e conversões.

Mas felizmente, só estamos interessados na comunicação Java com Java, portanto, usaremos o velho RMI que é muito simples.

*objetos auxiliares do RMI*

## No RMI, o auxiliar do cliente é um 'stub' e o auxiliar do servidor é um skeleton.

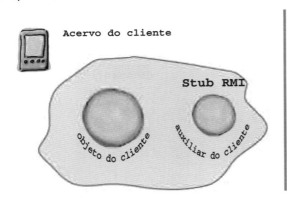
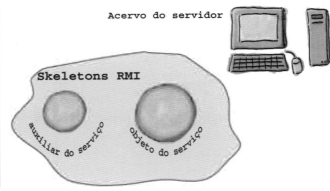

## Criando o serviço remoto

Essa é uma visão geral das cinco etapas para a criação do serviço remoto (que é executado no servidor). Não se preocupe, cada etapa será explicada com detalhes nas próximas páginas.

### Etapa um:

Crie uma **interface remota**
A interface remota define os métodos que um cliente pode chamar remotamente. É o que o cliente usará como o tipo de classe polimórfica de seu serviço. Tanto o stub quanto o serviço real implementarão isso!

*Essa interface definirá os métodos remotos que você quer que os clientes chamem*

### Etapa dois:

Crie uma **implementação remota**
Essa é a classe que executa realmente a tarefa. Ela tem a implementação real dos métodos remotos definidos na interface remota. É o objeto em que o cliente quer chamar métodos.

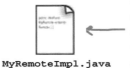

*O serviço real. A classe com os métodos que executam realmente a tarefa. Implementa a interface remota.*

### Etapa três:

Gere os **stubs** e **skeletons** usando o rmic
Esses são os 'auxiliares' do cliente e do servidor. Você não precisará criar essas classes ou examinar o código-fonte que as gera. Será tudo manipulado automaticamente quando você executar a ferramenta rmic que veio com seu kit de desenvolvimento Java.

*Executando o rmic na classe de implementação do serviço real...*

*Gera duas novas classes para os objetos auxiliares*

### Etapa quatro:

Inicie o **registro do RMI** (rmiregistry)
O *rmiregistry* é como as páginas brancas de um catálogo telefônico. É o que o usuário acessará para capturar o intermediário (o objeto auxiliar/stub do cliente).

*Execute isso em um terminal separado*

### Etapa cinco:

Inicie o **serviço remoto**
Você tem que colocar o objeto do serviço em funcionamento. Sua classe de implementação do serviço criará uma instância dele e a cadastrará no registro do RMI. Registrá-la tornará o serviço disponível para os clientes.

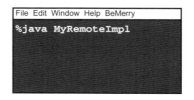

## Etapa um: crie uma interface remota

MyRemote.java

① **Estenda java.rmi.Remote.**
Remote é uma interface de 'marcação', o que significa que não tem métodos. No entanto, ela tem um significado especial para o RMI, logo, você deve seguir essa regra. Observe que usamos 'extends' aqui. Uma interface pode *estender* outra interface.

```
public interface MyRemote extends Remote {
```
*Sua interface tem que anunciar que é destinada a chamadas de método remotas. Uma interface não pode implementar nada, mas pode estender outras interfaces.*

② **Declare que todos os métodos lançam uma RemoteException.**
A interface remota é aquela que o cliente usa como o tipo polimórfico do serviço. Em outras palavras, o cliente chamará métodos em algo que implemente a interface remota. É claro que esse algo é o stub e, já que ele estará executando serviços de rede e E/S, todo tipo de operação inválida poderá ocorrer. O cliente tem que ser informado dos riscos através da manipulação ou declaração de exceções remotas. Se os métodos de uma interface declararem exceções, qualquer código que chamar métodos em uma referência desse tipo (o tipo da interface) terá que manipular ou declarar as exceções.

```
import java.rmi.*;

public interface MyRemote extends Remote {
    public String sayHello() throws RemoteException;
}
```
*A interface Remote está em java.rmi*

*Toda chamada de método remota é considerada arriscada. Declarar RemoteException em todos os métodos forçará o cliente a prestar atenção e estar ciente de que as coisas podem não funcionar.*

③ **Certifique-se de que os argumentos e valores de retorno sejam primitivos ou Serializable**
Os argumentos e valores de retorno de um método remoto devem ser primitivos ou Serializable. Pense bem. Qualquer argumento de um método remoto tem que ser empacotado e enviado pela rede e isso é feito através da serialização. O mesmo ocorre com os valores de retorno. Se você usar tipos primitivos, String e a maioria dos tipos da API (inclusive matrizes e conjuntos), ficará bem. Se estiver passando seus próprios tipos, basta certificar-se de fazer suas classes implementarem Serializable.

```
public String sayHello() throws RemoteException;
```
*Esse valor de retorno será enviado através da rede do servidor para o cliente, portanto, deve ser Serializable. É assim que os argumentos e valores de retorno são empacotados e enviados.*

## Etapa dois: crie uma implementação remota

MyRemoteImpl.java

① **Implemente a interface Remote.**
Seu serviço tem que implementar a interface remota — a que tem os métodos que seu cliente irá chamar.

```
public class MyRemoteImpl extends UnicastRemoteObject implements MyRemote {

    public String sayHello() {
        return "Server says, 'Hey'";
    }
    // mais código da classe
}
```
*O compilador verificará se você implementou todos os métodos da interface implementada. Nesse caso, há apenas um.*

② **Estenda UnicastRemoteObject.**

## implementação remota

② Para funcionar como um objeto de serviço remoto, seu objeto precisará de alguma funcionalidade relacionada a 'ser remoto'. A maneira mais simples é estender UnicastRemoteObject (do pacote java.rmi.server) e permitir que a classe (sua superclasse) faça o trabalho para você.

```
public class MyRemoteImpl extends UnicastRemoteObject implements MyRemote {
```

**Crie um construtor sem argumentos que declare uma RemoteException.**

③ Sua nova superclasse, UnicastRemoteObject, tem um pequeno problema — seu construtor lança uma RemoteException. A única maneira de lidar com isso é declarar um construtor para sua implementação remota, apenas para ter um local onde declarar a RemoteException. Lembre-se de que, quando uma classe é instanciada, o construtor de sua superclasse sempre é chamado. Se o construtor de sua superclasse lançar uma exceção, você não terá escolha a não ser declarar que o seu construtor também lança uma exceção.

```
public MyRemoteImpl() throws RemoteException { }
```

← *Você não tem que inserir nada no construtor. Apenas precisa de uma maneira de declarar que o construtor de sua superclasse lança uma exceção.*

**Cadastre o serviço no registro RMI**

④ Agora que você tem um serviço remoto, precisa torná-lo disponível para clientes remotos. Você fará isso instanciando e inserindo-o no registro do RMI (que deve estar sendo executado ou essa linha de código falhará). Só quando você cadastrar o objeto da implementação é que o sistema RMI inserirá o *stub* no registro, já que é isso que o cliente realmente precisa. Registre seu serviço usando o método estático rebind() da classe java.rmi.Naming.

```
try {
    MyRemote service = new MyRemoteImpl();
    Naming.rebind("Remote Hello", service);
} catch(Exception ex) {...}
```

← *Forneça um nome para seu serviço (que os clientes poderão usar para procurá-lo no registro) e cadastre-o no registro do RMI. Quando você vincular o objeto do serviço, o RMI trocará o serviço pelo stub e inserirá o stub no registro.*

## Etapa três: gere stubs e skeletons

① **Execute o rmic na classe de implementação remota (e não na interface remota).**

A ferramenta rmic, que vem com o kit de desenvolvimento de softwares Java, pegará uma implementação de serviço e criará duas classes novas, o stub e o skeleton. Ela usa uma convenção de nomeação que será o nome de sua implementação remota, com _Stub ou _Skeleton adicionado ao final. Há outras opções no rmic, inclusive não gerar esboços, examinar o código-fonte dessas classes e até mesmo usar o IIOP como o protocolo. A maneira como estamos agindo aqui é a geralmente adotada. As classes serão inseridas no diretório atual (isto é, aquele para o qual você passar). Lembre-se de que o *rmic* tem que poder ver sua classe de implementação, portanto, provavelmente você terá que executá-lo a partir do diretório em que sua implementação remota está. (Preferimos deliberadamente não usar pacotes aqui, para tornar tudo mais simples. No dia-a-dia, você precisará de estruturas de diretório de pacotes e nomes totalmente qualificados.)

*Observe que não inserimos .class no final. Apenas o nome da classe.*

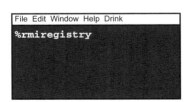

*Gera duas novas classes para os objetos auxiliares*

MyRemoteImpl_Stub.class

MyRemoteImpl_Skel.class

## Etapa quatro: execute o rmiregistry

① **Acesse um terminal e inicie o rmiregistry.**

```
File Edit Window Help Drink
%rmiregistry
```

## Etapa cinco: inicie o serviço

① **Acesse outro terminal e inicie seu serviço.**

Isso pode ser feito a partir de um método main() de sua classe de implementação remota ou a partir de uma classe de inicialização separada. Nesse exemplo simples, inserimos o código de inicialização na classe de implementação, em um método main que instancia o objeto e o cadastra no registro do RMI.

*implantação remota com o RMI*

Servidor

## Código completo para o lado do servidor

### A interface Remote:

```
import java.rmi.*;
public interface MyRemote extends Remote {
    public String sayHello() throws RemoteException;
}
```

*RemoteException e a interface Remote estão no pacote java.rmi.*

*Sua interface DEVE estender java.rmi.Remote.*

*Todos os seus métodos remotos devem declarar uma RemoteException.*

### O serviço remoto (a implementação):

```
import java.rmi.*;
import java.rmi.server.*;

public class MyRemoteImpl extends UnicastRemoteObject implements MyRemote {

    public String sayHello() {
        return "Server says, 'Hey'";
    }

    public MyRemoteImpl() throws RemoteException { }

    public static void main (String[] args) {
       try {
          MyRemote service = new MyRemoteImpl();
          Naming.rebind("Remote Hello", service);
       } catch(Exception ex) {
           ex.printStackTrace();
       }
    }
}
```

*UnicastRemoteObject está no pacote java.rmi.server.*

*Estender UnicastRemoteObject é a maneira mais fácil de criar um objeto remoto.*

*Você DEVE implementar sua interface remota!*

*O construtor de sua superclasse (de UnicastRemoteObject) declara uma exceção, portanto, VOCÊ deve criar um construtor, para informar que ele está chamando código arriscado (o do superconstrutor).*

*Cria o objeto remoto e, em seguida, o vincula ao rmiregistry usando o método estático Naming.rebind(). O nome com o qual você o cadastrar será o que os clientes terão que procurar no registro do rmi.*

## Como o cliente obtém o <u>objeto</u> stub?

O cliente tem que capturar o objeto stub, já que é nele que chamará métodos. E é nele que o registro do RMI será inserido. O cliente fará uma 'pesquisa', como uma consulta às páginas de um catálogo telefônico, e essencialmente dirá: "Aqui está um nome, mas quero o stub pertencente a ele."

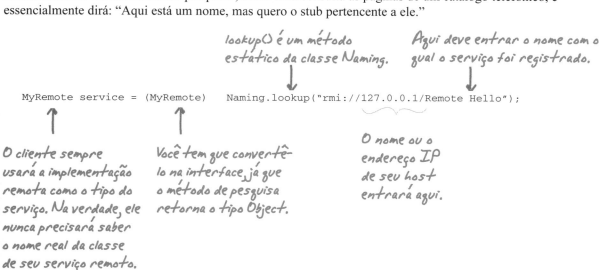

```
MyRemote service = (MyRemote) Naming.lookup("rmi://127.0.0.1/Remote Hello");
```

*lookup() é um método estático da classe Naming.*

*Aqui deve entrar o nome com o qual o serviço foi registrado.*

*O cliente sempre usará a implementação remota como o tipo do serviço. Na verdade, ele nunca precisará saber o nome real da classe de seu serviço remoto.*

*Você tem que convertê-lo na interface, já que o método de pesquisa retorna o tipo Object.*

*O nome ou o endereço IP de seu host entrará aqui.*

você está aqui ▶ 433

*capturando o stub*

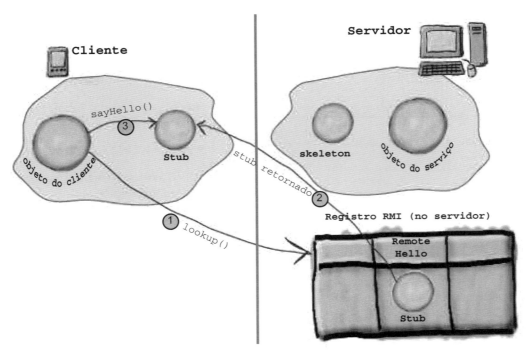

① **O cliente fará uma pesquisa no registro do RMI.**

    Naming.lookup("rmi://127.0.0.1/Remote Hello");

② **O registro do RMI retornará o objeto stub.**
(como o valor de retorno do método de pesquisa) e o RMI o desserializará automaticamente. Você DEVE ter a classe stub (que o rmic gerou para você) no cliente ou o stub não será desserializado.

③ **O cliente chamará um método no stub, como se o stub fosse o serviço real.**

## Como o cliente obtém a <u>classe</u> stub?

Agora chegamos à pergunta interessante. De algum modo, o cliente precisa ter a classe stub (que você gerou anteriormente usando o rmic) na hora em que fizer a pesquisa ou o stub não será desserializado e nada funcionará. Em um sistema simples, você pode simplesmente distribuir a classe stub manualmente para o cliente.

No entanto, há uma maneira muito mais avançada, embora ela não faça parte do escopo deste livro. Mas, para o caso de você estar interessado, a maneira mais avançada se chama "download dinâmico de classes". No download dinâmico de classes, um objeto stub (ou na verdade qualquer objeto serializado) é 'carimbado' com uma URL que informa ao sistema RMI do cliente onde encontrar o arquivo de classe desse objeto. Assim, se, no processo de desserialização do objeto, o RMI não conseguir encontrar a classe localmente, usará essa URL para executar um comando HTTP Get para recuperar o arquivo de classe. Portanto, você precisaria apenas de um servidor Web para servir arquivos de classe além de ter que alterar alguns parâmetros de segurança no cliente. Há alguns outros problemas complicados no download dinâmico de classes, mas essa é uma visão geral.

## Código completo do cliente

```
import java.rmi.*;

public class MyRemoteClient {
   public static void main (String[] args) {
      new MyRemoteClient().go();
   }

   public void go() {

      try {
         MyRemote service = (MyRemote) Naming.lookup("rmi://127.0.0.1/Remote Hello");
```

*A classe Naming (para a execução da pesquisa no rmiregistry) está no pacote java.rmi*

*e o nome usado na vinculação/revinculação do serviço*

*Sairá do registro com o tipo Object, portanto não se esqueça da conversão*

*você precisa do endereço IP ou o nome do host*

*implantação remota com o RMI*

```
            String s = service.sayHello();

            System.out.println(s);
        } catch(Exception ex) {
            ex.printStackTrace();
        }
    }
}
```

*Parece uma chamada de método comum! (Exceto por saber da RemoteException)*

## Certifique-se de que cada máquina tenha os arquivos de classe necessários.

As três principais coisas que os programadores fazem de errado com o RMI são:

1) Esquecem de iniciar o rmiregistry antes de iniciar o serviço remoto (quando você registrar o serviço usando Naming.rebind(), o rmiregistry deve estar sendo executado!)

2) Esquecem de fazer com que os argumentos e os tipos de retorno possam ser serializados (você não vai saber até chegar no tempo de execução; isso não é algo que o compilador detectará).

3) Esquecem de fornecer a classe stub para o cliente.

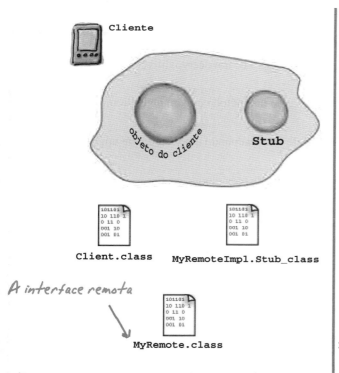
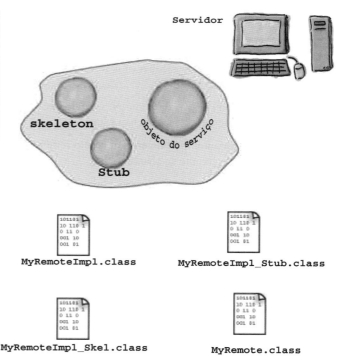

*Não se esqueça de que o cliente usa a interface para chamar métodos no stub. A JVM do cliente precisa da classe stub, mas o cliente nunca a referencia no código. Ele sempre usa a interface remota, como se ela FOSSE o objeto remoto real.*

*O servidor precisa tanto da classe Stub quanto de Skeleton, assim como do serviço e da interface remota. Ele precisa da classe stub porque, lembre-se, o stub é substituído pelo serviço real, quando esse é vinculado ao registro do RMI.*

*exercício:* quem nasceu primeiro?

## Quem nasceu primeiro?

Examine a seqüência de eventos abaixo e insira-os na ordem em que ocorrem em um aplicativo RMI Java.

1.
2.
3.
4.
5.
6.
7.

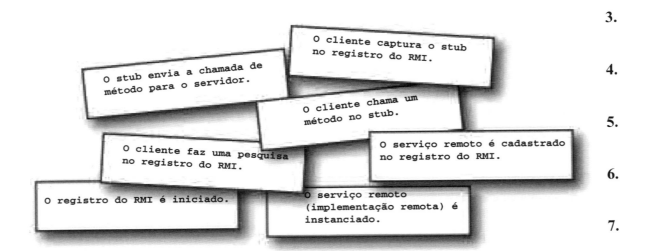

- O stub envia a chamada de método para o servidor.
- O cliente captura o stub no registro do RMI.
- O cliente chama um método no stub.
- O cliente faz uma pesquisa no registro do RMI.
- O serviço remoto é cadastrado no registro do RMI.
- O registro do RMI é iniciado.
- O serviço remoto (implementação remota) é instanciado.

## PONTOS DE BALA

- O objeto de um acervo não pode receber uma referência Java comum de um objeto de um acervo diferente (isto é, sendo executado em uma JVM diferente).

- O Java Remote Invocation (RMI) dará a *impressão* de que você está chamando um método em um objeto remoto (isto é, um objeto em uma JVM diferente), mas você não estará.

- Quando um cliente chama um método em um objeto remoto, na verdade ele está chamando um método em um *representante* do objeto remoto. O representante se chama 'stub'.

- Um stub é um objeto auxiliar do cliente que cuida dos detalhes de nível inferior de rede (soquetes, fluxos, serialização, etc.) empacotando e enviando chamadas de método para o servidor.

- Para construir um serviço remoto (em outras palavras, um objeto em que um cliente remoto possa acabar chamando os métodos), você deve começar com uma interface remota.

- Uma interface remota deve estender a interface java.rmi.Remote e todos os métodos devem declarar RemoteException.

- Seu serviço remoto implementará sua interface remota.

- Seu serviço remoto deve estender UnicastRemoteObject. (Tecnicamente há outras maneiras de criar um objeto remoto, mas estender UnicastRemoteObject é a mais simples.)

- A classe de seu serviço remoto deve ter um construtor e ele deve declarar uma RemoteException (porque o construtor da superclasse também declara).

- Seu serviço remoto deve ser instanciado e o objeto deve ser cadastrado no registro do RMI.

- Para registrar um serviço remoto, use o método estático Naming.rebind("Service Name", serviceInstance).

- O registro do RMI tem que estar sendo executado na mesma máquina do serviço remoto, antes de você tentar registrar um objeto remoto.

- O cliente procurará seu serviço remoto usando o método estático Naming.lookup("rmi://MyHostName/ServiceName").

- Quase tudo que está relacionado ao RMI pode lançar uma exceção RemoteException (verificada pelo compilador). Isso inclui o cadastramento ou a procura de um serviço no registro, e *todas* as chamadas de método remotas do cliente para o stub.

*implantação remota com o RMI*

## Certo, mas quem usa realmente o RMI?

## E quanto aos servlets?

Os servlets são programas Java executados em (e com) um servidor Web HTTP. Quando um cliente usa um navegador Web para interagir com uma página Web, uma solicitação é retornada para o servidor Web. Se a solicitação precisar da ajuda de um servlet Java, o servidor Web executará (ou chamará, se o servlet já estiver em execução) o código do servlet. O código do servlet é executado apenas no servidor, para processar uma tarefa como resultado do quer que o cliente tenha solicitado (por exemplo, salvar informações em um arquivo de texto ou banco de dados no servidor). Se você está familiarizado com scripts CGI escritos em Perl, sabe exatamente sobre o que estamos falando. Os desenvolvedores da Web usam scripts CGI ou servlets para fazer tudo, de enviar informações encaminhadas pelo usuário para um banco de dados a executar o painel de discussões de um site Web.

*você está aqui* ▶ 437

*servlet muito simples*

*E até os servlets podem usar o RMI!*

Sem dúvida, a utilização mais comum da tecnologia J2EE é na combinação de servlets e EJBs, onde os servlets são o cliente do EJB. E nesse caso, *o servlet estará usando o RMI para se comunicar com os EJBs*. (Embora a maneira de usar o RMI com o EJB seja um *pouco* diferente do processo que acabamos de examinar.)

① O cliente preenche um formulário de registro e clica em 'enviar'.
O servidor HTTP (isto é, o servidor Web) recebe a solicitação, vê se ela é destinada a um servlet e a envia para ele.

② O servlet (código Java) é executado, adiciona dados ao banco de dados, compõe uma página Web (com informações personalizadas) e a retorna para o cliente que a exibirá no navegador.

## Etapas para a criação e execução de um servlet

① **Descubra onde seus servlets têm que ser inseridos.**
Nesses exemplos, presumiremos que você já tem um servidor Web ativo e que ele está configurado para dar suporte a servlets. O mais importante é descobrir exatamente onde os arquivos de classe de seu servlet têm que ser inseridos para que seu servidor consiga 'vê-los'. Se você tiver um site Web hospedado por um ISP, o serviço de hospedagem poderá informá-lo onde inserir seus servlets, assim como lhe informariam onde inserir seus scripts CGI.

② **Capture o arquivo servlets.jar e adicione-o a seu caminho de classe.**
Os servlets não fazem parte das bibliotecas padrão Java; você precisa das classes de servlets empacotadas no arquivo servlets.jar. Poderá fazer o download das classes de servlets a partir de java.sun.com ou capturá-las em seu servidor Web habilitado com Java (como o Apache Tomcat, que pode ser encontrado no site apache.org). Sem essas classes, você não conseguirá compilar seus servlets.

servlets.jar

③ **Crie uma classe de servlet estendendo HttpServlet.**
Um servlet é apenas uma classe Java que estende HttpServlet (do pacote javax.servlet.http). Há outros tipos de servlet que você poderia criar, mas quase sempre só estaremos interessados em HttpServlet.

MyServletA.class

```
public class MyServletA extends HttpServlet { ... }
```

**Crie uma página HTML que chame seu servlet.**

*implantação remota com o RMI*

④ Quando o usuário clicar em um link que referenciar seu servlet, o servidor Web o encontrará e chamará o método apropriado, dependendo do comando HTTP (GET, POST, etc.)

```
<a href="servlets/MyServletA">This is the most amazing servlet.</a>
```

MyPage.html

**Torne seu servlet e a página HTML disponíveis para seu servidor.**

⑤ Isso vai depender totalmente de seu servidor Web (e mais especificamente, de que *versão* do Java Servlets você estiver usando). Seu ISP pode informá-lo simplesmente para inseri-los em um diretório "Servlets" em seu site Web. Mas se você estiver usando, digamos, a última versão do Tomcat, terá muito mais trabalho a fazer para inserir o servlet (e a página Web) no local correto. (Por acaso também temos um livro sobre isso.)

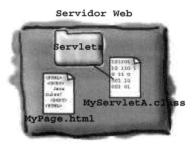

## Um servlet muito simples

```java
import java.io.*;
import javax.servlet.*;
import javax.servlet.http.*;

public class MyServletA extends HttpServlet {

    public void doGet (HttpServletRequest request, HttpServletResponse response)
                                   throws  ServletException, IOException  {

        response.setContentType("text/html");

        PrintWriter out = response.getWriter();

        String message = "If you're reading this, it worked!";

        out.println("<HTML><BODY>");
        out.println("<H1>" + message + "</H1>");
        out.println("</BODY></HTML>");
        out.close();
    }
}
```

*Além de io, temos que importar dois pacotes de servlets. Lembre-se de que esses dois pacotes NÃO fazem parte das bibliotecas padrão Java - você tem que fazer seu download separadamente.*

*A maioria dos servlets comuns estende HttpServlet e, em seguida, sobrepõe um ou mais métodos.*

*Sobrepõe doGet por simples mensagens HTTP de GET.*

*O servidor Web chamará esse método, fornecendo a solicitação do cliente (você poderá extrair dados dela) e um objeto de resposta que você usará para retornar uma resposta (uma página).*

*Isso informará ao servidor (e ao navegador) que tipo de coisa está retornando do servidor como resultado da execução desse servlet.*

*O objeto de resposta nos fornecerá um fluxo de saída para exibirmos informações provenientes do servidor.*

*Exibiremos uma página HTML! A página será distribuída através do servidor para o navegador, como qualquer outra página HTML, mesmo que não existisse até agora. Em outras palavras, não há um arquivo .html em nenhum local que tenha essas informações.*

## Página HTML com um link que conduz a esse servlet

```html
<HTML>
   <BODY>
      <a href="servlets/MyServletA">This is an amazing servlet.</a>
   </BODY>
</HTML>
```

*A aparência da página Web:*

```
This is an amazing servlet.
              ↑

       Clique no link para
       acionar o servlet.
```

você está aqui ▶  **439**

## PONTOS DE BALA

- Os servlets são classes Java executadas inteiramente em (e/ou com) um servidor HTTP (Web).

- Os servlets são úteis para a execução de código no servidor como resultado da interação do cliente com uma página Web. Por exemplo, se um cliente enviar informações em um formulário de página Web, o servlet poderá processá-las, adicioná-las a um banco de dados e retornar uma página de resposta de confirmação personalizada.

- Para compilar um servlet, você precisará dos pacotes de servlets que estão no arquivo servlets.jar. As classes de servlets não fazem parte das bibliotecas padrão Java, portanto, você terá que fazer o download dos servlets a partir de java.sun.com ou capturá-los em um servidor Web habilitado com servlets. [Nota: a biblioteca Servlet foi incluída na Java 2 Enterprise Edition (J2EE).]

- Para executar um servlet, você precisa ter um servidor Web que consiga executar servlets, como o servidor Tomcat encontrado em apache.org.

- Seu servlet deve ser inserido em um local que seja próprio de seu servidor Web específico, portanto, você terá que descobrir isso antes de tentar executar os servlets. Se você tiver um site Web hospedado por um ISP que dê suporte a servlets, ele lhe informará em que diretório deve inserir seus servlets.

- Um servlet típico estende HttpServlet e sobrepõe um ou mais métodos dos servlets, como doGet() ou doPost().

- O servidor Web iniciará o servlet e chamará o método apropriado [doGet(), etc.] baseado na solicitação do cliente.

- O servlet pode retornar uma resposta capturando um fluxo de saída PrintWriter no parâmetro de resposta do método doGet().

- O servlet 'gravará' uma página HTML completa com as tags.

## não existem Perguntas Idiotas

P: O que é uma JSP e como ela está relacionada aos servlets?

R: JSP significa Java Server Pages. O servidor Web acabará transformando a JSP em um servlet, mas a diferença entre um servlet e uma JSP é o que VOCÊ (o desenvolvedor) criará realmente. Com um servlet, você criará uma classe Java contendo HTML nas instruções de saída (se estiver retornando uma página HTML para o cliente). Mas com uma JSP, ocorre o oposto — você criará uma página HTML contendo código Java!

Isso lhe dará a oportunidade de ter páginas Web dinâmicas onde você as criará como uma página HTML comum, exceto por embutir código Java (e outras tags que "acionarão" o código Java no tempo de execução) que será processado no tempo de execução. Em outras palavras, parte da página será personalizada no tempo de execução quando o código Java for executado.

A principal vantagem da JSP sobre os servlets comuns é ser muito mais fácil criar a parte HTML de um servlet como uma página JSP do que criar HTML nas complicadas instruções de exibição de reposta do servlet. Imagine uma página HTML razoavelmente complexa e agora imagine formatá-la dentro de instruções de exibição. Eca!

Mas em muitos aplicativos, não é necessário usar JSPs porque o servlet não precisa enviar uma resposta dinâmica ou a HTML é suficientemente simples a ponto de não ser um grande problema. E ainda há muitos servidores Web na rede que dão suporte aos servlets mas não às JSPs, portanto você não tem saída.

Outra vantagem das JSPs é que você poderá separar o trabalho, fazendo os desenvolvedores Java criarem os servlets e os desenvovedores de páginas Web criarem as JSPs. Pelo menos, essa é vantagem propagada. Na prática, ainda haverá uma curva de aprendizado Java (e uma curva de aprendizado de tags) para qualquer pessoa que criar uma JSP, portanto, achar que o projetista de uma página Web em HTML conseguiria tirar de letra as JSPs não é verdade. Bem, não sem ferramentas. Mas essa é a boa notícia — estão começando a aparecer ferramentas de criação que ajudarão os projetistas de páginas Web a criar JSPs sem escrever o código a partir do zero.

P: Isso é tudo que você tem a dizer sobre os servlets? Depois de falar tanto sobre o RMI?

R: Sim. O RMI faz parte da linguagem Java e todas as suas classes estão nas bibliotecas padrão. Os servlets e JSPs não fazem parte da linguagem Java; são considerados extensões padrão. Você pode executar o RMI em qualquer JVM moderna, mas os servlets e JSPs requerem um servidor Web configurado apropriadamente com um "contêiner" de servlets. Essa é nossa maneira de dizer, "não faz parte do escopo deste livro". Mas você pode ler muito mais no ótimo Use a Cabeça! Servlets & JSP.

_implantação remota com o RMI_

> Teste meu novo código de paráfrase habilitado para a Web e você falará engenhosamente como o chefe ou o pessoal de marketing.

## Só por diversão, façamos o código de paráfrase funcionar como um servlet

Agora que deixamos claro que não diremos mais nada sobre os servlets, não conseguimos resistir à tentação de servletizar (sim, _podemos_ transformar em verbo) o código de paráfrase do Capítulo 1. Um servlet ainda é código Java. E um código Java pode chamar o código Java de outras classes. Portanto, um servlet pode chamar um método do código de paráfrase. Tudo que você tem que fazer é inserir a classe PhraseOMatic no mesmo diretório de seu servlet e pronto. (O código da paráfrase está na próxima página.)

```java
import java.io.*;

import javax.servlet.*;
import javax.servlet.http.*;

public class KathyServlet extends HttpServlet {
    public void doGet (HttpServletRequest request, HttpServletResponse response)
                                    throws ServletException, IOException  {

        String title = "PhraseOMatic has generated the following phrase.";

        response.setContentType("text/html");
        PrintWriter out = response.getWriter();

        out.println("<HTML><HEAD><TITLE>");
        out.println("PhraseOmatic");
        out.println("</TITLE></HEAD><BODY>");
        out.println("<H1>" + title + "</H1>");
        out.println("<P>" + PhraseOMatic.makePhrase());
        out.println("<P><a href=\"KathyServlet\">make another phrase</a></p>");
        out.println("</BODY></HTML>");

        out.close();
    }
}
```

_Está vendo? Seu servlet pode chamar métodos em outra classe. Nesse caso, estamos chamando o método estático makePhrase() da classe PhraseOMatic (que se encontra na próxima página)._

## Código de paráfrase, habilitado para servlets

Essa é uma versão um pouco diferente do código do Capítulo 1. No original, executamos tudo em um método main() e tínhamos que processar o programa novamente para gerar uma nova frase na linha de comando. Nessa versão, o código simplesmente retornará uma String (com a frase) quando você chamar o método estático makePhrase(). Dessa forma, você poderá chamar o método a partir de qualquer outro código e obter uma String com a frase composta aleatoriamente.

É bom ressaltar que essas longas atribuições de matriz String [] são resultado do processamento de palavras que ocorre aqui — não digite os hifens! Apenas continue a digitar e deixe que seu editor de código insira a quebra de linha. E o quer que faça, não pressione a tecla enter no meio de uma String (isto é, no meio de algo que estiver entra aspas duplas).

```java
public class PhraseOMatic {
    public static String makePhrase() {

        // cria três conjuntos de palavras onde será feita a seleção
        String[] wordListOne = {"24/7", "várias camadas", "30.000 pés", "B-to-B", "todos ganham", "front-end", "baseado na Web", "difundido", "inteligente", "seis sigma", "caminho crítico", "dinâmico"};

        String[] wordListTwo = {"habilitado", "adesivo", "valor agregado", "orientado", "central", "distribuído", agrupado", "solidificado", "independente da máquina", "posicionado", "em rede", "dedicado", "alavancado", "alinhado", "destinado", "compartilhado", "cooperativo", acelerado"};
```

_você está aqui ▶_  **441**

*código* da paráfrase

```
        String[] wordListThree = {"processo", "ponto máximo", "solução", "arquitetura", "habilitação no
    núcleo", "estratégia", "mindshare", "portal", "espaço", "visão", "paradigma", "missão"};

        // verifica quantas palavras existem em cada lista
        int oneLength = wordListOne.length;
        int twoLength = wordListTwo.length;
        int threeLength = wordListThree.length;

        // gera três números aleatórios, para extrair palavras aleatórias de cada lista
        int rand1 = (int) (Math.random() * oneLength);
        int rand2 = (int) (Math.random() * twoLength);
        int rand3 = (int) (Math.random() * threeLength);

        // agora constrói uma frase
        String phrase = wordListOne[rand1] + " " + wordListTwo[rand2] + " " + wordListThree[rand3];

        // exibe a frase
        return ("Precisamos de " + phrase);
    }
}
```

## Enterprise Java Beans: o RMI reforçado

O RMI é ótimo para a criação e execução de serviços remotos. Mas você não conseguiria executar algo como a Amazon ou o eBay somente com o RMI. Para um aplicativo grande e de muita importância, precisará de algo mais. Você precisará de algo que consiga manipular transações, problemas sérios de concorrência (como milhões de pessoas acessando seu servidor ao mesmo tempo para comprar produtos orgânicos para cães), segurança (nem todo mundo pode acessar o banco de dados de sua folha de pagamentos) e gerenciamento de dados. Para isso, você precisa de um *servidor de aplicativo empresarial*.

Em Java, isso significa um servidor Java 2 Enterprise Edition. Um servidor J2EE inclui tanto um servidor Web quanto um servidor Enterprise Java Beans, para que você possa implantar um aplicativo que inclua tanto servlets quanto EJBs. Como os servlets, o EJB não faz parte do escopo deste livro e não há como mostrar "apenas um pequeno" exemplo do EJB em código, mas *examinaremos* rapidamente como ele funciona. (Para uma abordagem muito mais detalhada sobre o EJB, podemos recomendar o animado guia de estudo Head First EJB preparatório para a certificação.)

**Um servidor EJB adicionará vários serviços que você não teria somente com o RMI. Coisas como transações, segurança, concorrência gerenciamento de banco de dados e rede.**

**Um servidor EJB entrará no meio de uma chamada RMI e distribuirá em camadas todos os serviços.**

*Esse cliente poderia ser QUALQUER COISA, mas normalmente um cliente EJB é um servlet sendo executado no mesmo servidor J2EE.*

*É aqui que o servidor EJB entrará! O objeto EJB interceptará as chamadas ao bean (o bean é que contém a lógica operacional real) e distribuirá em camadas todos os serviços fornecidos pelo servidor EJB (segurança, transações, etc.).*

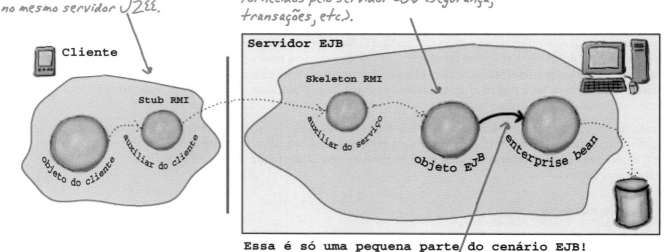

*O objeto bean é protegido do acesso direto do cliente! Só o servidor pode se comunicar realmente com o bean. Isso permite que o servidor faça coisas como dizer Uau! Esse cliente não tem a permissão da segurança para chamar esse método.... Quase tudo que você espera de um servidor EJB ocorrerá exatamente aqui, onde o servidor entrará!*

## Como nosso truque final... o pequeno Jini

Adoramos o Jini. Achamos que talvez seja a melhor coisa existente em Java. Se o EJB é o RMI reforçado (com vários gerenciadores), o Jini é o RMI com *asas*. Puro *êxtase* Java. Como ocorreu com o material sobre o EJB, não poderemos abordar nenhum dos detalhes do Jini aqui, mas se você conhece o RMI, está a três quartos do caminho. Em termos de tecnologia. Em termos de *conceito*, é hora de dar um grande salto. Não, é hora de *voar*.

O Jini usa o RMI (embora outros protocolos possam estar envolvidos), mas lhe fornecerá recursos-chave, inclusive:

### A pesquisa adaptada

### As redes com auto-reparo

Com o RMI, lembre-se, o cliente tem que saber o nome e o local do serviço remoto. O código do cliente para a pesquisa inclui o endereço IP ou o nome do host do serviço remoto (porque é aí que o registro do RMI estará sendo executado) *e* o nome lógico com o qual o serviço foi registrado.

Mas com o Jini, o cliente tem que saber apenas uma coisa: *a interface implementada pelo serviço!* Só isso.

Mas como encontrar o que queremos? O truque está relacionado aos serviços de pesquisa do Jini. Os serviços de pesquisa do Jini são muito mais poderosos e flexíveis do que o registro do RMI. Por uma razão, eles se anunciam para a rede, *automaticamente*. Quando um serviço de pesquisa está on-line, ele envia uma mensagem (usando a transmissão simultânea IP) para a rede dizendo "Estou aqui, se alguém estiver interessado".

Mas isso não é tudo. Suponhamos que você (um cliente) se conectasse *após* o serviço de pesquisa ter se anunciado; poderia enviar uma mensagem para a rede inteira dizendo " Há algum serviço de pesquisa por aí?"

Porém você não estará interessado no serviço de pesquisa *propriamente dito* — estará interessado nos serviços que estão *registrados* no serviço de pesquisa. Coisas como os serviços remotos do RMI, outros objetos Java que possam ser serializados e até dispositivos como impressoras, câmeras e cafeteiras.

E é aí que vai ficar ainda mais divertido: quando um serviço se torna disponível on-line, ele descobre dinamicamente (e se *registra* em) qualquer serviço de pesquisa do Jini que esteja na rede. Quando o serviço se registra no serviço de pesquisa, ele envia um objeto serializado para que seja inserido nesse serviço. Esse objeto serializado pode ser o stub de um serviço remoto do RMI, o driver de um dispositivo de rede ou até o próprio serviço inteiro que (após você capturá-lo no serviço de pesquisa) estiver sendo executado localmente em sua máquina. E em vez de se registrar por *nome*, o serviço se registrará pela *interface* que implementa.

Quando você (o cliente) tiver a referência de um serviço de pesquisa, poderá dizer para ele "Ei, você tem algo que implemente ScientificCalculator?" Nesse momento, o serviço de pesquisa verificará sua lista de interfaces registradas e, supondo que ache uma coincidência, responderá para você:"Sim, tenho algo que implementa essa interface. Aqui está o objeto serializado que o serviço ScientificCalculator registrou comigo."

## A pesquisa adaptada em ação

① O serviço de pesquisa do Jini é iniciado em algum local da rede e se anuncia usando a transmissão simultânea IP.

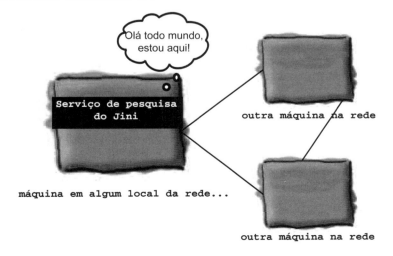

*a pesquisa adaptada do Jini*

② Um serviço Jini que já estiver sendo executado em outra máquina pedirá para ser registrado nesse serviço de pesquisa recém-anunciado. Ele se registrará por recurso, em vez de por nome. Em outras palavras, se registrará como a interface do serviço que implementa. Ele enviará um objeto serializado para que seja inserido no serviço de pesquisa.

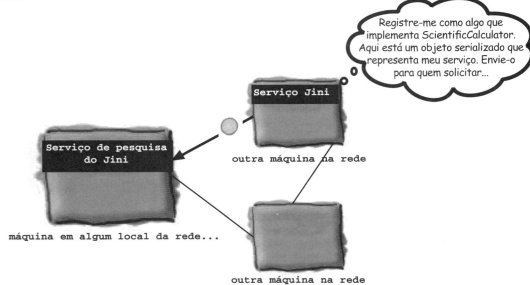

③ Um cliente na rede quer algo que implemente a interface ScientificCalculator. Ele não tem idéia de onde (ou se) esse recurso pode ser encontrado, portanto, consulta o serviço de pesquisa.

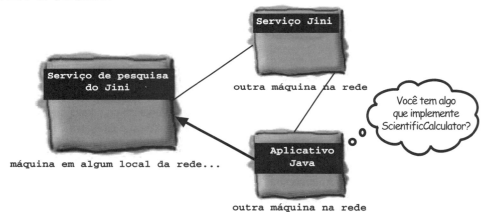

④ O serviço de pesquisa responde, já que tem algo registrado como uma interface ScientificCalculator.

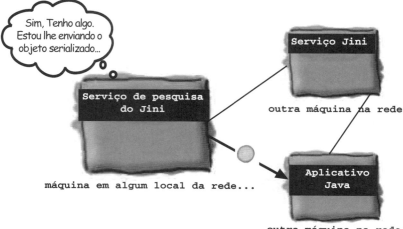

*implantação remota* com o *RMI*

## A rede com auto-reparo em ação

(1) Um serviço Jini solicitou para ser registrado no serviço de pesquisa. O serviço de pesquisa respondeu com um "contrato". O serviço recém-registrado deve continuar renovando o contrato, ou o serviço de pesquisa presumirá que ele está off-line. O serviço de pesquisa quer sempre apresentar um cenário preciso para o resto da rede com relação a que serviços estão disponíveis.

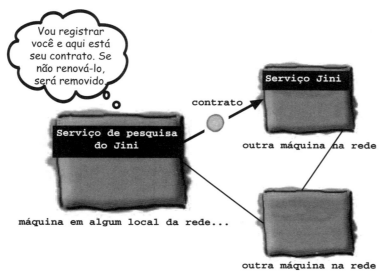

(2) O serviço fica off-line (alguém o encerra), portanto não renova seu contrato com o serviço de pesquisa. O serviço de pesquisa o remove.

## Projeto final: o navegador de serviços universais

Criaremos algo que não está habilitado com o Jini, mas bem que poderia estar. Ele lhe proporcionará a sensação obtida com o Jini, porém usando somente o RMI. Na verdade a principal diferença entre nosso aplicativo e um aplicativo Jini é como o serviço é encontrado. Em vez do serviço de pesquisa do Jini, que se anuncia automaticamente e reside em qualquer local da rede, estamos usando o registro do RMI que deve estar na mesma máquina do serviço remoto e não se anuncia automaticamente.

E em vez de nosso serviço se registrar automaticamente no serviço de pesquisa, *teremos* que cadastrá-lo no registro do RMI [usando Naming.rebind()].

Mas uma vez o cliente tendo encontrado o serviço no registro do RMI, o resto do aplicativo é quase idêntico à maneira como o criaríamos com o Jini. (A principal coisa ausente é o contrato que nos permitiria ter uma rede com auto-reparo se algum dos serviços fosse desativado.)

O navegador de serviços universais é como um navegador Web especializado, porém em vez de usar páginas HTML, ele faz o download e exibe GUIs Java interativas que estamos chamando de *serviços universais*.

você está aqui ▶ **445**

*projeto* de serviços universais

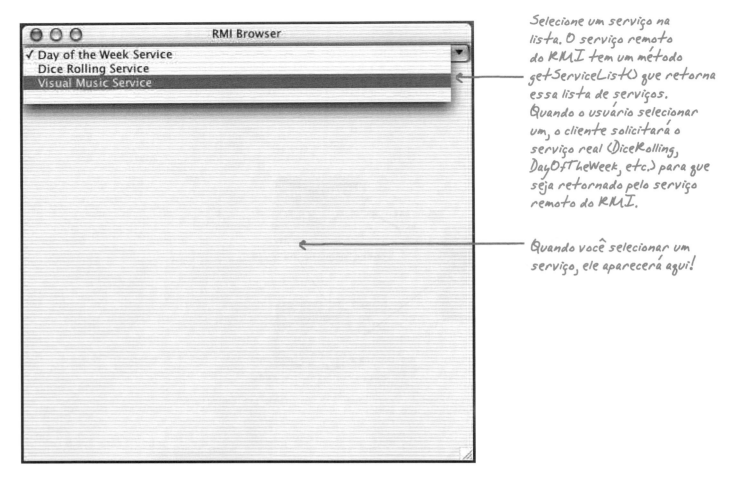

Selecione um serviço na lista. O serviço remoto do RMI tem um método getServiceList() que retorna essa lista de serviços. Quando o usuário selecionar um, o cliente solicitará o serviço real (DiceRolling, DayOfTheWeek, etc.) para que seja retornado pelo serviço remoto do RMI.

Quando você selecionar um serviço, ele aparecerá aqui!

## Como funciona:

① O cliente é inicializado e procura no registro do RMI o serviço chamado "ServiceServer" retornando o stub.

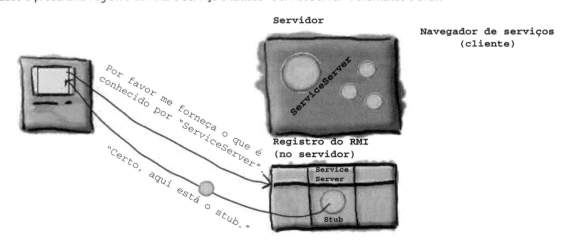

② O cliente chama getServiceList() no stub. O objeto ServiceServer retorna uma matriz de serviços.

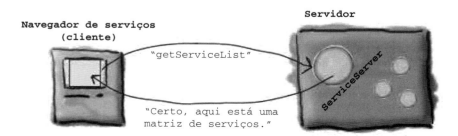

③ O cliente exibe a lista de serviços em uma GUI.

④ O usuário faz a seleção na lista, portanto o cliente chama o método getService() no serviço remoto. O serviço remoto retorna um objeto serializado que é um serviço real a ser executado dentro do navegador do cliente.

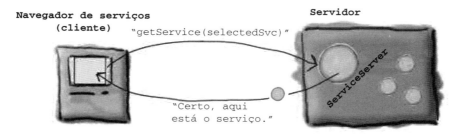

⑤ O cliente chama getGuiPanel() no objeto de serviço serializado que acabou de receber do serviço remoto. A GUI desse serviço é exibida dentro do navegador, e o usuário pode interagir com ela localmente. Nesse momento, não precisaremos do serviço remoto a menos que/até o usuário decidir selecionar outro serviço.

## As classes e interfaces:

① **a interface ServiceServer implementa Remote**
Uma interface remota comum do RMI para o serviço remoto (o serviço remoto tem o método para a captura da lista de serviços e o retorno de um serviço selecionado).

② **a classe ServiceServerImpl implementa ServiceServer**
O serviço remoto real do RMI (estende UnicastRemoteObject). Sua tarefa é instanciar e armazenar todos os serviços (as coisas que serão enviadas para o cliente) e registrar o próprio servidor (ServiceServerImpl) no registro do RMI.

③ **classe ServiceBrowser**
O cliente. Ele constrói uma GUI muito simples, faz uma pesquisa no registro do RMI para capturar o stub de ServiceServer e, em seguida, chama um método remoto nele para capturar a lista de serviços e exibir na GUI.

④ **interface Service**
É a chave para tudo. Essa interface muito simples tem apenas um método, getGuiPanel(). Todos os serviços que são enviados para o cliente devem implementá-la. É ela que torna tudo UNIVERSAL! Ao implementar essa interface, um serviço poderá ser enviado mesmo se o cliente não souber que classe (ou classes) o compõe. Tudo que o cliente saberá é que o que quer que chegue, estará implementando a interface Service, portanto, DEVE ter um método getGuiPanel().
O cliente receberá um objeto serializado como resultado da chamada a setService(selectedSvc) no stub de ServiceServer e tudo que dirá para esse objeto será:
" Não sei quem ou o que você é, mas sei que implementa a interface Service, portanto, sei que posso chamar getGuiPanel() em você. E já que getGuiPanel() retorna um JPanel, apenas o inserirei na GUI do navegador e começarei a interagir com ele!"

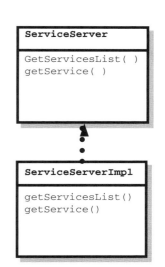

*código* dos serviços universais

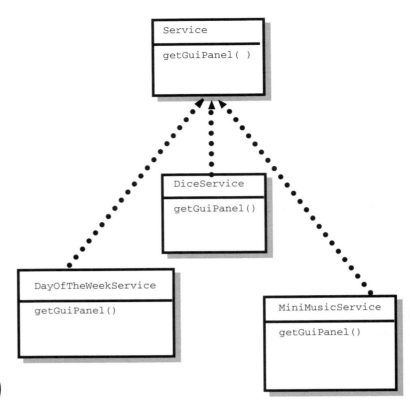

⑤ **a classe DiceService implementa Service**
Tem dados? Se não tiver, mas precisar de alguns, use esse serviço para rolar o dado virtual até algum local entre 1 a 6.

⑥ **a classe MiniMusicService implementa Service**
Lembra daquele fabuloso pequeno programa de 'vídeo musical' da primeira receita de código de GUI? Nós o transformamos em um serviço e você pode executá-lo continuamente até todos os seus colegas finalmente deixarem a sala.

⑦ **a classe DayOfTheWeek implementa Service**
Você nasceu em uma sexta? Digite a data de seu aniversário e descubra.

## interface ServiceServer (a interface remota)

```
import java.rmi.*;

public interface ServiceServer extends Remote {

    Object[] getServiceList() throws RemoteException;

    Service getService(Object serviceKey) throws RemoteException;
}
```

**Um interface remota comum do RMI define os dois métodos que o serviço remoto terá.**

## interface Service (o que os serviços de GUI implementarão)

```
import javax.swing.*;
import java.io.*;

public interface Service extends Serializable {
    public JPanel getGuiPanel();
}
```

*Uma interface comum (ou seja, não é remota), que define o único método que qualquer serviço universal deve ter — getGuiPanel(). A interface estende Serializable, para que qualquer classe que a implemente seja automaticamente Serializable.*
*Trata-se de uma interface interessante, porque os serviços são enviados através da rede a partir do servidor, como resultado de o cliente chamar getService() no objeto ServiceServer remoto.*

## classe ServiceServerImpl (a implementação remota)

```
import java.rmi.*;
import java.util.*;
import java.rmi.server.*;

public class ServiceServerImpl extends UnicastRemoteObject implements ServiceServer {

    HashMap serviceList;

    public ServiceServerImpl() throws RemoteException {
       setUpServices();
    }

    private void setUpServices() {
       serviceList = new HashMap();
       serviceList.put("Dice Rolling Service", new DiceService());
```

**Uma implementação comum do RMI**

*Os serviços serão armazenados em um conjunto HashMap. Em vez de inserir UM objeto no conjunto, você inserirá DOIS — um objeto chave (como uma String) e um objeto valor (o que você quiser). (Consulte o apêndice B para saber mais sobre HashMap.)*

*Quando o construtor for chamado, inicialize os serviços universais reais (DiceService, MiniMusicService, etc.).*

_implantação remota com o RMI_

```java
        serviceList.put("Day of the Week Service", new DayOfTheWeekService());
        serviceList.put("Visual Music Service", new MiniMusicService());
    }
```

_Crie os serviços (os objetos do serviço real) e insira-os no HashMap, com um nome na forma de String (para a chave)._

```java
    public Object[] getServiceList() {
        System.out.println("in remote");
        return serviceList.keySet().toArray();
    }
```

_O cliente chamará esse método para capturar uma lista de serviços e exibir no navegador (para que o usuário possa selecionar um). Enviaremos uma matriz de tipo Object (ainda que ela tenha Strings) criando-a apenas com as CHAVES que estão no HashMap. Não enviaremos um objeto Service real a menos que o cliente o solicite chamando getService()._

```java
    public Service getService(Object serviceKey) throws RemoteException {
        Service theService = (Service) serviceList.get(serviceKey);
        return theService;
    }
```

_O cliente chamará esse método depois que o usuário selecionar um serviço na lista exibida (capturada com o método anterior). Esse código usará a chave (a mesma chave originalmente enviada para o cliente) para capturar o serviço correspondente no HashMap._

```java
    public static void main (String[] args) {
        try {
            Naming.rebind("ServiceServer", new ServiceServerImpl());
        } catch(Exception ex) {
            ex.printStackTrace();
        }
        System.out.println("Remote service is running");
    }
}
```

# classe ServiceBrowser (o cliente)

```java
import java.awt.*;
import javax.swing.*;
import java.rmi.*;
import java.awt.event.*;


public class ServiceBrowser {

    JPanel mainPanel;
    JComboBox serviceList;
    ServiceServer server;


    public void buildGUI() {
        JFrame frame = new JFrame("RMI Browser");
        mainPanel = new JPanel();
        frame.getContentPane().add(BorderLayout.CENTER, mainPanel);

        Object[] services = getServicesList();
```

_Esse método faz a pesquisa no registro do RMI, captura o stub e chama getServiceList(). (O método real está na próxima página.)_

```java
        serviceList = new JComboBox(services);
```

_Adiciona os serviços (uma matriz de Objects) à JComboBox (a lista). A JComboBox sabe como criar as Strings que serão exibidas baseando-se em cada elemento da matriz._

```java
        frame.getContentPane().add(BorderLayout.NORTH, serviceList);

        serviceList.addActionListener(new MyListListener());

        frame.setSize(500,500);
        frame.setVisible(true);

    }
```

_você está aqui ▶_   **449**

*código* de *ServiceBrowser*

```java
void loadService(Object serviceSelection) {
   try {
      Service svc = server.getService(serviceSelection);

      mainPanel.removeAll();
      mainPanel.add(svc.getGuiPanel());
      mainPanel.validate();
      mainPanel.repaint();
   } catch(Exception ex) {
      ex.printStackTrace();
   }
}

Object[] getServicesList() {
   Object obj = null;
   Object[] services = null;

   try {

      obj = Naming.lookup("rmi://127.0.0.1/ServiceServer");

   }
   catch(Exception ex) {
      ex.printStackTrace();
   }
   server = (ServiceServer) obj;

   try {

      services = server.getServiceList();

   } catch(Exception ex) {
      ex.printStackTrace();
   }
   return services;

}

class MyListListener implements ActionListener {
   public void actionPerformed(ActionEvent ev) {

      Object selection = serviceList.getSelectedItem();
      loadService(selection);

   }
}

public static void main(String[] args) {
   new ServiceBrowser().buildGUI();
}
}
```

*É aqui que adicionaremos o serviço real à GUI, depois de o usuário ter selecionado um. (Esse método é chamado pelo ouvinte do evento de JComboBox.) Chamaremos getService() no servidor remoto (o stub de ServiceServer) e passaremos para ele a String que foi exibida na lista [que é a MESMA String originalmente capturada no servidor quando chamamos getServiceList()]. O servidor retornará o serviço real (serializado), que será automaticamente desserializado (graças ao RMI), e simplesmente chamará getGuiPanel() nele e adicionará o resultado (um JPanel) ao objeto mainPanel do navegador.*

← *Faz a pesquisa RMI e captura o stub*

*Converte o stub para o tipo da interface remota, para podermos chamar getServiceList() nele.*

*getServiceList() nos fornecerá a matriz de tipos Object, que exibiremos na JComboBox para o usuário selecionar.*

*Se chegamos aqui, isso significa que o usuário fez uma seleção na lista de JComboBox. Portanto, pegue a seleção que eles fizeram e carregue o serviço apropriado. (consulte o método loadService na página anterior, que solicita ao servidor o serviço que corresponde a essa seleção)*

## classe DiceService (um serviço universal, implementa Service)

```java
import javax.swing.*;
import java.awt.event.*;
import java.io.*;

public class DiceService implements Service {

   JLabel label;
   JComboBox numOfDice;



   public JPanel getGuiPanel() {
      JPanel panel = new JPanel();
      JButton button = new JButton("Roll 'em!");
      String[] choices = {"1", "2", "3", "4", "5"};
      numOfDice = new JComboBox(choices);
      label = new JLabel("dice values here");
      button.addActionListener(new RollEmListener());
```

*Esse é o método importante! O método da interface Service — aquele que o cliente irá chamar quando esse serviço for selecionado e carregado. Você pode fazer o que quiser no método getGuiPanel(), contanto que retorne um JPanel, para que ele construa a GUI real de rolagem dos dados.*

**450** *capítulo 18*

```
            panel.add(numOfDice);
            panel.add(button);
            panel.add(label);
            return panel;
        }

        public class RollEmListener implements ActionListener {
            public void actionPerformed(ActionEvent ev) {
                // jogue os dados
                String diceOutput = "";
                String selection = (String) numOfDice.getSelectedItem();
                int numOfDiceToRoll = Integer.parseInt(selection);
                for (int i = 0; i < numOfDiceToRoll; i++) {
                    int r = (int) ((Math.random() * 6) + 1);
                    diceOutput += (" " + r);
                }
                label.setText(diceOutput);
            }
        }
    }
```

## Aponte seu lápis

Pense em maneiras de aperfeiçoar a classe DiceService. Uma sugestão: usando o que aprendeu nos capítulos sobre GUI, torne os dados gráficos. Use um retângulo e desenhe a quantidade apropriada de círculos em cada um, correspondente à rolagem desse dado específico.

## Classe MiniMusicService (um serviço universal, implementa Service)

```
import javax.sound.midi.*;
import java.io.*;
import javax.swing.*;
import java.awt.*;
import java.awt.event.*;

public class MiniMusicService implements Service {

    MyDrawPanel myPanel;

    public JPanel getGuiPanel() {
        JPanel mainPanel = new JPanel();
        myPanel = new MyDrawPanel();
        JButton playItButton = new JButton("Play it");
        playItButton.addActionListener(new PlayItListener());
        mainPanel.add(myPanel);
        mainPanel.add(playItButton);
        return mainPanel;
    }

    public class PlayItListener implements ActionListener {
        public void actionPerformed(ActionEvent ev) {

            try {

                Sequencer sequencer = MidiSystem.getSequencer();
                sequencer.open();

                sequencer.addControllerEventListener(myPanel, new int[] {127});
                Sequence seq = new Sequence(Sequence.PPQ, 4);
                Track track = seq.createTrack();

                for (int i = 0; i < 100; i+= 4) {

                    int  rNum = (int) ((Math.random() * 50) + 1);
                    if (rNum < 38) {   // portanto agora só execute se num<38 (75% do tempo)
```

*O método do serviço! Tudo que ele faz é exibir um botão e o serviço de desenho (onde os retângulos eventualmente serão desenhados).*

**Esse é o código musical inteiro da Receita de Código do Capítulo 12, portanto, não o comentaremos novamente aqui.**

## código de MiniMusicServer

```java
                    track.add(makeEvent(144,1,rNum,100,i));
                    track.add(makeEvent(176,1,127,0,i));
                    track.add(makeEvent(128,1,rNum,100,i + 2));
                }
            } // fim do loop

            sequencer.setSequence(seq);
            sequencer.start();
            sequencer.setTempoInBPM(220);
        } catch (Exception ex) {ex.printStackTrace();}

    } // fecha actionperformed
} // fecha a classe interna

public MidiEvent makeEvent(int comd, int chan, int one, int two, int tick) {
    MidiEvent event = null;
    try {
        ShortMessage a = new ShortMessage();
        a.setMessage(comd, chan, one, two);
        event = new MidiEvent(a, tick);

    }catch(Exception e) { }
        return event;
}


class MyDrawPanel extends JPanel implements ControllerEventListener {

    // somente se tivermos um evento que quisermos desenhar
    boolean msg = false;

    public void controlChange(ShortMessage event) {
        msg = true;
        repaint();
    }

    public Dimension getPreferredSize() {
        return new Dimension(300,300);
    }

    public void paintComponent(Graphics g) {
        if (msg) {

            Graphics2D g2 = (Graphics2D) g;

            int r = (int) (Math.random() * 250);
            int gr = (int) (Math.random() * 250);
            int b = (int) (Math.random() * 250);

            g.setColor(new Color(r,gr,b));

            int ht = (int) ((Math.random() * 120) + 10);
            int width = (int) ((Math.random() * 120) + 10);

            int x = (int) ((Math.random() * 40) + 10);
            int y =  (int) ((Math.random() * 40) + 10);

            g.fillRect(x,y,ht, width);
            msg = false;

        } // fecha if
    } // fecha o método
 } // fecha a classe interna
} // fecha classe
```

**Nada de novo nessa página inteira. Você já viu tudo na Receita de Código das figuras. Se quiser fazer outro exercício, tente comentar esse código e, em seguida, compare com a Receita de Código do capítulo "Uma história muito gráfica".**

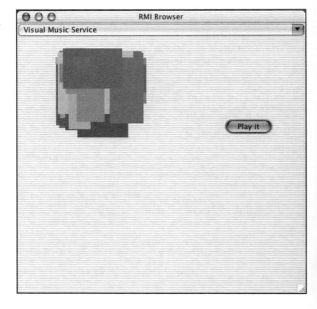

*implantação remota* com o *RMI*

## Classe DayOfTheWeekService (um serviço universal, implementa Service)

```java
import javax.swing.*;
import java.awt.event.*;
import java.awt.*;
import java.io.*;
import java.util.*;
import java.text.*;

public class DayOfTheWeekService implements Service {

    JLabel outputLabel;
    JComboBox month;
    JTextField day;
    JTextField year;

    public JPanel getGuiPanel() {
        JPanel panel = new JPanel();
        JButton button = new JButton("Do it!");
        button.addActionListener(new DoItListener());
        outputLabel = new JLabel("date appears here");
        DateFormatSymbols dateStuff = new DateFormatSymbols();
        month = new JComboBox(dateStuff.getMonths());
        day = new JTextField(8);
        year = new JTextField(8);
        JPanel inputPanel = new JPanel(new GridLayout(3,2));
        inputPanel.add(new JLabel("Month"));
        inputPanel.add(month);
        inputPanel.add(new JLabel("Day"));
        inputPanel.add(day);
        inputPanel.add(new JLabel("Year"));
        inputPanel.add(year);
        panel.add(inputPanel);
        panel.add(button);
        panel.add(outputLabel);
        return panel;
    }

    public class DoItListener implements ActionListener {
        public void actionPerformed(ActionEvent ev) {
            int monthNum = month.getSelectedIndex();
            int dayNum = Integer.parseInt(day.getText());
            int yearNum = Integer.parseInt(year.getText());
            Calendar c = Calendar.getInstance();
            c.set(Calendar.MONTH, monthNum);
            c.set(Calendar.DAY_OF_MONTH, dayNum);
            c.set(Calendar.YEAR, yearNum);
            Date date = c.getTime();
            String dayOfWeek = (new SimpleDateFormat("EEEE")).format(date);
            outputLabel.setText(dayOfWeek);
        }
    }
}
```

*O método da interface Service que constrói a GUI*

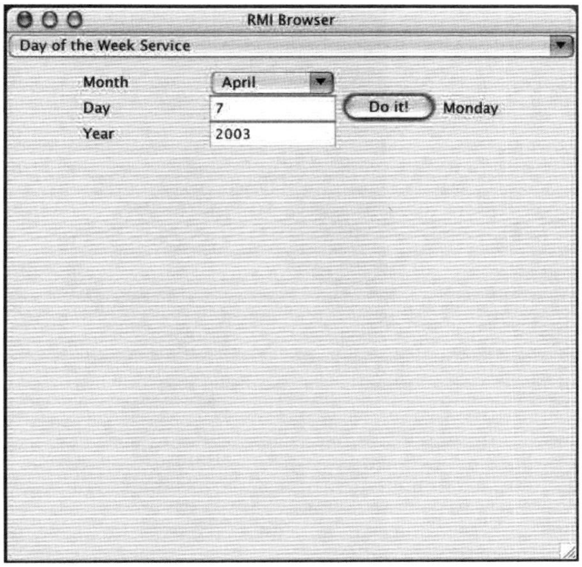

*Consulte o Capítulo 10 se quiser lembrar como a formatação de números e datas funciona. Esse código é um pouco diferente, no entanto, porque usa a classe Calendar. Além disso, SimpleDateFormat nos permitirá especificar um padrão para como a data deve ser exibida.*

*você está aqui* ▶ **453**

# Parabéns!
# Você chegou ao final.

É claro que ainda há os dois apêndices.

E o índice remissivo.

E depois tem o web site...

Na verdade, não há como escapar.

# Apêndice A
# Receita de Código Final

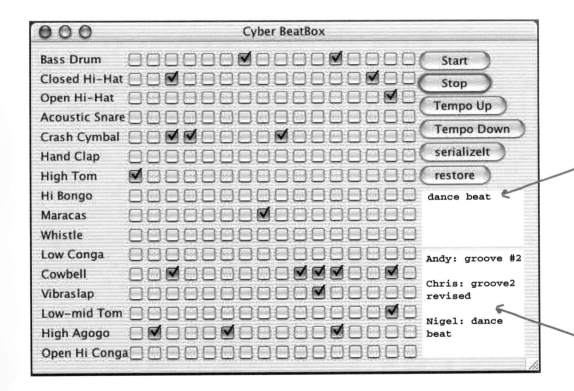

**Finalmente, a versão completa da BeatBox!**

**Ela se conectará com um objeto MusicServer simples para que você possa enviar e receber padrões de batida de outros clientes.**

*código final da BeatBox*

# O programa final do cliente da Beat Box

Grande parte desse código é o mesmo das Receitas de Código dos capítulos anteriores, portanto, não comentaremos tudo novamente. As novas partes incluem:

GUI — dois novos componentes foram adicionados à área de texto que exibe mensagens recebidas (na verdade uma lista de rolagem) e ao campo de texto.

REDE — da mesma forma que o SimpleChatClient deste capítulo, a BeatBox agora se conecta com o servidor e captura um fluxo de entrada e saída.

SEGMENTOS — novamente, da mesma forma que o SimpleChatClient, iniciamos uma classe de 'leitura' que procura continuamente mensagens recebidas no servidor. Mas em vez de apenas texto, as mensagens recebidas incluem DOIS objetos: a mensagem em forma de String e a ArrayList serializada (o objeto que contém o estado de todas as caixas de seleção).

```java
import java.awt.*;
import javax.swing.*;
import java.io.*;
import javax.sound.midi.*;
import java.util.*;
import java.awt.event.*;
import java.net.*;
import javax.swing.event.*;

public class BeatBoxFinal {

    JFrame theFrame;
    JPanel mainPanel;
    JList incomingList;
    JTextField userMessage;
    ArrayList<JCheckBox> checkboxList;
    int nextNum;
    Vector<String> listVector = new Vector<String>();
    String userName;
    ObjectOutputStream out;
    ObjectInputStream in;
    HashMap<String, boolean[]> otherSeqsMap = new HashMap<String, boolean[]>();

    Sequencer sequencer;
    Sequence sequence;
    Sequence mySequence = null;
    Track track;

    String[] instrumentNames = {"Bass Drum", "Closed Hi-Hat", "Open Hi-Hat","Acoustic        Snare",
    "Crash Cymbal", "Hand Clap", "High Tom", "Hi Bongo", "Maracas", "Whistle",        "Low Conga", "Cowbell",
    "Vibraslap", "Low-mid Tom", "High Agogo", "Open Hi Conga"};

    int[] instruments = {35,42,46,38,49,39,50,60,70,72,64,56,58,47,67,63};

    public static void main (String[] args) {
        new BeatBoxFinal().startUp(args[0]);  // args[0] is your user ID/screen name
    }

    public void startUp(String name) {
        userName = name;
        // abre uma conexão com o servidor
        try {
            Socket sock = new Socket("127.0.0.1", 4242);
            out = new ObjectOutputStream(sock.getOutputStream());
            in = new ObjectInputStream(sock.getInputStream());
            Thread remote = new Thread(new RemoteReader());
            remote.start();
        } catch(Exception ex) {
            System.out.println("couldn't connect - you'll have to play alone.");
        }
        setUpMidi();
        buildGUI();
    } // fecha startUp

    public void buildGUI() {
```

*Adiciona um argumento de linha de comando para o nome de sua tela.*
*Exemplo: % java BeatBoxFinal theFlash*

**Nada de novo... Configura a rede, a E/S e cria (e inicia) o segmento de leitura.**

**456** *apêndice A*

*apêndice A: Receita de Código Final*

**Código de GUI, nada de novo aqui.**

```java
theFrame = new JFrame("Cyber BeatBox");
BorderLayout layout = new BorderLayout();
JPanel background = new JPanel(layout);
background.setBorder(BorderFactory.createEmptyBorder(10,10,10,10));

checkboxList = new ArrayList<JCheckBox>();

Box buttonBox = new Box(BoxLayout.Y_AXIS);
JButton start = new JButton("Start");
start.addActionListener(new MyStartListener());
buttonBox.add(start);

JButton stop = new JButton("Stop");
stop.addActionListener(new MyStopListener());
buttonBox.add(stop);

JButton upTempo = new JButton("Tempo Up");
upTempo.addActionListener(new MyUpTempoListener());
buttonBox.add(upTempo);

JButton downTempo = new JButton("Tempo Down");
downTempo.addActionListener(new MyDownTempoListener());
buttonBox.add(downTempo);

JButton sendIt = new JButton("sendIt");
sendIt.addActionListener(new MySendListener());
buttonBox.add(sendIt);

userMessage = new JTextField();
buttonBox.add(userMessage);

incomingList = new JList();
incomingList.addListSelectionListener(new MyListSelectionListener());
incomingList.setSelectionMode(ListSelectionModel.SINGLE_SELECTION);
JScrollPane theList = new JScrollPane(incomingList);
buttonBox.add(theList);
incomingList.setListData(listVector); // nenhum dado com o qual iniciar

Box nameBox = new Box(BoxLayout.Y_AXIS);
for (int i = 0; i < 16; i++) {
    nameBox.add(new Label(instrumentNames[i]));
}

background.add(BorderLayout.EAST, buttonBox);
background.add(BorderLayout.WEST, nameBox);

theFrame.getContentPane().add(background);
GridLayout grid = new GridLayout(16,16);
grid.setVgap(1);
grid.setHgap(2);
mainPanel = new JPanel(grid);
background.add(BorderLayout.CENTER, mainPanel);

for (int i = 0; i < 256; i++) {
    JCheckBox c = new JCheckBox();
    c.setSelected(false);
    checkboxList.add(c);
    mainPanel.add(c);
} // fim do loop

theFrame.setBounds(50,50,300,300);
theFrame.pack();
theFrame.setVisible(true);
} // fecha buildGUI

public void setUpMidi() {
    try {
        sequencer = MidiSystem.getSequencer();
        sequencer.open();
        sequence = new Sequence(Sequence.PPQ,4);
        track = sequence.createTrack();
        sequencer.setTempoInBPM(120);
    } catch(Exception e) {e.printStackTrace();}
} // fecha setUpMidi
```

*JList é um componente que ainda não usamos. É onde as mensagens recebidas serão exibidas. Só que em vez de um bate-papo comum em que você apenas EXAMINARIA as mensagens, nesse aplicativo poderá SELECIONAR uma mensagem na lista e carregar e reproduzir o padrão de batida anexo.*

**Não há mais nada nessa página que seja novidade.**

**Captura o objeto Sequencer, cria um objeto Sequence e um objeto Track.**

*você está aqui ▶* **457**

_**código final** da BeatBox_

```java
public void buildTrackAndStart() {
    ArrayList<Integer> trackList = null; // conterá os instrumentos de cada faixa
    sequence.deleteTrack(track);
    track = sequence.createTrack();

    for (int i = 0; i < 16; i++) {

        trackList = new ArrayList<Integer>();

        for (int j = 0; j < 16; j++) {
            JCheckBox jc = (JCheckBox) checkboxList.get(j + (16*i));
            if (jc.isSelected()) {
                int key = instruments[i];
                trackList.add(new Integer(key));
            } else {
                trackList.add(null);   // porque esse espaço deve ficar vazio na faixa
            }
        } // fecha o loop interno
        makeTracks(trackList);
    } // fecha o loop externo
    track.add(makeEvent(192,9,1,0,15)); // para sempre percorrermos todas as 16 batidas
    try {
        sequencer.setSequence(sequence);
        sequencer.setLoopCount(sequencer.LOOP_CONTINUOUSLY);
        sequencer.start();
        sequencer.setTempoInBPM(120);
    } catch(Exception e) {e.printStackTrace();}
} // fecha o método

public class MyStartListener implements ActionListener {
    public void actionPerformed(ActionEvent a) {
        buildTrackAndStart();
    } // fecha actionPerformed
} // fecha a classe interna

public class MyStopListener implements ActionListener {
    public void actionPerformed(ActionEvent a) {
        sequencer.stop();
    } // fecha actionPerformed
} // fecha a classe interna

public class MyUpTempoListener implements ActionListener {
    public void actionPerformed(ActionEvent a) {
        float tempoFactor = sequencer.getTempoFactor();
        sequencer.setTempoFactor((float)(tempoFactor * 1.03));
    } // fecha actionPerformed
} // fecha a classe interna

public class MyDownTempoListener implements ActionListener {
    public void actionPerformed(ActionEvent a) {
        float tempoFactor = sequencer.getTempoFactor();
        sequencer.setTempoFactor((float)(tempoFactor * .97));
    }
}

public class MySendListener implements ActionListener {
    public void actionPerformed(ActionEvent a) {
        // cria uma arraylist somente com o ESTADO das caixas de seleção
        boolean[] checkboxState = new boolean[256];
        for (int i = 0; i < 256; i++) {
            JCheckBox check = (JCheckBox) checkboxList.get(i);
            if (check.isSelected()) {
                checkboxState[i] = true;
            }
        } // fecha o loop
        String messageToSend = null;
        try {
            out.writeObject(userName + nextNum++ + ": " + userMessage.getText());
            out.writeObject(checkboxState);
        } catch(Exception ex) {
            System.out.println("Sorry dude. Could not send it to the server.");
        }
        userMessage.setText("");
    } // fecha actionPerformed
} // fecha a classe interna
```

_Constrói uma faixa percorrendo as caixas de seleção para capturar seu estado e convertê-lo em um instrumento (e constrói seu MidiEvent). Isso é muito complexo, mas ficou EXATAMENTE como nos capítulos anteriores, portanto consulte essas Receitas de Código para ver a explicação completa novamente._

**Os ouvintes da GUI. Exatamente iguais aos da versão do capítulo anterior.**

**Isso é novo... Parece muito com SimpleChatClient, porém em vez de enviar uma mensagem em String, serializamos dois objetos (a mensagem em String e o padrão da batida) e os gravamos no fluxo de saída do soquete (para o servidor).**

**458** _apêndice A_

*apêndice A: Receita de Código Final*

```java
public class MyListSelectionListener implements ListSelectionListener {
    public void valueChanged(ListSelectionEvent le) {
        if (!le.getValueIsAdjusting()) {
            String selected = (String) incomingList.getSelectedValue();
            if (selected != null) {
                // agora vai até o mapa e altera a sequência
                boolean[] selectedState = (boolean[]) otherSeqsMap.get(selected);
                changeSequence(selectedState);
                sequencer.stop();
                buildTrackAndStart();
            }
        }
    } // fecha valueChanged
} // fecha a classe interna


public class RemoteReader implements Runnable {
    boolean[] checkboxState = null;
    String nameToShow = null;
    Object obj = null;
    public void run() {
        try {
            while((obj=in.readObject()) != null) {
                System.out.println("got an object from server");
                System.out.println(obj.getClass());
                String nameToShow = (String) obj;
                checkboxState = (boolean[]) in.readObject();
                otherSeqsMap.put(nameToShow, checkboxState);
                listVector.add(nameToShow);
                incomingList.setListData(listVector);
            } // fecha while
        } catch(Exception ex) {ex.printStackTrace();}
    } // fecha run
} // fecha a classe interna

public class MyPlayMineListener implements ActionListener {
    public void actionPerformed(ActionEvent a) {
        if (mySequence != null) {
            sequence = mySequence;  // restaura minha sequência original
        }
    } // fecha actionPerformed
} // fecha a classe interna

public void changeSequence(boolean[] checkboxState) {
    for (int i = 0; i < 256; i++) {
        JCheckBox check = (JCheckBox) checkboxList.get(i);
        if (checkboxState[i]) {
            check.setSelected(true);
        } else {
            check.setSelected(false);
        }
    } // fecha o loop
} // fecha changeSequence

public void makeTracks(ArrayList list) {
    Iterator it = list.iterator();
    for (int i = 0; i < 16; i++) {
        Integer num = (Integer) it.next();
        if (num != null) {
            int numKey = num.intValue();
            track.add(makeEvent(144,9,numKey, 100, i));
            track.add(makeEvent(128,9,numKey,100, i + 1));
        }
    } // fecha o loop
} // fecha makeTracks()

public  MidiEvent makeEvent(int comd, int chan, int one, int two, int tick) {
    MidiEvent event = null;
    try {
        ShortMessage a = new ShortMessage();
        a.setMessage(comd, chan, one, two);
        event = new MidiEvent(a, tick);
    }catch(Exception e) { }
    return event;
} // fecha makeEvent

} // fecha class
```

*Isso também é novo – um ListSelectionListener que nos informará quando o usuário fizer uma seleção na lista de mensagens. Quando o usuário selecionar uma mensagem, carregaremos IMEDIATAMENTE o padrão de batida associado (ele estará no objeto HashMap chamado otherSeqsMap) e iniciaremos sua reprodução. Há alguns testes if por causa de pequenos problemas que ocorrem na captura de ListSelectionEvents.*

*Essa é a tarefa do segmento – ler dados no servidor. Nesse código, os dados serão sempre dois objetos serializados: a mensagem em String e o padrão da batida (uma ArrayList com os valores do estado das caixas de seleção)*

*Quando uma mensagem chegar, leremos (desserializaremos) os dois objetos (a mensagem e o ArrayList com os valores booelanos do estado das caixas de seleção) e a adicionaremos ao componente JList. Incluir algo em uma JList é uma operação de duas etapas: você criará um objeto Vector com os dados das listas (Vector é uma ArrayList antiga) e, em seguida, informará a JList para usar esse objeto como a origem do que será exibido na lista.*

*Esse método será chamado quando o usuário selecionar algo na lista. Alteraremos IMEDIATAMENTE o padrão para o selecionado.*

*Todo o código relativo ao MIDI ficou exatamente igual ao da versão anterior.*

*Nada de novo. Exatamente como na última versão.*

*você está aqui* ▶  **459**

*código final da BeatBox*

# Aponte seu lápis

Quais seriam algumas das maneiras pelas quais você poderia aperfeiçoar esse programa?

Aqui estão algumas idéias para começar:

1) Quando você selecionar um padrão, o que estava sendo reproduzido será eliminado. Se for um padrão novo em que você estava trabalhando (ou uma alteração em outro padrão), isso não será bom. Talvez queira inserir uma caixa de diálogo que pergunte ao usuário se ele gostaria de salvar o padrão atual.

2) Se você não inserir um argumento de linha de comando, verá uma exceção quando executar o programa! Insira algo no método main que verifique se você passou um argumento de linha de comando. Se o usuário não fornecer um, use um padrão ou exiba uma mensagem que diga que eles precisam executar o programa novamente, mas dessa vez com um argumento com o nome de sua tela.

3) Pode ser bom ter um recurso em que você possa clicar em um botão e ele gere um padrão aleatório. Pode surgir um que você realmente goste. Melhor ainda, tenha outro recurso que lhe permita carregar padrões 'básicos' já existentes, como um para jazz, rock, reggae, etc., aos quais o usuário possa adicionar o que quiser.

Você pode encontrar os padrões já existentes no Web Start do livro Use a Cabeça! Java.

## Programa final do servidor da BeatBox

Grande parte desse código é idêntica ao do SimpleChatServer que criamos no capítulo sobre rede e segmentos. A única diferença, na verdade, é que esse servidor recebe e, em seguida, re-envia, dois objetos serializados em vez de uma String comum (embora um dos objetos serializados seja uma String).

```java
import java.io.*;
import java.net.*;
import java.util.*;

public class MusicServer {

    ArrayList<ObjectOutputStream> clientOutputStreams;

    public static void main (String[] args) {
        new MusicServer().go();'
    }

    public class ClientHandler implements Runnable {

    ObjectInputStream in;
    Socket clientSocket;

    public ClientHandler(Socket socket) {
        try {
            clientSocket = socket;
            in = new ObjectInputStream(clientSocket.getInputStream());

        } catch(Exception ex) {ex.printStackTrace();}
    } // fecha o construtor
```

460 *apêndice A*

*apêndice A: Receita de Código Final*

```java
    public void run() {
        Object o2 = null;
        Object o1 = null;
            try {

                while ((o1 = in.readObject()) != null) {

                    o2 = in.readObject();

                    System.out.println("read two objects");
                    tellEveryone(o1, o2);
                } // fecha while

            } catch(Exception ex) {ex.printStackTrace();}
        } // fecha run
    } // fecha a classe interna

    public void go() {
        clientOutputStreams = new ArrayList<ObjectOutputStream>();

        try {
            ServerSocket serverSock = new ServerSocket(4242);

            while(true) {
                Socket clientSocket = serverSock.accept();
                ObjectOutputStream out = new ObjectOutputStream(clientSocket.getOutputStream());
                clientOutputStreams.add(out);

                Thread t = new Thread(new ClientHandler(clientSocket));
                t.start();

                System.out.println("got a connection");
            }
        }catch(Exception ex) {
            ex.printStackTrace();
        }
    } // fecha go

    public void tellEveryone(Object one, Object two) {
        Iterator it = clientOutputStreams.iterator();
        while(it.hasNext()) {
            try {
                ObjectOutputStream out = (ObjectOutputStream) it.next();
                out.writeObject(one);
                out.writeObject(two);
            }catch(Exception ex) {ex.printStackTrace();}
        }
    } // fecha tellEveryone

} // fecha class
```

*você está aqui* ▶   **461**

# Apêndice B
## Os dez principais tópicos que quase entraram no livro...

Cobrimos um terreno vasto e você está quase terminando este livro. Sentiremos sua falta, mas antes de deixar você ir, não nos sentiríamos bem em enviá-lo para o universo Java sem um pouco mais de preparação. Não conseguiríamos fornecer tudo que você precisa saber nesse apêndice relativamente pequeno. Na verdade, originalmente incluímos tudo que você precisa saber sobre Java (ainda não abordado nos outros capítulos), reduzindo o tamanho da letra para ,00003. Coube, mas ninguém conseguia ler. Logo, retiramos grande parte, porém guardamos os melhores trechos para esse apêndice com os Dez Mais.

Esse é realmente o fim do livro. Exceto pelo índice (uma leitura e tanto!).

*manipulação de bits*

# #10 Manipulação de bits

## Por que se importar?

Falamos sobre o fato de que há 8 bits em um byte, 16 bits em um tipo curto e assim por diante. Você pode ativar ou desativar bits individuais. Por exemplo, se estiver escrevendo um código para sua nova torradeira habilitada com Java e perceber que, devido a graves limitações de memória, certas configurações da torradeira serão controladas no nível de bits. Para tornar a leitura mais fácil, estamos mostrando somente os últimos 8 bits nos comentários em vez dos 32 completos de um tipo int).

## Operador bit a bit NÃO: ~

Esse operador 'troca todos os bits' de um tipo primitivo.

```
int x = 10;      // os bits são 00001010
x = ~x;          // agora os bits são 11110101
```

Os três próximos operadores comparam dois tipos primitivos bit a bit e retornam um resultado baseado na comparação desses bits. Usaremos o exemplo a seguir para esses três operadores:

```
int x = 10;      // os bits são 00001010
int y = 6;       // agora os bits são 00000110
```

## Operador bit a bit E: &

Esse operador retorna um valor cujos bits só serão ativados se *os dois* bits originais estiverem ativados:

```
int a = x & y;   // os bits são 00000010
```

## Operador bit a bit OU: |

Esse operador retorna um valor cujos bits só serão ativados se *um dos* bits originais estiver ativado:

```
int a = x | y;   // os bits são 00001110
```

## Operador bit a bit XOR (OU Exclusivo): ^

Esse operador retorna um valor cujos bits só serão ativados se *exatamente um* dos bits originais estiver ativado:

```
int a = x ^ y;   // os bits são 00001100
```

---

# #9 Imutabilidade

## Por que se importar com o fato de que as <u>Strings</u> são imutáveis?

Quando seus programas Java começarem a ficar grandes, você inevitavelmente acabará com vários objetos String. Por razões de segurança, e com a finalidade de conservar espaço na memória (lembre-se de que seus programas Java podem ser executados em pequenos celulares habilitados com Java) as Strings em Java são imutáveis. Isso significa que quando você escrever:

## Os operadores de deslocamento

Esses operadores pegam um único tipo inteiro primitivo e deslocam (ou empurram) todos os seus bits para uma direção ou outra. Se você lembrar o que aprendeu sobre cálculo binário, vai perceber que o deslocamento de bits *à esquerda* efetivamente *multiplica* um número por uma potência de dois e o deslocamento de bits *à direita divide* um número por uma potência de dois.

Usaremos o exemplo a seguir para os próximos três operadores:

```
int x = -11;     // os bits são 11110101
```

Certo, certo, estivemos adiando isso, aqui está a explicação mais curta do mundo sobre o armazenamento de números negativos e o *complemento de dois*. Lembre-se de que o bit da esquerda de um número inteiro é chamado de **bit de sinal**. Um número inteiro negativo em Java *sempre* está com seu bit de sinal *ativado* (isto é, configurado com 1). Um número inteiro positivo fica com seu bit de sinal *desativado* (0). O Java usa a fórmula do complemento de dois para armazenar números negativos. Para mudar o sinal de um número usando o complemento de dois, troque todos os bits e, em seguida, adicione 1 (com um byte, por exemplo, isso significaria adicionar 00000001 ao valor invertido).

## Operador de deslocamento à direita: >>

Esse operador desloca todos os bits de um número à direita por um certo número de casas e preenche todos os bits do lado esquerdo com qualquer que fosse o bit original da estrema esquerda. **O bit de sinal *não* é alterado:**

```
int y = x >> 2;   // os bits são 11111101
```

### Operador de deslocamento à direita sem sinal: >>>

Igual ao operador de deslocamento à direita PORÉM sempre preenche os bits da extrema esquerda com zeros. **O bit de sinal *pode* ser alterado:**

```
int y = x >>> 2;  // os bits são 00111101
```

## Operador de deslocamento à esquerda: <<

Igual ao operador de deslocamento à direita sem sinal, mas na outra direção; os bits da extrema direita são preenchidos com zeros. **O bit de sinal *pode* ser alterado:**

```
int y = x << 2;   // os bits são 11010100
```

```
String s = "0";
for (int x = 1; x < 10; x++) {
  s = s + x;
}
```

Na verdade estará criando dez objetos String (com os valores "0", "01", "012" até "0123456789"). A variável s acabará referenciando a String de valor "0123456789", mas nesse momento teremos criado *dez* Strings!

Sempre que você criar uma nova String, a JVM a inserirá em uma parte especial da memória chamada 'Reservatório de

**464** *apêndice B*

Strings' (parece refrescante não?). Se já houver uma String no Reservatório de Strings com o mesmo valor, a JVM não criará uma duplicata, simplesmente apontará sua variável de referência para a entrada existente. A JVM pode fazer isso porque as Strings são imutáveis; uma variável de referência não pode alterar o valor da String de outra variável de referência que aponte para a mesma String.

O outro problema do Reservatório de Strings é que o Coletor de Lixo *não chega até lá*. Portanto, em nosso exemplo, a menos que por coincidência posteriormente você crie uma String chamada, digamos, "01234", as primeiras nove Strings criadas em nosso loop *for* ficarão apenas aguardando desperdiçando memória.

**Como isso economiza memória?**

Bem, se você não for cuidadoso, *não economizará!* Mas se entender como a imutabilidade de Strings funciona, então, em algumas situações poderá se beneficiar dela para economizar memória. No entanto, se você tiver que executar muitas manipulações com Strings (como concatenações, etc.), há uma classe StringBuilder, mais adequada para essa finalidade. Falaremos mais sobre StringBuilder algumas páginas adiante.

## Por que se importar com o fato de que os Empacotadores são imutáveis?

No capítulo sobre Math falamos sobre as duas principais utilidades das classes empacotadoras:

- Empacotar um tipo primitivo para que ele possa simular ser um objeto.

- Usar os métodos estáticos utilitários [por exemplo, Integer.parseInt()].

É importante lembrar que quando você criar um objeto empacotador como:

```
Integer iWrap = new Integer(42);
```

Esse objeto empacotador estará definido. Seu valor *sempre* será 42. **Não há método de configuração para um objeto empacotador**. É claro que você pode apontar *iWrap* para um objeto empacotador *diferente*, mas então terá *dois* objetos. Quando você criar um objeto empacotador, não terá como alterar o *valor* desse objeto!

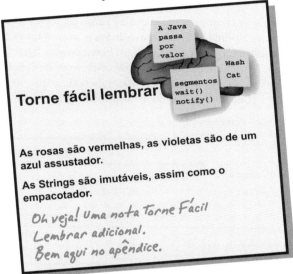

## #8 Asserções

Não falamos muito sobre como depurar seu programa Java enquanto você estiver desenvolvendo-o. Acreditamos que você deve aprender Java na linha de comando, como fizemos no decorrer do livro. Quando for um profissional em Java, se decidir usar um IDE,* pode ter outras ferramentas de depuração para usar. Antigamente, quando um programador Java queria depurar seu código, inseria várias instruções System.out.println() no decorrer do programa, exibindo os valores atuais das variáveis e mensagens "Estou aqui", para ver se o controle do fluxo estava funcionando apropriadamente. (O código predefinido do capítulo 6 continua com algumas instruções 'print' de depuração.) Em seguida, se o programa estivesse funcionando corretamente, ele o percorria e removia novamente todas essas instruções System.out.println(). Era tedioso e propenso a erros. Mas, a partir da Java 1.4 (e 5.0), a depuração ficou muito mais fácil. A resposta?

### Asserções

As asserções são instruções System.out.prinln() reforçadas. Adicione-as a seu código como faria com as instruções de exibição. O compilador do Java 5.0 presumirá que você está compilando arquivos de código-fonte compatíveis com a versão 5.0, portanto a partir do Java 5.0, a compilação com asserções vem ativada por padrão.

No tempo de execução, se você não fizer nada, as instruções assert que adicionou a seu código serão ignoradas pela JVM e não retardarão seu programa. Mas se você solicitar à JVM que *ative* suas asserções, elas o ajudarão a fazer a depuração, sem alterar uma linha de código!

Algumas pessoas têm reclamado por terem que deixar instruções assert em seu código de produção, mas deixá-las pode ser muito útil quando seu código já tiver sido distribuído. Se seu cliente estiver com problemas, você poderá instruí-lo a executar o programa com as asserções ativadas e solicitar que lhe envie a saída. Se as asserções fossem removidas do código implantado, você não teria essa opção. E quase não há desvantagens; quando as asserções não estão ativadas, são totalmente ignoradas pela JVM, portanto, não é preciso se preocupar com perdas no desempenho.

### Como fazer as asserções funcionarem

Adicione as instruções de asserção a seu código onde achar que algo *tenha que ser verdadeiro*. Por exemplo:

```
assert (height > 0);

// se verdadeiro, o programa continuará
normalmente
// se falso, lance um AssertionError
```

Você pode adicionar um pouco mais de informações ao rastreamento da pilha escrevendo:

```
assert (height > 0) : "height = " +
height + " weight = " + weight;
```

*escopo* de bloco

A expressão após o sinal de dois-pontos pode ser qualquer expressão Java válida *que resulte em um valor que não seja nulo*. Mas o que quer que você faça, *não crie asserções que alterem o estado de um objeto!* Se o fizer, a ativação das asserções no tempo de execução pode alterar a maneira como seu programa será executado.

## Compilando e executando com asserções

Para *compilar* com asserções:

```
javac TestDriveGame.java
```

(Observe que não foi necessária nenhuma opção de linha de comando.)

Para *executar* com asserções:

```
java -ea TestDriveGame
```

*IDE significa Integrated Development Environment e inclui ferramentas como o Eclipse, o JBuilder da Borland ou a ferramenta de fonte aberta NetBeans (netbeans.org).

## #7 Escopo de bloco

No Capítulo 9, falamos sobre como as variáveis locais só existem enquanto o método em que foram declaradas se encontra na pilha. Mas algumas variáveis podem ter existências ainda *mais curtas*. Dentro dos métodos, geralmente criamos *blocos* de código. Fizemos isso o tempo todo, mas não *falamos* explicitamente em termos de *blocos*. Normalmente, os blocos de código ocorrem dentro de métodos e são delimitados por chaves {}. Alguns exemplos comuns de blocos de código que você reconhecerá incluem os loops (*for, while*) e as expressões condicionais (como as instruções *if*).

Examinemos um exemplo:

```
void doStuff() {              ← Início do bloco do método.

    int x = 0;                ← Variável local com escopo no método inteiro.

    for(int y = 0; y < 5; y++) {  ← Começo do bloco de um loop for com o escopo de y sendo somente o loop!

        x = x + y;            ← Sem problemas, tanto x quanto y estão no escopo.
    }                         ← Fim do bloco do loop for.

    x = x * y;                ← Opa! Não será compilado! y está fora de escopo
                                aqui! (não é assim que funciona em outras
                                linguagens, portanto, cuidado!)

}                             ← Fim do bloco do método, agora x também está fora de escopo.
```

No exemplo anterior, y era uma variável de bloco, ou seja, declarada dentro de um bloco, mas saiu de escopo assim que o loop for terminou. Seus programas Java serão mais depuráveis e expansíveis se você usar variáveis locais em vez de variáveis de instância e variáveis de bloco em vez de variáveis locais, sempre que possível. O compilador verificará se você não está tentando usar uma variável que esteja fora de escopo, portanto não é preciso se preocupar com problemas no tempo de execução.

## #6 Chamadas encadeadas

Embora você tenha visto muitas delas neste livro, tentamos manter nossa sintaxe o mais possível organizada e legível. Há, no entanto, muitos atalhos válidos em Java, aos quais sem dúvida você será exposto, principalmente se tiver que ler muitos códigos que não escreveu. Uma das estruturas mais comuns que encontrará é conhecida como *chamadas encadeadas*. Por exemplo:

```
StringBuffer sb = new StringBuffer("spring");
sb = sb.delete(3,6).insert(2,"umme").deleteCharAt(1);
System.out.println("sb = " + sb);
// o resultado é sb = summer
```

Mas o que está acontecendo na segunda linha de código? É claro que esse é um exemplo planejado, mas você precisa aprender a decifrar.

1 – Trabalhe da esquerda para a direita.

2 – Encontre o resultado do método mais à esquerda, nesse caso, sb.delete(3,6). Se você procurar StringBuffer nos documentos do API, verá que o método delete() retorna um objeto StringBuffer. O resultado da execução do método delete() será um objeto StringBuffer com o valor "spr".

3 – O próximo método mais à esquerda (insert()) foi chamado no recém-criado objeto StringBuffer "spr". O resultado dessa chamada de método [do método insert()], *também* será um objeto StringBuffer (embora não

**466** *apêndice B*

*apêndice B: Top Ten Reference*

precisasse ter o mesmo tipo de retorno do método anterior) e assim por diante, ou seja, o objeto retornado será usado para chamar o próximo método à direita. Teoricamente, você pode encadear quantos métodos quiser em uma única instrução (embora seja raro ocorrerem mais de três métodos encadeados na mesma instrução). Sem o encadeamento, a segunda linha do código anterior ficaria mais legível e teria uma aparência semelhante a esta:

```
sb = sb.delete(3,6);
sb = sb.insert(2,"umme");
sb = sb.deleteCharAt(1);
```

Mas aqui está um exemplo mais comum e útil, que você nos viu usar, entretanto sabíamos que iríamos voltar a ele aqui. Será empregado quando seu método main() tiver que chamar o método de uma instância da classe main, porém você não precisar manter uma *referência* da instância da classe. Em outras palavras, o método main() terá que criar a instância *só* para poder chamar um dos *métodos* dela.

```
class Foo {
   public static void main(String [] args) [
      new Foo().go();
   }
   void go() {
      // nesse local estará o que REALMENTE queremos...
   }
}
```

*Queremos chamar go(), mas não nos importa a instância de Foo, portanto não haverá problema em atribuirmos o novo objeto Foo a uma referência.*

---

# #5 Classes anônimas e estáticas aninhadas

## As classes aninhadas vêm em muitas versões

Na seção de manipulação de eventos de GUI do livro, começamos usando classes internas (aninhadas) como uma solução para a implementação de interfaces de escuta. Essa é a forma mais comum, prática e legível de uma classe interna - em que a classe é simplesmente aninhada dentro das chaves de outra classe encapsuladora. E lembre-se de que isso significa que você precisa de uma instância da classe externa para capturar uma instância da classe interna, porque a classe interna é um *membro* da classe externa/encapsuladora.

Mas há outros tipos de classes internas inclusive *estáticas* e *anônimas*. Não entraremos em detalhes aqui, mas não queremos que você fique confuso com uma sintaxe estranha quando encontrá-la no código de alguém. Porque de praticamente tudo que você possa fazer com a linguagem Java, talvez nada produzirá um código de aparência mais bizarra do que as classes internas anônimas. Mas começaremos com algo mais simples - classes estáticas aninhadas.

## Classes estáticas aninhadas

Você já sabe o que estático significa - algo vinculado à classe e não a uma instância específica. Uma classe estática aninhada tem a mesma aparência das classes não-estáticas que usamos para as interfaces de escuta, exceto por serem marcadas com a palavra-chave **static**.

```
public class FooOuter {

   static class BarInner {
      void sayIt() {
         System.out.println("method of a static inner class");
      }
   }
}

class Test {
   public static void main (String[] args) {

      FooOuter.BarInner foo = new FooOuter.BarInner();

      foo.sayIt();
   }
}
```

**Uma classe estática aninhada é apenas isso — uma classe inserida em outra e marcada com o modificador static.**

*Já que uma classe estática aninhada é... Estática, você não usará uma instância da classe externa. Usará apenas o nome da classe, da mesma maneira que chamaria métodos estáticos ou acessaria variáveis estáticas.*

As classes estáticas aninhadas são mais como classes comuns não-aninhadas por não gozarem de um relacionamento especial com um objeto encapsulador externo. Mas já que mesmo assim são consideradas *membros* da classe externa/encapsuladora, terão acesso a qualquer membro privado da classe externa... Mas *só os que também forem estáticos*. Já que a classe estática aninhada não está conectada a uma instância da classe externa, não tem nenhuma maneira especial de acessar as variáveis e métodos não estáticos (de instância).

*você está aqui ▶   467*

*quando as matrizes não são suficientes*

# Classes anônimas e estáticas aninhadas (continuação)

A diferença entre *aninhado* e *interno*

Qualquer classe Java definida dentro do escopo de outra classe é chamada de classe ***aninhada***. Não importa se é anônima, estática, comum, o que for. Se estiver dentro de outra classe, será tecnicamente considerada uma classe *aninhada*. Mas classes aninhadas *não-estáticas* geralmente são chamadas de classes *internas*, que é como as chamamos anteriormente no livro. A conclusão: todas as classes internas são classes aninhadas, mas nem todas as classes aninhadas são classes internas.

# Classes internas anônimas

Suponhamos que você estivesse escrevendo algum código de GUI e de repente percebesse que precisa da instância de uma classe que implemente ActionListener. Mas constatou que não *tem* uma instância de ActionListener. Em seguida, percebeu que também não criou uma *classe* para esse ouvinte. Você tem duas alternativas nesse momento:

1) Crie uma classe interna em seu código, como fizemos em nosso código de GUI e, em seguida, instancie-a e passe essa instância para o método de registro de eventos do botão [addActionListener()].

OU

2) Crie uma classe interna *anônima* e instancie-a, nesse local, exatamente agora. ***Literalmente bem no local onde você precisa do objeto de ouvinte.*** É isso mesmo, você criará a classe e a instância no local onde normalmente estaria fornecendo apenas a instância. Pense nisso por um momento - significa que você passará a *classe* inteira onde normalmente passaria apenas uma *instância* como o argumento de um método!

```
import java.awt.event.*;
import javax.swing.*;
public class TestAnon {
    public static void main (String[] args) {

        JFrame frame = new JFrame();
        JButton button = new JButton("click");
        frame.getContentPane().add(button);
        // button.addActionListener(quitListener);
```

*Criamos uma moldura e adicionamos um botão, portanto agora precisamos registrar um ouvinte de ações no botão. Porém não criamos uma classe que implemente a interface ActionListener...*

*Normalmente faríamos algo assim — passaríamos uma referência da instância de uma classe interna... Uma classe interna que implementasse ActionListener [e o método actionPerformed()].*

*Esta instrução:*

```
        button.addActionListener(new ActionListener() {

            public void actionPerformed(ActionEvent ev) {
                System.exit(0);
            }
        });
```

*Termina aqui embaixo!*

```
    }
}
```

*Mas agora em vez de passar uma referência de objeto, passaremos... Toda a definição da classe nova! Em outras palavras, criaremos a classe que implementa ActionListener EXATAMENTE AQUI ONDE PRECISAREMOS DELA. A sintaxe também criará uma instância da classe automaticamente.*

*Observe que inserimos new ActionListener ainda que ActionListener seja uma interface e, portanto, você não pode CRIAR uma instância dela! Mas o que essa sintaxe quer dizer realmente é, crie uma nova classe (sem nome) que implemente a interface ActionListener e, a propósito, aqui está a implementação dos métodos da interface: actionPerformed().*

---

# #4 Níveis de acesso e modificadores de acesso (quem vê o que)

Java tem *quatro níveis* de acesso e *três modificadores* de acesso. Há somente *três* modificadores porque o *padrão* (o que você empregará quando não usar nenhum modificador de acesso) *é* um dos quatro níveis de acesso.

## Níveis de acesso (em ordem de quanto são restritivos, do menos restritivo ao mais restritivo)

**público** ← *Acesso público significa que qualquer código de qualquer local poderá acessar o item público (com item queremos dizer classe, variável, método, construtor, etc.).*

**protegido** ← *O protegido funciona como o padrão (códigos do mesmo pacote têm acesso), EXCETO por também permitir que subclasses de fora do pacote herdem o item protegido.*

**padrão** ← *O acesso padrão significa que somente códigos pertencentes ao mesmo pacote da classe que tem o item padrão poderão acessá-lo.*

**privado** ← *Privado significa que somente códigos dentro da mesma classe poderão acessar o item privado. Lembre-se de que isso significa privado para a classe e não para o objeto. Um objeto Dog pode ver o item privado de outro objeto Dog, mas um objeto Cat não pode ver os itens privados de Dog.*

*apêndice B: Top Ten Reference*

# Modificadores de acesso

```
public
protected
private
```

Na maioria das situações você usará somente os níveis público e privado.

### public

Use public para classes, constantes (variáveis finais estáticas) e métodos que você estiver expondo para outros códigos (por exemplo, métodos de captura e configuração) e para a maioria dos construtores.

### private

Use private para praticamente todas as variáveis de instância e para métodos que você não quiser que códigos externos chamem (em outras palavras, métodos *usados* pelos métodos públicos de sua classe).

Mas embora você possa não usar os outros dois (protegido e padrão), ainda terá que saber o que fazem, porque os verá em outros códigos.

# padrão e protegido

### padrão

Tanto o nível de acesso protegido quanto o padrão estão vinculados a pacotes. O acesso padrão é simples -significa que só códigos *pertencentes ao mesmo pacote* poderão acessar os códigos com nível de acesso padrão. Portanto, uma classe padrão, por exemplo (que significa uma classe que não foi explicitamente declarada como *pública*), pode ser acessada somente por classes pertencentes ao mesmo pacote que o seu.

Mas o que significa realmente *acessar* uma classe? Códigos que não têm acesso a uma classe não podem nem mesmo *pensar* nela. E por pensar queremos dizer *usar* a classe em código. Por exemplo, se você não tiver acesso a uma classe, por causa da restrição de acesso, não poderá instanciá-la e nem mesmo declará-la como o tipo de uma variável, argumento ou valor de retorno. Simplesmente não poderá de forma alguma digitá-la em seu código! Se o fizer, o compilador reclamará.

Pense nas implicações - uma classe padrão com métodos públicos significa que esses métodos não são realmente públicos. Você não poderá acessar um método se não puder *ver* a classe.

Por que alguém poderia querer restringir acesso a códigos pertencentes ao mesmo pacote? Normalmente, os pacotes são projetados como um grupo de classes que funcionam juntas como um conjunto relacionado. Portanto, pode fazer sentido que classes do mesmo pacote precisem acessar o código uma da outra, embora como um pacote, só uma pequena quantidade de classes e métodos sejam expostos para o ambiente externo (isto é, códigos fora desse pacote).

Certo, esse é o padrão. É simples - se algo tiver acesso padrão (que, lembre-se, significa nenhum modificador de acesso explícito!), só códigos do mesmo pacote do *item* padrão (classe, variável, método, classe interna) poderão acessar esse *item*.

Mas para que serve o acesso *protegido*?

### protegido

O acesso protegido é quase idêntico ao acesso padrão, com uma exceção: permite que subclasses *herdem* o item protegido, *mesmo se estiverem fora do pacote da superclasse que estendem*. É isso. Isso é *tudo* que o acesso protegido lhe fornecerá - a possibilidade de permitir que suas classes fiquem fora do pacote de sua superclasse e ainda assim *herdem* partes da classe, inclusive métodos e construtores.

Vários desenvolvedores não vêem muitas razões para usar o acesso protegido, mas ele é usado em alguns projetos e quem sabe um dia você pode achar que é exatamente isso de que precisa. Uma das coisas interessantes com relação ao acesso protegido é que - diferente dos outros níveis de acesso - ele só é aplicável à *herança*. Se uma subclasse não pertencente a um pacote tiver a *referência* de uma instância da superclasse (a superclasse que tenha, digamos, um método protegido), ela não poderá acessar o método protegido usando essa referência da superclasse! A única maneira de a subclasse poder acessar esse método será *herdando-o*. Em outras palavras, a subclasse não pertencente ao pacote não terá *acesso* ao método protegido, mas *terá* o método, através da herança.

*você está aqui* ▶ **469**

*quando as matrizes não são suficientes*

# #3 Métodos de String e StringBuffer/StringBuilder

Duas das classes mais usadas do API Java são String e StringBuilder (lembre-se de que vimos no #9 algumas páginas atrás que as Strings são imutáveis, portanto um StringBuffer/StringBuilder pode ser muito mais eficiente se você estiver manipulando uma String). A partir da Java 5.0 você deve usar a classe String*Builder* em vez de String*Buffer*, a menos que suas manipulações de Strings precisem ser à prova de segmentos, o que não é comum. Aqui está uma visão geral dos métodos-**chave** dessas classes:

### Tanto a classe String quanto StringBuffer/StringBuilder têm:

| | |
|---|---|
| char charAt(int index); | // que caractere ficará em uma posição específica |
| int length(); | // qual o tamanho dessa string |
| String substring(int start, int end); | // captura uma parte dessa string |
| String toString(); | // qual é o valor desse objeto String |

### Para concatenar Strings:

| | |
|---|---|
| String concat(string); | // para a classe String |
| String append(String); | // para StringBuffer e StringBuilder |

### A classe String tem:

| | |
|---|---|
| String replace(char old, char new); | // substitui todas as ocorrências de um caractere |
| String substring(int begin, int end); | // captura parte de uma String |
| char [] toCharArray(); | // converte em uma matriz de caracteres |
| String toLowerCase(); | // converte todos os caracteres para minúsculas |
| String toUpperCase(); | // converte todos os caracteres para maiúsculas |
| String trim(); | // remove o espaço em branco das extremidades |
| String valueOf(char [ ]) | // remove uma String de uma matriz de caracteres |
| String valueOf(int i) | // cria uma String a partir de um tipo primitivo |
| | // outros tipos primitivos também têm suporte |

### As classes StringBuffer e StringBuilder têm:

| | |
|---|---|
| StringBxxxx delete(int start, int end); | // exclui uma parte |
| StringBxxxx insert(int offset, qualquer tipo primitivo de uma matriz char [ ]); | // insere algo |
| StringBxxx replace(int start, int end, String s); | // substitui essa parte por essa String |
| StringBxxx reverse(); | // inverte o SB de trás para frente |
| Void setCharAt(int index, char ch); | // substitui um caractere específico |

Nota: StringBxxx significará String*Buffer* ou String*Builder*, conforme apropriado.

---

# #2 Matrizes multidimensionais

Na maioria das linguagens, se você criar, digamos, uma matriz bidimensional 4 x 2, visualizará um retângulo de 4 elementos por 2 elementos com um total de 8 elementos. Mas, em Java, uma matriz desse tipo na verdade corresponderia a 5 matrizes encadeadas! Em Java, uma matriz bidimensional é simplesmente *uma matriz composta por matrizes*. (Uma matriz tridimensional é uma matriz composta por matrizes que por sua vez são compostas por outras matrizes, mas deixaremos isso para você descobrir.) Veja como funciona

```
int[][] a2d  = new int [4][2];
```

A JVM criará uma matriz com 4 elementos. *Cada um* desses quatro elementos será na verdade uma variável de referência apontando para uma matriz int (recém-criada) com 2 elementos.

**470** *apêndice B*

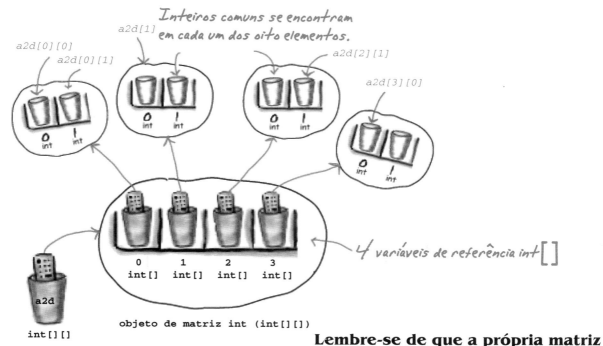

**Trabalhando com matrizes multidimensionais**

**Lembre-se de que a própria matriz é um objeto (uma matriz contendo referências de matrizes int).**

- Para acessar o segundo elemento da terceira matriz: int x = a2d[2][1]; // lembre-se, começando em 0!
- Para criar uma referência unidimensional de uma das submatrizes: int[] copy = a2d[1];
- Atalho para a inicialização de uma matriz 2 x 3: int[][] x = { { 2,3,4 }, { 7,8,9 } };
- Para criar uma matriz 2d com dimensões irregulares:

```
int[][] y = new int [2][];    // cria somente a primeira matriz, com tamanho igual a 2
y[0] = new int [3];           // faz a primeira submatriz ter 3 elementos de dimensão
y[1] = new int [5];           // faz a segunda submatriz ter 5 elementos de dimensão
```

## E o tópico número 1 que quase entrou...

## #1 Enumerações (também chamadas de Tipos enumerados ou Enums)

Já falamos sobre as constantes que foram definidas no API, por exemplo, **JFrame.EXIT_ON_CLOSE**. Você também pode criar suas próprias constantes marcando uma variável como **estática final**. Mas em algumas situações pode querer criar um conjunto de valores constantes para representar os *únicos* valores válidos de uma variável. Esse conjunto de valores válidos normalmente é chamado de *enumeração*. Antes do Java 5.0 só podíamos executar metade da tarefa de criar uma enumeração em Java. A partir do Java 5.0 podemos criar enumerações totalmente desenvolvidas que serão invejadas por todos os seus amigos usuários de versões anteriores à 5.0.

**Quem está na banda?**

Suponhamos que você estivesse criando um site Web para sua banda favorita e quisesse se certificar de que todos os comentários fossem direcionados a um membro específico dela.

**A maneira antiga de simular uma "enumeração":**

```
public static final int JERRY = 1;
public static final int BOBBY = 2;
public static final int PHIL = 3;

// posteriormente no código

if (selectedBandMember == JERRY) {
   // faz algo relativo a Jerry
}
```

*Esperamos que, quando chegarmos aqui, selectedBandMember tenha um valor válido!*

*quando as matrizes não são suficientes*

A boa notícia sobre essa técnica é que ela REALMENTE torna o código mais fácil de ler. A outra boa notícia é que você nunca poderá alterar o valor das enumerações fictícias que tiver criado; JERRY sempre será 1. A má notícia é que não há uma maneira fácil ou adequada de assegurar que o valor de selectedBandMember sempre seja 1, 2 ou 3. Se algum trecho de código difícil de encontrar configurar selectedBandMember igual a 812, é bem provável que seu código seja interrompido...

A mesma situação com o uso de uma enumeração legítima do Java 5.0. Embora essa seja uma enumeração muito básica, geralmente a maioria das enumerações *é* simples assim.

**Uma "enumeração" nova e oficial:**

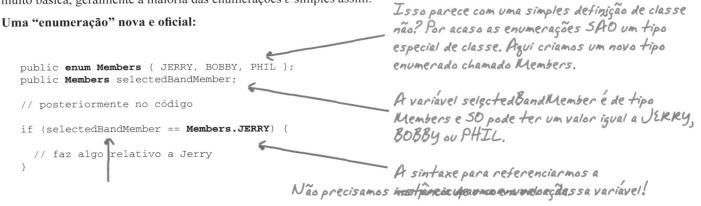

## Sua enumeração estenderá java.lang.Enum

Quando você criar uma enumeração, estará criando uma nova classe e *estendendo implicitamente java.lang.Enum*. Poderá declarar uma enumeração como sua própria classe autônoma, em seu próprio arquivo de código-fonte, ou como um membro de outra classe.

## Usando "if" e "switch" com enumerações

Usando a enumeração que acabamos de criar, podemos gerar ramificações em nosso código empregando a instrução if ou switch. Observe também que podemos comparar as instâncias da enumeração usando o operador == ou o método equals(). Geralmente o operador == é considerado um estilo melhor.

```
Members n = Members.BOBBY;
if (n.equals(Members.JERRY)) System.out.println("Jerrrry!");
if (n == Members.BOBBY) System.out.println("Rat Dog");

Members ifName = Members.PHIL;
switch (ifName) {
   case JERRY: System.out.print("make it sing ");
   case PHIL: System.out.print("go deep ");
   case BOBBY: System.out.println("Cassidy! ");
}
```

*Atribuindo um valor da enumeração a uma variável. Essas duas instruções funcionarão bem! Rat Dog será exibido.*

*Quiz pop! Qual é a saída?*
*Resposta: vá fundo Cassidy!*

## Uma versão realmente complicada de uma enumeração semelhante

Você pode adicionar várias coisas a sua enumeração como um construtor, métodos, variáveis e algo chamado corpo de classe específico de constantes. Elas não são comuns, mas você pode encontrá-las:

```
public class HfjEnum {

   enum Names {
      JERRY("lead guitar") { public String sings() {
                              return "plaintively"; }
                           },
      BOBBY("rhythm guitar") { public String sings() {
                              return "hoarsely"; }
                           },
      PHIL("bass");

      private String instrument;
```

*Esse é um argumento passado para o construtor declarado a seguir.*

*Esses são os chamados corpos de classes específicos de constantes. Considere-os como uma sobreposição do método básico da enumeração (nesse caso o método sing()), se sing() for chamado em uma variável com o valor JERRY ou BOBBY.*

472   apêndice B

```
    Names(String instrument) {
        this.instrument = instrument;
    }
    public String getInstrument() {
        return this.instrument;
    }
    public String sings() {
        return "occasionally";
    }
}

public static void main(String [] args) {
    for (Names n : Names.values()) {
        System.out.print(n);
        System.out.print(", instrument: "+ n.getInstrument());
        System.out.println(", sings: " + n.sings());
    }
}
```

*Esse é o construtor da enumeração. Ele será executado uma vez para cada valor da enumeração que for declarado (nesse caso ele será executado três vezes).*

*Você verá esses métodos sendo chamados a partir de main().*

*Toda enumeração vem com um método values() embutido que normalmente é usado em um loop for como mostrado.*

```
%java HfjEnum
JERRY, instrument: lead guitar, sings: plaintively
BOBBY, instrument: rhythm guitar, sings: hoarsely
PHIL, instrument: bass, sings: occasionally
%
```

**Observe que o método básico "sing()" só é chamado quando o valor da enumeração não tem um corpo de classe específico de constantes.**

Mistério de cinco minutos

### Uma longa viagem para casa

O capitão Byte da nave estelar "Traverser" de Flatland recebeu uma transmissão secreta urgente do quartel general. A mensagem continha 30 códigos de navegação fortemente criptografados que a Traverser precisaria para definir com sucesso um caminho para casa através de setores inimigos. Os inimigos Hackarianos, de uma galáxia vizinha, tinham inventado um diabólico raio misturador de código capaz de criar objetos falsos no acervo do único computador de navegação da Traverser. Além disso, o raio alienígena conseguia alterar variáveis de referência válidas para que apontassem para esses objetos falsos. A única defesa que a tripulação da Traverser tinha contra esse maligno raio Hackariano era executar um verificador de vírus embutido que poderia ter sido incorporado ao excepcional código Java 1.4 da nave.

O capitão Byte deu ao cabo Smith as seguintes instruções de programação para o processamento dos códigos críticos de navegação:

"Insira os primeiros cinco códigos em uma matriz de tipo ParsecKey. Insira os últimos 25 códigos em duas matrizes dimensionais cinco por cinco de tipo QuadrantKey. Passe essas duas matrizes para o método plotCourse() da classe pública final ShipNavigation. Quando o objeto de trajeto for retornado, execute o verificador de vírus em todas as variáveis de referência dos programas e, em seguida, execute o programa NavSim e me traga os resultados."

Alguns minutos depois o cabo Smith retornou com a saída do NavSim. "Saída do NavSim pronta para análise, senhor", declarou o cabo Smith. "Ótimo", respondeu o capitão, "Por favor, descreva o trabalho". "Sim senhor!", respondeu o cabo, "Primeiro declarei e construí uma matriz de tipo ParsecKey com o código a seguir; ParsecKey[] p = new ParsecKey[5];, em seguida, declarei e construí uma matriz de tipo QuadrantKey com o código a seguir: QuadrantKey [] [] q = new QuadrantKey [5] [5];. Depois, carreguei os 5 primeiros códigos da matriz ParsecKey usando um loop 'for' e então carreguei os últimos 25 códigos da matriz QuadrantKey usando loops 'for' aninhados. Em seguida, executei o verificador de vírus em todas as 32 variáveis de referência, 1 vez para a matriz ParsecKey e 5 para seus elementos, 1 vez para a matriz QuadrantKey e 25 para seus elementos. Quando a verificação retornou que não tinha detectado nenhum vírus, executei o programa NavSim e re-executei o verificador de vírus, apenas por segurança... Senhor!"

O capitão Byte fitou o cabo fria e longamente e disse com calma, "Cabo, você ficará preso em seu alojamento por colocar em perigo a segurança dessa nave, não quero ver sua cara nessa ponte novamente até que tenha aprendido adequadamente o código Java! Imediato Boolean, assuma pelo cabo e execute esse trabalho corretamente!"

Por que o capitão prendeu o cabo em seu alojamento?

*solução do problema*

Mistério de cinco minutos resolvido

## Uma longa viagem para casa

O capitão Byte sabia que em Java, as matrizes multidimensionais na verdade são matrizes composta por matrizes. A matriz cinco por cinco QuadrantKey 'q', precisaria de um total de 31 variáveis de referência para poder acessar todos os seus componentes:

1 – variável de referência de 'q'

5 – variáveis de referência de q[0] – q[4]

25 – variáveis de referência de q[0][0] – q[4][4]

O cabo esqueceu das variáveis de referência das cinco matrizes dimensionais embutidas na matriz 'q'. Qualquer uma dessas cinco variáveis de referência poderia ser corrompida pelo raio Hackariano, e o teste do cabo nunca revelaria o problema.

# Índice Remissivo

## A

A brincadeira da sintaxe 8
Abstrata 152
abstrato ou concreto? 151
Abstrato versus concreto 150
Account 161
A chamada a super( ) deve ser a primeira 187
acionar/iniciar seu aplicativo Java 29
A data e a hora completas %tc 219
A diferença entre métodos comuns (não-estáticos) e estáticos 200
A diferença entre variáveis de instância e locais 62
A diferença entre vida e escopo para as variáveis locais 190
Advertências e cuidados 222
Afaste-se dessa palavra-chave! 40
A função dos construtores da superclasse é dar vida a um objeto 184
Agora construiremos o jogo REAL: "Sink a Dot Com" 105
Agora corrigiremos o código DotCom. 104
Agora podemos jogar 86
Agora sabemos como um objeto nasce, mas quanto tempo ele vive? 189
A guerra das cadeiras revisitada... 126
A herança lhe permitirá garantir que todas as classes agrupadas sob um certo supertipo tenham todos os métodos que o supertipo tem.* 136
A interface vem nos socorrer! 164
Algumas classes não deviam ser instanciadas! 149
Algumas coisas que você pode fazer com ArrayList 100
A lógica 30
alterarNome 27
A Máquina Virtual Java 14
A mesma situação anterior, porém sem duplicação dos argumentos %tA %tB %td 219
Amoeba 24
Anatomia de uma classe 7
Animal 129, 133
Anime-se e conheça a biblioteca 99
A nova classe DotCom aperfeiçoada 105
Antes do Java 5.0, nós é que tínhamos que fazer tudo 210
A opção dois é um pouco melhor, mas ainda bem complicada 97
A opção um é muito complicada 97
Ao projetar empregando a herança, você está usando ou abusando? 135
A palavra-chave final não é usada apenas para variáveis estáticas... 207
API 101
API Java 95, 116
A pilha e o heap: onde as coisas residem 174
Aprofundando-se 1
Aqui está o que devemos testar: 77
argumento 69
Argumentos do método 212
ArrayList 101, 105, 157, 209, 211
ArrayList<String> 101
As 3 etapas de declaração, criação e atribuição de objetos 43
As coisas que um objeto conhece sobre si mesmo se chamam 27

**O Índice Remissivo**

As coisas que um objeto pode fazer se chamam 27

AskMe.com 106

As matrizes também são objetos 46

As novidades 80

As três coisas que escreveremos para cada classe: 75

A String de formato usa a sintaxe de sua própria linguagem 216

As variáveis devem ter um nome 38

As variáveis devem ter um tipo 38

As variáveis estáticas finais são constantes 206

Atribuições 212

Auto-empacotamento: tornando obscura a linha divisória entre tipos primitivos e objetos 211

Avançando e voltando no tempo 219

A versão final da classe DotCom 113

A vida na pilha de lixo coletável 44

# B

bark 55, 61

Baseado nesse código preparatório: 77

bathtub 133

biblioteca Java 99

BolaFutebol 157

Bolleano 39

Bolleano e char 39

Book 45

boolean 100

Boolean 210

boundaries 129

brand 58

Bubbles 133

Buchanan 68

BYOB 59

Byte 210

# C

Cada objeto desse tipo pode ter um método com comportamento diferente? 54

Candidatos desta noite: 65

Canine 133

Capturando a entrada do usuário 85

Capturando um objeto que estenda Calendar 220

Cara a Cara 14, 194, 223

Casa Habilitada com Java 12

Cat 129

CellPhone 176

Certo, talvez um exemplo ajude. 138

Chamando um construtor sobrecarregado a 188

Chamando um método na versão da superclasse 167

Chama-se "herança múltipla" e pode ser Algo Realmente Perigoso. 164

char 39

Character 210

checkUserGuess 109, 112

checkYourself 75, 79, 81, 98

Circle 25

circule 40

class Books 49

class Clock 65

class Dog 54

classe dot com 85

Classe DotCom 106

Classe DotComBust (o jogo) 106

Classe final 207

Classe Método Objeto Variável de instância 35

Classes 30

Classes abstratas versus concretas 152

Classes da biblioteca padrão Java 3

Classes de árvores de herança diferentes podem implementar a mesma interface. 166

classes e objetos 21

classe SimpleDotCom 75

class Hobbits 49

class Triangle 50

class XCopy 65

Codificando um aplicativo empresarial real 11

código 1, 2, 125

Código da paráfrase 13

código de teste 75

Código de teste da classe SimpleDotCom 78

Código final de SimpleDotCom e SimpleDotComTester 81

Código-fonte 2

Código Lunar 226

Código predefinido 85

Código pré-definido 86

Código pré-definido 115

código preparatório 75

Código preparatório da classe DotComBust real 109

Código preparatório da classe SimpleDotComGame 82

código real 75

Coisas interessantes que você pode fazer com os parâmetros e
tipos de retorno 58

Coletor de Lixo 173

colorAmt 133

Como chamar o construtor de uma superclasse? 186

Como corrigir? 97

Como funciona 13

Como isso é informado? 215

Como manipular o API 119

Como o código deve funcionar 96

Como o compilador interpretaria: 89

Como o erro se manifesta 96

Como o Java funciona 2

Como os objetos de uma matriz se comportam? 61

Como os Objetos se Comportam 53

Com o polimorfismo, você pode escrever um código que não
tenha que ser alterado quando novos tipos de subclasse
foram introduzidos no programa. 139

Como saber se você construiu sua herança
corretamente? 134

Como saber se você deve criar uma classe, uma subclasse, uma
classe abstrata ou uma interface? 167

Comparando ArrayList com uma matriz comum 103

Comparando variáveis (primitivas ou de referência) 63

compilador 39

Compilador 2

Compile 8

comportamento 53

Comportamento Arriscado 227

com uma variável de referência 47

configurarNome 27

conheça o API Java 95

Conheça suas Variáveis 37

Construa um objeto Duck 178

Construindo nossa própria lista específica de objetos Dog 153

Construiremos um jogo no estilo Batalha Naval 72

construtor 178

Construtores de superclasse com argumentos 187

construtores e coleta de lixo 173

Construtores possíveis para a classe Boop 187

contains 100

Continuação da classe DotComBust... 106

Continuação das implementações de métodos: 110

Controlando seu objeto Dog 41

Controle seu objeto Dog 47

Convertendo tipos primitivos 90

Convertendo uma referência de objeto 160

Converter um objeto String em um valor primitivo é
fácil 213

count 38

credit 161

Criando e implementando a interface de Pet 165

Criando e testando objetos Movie 29

Criando seu primeiro objeto 28

Criando uma classe com um método main 7

Criar um objeto Hippo também significa criar as partes referentes a Animal e Object... 185

Crie uma classe testadora (TestDrive) 28

Crie uma matriz de objetos Dog 46

Crie um objeto 43, 138

Cruzadas Java 18, 92

Cruzadas Java 7.0 123

# D

debit 161

Declarações de métodos 109

Declarações de variáveis 109

Declarações primitivas com atribuições: 39

Declarando e inicializando variáveis de instância 62

Declarando uma variável 38

Declare uma variável de referência 43, 137

De onde saiu esse 'x'? 117

De que Jai suspeitou 68

derramamento 39

Desempacotando um valor 210

# O Índice Remissivo

Desenvolvendo uma classe 74

Destaques do API Calendar 221

Detalhando a formatação... 215

dê um Mergulho Rápido 1

De volta à baia de Larry 23, 24

Dica 40

dica metacognitiva 83

Diferença entre for e while 88

Digitar 117

Diversão com o auto-empacotamento 212

Dog 129

Dot Com 106

DotCom 107

DotComBust 107, 112

dotComToTest 112

double 161

Double 210

drift 144

Duck 203

# E

Edição Neural 68

E isso significa para mim que... 137

ElectricGuitar 58, 59

E me preocupo porque... 137

emitirSom 53

Empacotando um tipo primitivo 209

Empacotando um valor 210

encapsulamento 65, 69

Encapsulamento 59

Encapsulando a classe GoodDog 61

Então, Brad, o adepto da OO ganhou a cadeira, certo? 24

Então NA VERDADE precisamos de: 163

Entendendo a herança 127

Entre em contato com seu objeto interior. 158

E o que ocorrerá se não fizermos isso? 186

E quanto ao método rotate( ) de Amoeba? 25, 126

E quanto às variáveis de referência? 191

Escrevendo a implementação dos métodos 76

Escrevendo o código de teste da classe SimpleDotCom 76

escrevendo um programa 71

Escreveremos o código real do método agora e faremos essa belezinha funcionar. 76

E se você tiver que alterar o contrato? 161

Espere um momento... Ainda não falamos sobre as superclasses e a herança, e o que tudo 184

Esquecemos algo quando projetamos essa classe? 148

Essa tabela está reservada 41

Estamos chamando o construtor de Duck. 177

Estamos chamando um método de nome Duck( )? 177

Estrutura do código em Java 6

Examinemos algumas opções de projeto para a reutilização de algumas 161

Executando o jogo de adivinhação 31

Execute 8

Exemplo de um loop while 10

Exemplos válidos de sobrecarga de métodos: 142

Expressões booleanas 212

Expressões booleanas super-poderosas 114

Exterminador de objetos número 1 192

Exterminador de objetos número 2 192

Exterminador de objetos número 3 193

Extreme Programming 76

extremidade 23

# F

fazer algo 8

fazer algo repetidamente 8

fazer algo sob essa condição 8

Fido 53

finishGame 109

Float 210

food 129

foo.go(x); 57

Formatação de números 214

Formatando um número para que use pontos 214

Fortaleceremos nossos métodos 71

# G

GameHelper 85, 107

Garbage 45

O Índice Remissivo

Garbage Collection  45

garbage collector  173

genre  29

Gere um número aleatório  85

getBrand  58

getNumOfPickups  58

getRockStarUsesIt  58

getSize  61

getUserInput  85

Go2.com  106

GoodDog  61

GoodDogTestDrive  61

"Gostaria de um café duplo, não traga um do tipo inteiro."  38

Guerra nas Cadeiras  22

GuessGame  30

# H

halterofilismo  183

Halterofilismo cerebral  205

HashMap  209

Hello  7

helper  85

herança e polimorfismo  125

Hippo  129

hoist  144

hunger  129

# I

igo para  22

Imãs com código  49

Imãs com código:  36

Ímãs com código  16, 34, 91

Ímãs com Código  93

Imãs com código lunar  225

Implementações de métodos  109

Implementar um método abstrato é como sobrepor um método  152

Importar  116

index  49

Inicializando o estado de um novo objeto Duck  179

Inicializando uma variável estática  205

Inicialize uma variável estática final:  206

Instruções  8

int  38, 45

Integer  210

Integer.parseInt  80

Integer.parseInt("3")  89

inteiro  39

interfaces e classes abstratas  147

int numOfHits  75

islands  49

Isso não será compilado:  203

Isso significa passar por cópia.  57

Isto NÃO funcionará:  220

Iterando e iterando e...  9

# J

J37NE  68

Java  1, 21, 39, 43, 199

Java 1.1  3

Java 1.02  3

Java 2  3

Java 5.0  3

Java Archive  32

JavaSound  227

Java Virtual Machine  7

javax  117

JVM  14, 42, 43, 93

JVMs  32

# K

Killer  53

# L

Larry acabou alguns minutos na frente de Brad.  23

Larry achou que tinha conseguido. Podia quase sentir as rodas de aço da Aeron rolando embaixo de seu...  22

*você está aqui* ▶  **479**

## O Índice Remissivo

latido 53

Lembre-se de que o relacionamento É-UM da herança funciona somente em uma direção! 134

Lembre-se: uma classe descreve o que um objeto conhece e o que ele faz 54

Lembrete: O Java acha o tipo importante! 58

Leveler 68

Lion 129

location 129

locationCells 97

Long 210

Loops 8

Loops for comuns 87

Losango Mortal 164

# M

main 7, 21

Mais informações sobre os loops for 87

manipulação de exceções 227

Mantendo o contrato: regras para a sobreposição 140

Máquinas virtuais 2

Mas aqui é que começa a ficar estranho: 149

Mas espere! Há mais! 133, 139

Mas espere! Há mais! Os empacotadores também têm métodos utilitários estáticos! 213

Mas onde está o construtor? 178

Mas o que aconteceu? 96

Mas o que é essa ultrasupermegaclasse Object? 155

Mas o que pode usar como nomes? 40

Mas o que toda essa herança lhe proporcionará? 136

Mas se você tentar fazer isto: 213

Math 32

Math.abs( ) 209

Math.max( ) 209

Math.min( ) 209

Math.min(42, 36); 201

Math.random( ) 209

Math.round( ) 209

matriz 45

matriz comum 101

matrizes 13

matriz int 47

matriz locationCells 98

Melhor Viver em Objetópolis 125

Mensagens

misturadas 18

Mensagens misturadas 66, 91, 142, 145

método 57, 69

método checkYourself 79

método comum (não-estático) 200

método de captura 69

método de configuração 69

Método final 207

método main 21

método não-estático 203

Métodos abstratos 151

Métodos de Math 209

métodos de sobreposição 127

Métodos estáticos não podem usar variáveis não estáticas (de instância)! 202

Métodos estáticos também não podem usar métodos não-estáticos! 202

Métodos Extra Fortes 71

Método: void setUpGame( ) 109

MIDI Music Player. 227

Mini-revisão: quatro coisas a memorizar sobre os 183

MixFor5 91

MOVIE 29

Mushroom 181

myDuck 177

myFoo 41

myList 100, 103

# N

Na baia de Larry 22

new Foo 64

No laptop de Brad dentro do restaurante 22

No polimorfismo, o tipo da referência pode ser uma superclasse com o tipo do objeto real. 138

null 45

numéricos 39

números e elementos estáticos 199

Números são Importantes 199

numOfPickups 58

conjuntos *e tipos genéricos*

# O

object-oriented  21

objetivo  19

objeto CellPhone  176

objeto de matriz Dog  46

objeto Duck  177

Objetópolis  21

Objetos HeapQuiz:  51

Objetos não latem.  158

Objetos populares  196, 198

obterNome  27

O caso das referências roubadas  51, 52

O cenário de uma pilha  175

O compilador  14

O compilador não criará sempre um construtor sem  181

O compilador não permitirá que você instancie uma classe
abstrata  149

Oculte os dados  60

O especificador de formato  216

O filho pode existir antes dos pais?  186

O Java acha o tipo importante.  47

O Java coleta o lixo  31

O Java passa por valor.  57

O jogo cria três Dot Coms  73

O jogo de adivinhação  30

O "Jogo Dot Com Simples"  73

O jogo insere as três Dot Coms em  73

O jogo termina  73

Olhe dessa forma...  27

O loop for aperfeiçoado  88

O melhor é que uma classe pode implementar várias
interfaces!  166

O mesmo código, com importações estáticas:  222

O método main( ) do jogo  84

O método não pode ser menos acessível.  141

O milagre da criação de objetos  177

Operações e números  212

Operador de exceção (!= e !)  114

Operador de pré e pós-incremento/decremento  88

Operadores de abreviação (&&, ||)  114

Operadores 'E' e 'Ou' (&&, ||)  114

Operadores sem abreviação (&, |)  114

O percentual (%) representa "insira o argumento aqui" (e
formate-o usando essas instruções)  215

O polimorfismo em ação  153

O que aconteceria se eu tivesse mais de um
argumento?  218

O que aconteceria se o objeto Dog estivesse em uma matriz
Dog?  47

O que é isso? Um erro?  86

O que está faltando?  46

O que é válido?  64, 208

O que existe em uma CLASSE?  6

O que existe em um          arquivo-FONTE?  6

O que existe em um MÉTODO?  7

O que importa para mim porque...  137

O que isso significa em português claro:  89

O que precisa ser alterado?  106

O que significa em português simples: "repetir 100
vezes."  87

O que significa termos uma classe com métodos
estáticos  201

O que você disser que retornará é bom que seja mesmo
retornado!  56

O que você fará em Java  2

O que você gosta na OO?  26

O que você pode inserir no método main?  8

Os argumentos devem ser iguais e os tipos de retorno devem
ser compatíveis.  141

O significado de null  193

Os métodos de Math: o mais próximo que você chegará de um
método global  200

Os métodos são empilhados  174

Os métodos são o contrato.  140

os métodos usam variáveis de instância  53

Os tipos de retorno podem ser diferentes.  141

O suspense está me matando. Quem ganhou a cadeira?  26

O tamanho afeta o latido  54

O TIPO é obrigatório, o restante é opcional.  217

O único especificador obrigatório é o do TIPO  217

O uso de referências polimórficas de tipo Object tem um
preço...  156

O usuário inicia o jogo  73

Outros recursos estáticos! Importações estáticas  222

*você está aqui* ▶  **481**

# O Índice Remissivo

## P

padrões de bits  64

Para comparar duas variáveis primitivas, use o operador  63

Para definir uma interface:  164

Para implementar uma interface:  165

Para saber se duas referências são iguais  64

Para usar uma classe da API, você terá que saber em que pacote ela está.  116

Parece que o pacote java.util.Date está realmente... Desatualizado  219

parte de interação do jogo  72

Parte dois: o conjunto atual  89

Parte um: declaração da variável de iteração  89

passar por valor  69

pequeno erro à espreita  81

Percorrendo um loop  87

Pergunta adicional  34

Pergunta adicional!  50

Pesquise em um livro  119,  120

Pets.com  106

PetShop  161

picture  129

Planejamento  125

Planejamento do Polimorfismo  125

playSound  23

Poder do Cérebro  26,  74,  127,  139,  151,  161,  183,  256

Polimorfismo  125

Polimorfismo Real  147

'Polimorfismo' significa 'muitas formas'  159

Portanto, agora você sabe o quanto o Java se preocupa com os métodos da classe  160

Portanto, use o método estático "getinstance( )":  220

Primeiro, um projeto de alto nível  72

println  112

private String name  187

private void finishGame() {  113

Procurando mais oportunidades de usar a herança  130

Projetando uma árvore de herança  132

Projetemos a árvore de herança de um programa de simulação de animais  129

public  69,  203

public class Foo {  208

public class Foo3 {  208

public class Mix4 {  66

public class Puzzle4  67

public static void main  66

## Q

Quais são os valores das variáveis de instância?  149

Qual a aparência de um novo objeto Animal( )?  149

Qual é a declaração?  171

Qual é a diferença entre uma classe e um objeto?  27

Qual é o cenário?  169

qualificável  191

Qual o significado real dessas instruções?  215

Qualquer classe que não estender explicitamente outra classe estenderá implicitamente Object.  154

Quando você projetar uma classe, pense nos objetos que serão criados com esse tipo de classe. Considere:  26

Quebra-cabeça da piscina  36

Quebra-cabeças na Piscina  19,  34,  50,  67,  144,  170

Que métodos devemos sobrepor?  130

Que método será chamado?  131

Quem faz o que no jogo DotComBust (e quando)  107

Quem fica com o Porsche e quem fica com a porcelana?  135

Quem sou eu?  35,  36,  65

## R

RAM  173

Ramificação  8

Ramificação condicional  10

random  14

random( ) e getUserInput( )  85

randomNum  85

Rápido! Saia de main!  29

rating  29

Recapitule as 3 etapas de declaração, criação e atribuição de objetos:  177

referência de Duck  177

Resposta do pequeno mistério...  69

Respostas das Cruzadas Java  124

Respostas do exercício  5

Resumo  30

*conjuntos e tipos genéricos*

retorno 69

retorno, argumento 69

rockStarUsesIt 58

RolodexTM 27

runReport 167

# S

Saída 2, 50

saída do código 10

sail 144

Salve 8

Se as variáveis locais residem na pilha, onde residem 176

Segunda de manhã na casa de Bob 12

Seja a JVM 90

Seja o Coletor de Lixo 196

Seja o compilador 17, 33, 49, 65, 143, 224, 226

Seja o compilador: 36

Seja o Compilador 145

setBrand 58

setNumOfPickups 58

setRockStarUsesIt 58

setSize 61

setUpGame 112

Se você tentar criar uma instância da classe Math: 200

Shape 25

shapeNum 23

Short 210

SimpleDotCom 75, 85

SimpleDotComTestDrive 81

Sink 106

Sink a Dot Com 72

size 61

Snowboard 159

Sobrecarregando um método 141

Solução do pequeno mistério 198

Solução do Quebra-cabeças 172

Solução dos Exercícios 171

Soluções dos exercícios 145, 226

Soluções dos Exercícios 20, 36, 52, 69, 93, 124, 198

Soluções dos quebra-cabeças 20, 36, 52, 94

Soluções dos Quebra-cabeças 69

SompleDotComGame 85

Square 22

Starbucks 38

startPlaying 109, 112

StimDrop 68

String 49, 112, 199

String guess 85

strings 13, 21

String userGuess 75

Superclasse 126

System.out.println 41

System.out.println(islands[ref]); 49

System.out.println(x); 208

# T

Tantos detalhes quanto aos números, mas e as datas? 218

tarefa 19, 34

Tempos difíceis em Stim-City 68

Termine a hierarquia de classes 131

TestArrays 49, 52

testar sua classe real 29

TestDrive 28

Testes booleanos simples 9

theCat.height 59

Tiger 129

tipo primitivo 210

Tipos primitivos 39

title 29

Todo construtor pode ter uma chamada a super() ou this(), mas nunca as duas! 188

Todos os animais comem da mesma maneira? 130

Torne fácil a criação de um objeto Duck 180

Torne fácil lembrar 33, 41, 64, 119, 134, 166, 189, 203

Trabalhando com datas 219

Trabalhando com objetos Calendar 220

Triangle 25

Tudo acontece em main( ) 82

Tudo sobre o Java 43, 60, 102

# U

Uma ArrayList de tipos primitivos inteiros 211

Uma classe não é um objeto. 27

*você está aqui* ▶ **483**

Uma interação completa do jogo  86, 96
Uma interação diferente do jogo  86, 96
Uma introdução mais amigável  73
Uma matriz é como uma bandeja com xícaras  45
Uma pilha de problemas  51
Uma referência de objeto é apenas outro valor da variável.  42
Um ArrayList de tipos primitivos inteiros  211
Uma última classe: GameHelper  85
Uma Viagem até Objetópolis  21
Um código escrito da maneira tradicional:  222
Um exemplo de como trabalhar com um objeto Calendar:  221
Um exemplo de Dog  48
Um exemplo de herança  128
Um histórico bem resumido do Java  3
Um método abstrato não tem corpo!  151
Um método usa parâmetros. Um chamador passa argumentos.  55
Um objeto seria como um registro de sua agenda de endereços.  27
Um pequeno mistério  51, 68, 197
Um único objeto Hippo do heap  185
Usando a biblioteca (a API Java)  116
Usando a Biblioteca Java  95
Usando a herança para evitar a duplicação de código em sub-classes  129
Usando É-UM e TEM-UM  132
Usando o construtor para inicializar um estado importante de Duck*  179
Usando o laptop de Brad em sua espreguiçadeira no Festival de Bluegrass de Telluride  24
Usando o laptop de Brad na praia  23
Use java.util.Calendar em sua manipulação de datas  220
Use-o ou arrisque-se a ser humilhado e ridicularizado.  59
Use os documentos HTML do API  119, 121

# V

Valores de retorno  212
variáveis de instância  69, 127
Variáveis de instância  174

variáveis de instância, métodos de captura e configuração  69
Variáveis de referência:  51
variáveis estáticas  205
Variáveis locais  174
Variáveis não-estáticas finais  207
variáveis primitivas e de referência  37
Variável de instância  223
Variável de referência  42
Variável estática  223
Variável estática:  204
Variável primitva  42
Verá essa mensagem de erro:  200, 202
Verá uma exceção de tempo de execução:  213
Vida e Morte de um Objeto  173
Vida e morte na pilha  45
Vincule o objeto e a referência  43
Você DEVE implementar todos os métodos abstratos  152
Você não pode alterar SOMENTE o tipo de retorno.  141
Você não pode capturar uma instância de Calendar, mas pode capturar uma instância de  220
Você não queria derramar isso realmente...  39
Você pode atribuir um valor a uma variável de várias maneiras dentre elas:  40
Você pode enviar mais de um valor para um método  56
Você pode enviar valores para um método  55
Você pode fazer valores serem retornados por um método  55
Você pode ter argumentos e tipos de retorno polimórficos.  139
Você pode variar os níveis de acesso em qualquer direção.  142
Você precisa saber o nome completo* da classe que deseja usar em seu código  116
Você tem que informar ao Java que ArrayList deseja usar. Há duas opções:  116
void go  56
void go(int z) { }  57
void go(intz) { }  57

# W

WareHousing  68
Wolf  129, 133
Wonderbread  23